3.

HET GROOT LEVEN LANG FIT KOOKBOEK

Van Harvey en Marilyn Diamond verschenen eveneens bij De Kern:

Een leven lang fit
Leef gezond
Je hart – je wereld

Marilyn Diamond

LEVEN
LANG
FIT
KOOKBOEK

Derde druk

Dit boek is met veel respect en liefde
opgedragen aan u, die het nu in uw hand heeft

Omslagontwerp: Chaim Mesika BNO
Omslagfoto's: Pacific Masterworks/Karen Wilson/Harvey and Marilyn Diamond's Fit for Life, Inc.
Copyright © 1990: Harvey and Marilyn Diamond's Fit for Life, Inc.
Copyright © 1991 voor het Nederlandse taalgebied:
BV Uitgeverij De Kern, Baarn
Verspreiding voor België: Standaard Uitgeverij, Antwerpen

CIP-GEGEVENS KONINKLIJKE BIBLIOTHEEK, DEN HAAG

Diamond, Marilyn

Het groot leven lang fit kookboek / Marilyn Diamond ;
[vert. uit het Engels door Iris van der Blom ; bew.: Jan
Morgan]. – Baarn : De Kern
Vert. van: The American vegetarian cookbook : from the fit for life kitchen. – New York, NY : Warner Books, 1990.
ISBN 90-325-0379-0 geb.
NUGI 421
Trefw.: vegetarische kookboeken.

Aan dr. C. Everett Koop, Amerika's vooruitstrevende en moedige voormalige Hoofdinspecteur van Volksgezondheid, die ons heeft geleid naar een hoger plan van bewustwording.

Wij willen u de bemoedigende woorden niet onthouden van deskundigen op het gebied van de gezondheidsleer uit het hele land, die de benadering van *Een Leven Lang* Fit en de idealen die tot dit boek hebben geleid, onderschrijven:

'Marilyn Diamonds nieuwe kookboek leidt ons met een enorme stap in de richting van ons doel "gezondheid en geluk", nu we het laatste decennium van deze eeuw ingaan.'

> **Glenn H. Koepke, M.D.**
> **Eerste-Hulparts**
> **St Joseph Hospital**
> **Tucson, Arizona**

'Marilyn Diamond toont ons een verstandige benadering van onze eigen voeding en die van onze kinderen, zodat we allen *Een Leven Lang Fit* kunnen zijn.'

> **Joseph Girone, M.D.**
> **Hoogleraar in de Kindergeneeskunde**
> **Medische Faculteit van de**
> **Temple University**
> **Philadelphia, Pennsylvania**

'Het belangrijkste advies dat ik mijn patiënten kan geven om hun gezondheid en leefwijze te verbeteren, is dat ze hun eetgewoonten moeten veranderen en de filosofie van *Een Leven Lang Fit,* die in dit boek uiteengezet wordt, dienen aan te houden.'

> **Toni Manos, M.D.**
> **Eerste-Hulpgeneeskunde**
> **Yonkers, New York**

'Dit boek is een meesterwerk! Ik beveel het mijn patiënten aan en alle anderen die een optimale gezondheid willen nastreven. De fantastische recepten en ideeën dragen bij tot een eenvoudig, zeer smakelijk en gezond voedingspatroon.'

> **Victoria Arcadi, D.C.**
> **Los Angeles, Californië**

'Het grootste deel van de chronische en levensbedreigende ziekten van onze tijd kan voorkomen worden als men zich houdt aan een gezond vegetarisch dieet, zoals dat zeer effectief gepresenteerd wordt in Marilyn Diamonds nieuwe kookboek.'

Joel Fuhrman, M.D.
St Joseph's Medical Center
Yonkers, New York

'Marilyn Diamonds nieuwe vegetarische kookboek is het handboek van de revolutie op het gebied van de voeding van de jaren negentig. De dienst die de Diamonds ons hebben bewezen door hun streven kennis omtrent de voedingsleer te verspreiden met behulp van *Een Leven Lang Fit* is immens groot.'

Terry Grossman, M.D.
Granby Medical Center
Granby, Colorado

'Marilyn Diamonds nieuwe kookboek doet de geneugten van goede voeding eer aan op een wijze die geheel overeenkomt met alle tot nu toe beschikbare medische kennis. Voorts overstijgt zij deze door een einde te maken aan alle verwarring omtrent goede en slechte cholesterol, triglyceriden en lipiden, omdat deze elementen gewoonweg ontbreken in de recepten. U kunt dit boek met een gerust hart gebruiken.'

Edward Taub, M.D.
Medische Faculteit van de
University of California
Irvine, Californië

'Het is duidelijk dat vegetarische en bijna-vegetarische diëten enorme medische, economische, politieke en humanitaire voordelen hebben. Ik wil Marilyn Diamond prijzen voor het feit dat zij haar kennis via dit boek aan anderen overdraagt.'

Joshua Leichtberg, M.D.
Medisch Directeur
Suma Medical Group
Beverly Hills, Californië

'Dit nieuwe boek behelst een geweldige handleiding voor goede voeding, zowel voor beginners als voor gevorderden. Dit boek zal u ertoe inspireren wat meer "durf" te tonen in de keuken. De principes van *Een Leven Lang Fit* hebben een enorm gunstige invloed gehad op het leven van mijn patiënten en mijzelf.'

Barbara Beuckman, D.C.
Beuckman Chiropractic Center
Belleville, Illinois

'Meer dan ooit spelen voedingsadviezen een sleutelrol bij het diagnosti-seren en bij het plannen van behandelingen om tot een optimale gezond-heid van het gebit te komen. Ik wil het belang van de principes van *Een Leven Lang Fit,* die in Marilyn Diamonds nieuwe boek uiteengezet wor-den, graag benadrukken. Ik zie er persoonlijk al naar uit de gezondheids-avonturen die erin beschreven zijn, te gaan beleven.'

Stanley Corwin, D.D.S.
Lid van de Academy of General
Dentistry Los Angeles, Californië

'Ik kan dit waardevolle boek niet sterk genoeg aanbevelen. Het is uitste-kend! De recepten zijn verrukkelijk. Dit boek maakt het aanbieden van voedsel aan anderen tot een vorm van liefde.'

Phyllis Terry-Gold, Ph.D.
Klinisch Psycholoog
Hofstra University
Hempstead, New York

'De dieetrichtlijnen die gelden voor de Verenigde Staten kunnen makkelijk worden aangehouden met behulp van een vegetarisch dieet, zoals dat wordt gepresenteerd in Marilyn Diamonds nieuwe kookboek. Dit *Een Leven Lang Fit* programma kan ertoe bijdragen dat men zich goed voelt, dat men langer leeft en dat het welzijnsniveau op onze planeet zal stijgen.'

Jerrine Pauling, R.D.
American Dietic Association
Sedona, Arizona

'Geen ziektebeeld en geen lichamelijke conditie zou niet in gunstige zin veranderen – soms met grote sprongen – door een goed vegetarisch dieet. Marilyn Diamond is erin geslaagd de beste traditionele kennis op het ge-bied van het vegetarisme te combineren met de nieuwste ideeën daarom-trent. Hierdoor wordt vegetarisme buitengewoon plezierig en komt het bin-nen het bereik van iedereen, ongeacht zijn of haar eerdere eetgewoonten.'

Henry Golden, D.C.
International Sports Medicine
Consultant
Arts voor Natuurgeneeswijzen
Acupuncturist
West Hills, Californië

'Vegetarisme gebaseerd op de *Een Leven Lang Fit* benadering is een opwindende, gezonde levenswijze. Mijn eigen ervaring hiermee vormt het levende bewijs voor mij dat de levenswijze die Marilyn Diamond in dit boek uiteenzet, zeer veel voordelen heeft.'

Lynn Freeman, R.N.
Medical Center of North Hollywood
North Hollywood, Californië

'Marilyn Diamonds nieuwe boek, dat op slimme wijze is vermomd als kookboek, wijst ons in feite de weg naar een klinkende gezondheid. Het is op voedingsgebied een collectie parels van wereldklasse en bovendien bevat het zeer lezenswaardige wijsheden omtrent voeding. Als arts heb ik herhaaldelijk gezien hoe aanhangers van de *Een Leven Lang Fit* methode grote verbetering in hun lichamelijke conditie tot stand brachten.'

Michael Klaper, M.D.
Santa Cruz, Californië

DANKWOORD

Met alle liefde wil ik graag mijn familieleden bedanken, die mij geholpen en gesteund hebben gedurende de jaren die het schrijven van dit boek in beslag heeft genomen.

__Harvey__, die mij tot voorbeeld is geweest in zijn toewijding en overtuiging...

__Lisa__, die oneindig veel uren heeft meegewerkt om het werk te volbrengen...

__Beau__, die opgewekt zijn eigen gang ging als Mamma het te druk had...

__Greg__, die tegen mij zei: 'Mam, je kunt het heus wel', als ik juist die woorden nodig had...

__Mamma__, die me heeft leren koken... en die me het advies gaf dit boek te schrijven...

__Pappa__, die me steeds moreel steunde met vaderlijke adviezen...

__Linda__, die steeds bereid was mij recepten te geven, terwijl zoveel andere zaken haar aandacht vroegen...

__Doris__, die mij geleerd heeft dat er altijd tijd is om iets aardigs voor een ander te doen...

__Oma Ida__, die op haar negentigste nog zo inspirerend en jeugdig is...

Alle goede vrienden die bereid waren mij met raad en daad bij te staan wil ik graag dankzeggen en vertellen hoezeer ik dat heb gewaardeerd...

__Patti Breitman, Paul Obis, Joe Dawson, William Shurtleff, Richard Rose, Deo__ en __John Robbins, Jae Duckhorn, Albert Lusk, Alan Goldhammer, Cheryl Mitchell__ en vooral:

__Nansey Neiman__, mijn uitgever, voor haar vertrouwen in het boek...

__Fredda Isaacson__, mijn redacteur, die heeft geholpen bij het redigeren, organiseren en verduidelijken van de tekst...

__Chuck Ashman__, mijn goede vriend, die me zei: 'Dit is ook een onderdeel van mijn leven.'

Slank en gezond eten betekent gevarieerd eten. Tegenwoordig staan diverse keukenhulpen ons ter beschikking die het bereiden van de gerechten makkelijker en sneller doen verlopen. Deze apparaten besparen een hoop werk en tijd en zijn bijzonder eenvoudig te bedienen.

Belangrijk bij de keuze van zo'n technische keukenhulp zijn de betrouwbaarheid, de levensduur en het gebruiksgemak. Daarnaast spelen het vermogen en de uitbreidingsmogelijkheden een rol. Voor het maken van de recepten in dit boek kunt u kiezen voor de keukenapparatuur van Braun, omdat deze het beste voldoet aan de gemiddelde wensen. De belangrijkste keukenhulpen zullen wij hier in het kort bespreken.

Braun Multipractic 40 foodprocessor

De foodprocessor is de meest veelzijdige hulp in uw keuken, die u veel werk uit handen neemt. In een handomdraai heeft u worteltjes geraspt, aardappels in schijfjes gesneden, groente fijngesnipperd, sinaasappels geperst, tomaten gepureerd, eiwit geklopt of deeg gekneed; en dat zijn slechts een paar mogelijkheden.

De Braun Multipractic is een compacte, zeer doordacht geconstrueerde foodprocessor. Het is verstandig om de machine, gebruiksklaar, op het werkvlak of aanrecht een vaste plaats te geven.

De foodprocessor onderscheidt zich door de veelzijdigheid en betrouwbaarheid, en door de goede resultaten die verkregen worden bij het bereiden van de gerechten.

Bijna alle bewerkingen vinden plaats in één grote kom, die voldoende inhoud heeft om bijvoorbeeld 1,5 kilo brooddeeg te kneden. De meeste bewerkingen worden uitgevoerd door het sikkelmes met een deegpropeller en voor het kloppen van slagroom of eiwit is er een speciale garde. Speciaal voor kleine hoeveelheden heeft de Braun Multipractic een inzethakmolen. Deze kleine hakmolen past in de grote kom en is ideaal voor het snipperen van een uitje of een teentje knoflook, of het fijnmaken van wat noten. Voor het snijden, raspen of schaven wordt met een plaathouder gewerkt, waarin 5 verschillende inzetplaten passen. Met dit geavanceerde systeem kunt u de snijdikte van de plakjes komkommer, tomaat, enz. zelf bepalen. De snijdikte is eenvoudig in te stellen van 0,5 tot 9 mm.

Sikkelmes

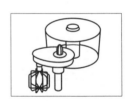

Instelbaar snijafraspsysteem

Kneedpropeller

Slagroom-eiwitgarde + extra kom

Inzethakmolen

Al deze bewerkingen worden bijzonder makkelijk gemaakt door de stille motor met traploze snelheidsregeling.

De Braun Multipractic is verder uit te breiden met een aantal praktische accessoires, zoals een opzetcitruspers, een opzetsapcentrifuge, een opzetgraanmolen of een weegschaal.

Braun staafmixers met hakmolen: een ingenieuze combinatie

Met de staafmixer kunt u tal van koude en warme sausen, soepen, purees, frisse dranken en babyvoeding maken. Bij de staafmixer wordt een maatbeker meegeleverd, maar de staafmixer kan evengoed in potten en allerhande bekers worden gebruikt, of bijvoorbeeld in de pan waarin u aan het koken bent. Slechts even het mesgedeelte onder de kraan houden en schoon is de staafmixer weer. Dankzij de praktische wandhouder staat het apparaat nooit in de weg en is het toch altijd binnen handbereik.

Door de hakmolen worden de toepassingsmogelijkheden van de staafmixer aanzienlijk groter. Binnen enkele seconden hakt u uien of kaas, snippert u snel een augurkje en worden kruiden fijngehakt.
Ook het hakken van noten is met deze handige hakmolen een peuleschil. Bovendien is de staafmixer met hakmolen ideaal voor het maken van een heerlijk babyhapje.

Braun sapcentrifuges voor gezonde sappen

Braun sapcentrifuges halen snel en eenvoudig sap uit groente en fruit. Bijv. appelsap of tomatesap, sap van wortels, bietjes, peren, druiven of ananas. Vers sap is niet alleen lekker, maar ook goed voor de gezondheid, want vruchte- en groentesappen zijn puur en ongezoet, dus ook goed voor de slanke lijn én uw gebit.

Kortom, maak gezond eens lekker gemakkelijk; met de Braun keukenhulpen.

BRAUN

Inhoudsopgave

Een persoonlijke brief

Beste lezer,

In de vier jaren die zijn verstreken sinds de verschijning van *Een Leven Lang Fit* en *Leef gezond* hebben velen van u ons per brief gevraagd om meer recepten. Ook hebben ons vragen bereikt omtrent voeding voor kinderen en andere gezinsleden die enigszins sceptisch stonden tegenover een verbetering van hun dieet. Men stelde ons vragen over voedingsprodukten en keukenapparatuur en ook ontvingen wij persoonlijke recepten, die ik waar mogelijk heb opgenomen in dit boek, zodat een ieder ervan zal kunnen profiteren. Ik dank u allen hartelijk voor de tijd die u hebt genomen om ons te vertellen over uw successen, ervaringen en zaken waarover u zich bezorgd maakte. Door u heb ik me tot dit boek laten inspireren.

Met groot genoegen nodig ik u uit in mijn vegetarische keuken. Het is een fantastische, blijmakende keuken, die gewijd is aan smakelijk voedsel en een goede gezondheid!

Fantastisch? Omdat de recepten die u op de navolgende pagina's aantreft dat ook werkelijk zijn. Ze smaken echt lekker!

Blijmakend? Zeker weten! Als uw keuken er niet alleen op gericht is uw smaakpapillen te plezieren, maar ook ten doel heeft uw gezondheid te bevorderen – en de gezondheid van uw dierbaren – dan gebeurt het volgende:

U voelt zich blij!

Omdat het voedsel zo goed smaakt en omdat u weet dat het goed voor u is,

Voelt u zich werkelijk blij!

'Eten moet leuk zijn.' Dit zijn de letterlijke woorden van onze Beau van elf. Ik voeg daar nog aan toe: 'Eten moet verrukkelijk smaken.' Soms heb ik het gevoel dat veel mensen, in een poging hun voeding gezonder te maken, deze twee belangrijke eigenschappen uit het oog dreigen te verliezen. De psychologische en emotionele aspecten van een maaltijd zijn net zo belangrijk als het voedsel dat op uw bord ligt. Als we een keuze maken uit het brede scala van gezonde produkten die we tot onze beschikking hebben en we van het eten zelf genieten met de eerbied en dankbaarheid waarop het voedsel recht heeft, kunnen we zo gezond worden als we willen. Smaak is echter van even groot belang. Als u en uw familie en vrienden niet echt genieten van wat u heeft klaargemaakt, zal geen enkele aanbeveling over de gezondheidswaarde van een gerecht ook maar enig enthousiasme opleveren. VOEDSEL DOET EEN

MENS ALLEEN MAAR GOED ALS HET GOED SMAAKT!

U, als enthousiaste voorstanders van *Een Leven Lang Fit* die de principes trouw volgen en daarvan de vruchten plukken, zult een wereld van nieuwe recepten en nieuwe informatie aantreffen, waardoor uw horizon verbreed zal worden. U treft nieuwe technieken en ingrediënten aan die u kunt toepassen en waardevolle nieuwe mogelijkheden die ertoe zullen bijdragen dat de vegetarische keuken de opwindendste, vernieuwendste, meest relevante en meest smakelijke keuken zal worden die we momenteel kennen.

Als u tot de vele mensen in dit tijdsgewricht behoort die hebben besloten dat het hoog tijd is bepaalde schadelijke produkten uit het dieet te bannen en gezonder te gaan eten, kunt u er zeker van zijn dat dit boek u bij dit wijze besluit zal steunen. Uit dit boek zijn alle cholesterol en verzadigde vetzuren, alle geraffineerde suikers en onvolwaardige granen en bijna al het zout weggelaten, met als doel u te helpen nog een stap in de richting van een betere gezondheid te zetten en wel op een plezierige manier. U doet dat door het ene na het andere gerecht te bereiden dat gebaseerd is op gezonde ingrediënten.

Een Leven Lang Fit is een filosofie die een solide basis vindt in fysiologische principes en die noodzakelijkerwijs flexibel is om toepasbaar te zijn in allerlei psychologische en sociale omstandigheden. In die situaties waarin bepaalde combinaties van voedingsmiddelen, het eten van fruit in de ochtend of het weglaten van bepaalde favoriete ingrediënten u niet goed uitkomen, biedt dit boek u smakelijke en nuttige keuzemogelijkheden. Bij het opnemen van dergelijke recepten heb ik vooral gedacht aan moeders met kinderen die de kleuterleeftijd, waarop ze alles van ons wilden aannemen, inmiddels zijn ontgroeid. Kinderen die de leeftijd van zeven, acht of negen jaar hebben bereikt, hebben er behoefte aan een zelfde leefpatroon te volgen als hun leeftijdgenoten. Het is van groot belang om aan deze behoefte gehoor te geven. Kinderen van deze leeftijd willen dat hun voeding er net zo uitziet als de voeding van alle andere kinderen. Geen 'raar eten', als u begrijpt wat ik bedoel. Ik wil op geen enkele wijze de indruk wekken dat u zich zou moeten richten op snackbarvoedsel, maar ik wil wel zeggen dat u, in die relatief korte periode dat uw kinderen eten wat u ze voorzet, uw best zou moeten doen de gerechten die ze graag eten zo gezond mogelijk klaar te maken. Daarbij zorgt u ervoor dat voedsel geen omstreden punt wordt waarvan iedereen 'buikpijn' krijgt. Geef ze in die periode echter wel informatie. Vertel hun wat u zelf hebt geleerd. Slechts weinig volwassenen beseffen dat veel kinderen, als ze de kennis bezitten, zelf keuzes gaan maken die hun eigen gezondheid ten goede komen.

Bij het zo gevarieerd mogelijk samenstellen van de recepten heb ik me ook laten leiden door alle brieven die ik heb ontvangen van mensen die me schreven over hun relatie tot anderen. Ik spreek van mensen die zelf gemotiveerd zijn om hun dieet te veranderen, maar die ervaren dat het hun partners of vrienden moeilijk valt aan te nemen dat de gevoelens van welzijn, het geluk en de energie die voortkomen uit een beter dieet de moeite van enige aanpassing waard zijn. Net als kinderen, hebben deze 'tegenstribbelende' mensen bekend voedsel nodig en vinden ze het niet prettig als hun lievelingsgerechten hun onthouden worden en vervangen worden door iets dat ze niet kennen. De recepten waarbij ik de touwtjes wat heb laten vieren, zullen u helpen te bereiken dat ze voldaan en enthousiast zullen zijn, dat hun energieniveau verhoogd en hun cholesterolgehalte lager zal worden. Bovendien zullen zij merken dat ze wat makkelijker in hun kleding passen. Er bestaan ook heel veel gezonde, feestelijke gerechten die u uw familie en vrienden kunt aanbieden als zij wel lekker willen eten, maar er geen zin in hebben een filosofie te gaan aanhangen. Dit boek is bestemd voor allen – moeders en anderen – die graag gezonder willen koken, maar die de moed hadden opgegeven omdat er te veel verandering in het bestaande voedingspatroon bij kwam kijken.

Dit boek is ook bestemd voor diegenen die menen niet over het vereiste kooktalent te beschikken om er wat van te maken! Zowel mannen als vrouwen die nog nooit eerder in hun leven hadden gekookt, zijn er zeer handig – en zelfs creatief – in geworden, omdat recepten als deze zo eenvoudig zijn en omdat beter eten tot resultaat heeft dat men zegt: 'Ik voel me zo goed'. Voor al die actieve en energieke mensen op leeftijd – de zestigers, de zeventigers en de tachtigers – die ons geschreven hebben om hun waardering tot uitdrukking te brengen voor de verbeteringen in hun conditie, brengen we nu meer makkelijke recepten, die ervoor zullen zorgen dat u vertrouwen in uw gezondheid zult blijven houden.

Voor diegenen die geen tijd hebben om eten klaar te maken – ik weet dat er miljoenen mensen zijn in die situatie – zijn er de vele 'Snelle Recepten', waarvan de bereidingstijd varieert van tien minuten tot iets minder dan een uur voor een *volledige maaltijd*.

Met andere woorden, dit boek is bestemd voor IEDEREEN! Als onverbeterlijk voorstander van goede voeding, kan ik het niet verdragen iemand buiten te sluiten, ook al houdt dat in dat ik af en toe de teugels van de fundamentele principes enigszins moet laten vieren of twee of drie filosofieën moet combineren om iedereen ter wille te zijn. Voeding is zeer persoonlijk. Er zijn op voedingsgebied vele filosofieën, die alle iets goeds in zich dragen, maar *geen* daarvan is *te allen tijde voor iedereen* geschikt. De beste aanpak in onze eclectische maatschappij is te zorgen dat we onze voeding eclectisch gaan bekijken. Ik dring er bij u op aan dat u datgene doet dat bij u past, zonder dat u zich ooit schuldig voelt of meent in de verdediging te moeten gaan. Dit zijn twee gevoelens die onze voeding niet horen te omringen!

In deze tijd van verandering is flexibiliteit de sleutel tot succes in de keuken. Als soort zijn wij mensen fysiologisch gelijk, maar psychologisch en emotioneel zo verschillend van elkaar als sneeuwvlokken. Het zal ons helpen als we een plooibare mentaliteit aannemen, waarmee we aan alle wensen tegemoet kunnen komen bij de bereiding van voedsel voor anderen. Uw bereidheid in te zien dat iedereen zich op een ander niveau van ontwikkeling bevindt, zal zeer gewaardeerd worden. Als u eraan hebt gedacht 'voor elk wat wils' op te dienen, zult u beloond worden met een glimlach en met de woorden: 'Dat was pas lekker!' Als uw kind uitroept: 'Gaaf, Mam!' (of 'Gaaf, Pap!') na het eten van de op dat moment meest haalbare gezonde maaltijd, zult u het gevoel krijgen iets te hebben bereikt.

Nogmaals dank, beste lezer, voor uw stuwende kracht achter dit werk. Moge het zo zijn dat uw leven makkelijker wordt door de recepten en de ideeën op de navolgende pagina's. Ik hoop dat zij u en de uwen gezonder en gelukkiger zullen maken. Laat het zo zijn dat onze samenwerking datgene weer leven zal inblazen dat ons mensen altijd feestelijk verenigd heeft – het voedsel op onze tafel. En laten wij daardoor onszelf en onze planeet weer gezond maken. Het ligt binnen onze macht om, met LIEFDE als hoofdingrediënt, de essentie van het LEVEN voort te brengen uit onze keuken – en de juiste voeding, die ons zal leiden naar een toekomst vol LIEFDE!

Met liefdevolle groeten,

Marilyn

May the seeds of love be planted
In the hearts of your children who gather,
With the water of forgiveness,
May they grow...

Dispeller of Darkness,
Lord of Creation,
Mother of Humanity,
Ruler of all Nations,
Master of the starry skies,
Creator of the wind's caress,
Shine a little tenderness,
On your children in the Wilderness.

– Eliza Gilkyson

Legends of the Rainmaker
Gold Castle Records
Los Angeles, Californië

Inleiding

De basisprincipes van *Een Leven Lang Fit* zijn een internationaal verschijnsel. Van onze boeken zijn 7 miljoen exemplaren verkocht. Zij zijn vertaald in zestien talen. Miljoenen mensen hebben kennis genomen van onze ideeën, die in de hele wereld zijn aangeslagen. Veel mensen hebben ondervonden dat de kwaliteit van hun leven enorm verbeterd is door een verbetering van hun dieet en toch wordt steeds weer de vraag gesteld: Hoe kunnen wij beter gaan eten en tegelijkertijd ons plezier in eten behouden? Het antwoord vindt u in dit boek.

Het voedsel dat wij Amerikanen sinds tientallen jaren graag eten heeft ons behoorlijk in de problemen gebracht en we hebben ons probleem nog geëxporteerd ook. Onze grillen en gewoonten zijn de hele wereld tot voorbeeld geworden. Wij dragen spijkerbroeken; de hele wereld draagt spijkerbroeken. Wij eten snackbarvoedsel en nu roept iedereen erom, van de Ginza tot de Champs-Elysées! Ik weet van een gezin uit het Midden-Oosten dat in de Verenigde Staten was komen wonen en hun driejarig kind trots op een Amerikaanse kleuterschool deed, waar cariës zijn tanden verwoestte en hij steeds maar dikker werd. Waarom? De leerkrachten zeiden dat zijn lunchpakket onveranderlijk was samengesteld uit frisdrank, suikerhoudend gebak, chips en koekjes. Zijn ouders dachten werkelijk dat dit de gezonde voedingsmiddelen waren die de Amerikanen zo groot en sterk maakten. Ze hebben ons inderdaad wel groot gemaakt, maar dan in de breedte; juist door dit soort produkten passen veel Amerikanen niet meer in hun spijkerbroek. Naarmate andere volkeren steeds meer Amerikaans 'junk-food' gaan eten, zullen zij ook merken dat hun spijkerbroeken niet meer passen. Maar de Amerikanen kunnen op een betere manier het voortouw nemen. Als boeken zoals *Een Leven Lang Fit* over de hele wereld populair worden en de Amerikanen hun best gaan doen weer in vorm te geraken, kijkt de wereld met grote belangstelling toe. Dat is een gunstig teken voor de toekomst van deze planeet.

Wij hebben ons jarenlang verscholen achter het idee dat het niet binnen onze macht lag een verslechtering van onze gezondheid te begrijpen, laat staan er iets aan te doen. Nu zijn 'wij, de patiënten' geworden tot 'wij, de mondigen'. Aan het einde van de jaren tachtig hebben we eindelijk de uitdaging uit 1979 van Joseph Califano, Minister van Gezondheid, Onderwijs en Welzijn, aangenomen. Net als de Hoofdinspecteur van Volksgezondheid, Julius Richmond, heeft hij gezegd dat de gezondheid van het Amerikaanse volk in de jaren tachtig zal afhangen van hun bereidheid iets voor ZICHZELF te doen en niet van datgene wat anderen voor hen willen doen. We staan nu open voor alle ideeën die ons mondig maken en zijn nu veel sterker dan ooit gemotiveerd om te leren wat ieder voor zich kan doen om zich fit en goed te voelen en te blijven voelen. Wij respecteren onze gezondheid. Wij respecteren de gezondheid van onze dierbaren. En we zijn bereid al het mogelijke te doen om die gezondheid te bevorderen.

Doen wat we kunnen strekt zich zeker uit tot ons gedrag in de keuken; maar voor diegenen die de maaltijden bereiden, kan deze opwindende tijd waarin wij leven, ook verwarrend en frustrerend zijn. In de culinaire wereld is alles aan het veranderen. Veel 'traditionele' ingrediënten, die ooit de pijlers van de Amerikaanse keuken waren, zijn nu in ongenade geraakt. Maar ook al zijn we bereid het gebruik ervan te staken, we zijn er nog niet zeker van wat we ervoor in de plaats moeten gebruiken. Hoe kunnen we tongstrelende gerechten klaarmaken waarvan onze familie en vrienden zullen genieten *zonder* de geraffineerde oliën, witte suiker, bloem en de grote hoeveelheden boter, melk, kaas, eieren, rood vlees, spek, worst, zout, conserven en fabrieksprodukten die we altijd zo automatisch en nonchalant gebruikten? Nu we weten dat een dergelijk dieet ons niet alleen dwong tot het kopen van kleding in steeds grotere maten, maar ons ook de twijfelachtige bonus van hartziekten, kanker en hersenbloedingen bracht, is het noodzakelijk dat we ons een nieuwe benadering van voeding eigen maken.

Deze nieuwe benadering wordt u aangereikt via de *Een Leven Lang Fit* keuken. De oplossingen zijn eenvoudig, snel en opwindend. U zult er veel voldoening in scheppen. Deze gezonde gerechten zijn niet moeilijk te bereiden en vragen zeker geen grote investering in tijd. Bij elk recept is de bereidingstijd aangegeven en u zult tot uw genoegen merken dat de meeste recepten vallen in de categorie 'Snelle Gerechten' met een bereidingstijd van tien tot vijfendertig minuten. Ik heb in dit boek de technieken bewust vereenvoudigd om tijd en moeite te sparen, zodat zelfs iemand met zeer weinig kookervaring een gezonde creativiteit zal kunnen ontwikkelen.

De benodigde ingrediënten zijn voor het overgrote deel makkelijk verkrijgbaar in de groentenafdeling van uw supermarkt, zodat u slechts af en toe een voorraadje hoeft in te slaan bij de plaatselijke reformwinkel. Op bladzijde 58 tot 66 heb ik een boodschappenlijst opgenomen, waarop u de uitstekende ingrediënten en produkten kunt vinden die momenteel verkrijgbaar zijn via de leveranciers van biologisch geteelde produkten en de meer progressieve voedselfabrikanten. Deze gezonde vervangers van veel gewone produkten die volzitten met chemische substanties, zijn van uitstekende kwaliteit. Bovendien zult u een lijst van de voedingswaarden van diverse produkten aantreffen, waaraan u overduidelijk kunt zien dat alles wat uw lichaam nodig heeft te verkrijgen is uit natuurlijke bronnen.

Om de huidige trend van gezonde voeding te combineren met onze natuurlijke voorkeur voor veel verschillende keukens uit andere landen, heb ik populaire recepten uit de Franse, Chinese, Japanse, Italiaanse en Mexicaanse keuken omgevormd tot in onze tijd verantwoorde versies. U zult vernieuwende en opwindende aspecten aantreffen in de meest eenvoudige gerechten en u zult leren hoe u gezondheid, evenwicht en artisticiteit kunt inbouwen in elke maaltijd.

Dit boek bevat alles wat u moet weten over de bereiding van verrukkelijke maaltijden die ertoe zullen bijdragen dat u en uw gezin fit en vol energie zullen blijven. Zo bereikt u een maximale harmonie, produktiviteit en creativiteit. U zult zeker merken dat deze voeding u blijmoedig maakt, omdat zij de integriteit van uw lichaam en de eerbied voor uw leven ondersteunt in plaats van ondermijnt. Grote beloften? Wacht maar af tot u het resultaat ziet!

Het feit dat zo veel mensen geïnteresseerd zijn in goede voeding die ook goed bij hen past, is een voorbode van wat veel mensen al noemen 'de Eenentwintigste Eeuw van de Gezondheid'. Wij zijn samen pioniers in de keuken! Onze belangstelling voor de bereiding van kwalitatief goed voedsel zal zeker zijn invloed hebben op de gezondheid en het geluk van toekomstige generaties.

Volgens het principe 'we zijn wat we eten', behelst dit boek mijn stelling dat gezond voedsel dat voldoening geeft alles wat sterk, mooi en harmonieus is in de mens naar boven kan brengen. Laten we onze schorten dus omdoen en beginnen aan de ontdekkingsreis die de kern van ons bestaan zal raken.

Wat u ook doet, doe het vanuit uw hart. Dan kunt u uw familie en vrienden uitnodigen aan uw Tafel vol Liefde en Leven! Het is mij een eer deze ervaring met u te delen.

Laten we nu beginnen met ons streven maaltijden te bereiden waardoor u *Een Leven Lang Fit* zult zijn!

Wat dit boek voor u kan betekenen

door Harvey Diamond

De Amerikanen kunnen wel wat steun gebruiken als zij de aanbevelingen van de vroegere Inspecteur voor de Volksgezondheid van de Verenigde Staten, dr. C. Everett Koop, serieus willen opvolgen. In zijn 'Report on Nutrition and Health', dat in oktober 1988 werd gepubliceerd, liet dr. Koop geen twijfel bestaan over de dringende noodzaak onze voedingsgewoonten te wijzigen, als we de toename van ziekten die onze bevolking teisteren, willen afremmen. Momenteel overlijden jaarlijks 2,1 miljoen mensen in de Verenigde Staten. In wel 68 procent van deze sterfgevallen speelt het dieet een rol! Als u zelfdoding en ongevallen zoals auto-ongelukken weg zou laten uit de lijst van doodsoorzaken, komt het aantal sterfgevallen dat voor een deel aan het dieet te wijten is op het kolossale percentage van 80! Dat zijn getallen waaraan we *onmiddellijk* aandacht dienen te besteden. Gelukkig bezat dr. Koop als Hoofdinspecteur voor de Volksgezondheid de wijsheid en de toewijding om die maatregelen te treffen die nodig waren om het Amerikaanse volk te helpen beschermen tegen een voortgang van onnodig lijden en sterven.

Dit rapport, dat we een mijlpaal kunnen noemen, is een uitvoerige compilatie van meer dan 2.000 zeer degelijke wetenschappelijke onderzoeken. Er wordt categorisch in gesteld dat het gemiddelde Amerikaanse (westerse) dieet, dat voor een zeer groot deel uit vet bestaat, 'de voortijdige dood van miljoenen mensen tot gevolg heeft en het leven van tientallen miljoenen verwoest' – aldus dr. Koop. In zijn discussie over de enorme hoeveelheid research die tot deze conclusie heeft geleid, zei dr. Koop dat 'de diepgang van het wetenschappelijk onderzoek dat ten grondslag ligt aan de bevindingen in dit rapport, nog indrukwekkender is dan die welke geldt voor het rapport over tabak en gezondheid van 1964'.

Het dieet speelt momenteel een rol bij hartziekten, kanker, hersenbloedingen, diabetes, atherosclerose, hoge bloeddruk, ernstig overgewicht, mondziekten, osteoporose en maag- en darmziekten. Het rapport meldt: 'Het is nu duidelijk dat de factor dieet in belangrijke mate bijdraagt tot de ontwikkeling van deze ziekten en dat een verandering in het voedingspatroon kan bijdragen tot het voorkomen ervan.' En hoewel in het rapport wordt gezegd dat een veelheid van voedingsfactoren een rol speelt, wordt er ook gezegd: 'De hoofdschuldigen zijn de verzadigde vetzuren en de cholesterol als zij in overmatige hoeveelheden gegeten worden, vaak ten koste van fruit, groenten en graanprodukten, die rijk zijn aan complexe koolhydraten en voedingsvezel.' Het is beslist geen raadsel waar al deze verzadigde vetzuren en cholesterol vandaan komen. Die komen uit de dierlijke produkten: vlees, gevogelte, vis, eieren en zuivelprodukten. De aanbevelingen van de Hoofdinspecteur voor de Volksgezondheid zijn eenvoudig en beknopt: verminder uw consumptie van dierlijke produkten en verhoog tegelijkertijd uw consumptie van fruit, groenten en volkoren-graanprodukten. Het National Cancer Institute, de American Cancer Society, de American Heart Association en praktisch elke wetenschappelijke instantie op het gebied van de gezondheidszorg* is tot dezelfde conclusie gekomen. Na al die jaren van discussies over preventie bij het intomen van ziekten in de Verenigde Staten, hebben we nu een welomschreven beleidslijn om dat doel te bereiken.

De hoeveelheid bewijsmateriaal die de noodzaak om minder dierlijke produkten te gebruiken als middel om ziekten te voorkomen aangeeft, is zo gigantisch en overduidelijk, dat veel mensen ervoor gekozen hebben hun op vlees gebaseerde dieet geheel en al op te geven en vegetariër te worden. Sommigen kan dit echter te drastisch of zelfs onverstandig toeschijnen. Gedurende lange tijd hebben veel mensen een verkeerd beeld van vegetarisme gehad. Velen dachten dat het stamde uit de tijd van de muesli-hausse in de jaren zestig, dat het een praktische uiting was van de strijders voor de rechten van het dier of dat het een vorm van ongefundeerd fanatisme was. Vegetarisme wordt echter, ondanks het vele onbegrip, al eeuwen toegepast. Leonardo da Vinci, Benjamin Franklin, Albert Einstein, Buddha, George Bernard Shaw, Socrates, Plato en Franciscus van Assisi zijn slechts enkele beroemde voorstanders van het vegetarisme. Tegenwoordig beschikken we over een grote hoeveelheid medisch bewijsmateriaal dat de voordelen van een vleesloze levenswijze toont en bevestigt. Er zijn zoveel studies die dit standpunt bewijzen, dat het welhaast onmogelijk is alle te citeren.

Er is een onlangs gepubliceerde studie van zo groot gewicht dat hij in elk geval enige vermelding verdient. Deze studie werd gepresenteerd op het Eerste Internationale Congres over Vegetarische Voeding te Washington, D.C. in maart 1987. Bijna 400 artsen, wetenschappers en onderzoekers op het gebied van de gezondheid bezochten daar lezingen uit de hele wereld, waarin de voordelen van een vegetarisch dieet voor de gezondheid onderschreven werden. Er was een rapport van de University of Minnesota over een onderzoek waarvoor 25.000 vegetariërs gedurende 21 jaar waren gevolgd; de resultaten waren doorslaggevend en onbetwistbaar. Over de hele linie waren de vegetariërs in alle categorieën gezonder dan de niet-vegetariërs. De themalezing werd uitgesproken door dr. Johanna Dwyer van de Tufts University. In haar toespraak meldde zij: 'Vegetarisme heeft een flinke knauw gekregen; men beschouwde het als een rare afwijking van bepaalde mensen, als iets dat je maar moest tolereren.' De opstellers van het rapport schreven in *Nutrition Today* (juli/augustus 1987): 'Het congres heeft gedemonstreerd dat de vegetarische leefwijze inmiddels is doorgedrongen tot het aandachtsveld van het wetenschappelijk en medisch denken.' De traditionele instanties op het gebied van dieet en voeding zijn het er nu mee eens.

U bent door al dit gepraat over vegetarisme misschien gaan denken dat het doel van dit boek is u tot vegetariër te bekeren. Als u dat denkt, hebt u ongelijk. Ons doel is u erbij te helpen de schade die hartziekten en kanker kunnen aanrichten, te omzeilen door u op de hoogte te stellen van het bestaan van aantrekkelijke, nieuwe en smakelijke voedingsmiddelen, die u met plezier kunt gebruiken in plaats van produkten waarvan medisch is vastgesteld dat ze slecht voor u zijn. U hoeft geen vegetariër te worden om vrij van ziekten te blijven. U moet echter wel *tot op zekere hoogte* uw dieet in die richting aanpassen. Elk deel van de wetenschappelijke wereld dat zich bezighoudt met gezondheidszaken smeekt ons dat te doen, maar ze vertellen er niet bij *hoe* we het moeten aanpakken. Dit boek geeft u die cruciale informatie. Als u gerechten wilt bereiden die geheel en al in overeenstemming zijn met de aanbevelingen van de Hoofdinspecteur voor de Volksgezondheid van de Verenigde Staten treft u in dit boek een ruime keuze aan.

---

* Zie adressenlijst achterin dit boek voor vergelijkbare organisaties in Nederland en België.

Nu het bewijs geleverd is en de meest achtenswaardige, hooggekwalificeerde en gerespecteerde autoriteiten in de Verenigde Staten ons verteld hebben dat de veiligste en verstandigste weg die is welke ons wegvoert van de dierlijke produkten, vindt u hier de smakelijke en tongstrelende recepten die u nodig hebt voor uw streven. Deze recepten zullen niet alleen **u** enthousiast maken, maar zullen ook voor uw gezin onweerstaanbaar blijken te zijn.

Daar gaat het in dit boek om en we zijn er opgetogen over dat u ervoor hebt gekozen het tot deel van uw leven te maken.

1

Moderne inzichten omtrent voeding

Vegetarisme, cholesterol, verzadigde vetzuren, eiwitten, voedingsvezels, calorieën, volkorenprodukten, geraffineerde produkten, vitamine B12, zout, bestrijdingsmiddelen, voedselbestraling... allemaal kreten die horen bij een over het gehele land aanwezige bezorgdheid en aandacht voor voeding zoals nog nooit eerder in de geschiedenis zijn voorgekomen. Van de leek wordt gevraagd informatie in zich op te nemen die tot dan toe tot het domein van de 'specialisten' behoorde. We worden voortdurend onderworpen aan een spervuur van nieuwe onderzoeksresultaten, waardoor we feitelijk lichtjaren verder zijn gekomen dan we tien jaar geleden waren. Toch kan het gemiddelde individu zich, om het zachtjes uit te drukken, overspoeld en in de war gebracht voelen.

Dit hoofdstuk is opgenomen ter verduidelijking van bepaalde ideeën en termen die dagelijks in het nieuws zijn en die gebruikt worden in elke hedendaagse discussie over voedingstechnische zaken. Ik zal u geen definitieve mening aanreiken – dat zou onmogelijk zijn op een gebied dat nog maar zo kort bestaat en zich zo snel ontwikkelt. Ik draag liever informatie aan die u kan helpen de gegevens op waarde te schatten en zelf te bepalen wat in uw situatie van toepassing is.

RECENTE ONTDEKKINGEN OVER VEGETARISME

> **De gemiddelde leeftijd (levensduur) van een vleeseter is 63 jaar. Ik ben bijna 85 en werk nog steeds even hard als altijd. Ik heb ruimschoots lang genoeg geleefd en probeer te sterven; maar het lukt me gewoonweg niet. Een enkele biefstuk zou een eind aan mijn leven maken, maar ik kan het niet opbrengen er een te verorberen. Ik ga gebukt onder de angst eeuwig te zullen leven. Dat is het enige nadeel van vegetarisme.**
>
> **– George Bernard Shaw**

Weinig mensen realiseren zich dat er momenteel ongeveer 10 miljoen vegetariërs zijn in de Verenigde Staten en een veel groter aantal mensen die bezig zijn hun voedingsgewoonten in die richting te wijzigen. Toch stonden slechts luttele jaren geleden veel mensen afkeurend tegenover de vegetarische leefwijze. Men kleineerde vegetariërs, maakte hen belachelijk en toonde volslagen onbegrip. Tegenwoordig zijn vegetariërs – nu we steeds meer mensen die een trendsettende rol spelen zien overgaan tot het vegetarisme – net zo normaal, zo niet meer 'in', als de mensen die zich houden aan een dieet dat op vlees gebaseerd is.

De Hoofdinspectie voor de Volksgezondheid in de Verenigde Staten, prominente organisaties op het gebied van voeding en diëten, en vele, vele artsen hebben zich laten leiden door de meest recente onderzoekingen van staatswege en zijn tot de volgende conclusies gekomen:

1. Daar de meest recente dieetrichtlijnen voor Amerikanen voorzien in een aanbeveling minder vet te eten en meer vruchten, groenten en volkorengraanprodukten, *kan* een uitgekiend vegetarisch dieet voldoen aan deze normen en de aanbevolen hoeveelheden energie en voedingsstoffen. Vegetarisme kan gerust worden gezien als een gezonde alternatieve vorm van dieet.[1]

2. Een vegetarisch dieet reduceert het risico op ernstig overgewicht.

3. Vegetariërs hebben in het algemeen een lagere mortaliteit als gevolg van diverse chronische degeneratieve ziekten dan niet-vegetariërs.

4. Vegetariërs hebben over het algemeen een lagere bloeddruk, lijden minder vaak aan diabetes, hypertensie, longkanker, osteoporose, nierstenen, galstenen en aandoeningen aan de maag- en darmwand.

5. Een gevarieerd vegetarisch dieet dat dagelijks wordt aangehouden, zorgt voor een adequate hoeveelheid aminozuren en geeft het lichaam voldoende of ruim voldoende eiwitten. (De consumptie van minder eiwitten in vegetarische diëten in verhouding tot vleesrijke diëten kan een gunstig effect hebben en kan in samenhang gebracht worden met een kleiner risico op osteoporose bij vegetariërs.)

6. Diëten die gebaseerd zijn op plantaardige voeding bevatten minder vet, verzadigde vetzuren en cholesterol dan vleesrijke diëten – een belangrijke factor bij het beperken van het risico op hartziekten en bepaalde vormen van kanker.

7. Calciumgebrek komt bij vegetariërs zelden voor. Er zijn aanwijzingen dat vegetariërs meer calcium opnemen en vasthouden dan niet-vegetariërs.

8. Naast gezondheidsaspecten zijn er andere goede redenen om over te gaan op een vegetarisch dieet. Ik noem er enkele: (a) het behoud van het milieu door het eten van voedingsmiddelen die zich in het begin van de voedselketen bevinden (planten in plaats van dieren); (b) een oplossing voor het hongerprobleem in de wereld door een vermindering van de vraag op de wereldvoedselmarkt; (c) lage kosten, want diëten die weinig dierlijk eiwit bevatten kenmerken zich doordat zij minder duur zijn dan vleesrijke diëten; en (d) filosofische of ethische aspecten, waaronder de oppositie tegen het wreed behandelen van dieren en bepaalde visies op geweld.

WAT U DIENT TE WETEN OVER CHOLESTEROL

Cholesterol is een harde, wasachtige stof die in vet oplosbaar is (in tegenstelling tot in water oplosbare stoffen). Het wordt in alle cellen van het lichaam aangemaakt, maar vooral in de lever. Het maakt deel uit van elke lichaamscel als bouwsteen van het celmembraan en is van essentieel belang – van zo groot belang dat de Natuur elke cel heeft uitgerust met de mogelijkheid haar *eigen* cholesterol aan te maken. Dit cholesterol, dat door ons lichaam gemaakt wordt, zorgt ervoor dat onze celmembranen optimaal blijven functioneren. Ons lichaam produceert dagelijks tussen de 500 en 1.000 mg cholesterol en

1. Rapport van de American Dietetic Association, 'Vegetarian Diets – Technical Support Paper', maart 1988.

die hoeveelheid is ruim voldoende om in onze behoefte te voorzien.[1] Wij creëren zelfs een zo overvloedige hoeveelheid dat de vereiste cholesterolinname nul is. Het cholesterol in ons lichaam is niet het problematische cholesterol waarover zoveel geschreven wordt. Het problematische cholesterol wordt aangemaakt in het lichaam van dieren, om in hun behoefte te voorzien, maar wij nemen het op als wij deze dieren als voedsel gebruiken. Als wij leven op een dieet van dierlijke produkten (vlees, gevogelte, vis, zuivelprodukten en eieren), consumeren wij 500 tot 1.000 mg *dieet*cholesterol per dag. Het grootste deel daarvan kan niet makkelijk worden verwijderd (uitgescheiden) en wordt derhalve opgeslagen in ons lichaamsweefsel, in het bijzonder in de slagaderen. Het bewijs is duidelijk geleverd dat dit opgestapelde teveel aan dieetcholesterol (dat cholesterol dat het lichaam niet zelf heeft geproduceerd) een factor is die bijdraagt aan het veel voorkomen van hart- en vaatziekten en andere degeneratieve ziekten die de Noordamerikanen treffen.

Het cholesterol dat bijdraagt tot hartziekten is afkomstig van de dierlijke produkten die wij eten. Een eetlepel boter bevat 35 mg cholesterol; 100 gram hüttenkäse bevat 11 mg cholesterol; 100 gram roomkaas bevat 125 mg cholesterol; een eidooier bevat 252 mg cholesterol; 100 gram mager vlees bevat 60 mg cholesterol; 100 gram kipfilet bevat 20 mg cholesterol; 100 gram kippelever bevat 500 mg cholesterol; 100 gram kabeljauwfilet bevat 60 mg cholesterol; 100 gram kalkoen bevat 60 mg cholesterol en 100 gram garnalen bevat 250 mg cholesterol. Daar staat tegenover dat appels, bananen, druiven, amandelen, cashewnoten, kokosnoten, tahoe, avocado's, kekererwten, maïs, havermout, wortelen, sla, aardappelen en *alle andere plantaardige produkten* nul mg cholesterol bevatten, waarbij het niet uitmaakt hoeveel u ervan eet.

Serumcholesterol is de cholesterolspiegel in uw bloed en wordt gemeten door middel van een test waarvan gebleken is dat het een van de minst betrouwbare is die een patiënt kan ondergaan. Als u dus uw cholesterolgehalte laat nazien, is het waarschijnlijk het beste als u de resultaten laat verifiëren. Een voorbeeld dat deze onbetrouwbaarheid aantoont: een bloedmonster met een bekend cholesterolgehalte van 6,8 mmol/l werd toegezonden aan 5.000 van de meest vooraanstaande laboratoria in het land. De uitslagen die men terug ontving variëerden van 2,6 mmol/l tot 13,5 mmol/l![2] De gemiddelde serumcholesterolspiegel van de bevolking van de Verenigde Staten ligt op 5,6 mmol/l. Gezien dit 'gemiddelde' heeft een Amerikaan van het mannelijk geslacht een kans van 50 procent of meer om aan een hartziekte te overlijden! Dat is dus geen plezierig gehalte om naar te streven. Als uw cholesterolgehalte 6,2 mmol/l is, loopt u een vier maal hoger risico om aan een hart- en vaatziekte te overlijden dan gemiddeld. Als dat gehalte 6,7 mmol/l is, is die kans *zes* keer zo groot![3] Zes keer zo groot als gemiddeld is véél te veel. Wat u zich dient te realiseren is dat het zo *makkelijk* is om uw cholesterolspiegel te verhogen: u hoeft alleen maar een dieet te volgen dat veel dierlijke vetten en eiwitten bevat (vlees, gevogelte, vis en schelpdieren, eieren en zuivelprodukten) en weinig voedingsvezel, zoals zovelen in de Verenigde Staten en ook in West-Europa gewend zijn te doen. In landen waar de mensen zich hoofdzakelijk voeden met graanprodukten, peulvruchten, groenten en fruit, en nauwelijks met dierlijke produkten, bevindt zich de cholesterolspiegel tussen de 3,1 mmol/l en de 4,1 mmol/l en zijn hart- en vaatziekten welhaast onbekend.[4]

Er zijn meer manieren om het cholesterolgehalte te verlagen die ook geheel binnen uw mogelijkheden liggen. Het weglaten van geraffineerde suikers, veredelde graansoorten, geraffineerde vetten en oliën zal het cholesterolgehalte doen verminderen. Met andere woorden, een dieet dat bestaat uit volko-

1. John A. McDougall, *The McDougall Plan* (Piscataway, N.J.; New Century Publishers, 1983), blz. 63.
2. *Wall Street Journal,* 14 juni 1988, blz. 25.
3. Udo Erasmus, *Fats and Oils* (Vancouver, B.C., Alive Books, 1986), blz. 310-11.
4. Erasmus, *Fats and Oils,* blz. 310-311.

renprodukten, dat is samengesteld uit niet-bewerkte ingrediënten, verlaagt het cholesterolgehalte zodanig dat u er niet meer over hoeft na te denken. Lichaamsbeweging waarbij uw ademhalingsorganen worden aangesproken (wandelen, dansen, zwemmen, hardlopen, fietsen en mini-trampolinespringen) zullen ook tot een verlaging van de cholesterolspiegel bijdragen. Zo ook lachen. Kort gezegd: een verbetering van uw dieet, plezierige vormen van lichaamsbeweging en een prettige, positieve levenshouding zullen u erbij helpen uw cholesterolspiegel onder controle te houden. Geen van deze activiteiten kost u geld en bovendien vermijdt u de schadelijke bijwerkingen die inherent zijn aan het gebruik van cholesterolverlagende geneesmiddelen.

Een gemiddelde Amerikaanse man met een cholesterolspiegel van 5,6 mmol/l heeft meer dan 50 procent kans op overlijden aan een hartziekte; een gedeeltelijk vegetarisch etende man heeft 15 procent kans en een puur vegetarisch etende man (geen enkel dierlijk produkt) heeft 4 procent kans.[1] Voor vrouwen zijn de cijfers even indrukwekkend. U kunt uw cholesterolspiegel verlagen met wel *100 mg in een maand tijd* door over te schakelen op het puur vegetarische dieet dat in dit boek wordt uiteengezet!

DE WAARHEID OVER VETTEN EN OLIËN

In geen enkele cultuur is ooit zoveel totaal vet gegeten als in de Verenigde Staten. Het is zelfs zo dat onze regering de vermindering van de consumptie van vet de hoogste prioriteit heeft gegeven.

In het 'Report on Nutrition and Health' heeft Hoofdinspecteur voor de Volksgezondheid van de Verenigde Staten, Koop, vet genoemd als een belangrijke veroorzaker van ziekten die uit het dieet van de meeste mensen dient te worden gebannen. Ook noemt hij de te hoge consumptie van vet 'een nationaal gezondheidsprobleem'. Voorts zei dr. Koop:

De grootst mogelijke aandacht dient besteed te worden aan onze overmatige consumptie van vet en de daaraan gerelateerde chronische ziekten zoals hart- en vaatziekten, sommige vormen van kanker, diabetes, hoge bloeddruk, beroertes en ernstig overgewicht.[2]

Nathan Pritiken heeft in zijn werk aangetoond dat een reductie van de consumptie van vetten tot 10 procent of minder van het totaal aantal calorieën niet alleen zou zorgen voor de preventie van hartziekten, maar deze ook zou *genezen*, zelfs in de meest vergevorderde stadia. Dat wij onze vetconsumptie moeten verminderen is een van de meest noodzakelijke en algemeen onderschreven adviezen van de huidige tijd.

Omdat er verscheidene soorten vet bestaan, is het van belang te weten wat de verschillen zijn en wat zij voor u betekenen:

Vetzuren zijn de bouwstenen van de vetten zoals de aminozuren de bouwstenen van eiwitten zijn. We hebben vetzuren *nodig* in ons dieet.

Essentiële vetzuren zijn die vetzuren die wij via ons voedsel binnenkrijgen en dus niet aanmaken in ons lichaam. Het belangrijkste – linoleenzuur – komt in grote hoeveelheden voor in amandelen, tahoe,

---

1. John Robbins, *Diet for a New America* (Walpole, N.H., Stillpoint, 1987).
2. C. Everett Koop, *New York Times,* 12 juli 1988 blz. 1.

avocado's, gerst, cashewnoten, kekererwten, pindakaas, rijst, maïs en vele andere bekende voedingsmiddelen. U hoeft zich geen zorgen te maken over essentiële vetzuren. U krijgt ze met uw voeding binnen.

Verzadigde vetzuren zijn de meest schadelijke. Zij worden bijna uitsluitend en in grote hoeveelheden
aangetroffen in dierlijke produkten. De grootste hoeveelheden zitten in rundvlees, kip, varkensvlees en
zuivelprodukten. Plantaardige bronnen van verzadigde vetzuren – vooral kokosnoot en palmolie –
bevinden zich meestal in fabrieksprodukten. Verzadigde vetzuren zijn op kamertemperatuur vast of
halfvast van consistentie. Het is bewezen dat zij zorgen voor een verhoging van de cholesterolspiegel en
bijdragen tot een verhoogd risico op sterfte aan een hartziekte.

Enkelvoudig onverzadigde vetzuren, die in geëxtraheerde vorm als oliën voorkomen, zijn vloeibaar
op kamertemperatuur en neigen ertoe bij koeling iets dikker te worden. De meest bekende en zeer aanbevolen enkelvoudig verzadigde vetzuren zijn afkomstig van olijven, in de vorm van olijfolie. Volwaardige produkten, zoals cashewnoten, pinda's en avocado's bevatten eveneens enkelvoudig onverzadigde
vetzuren in redelijke hoeveelheden. Enkelvoudig onverzadigde vetzuren verhogen het serumcholesterolgehalte *niet*. Onderzoek wijst erop dat zij dit gehalte zelfs kunnen verlagen.

Meervoudig onverzadigde vetzuren zijn vloeibaar, zowel bij kamertemperatuur als in de koelkast. Zij
worden in grote hoeveelheden aangetroffen in een grote diversiteit van produkten uit het plantenrijk, in
het bijzonder in groenten. Deze vetzuren, die als extract aanwezig zijn in sesam-, zonnebloem-, saffloer-
en andere oliën, werden enkele jaren geleden hoog aangeprezen om hun mogelijkheid tot verlaging van
de cholesterolspiegel. De meeste onderzoekers zijn hiervan teruggekomen; men heeft nu zijn twijfels
over de mogelijke voordelen ervan met betrekking tot verlaging van de cholesterolspiegel. In feite zijn
de onderzoekers van mening dat deze oliën niet in grote hoeveelheden geconsumeerd dienen te worden,
omdat zij in hoge mate geraffineerd zijn en omdat de daarin aanwezige meervoudig onverzadigde vetzuren niet langer lijken op die in volwaardige voedingsmiddelen.

Hoe u uw vetconsumptie kunt verminderen tot een veilig niveau, waardoor u uw risico op hartziekten en kanker verlaagt

1. Onthoud dat *alle dierlijke produkten veel verzadigde vetzuren bevatten* en probeer hier minder van
te eten. Ga daarbij zo nodig geleidelijk, maar constant te werk.

2. Begrijp dat vlees dat *mager* 'gemaakt' is, toch beslist niet vetarm is.

3. Consumeer meer fruit, groenten en volwaardige graanprodukten, omdat dit vetarme produkten
zijn, waar *geen* verzadigde vetzuren in zitten. Zelfs de 'vette' plantaardige produkten, zoals avocado's
en ongebrande noten en zaden, bevatten zeer weinig schadelijk *verzadigde* vetzuren. Zij bevatten
voornamelijk de gunstige *enkelvoudig* en *meervoudig* verzadigde vetzuren, die beide acceptabel zijn in
ons dieet. Eet echter niet te veel van deze produkten, omdat een dieet dat weinig *van welke soort vet
dan ook* bevat, ideaal is.

4. Eet minder geraffineerde voedingsmiddelen – de meeste bevatten veel verborgen vet, vooral
verzadigde vetzuren.

5. Zorg dat u de benodigde vetten en oliën in natuurlijke vorm binnenkrijgt, via volwaardige voedingsmiddelen zoals groenten, graansoorten, zaden, noten en peulvruchten. Geloof de slimme ver-
kooppraatjes niet die u ervan willen overtuigen dat geëxtraheerde of fabrieksmatig geproduceerde vetten en oliën gezond zijn, want het is dan geen natuurlijk vet dat u consumeert als deel van een volwaardig voedingsmiddel. Gebruik fabrieksmatig bewerkte vetten en oliën in *zeer kleine hoeveelheden*

als smaakgever of om uw gerechten vocht of een betere consistentie te geven.

6. Gebruik uitsluitend plantaardige oliën die minimale hoeveelheden verzadigde vetzuren bevatten, van arachideolie met ongeveer 15 procent verzadigde vetzuren tot olijf-, saffloer-, maïs-, soja-, en zonnebloemolie met 11 procent of minder.[1] Houd uw consumptie van plantaardige oliën op een laag niveau en werk voortdurend aan een vermindering van *alle* dierlijke produkten in uw voedingspatroon. *Er is geen dieet met een laag oliegehalte dat een net zo goed resultaat oplevert als u kunt bereiken met een vermindering van de consumptie van dierlijke produkten!*

Tips over de keuze van plantaardige oliën en hun gebruik

Als u naar de supermarkt gaat en voor de uitgestalde soorten olie staat, vraagt u zich misschien af welke soort u moet kopen. Welke is de beste soort? Om de waarheid te zeggen, zijn de meeste oliën in het schap van generlei waarde voor uw dieet en is er, met uitzondering van sommige soorten olijfolie, geen enkele 'goed voor u', ook al wil de reclame u iets anders laten geloven. Alle veelgebruikte oliën, met uitzondering van extra-zuivere olijfolie, zijn verkregen door verhitting (zelfs als het etiket 'koude persing' vermeldt), zijn ontkleurd en onderworpen aan andere processen waardoor natuurlijke eigenschappen verdwijnen en waardoor het produkt geen voedingswaarde meer in zich draagt. Gebruik ze daarom *niet* als middel om de voedingswaarde te verhogen, maar in geringe hoeveelheden als smaakmaker.

Koudgeperste extra-zuivere olijfolie, van de eerste persing van de fijnste olijven, is de enige uitzondering. In Griekenland en Zuid-Italië, waar deze olie veel wordt gebruikt, heeft men veel lagere cholesterolspiegels dan in andere Europese landen en in de Verenigde Staten. Ook komen hartziekten daar veel minder voor. Een groot deel van de hoeveelheid vet die men daar consumeert is afkomstig van olijfolie.[2] Veel recente wetenschappelijke studies wijzen erop dat het hoge gehalte aan enkelvoudig verzadigde vetzuren in koudgeperste olijfolie de cholesterolspiegel in het bloed doet dalen. Bedenk echter dat dit alleen geldt in die gevallen waarin de olie koud geperst wordt, omdat zij door elke verhitting (zoals bij koken gebeurt) een kwaliteits- en structuurverandering ondergaat. 'Zuivere' olijfolie van mindere kwaliteit komt meestal van de tweede persing. 'Pure' olijfolie is een mengsel van inferieure oliën en wordt afgeraden.

In antwoord op de vraag 'Welke oliën kan ik het beste gebruiken?', kunnen we het volgende zeggen:

1. Gebruik extra-zuivere olijfolie voor al uw salades en in al die gerechten waarvoor u de olie niet hoeft te verhitten. Deze olie zal uw dieet ten goede komen, omdat zij een zeer geringe hoeveelheid verzadigde vetzuren en een grote hoeveelheid enkelvoudig en meervoudig verzadigde vetzuren bevat.

2. Gebruik olijfolie in plaats van zonnebloem- of saffloerolie bij de bereiding van mayonaise, waarvoor u een grote hoeveelheid olie nodig hebt.

3. Gebruik bij het koken gewone koudgeperste olijfolie, behalve in zeer fijne gerechten, bijzondere maaltijden of wanneer u voor gasten kookt. In dergelijke gevallen kunt u extra-zuivere olijfolie gebruiken.

---

1. Kippevet, reuzel en botervet bevatten 24 tot 100 procent verzadigde vetzuren.
2. Tufts Universiteit, 'Diet and Nutrition Letter', mei 1986.

4. Bij het bakken in de wok kunt u zonnebloem-, saffloer- of lichte sesamolie gebruiken. Deze zijn alle relatief stabiel bij hoge temperaturen. Voeg een klein beetje donkere sesamolie toe als smaakmaker bij het koken met de wok. Deze olie wordt ook wel Oosterse sesamolie genoemd.

5. Gebruik extra-zuivere olijfolie in plaats van boter op aardappelen, graanprodukten, groenten en zelfs op toast.

6. Bij het bereiden van deeg, taarten enzovoorts kunt u zonnebloem-, saffloer- of maïsolie gebruiken. Als u een boterachtige consistentie wilt bereiken, kunt u wel eens pure sojamargarine gebruiken. Al deze oliesoorten bevatten minder verzadigde vetzuren dan boter en in het geheel geen cholesterol.

7. Bij frituren dient u er rekening mee te houden dat oliesoorten die vijftien minuten of langer op een temperatuur worden gehouden van 215°C consequent atherosclerose teweeg hebben gebracht bij proefdieren.[1] Wat kunt u hiervan leren over de kwaliteit van patates frites, potato chips, doughnuts en dergelijke produkten uit de snackbar of winkel? Als u beslist wilt frituren, dient u zeer kleine hoeveelheden tegelijk in korte tijd te bakken en de porties goed te laten uitlekken. Mijn oplossing is: in het geheel niet meer frituren. Het is gewoon niet goed voor ons. Welke olie u kiest maakt niet zoveel uit; het is het bereidingsproces dat de schade berokkent.

8. Bij bakken en fruiten in een koekepan kunt u de verandering die de olie door verhitting ondergaat vermijden door het te bereiden produkt in de pan te doen voordat u de olie toevoegt en dan alles tegelijk te verhitten. Gebruik liever weinig dan veel olie. Aan een theelepel olie hebt u al gauw genoeg als u de moderne koekepannen met anti-aanbaklaag gebruikt. Veel professionele koks gebruiken bij het smoren een klein beetje groentebouillon, met een goed resultaat.

9. Om er zeker van te zijn dat uw salade fris en vers op tafel komt, kunt u sladressings op oliebasis het beste vlak voor gebruik klaarmaken. Dit is beter dan het vooruit klaarmaken en bewaren van grotere hoeveelheden. (Zie blz 142 waar u heerlijke Twee-Minutendressings kunt vinden.)

10. Zet een gerecht dat olie bevat na bereiding altijd in de koelkast.

Bedenk dat oliën gevoelig zijn voor warmte en licht en snel ranzig worden:

1. Koop alle soorten olie liever in kleine dan in grote flessen. Zo blijft versheid gegarandeerd.

2. Bewaar olijfolie op een donkere plaats, niet in de koelkast, omdat zij daar troebel van wordt.

3. Bewaar alle andere oliesoorten na opening in de koelkast om ranzig worden te voorkomen – en zorg dat ze koel blijven! Meet de benodigde hoeveelheid af en zet de rest direct terug in de koelkast.

Margarine of boter?

In eerdere boeken heb ik het gebruik van boter aanbevolen boven dat van margarine, omdat boter een minder kunstmatig produkt is dan de meeste margarinesoorten. Ik heb sindsdien echter pure sojamargarines ontdekt, gemaakt van sojaolie, sojabonen, lecithine, caroteen en een minimale hoeveelheid gehydreerde olie. Deze margarine gedraagt zich bij het bakken net zo als boter en heeft het voordeel dat er minder verzadigde vetzuren in zitten en helemaal geen cholesterol. Ik raad u niet aan geregeld of altijd gebruik te maken van margarine in plaats van boter; olijfolie is veel gezonder als vervangend middel. Toch kan pure sojamargarine nuttig zijn voor diegenen die hun cholesterolinname moeten beperken. Veel mensen zullen van mening zijn dat in sommige gerechten alleen boter gebruikt kan worden. Ik

---

1. Erasmus, *Fats and Oils,* blz. 117.

weet dat omdat ik zelf nog steeds af en toe dat idee heb. Het is een zeer persoonlijke keuze, die u zelf kunt maken. Alle mogelijkheden worden u in de recepten aangereikt, waar dat van toepassing is.

HET BELANG VAN EIWITTEN

Denk eens aan de sterke concentratie van energie in een eikel! Men begraaft hem in de grond en hij ontwikkelt zich explosief tot een machtige eik. Begraaf een schaap en het enige wat gebeurt is dat het dier tot stof vergaat.

— George Bernard Shaw

Op school hebben we allemaal geleerd dat het belangrijk is te zorgen voor voldoende eiwit in elke maaltijd. We hebben de vijf essentiële voedselgroepen leren kennen: vlees, zuivelprodukten, granen, vruchten en groenten. (Oorspronkelijk waren er *twaalf* voedselgroepen in plaats van vijf, waardoor onze keuzemogelijkheden voor de planning van gezonde maaltijden veel groter waren.) In het volste vertrouwen namen wij, kinderen en volwassenen, deze lessen in ons op en dachten er nooit bij na dat zij misschien minder geënt waren op onderwijs ten behoeve van onze gezondheid dan op industriële winstgevendheid. Waarom zouden we ook onze twijfels hebben? De informatie werd ons gegeven door leraren en professoren die we vertrouwden en werd ons niet gepresenteerd in een vorm die op advertentiepropaganda leek. Zij was ingebed in fraai aandoende officiële terminologie. Maar nu horen we dat de voedingsindustrie de *belangrijkste leverancier* van lesmateriaal over voedingsleer aan scholen in de Verenigde Staten is en dat de meeste docenten, die overigens wel geloven in wat zij ons vertellen, alleen maar gebruikt worden om informatie over voeding te geven die tot gevolg heeft dat bepaalde produkten verkocht worden. Om welke produkten gaat het hier precies? Als *twee* van de vijf voedselgroepen vlees en zuivelprodukten zijn (waardoor de indruk wordt gewekt dat ons dieet gezond is als het tenminste 50 procent van deze twee soorten voeding bevat), is het niet moeilijk te gissen naar de aard van de te verkopen produkten.

Welnu, we hebben allemaal geloofd wat ons verteld werd en hebben tientallen jaren lang geleefd met het idee dat we waarschijnlijk een tekort aan eiwitten zouden krijgen als we niet elke dag en in elke maaltijd wat vlees en zuivelprodukten zouden gebruiken. Mensen die neigden naar andere soorten produkten – granen, peulvruchten, groenten of vruchten – omdat zij deze lekkerder vonden of omdat ze zich beter voelden als ze ze aten, werden gekritiseerd door goedbedoelende gezinsleden, vrienden, voedingsdeskundigen en artsen, die bleven zeggen dat een eiwittekort onvermijdelijk was. Zelfs diegenen die minder vlees en zuivelprodukten gingen gebruiken in de jaren zestig en in het begin van de jaren zeventig, maakten zich zorgen over een eventueel tekort aan eiwitten – zo ver ging de indoctrinatie. (Ik weet dat, omdat ik een van die mensen was.)

Het is een feit dat onze bevolking, door vast te houden aan de mooie lijsten die aangaven wat de industrie ons wilde doen geloven, een zodanige overmaat aan vlees en zuivelprodukten heeft geconsumeerd, *dat de gemiddelde Amerikaanse man nu een risico loopt van meer dan 50 procent om te overlijden aan atherosclerose* (het dichtslibben van de slagaderen door de consumptie van cholesterol en verzadigde vetzuren uit vlees en zuivelprodukten). Bovendien bestaat nog het risico op het krijgen van diverse soorten kanker, diabetes, hoge bloeddruk, hersenbloedingen en ernstig overgewicht.[1]

1. C. Everett Koop, *Los Angeles Times*, 28 juli 1988, blz. 1.

Laten we niet nogmaals dezelfde fout begaan. Laten we ons richten, als we het hebben over eiwitten, op onpartijdig wetenschappelijk onderzoek, om zo een duidelijker beeld te krijgen van onze behoefte aan eiwitten en niet op de industrie die eiwitten produceert. De informatie die in dit hoofdstuk wordt gegeven over onze eiwitbehoefte is afkomstig van onderzoek door personen en organisaties die *geen produkten hoeven te verkopen*.

Hoeveel eiwit hebben wij nodig

Laten we eerst eens bekijken hoeveel eiwit we eigenlijk nodig hebben. Niet alle experts zijn het eens over de exacte hoeveelheid. De wetenschappelijke schattingen variëren, maar de variatiebreedte ligt tussen de $2^1/_2$ en iets meer dan 8 procent van onze dagelijkse calorie-inname:

1. In rapporten uit het *American Journal of Clinical Nutrition* wordt geschat dat wij $2^1/_2$ procent van onze dagelijkse calorieën als eiwit moeten opnemen. 'In veel landen geniet de bevolking bij deze hoeveelheid een uitstekende gezondheid.'[1]

2. De Wereldgezondheidsorganisatie (WHO) stelt de vereiste eiwitconsumptie voor mannen op $4^1/_2$ procent van de dagelijkse calorieënconsumptie. Voor vrouwen geldt ongeveer dezelfde norm.[2]

3. De *Food and Nutrition Board* van de *National Academy of Sciences* noemt een percentage van $4^1/_2$ als minimale dagelijkse behoefte en voegt daar voor de 'veiligheid' 30 procent aan toe. Dit basisgetal van iets minder dan 6 procent is toereikend om de behoefte van 98 procent van de bevolking van de V.S. te dekken.[3]

4. Het *National Research Council* houdt ook rekening met een veiligheidsmarge en noemt een percentage van 8 procent eiwit op onze dagelijkse hoeveelheid calorieën. Dit percentage betreft weer geen minimale dagelijkse behoefte, maar wordt aanbevolen als meer dan voldoende voor 98 procent van de bevolking.[4]

(Bewerkster: In Nederland adviseert de Voedingsraad 0,9 gram/kilogram ideaal lichaamsgewicht voor volwassenen.)

Er zijn wetenschappers die niet helemaal achter deze 'veiligheidsmarges' staan. Op de vraag wie deze extra hoeveelheid eiwitten *nodig* heeft, antwoordde dr. David Reuben als volgt:

> **Mensen die vlees, vis, kaas, eieren, kip en al die andere prestigieuze en dure bronnen van eiwit verkopen. Als u meer eiwit eet, gaat hun inkomen met 30% omhoog. Ook wordt de hoeveelheid eiwitten in de riolering en de septic tanks in uw omgeving 30% groter, als u vrolijk alles wat u die dag niet nodig hebt via de urine uitscheidt. Ook ontneemt u de hongerende kinderen in de wereld het eiwit dat zij nodig hebben om in leven te blijven. Trouwens, de toch al veel te hoge bedragen die u aan voeding besteedt, bestaan hierdoor voor**

1. D. Hegsted, 'Minimum Protein Requirements of Adults', *American Journal of Clinical Nutrition,* 21 (1968), blz. 3250.
2. 'Protein Requirements', Food and Agricultural Organization, World Health Organization Expert Group, United Nations Conference, Rome, 1965.
3. Food and Nutrition Board, 'Vegetarian Diets', Washington, D.C., National Academy of Sciences, 1974.
4. National Research Council, *Recommended Dietary Allowances,* 9th ed. (Washington, D.C.; National Academy of Sciences, 1980), blz. 46.

30% uit uitgaven voor eiwitten die u nooit zult gebruiken. Als gemiddeld Amerikaans gezin kost het u ongeveer 40 dollar per maand om te zorgen voor een volstrekt onnodig hoge eiwitconsumptie. Dat zorgt ervoor dat nog eens 36 miljard dollar verdwijnt in de zakken van de eiwitproducenten.[1]

En het brengt u 30 procent dichter bij atherosclerose.

De individuele behoefte varieert eveneens. Roger Williams, biochemicus en onderzoeker op het gebied van de voeding, vat dit samen in zijn stelling dat de eiwitbehoefte van de ene mens wel vier maal zo groot kan zijn als die van een ander.[2] Let er echter eens op hoe *laag* deze percentages in feite zijn. Denk er eens over na hoeveel vlees en zuivelprodukten men eet en besef dan hoe weinig $2^1/_2$ tot 8 procent van die totale hoeveelheid calorieën eigenlijk is.

Laten we ons eens richten op de natuur, die wat dit onderwerp betreft een bron van kennis kan zijn.

* In welke levensfase groeit u het meest? Na de geboorte verdubbelt ons geboortegewicht in zes maanden tijd. Dit gebeurt later in ons leven nooit weer.

* Voor welk voedingsmiddel zorgt de Natuur bij onze geboorte? Moedermelk.

* Als eiwit de stof is die gebruikt wordt om ons lichaam *op te bouwen*, is het dan niet logisch dat we de meeste eiwitten nodig hebben in de periode van de snelste groei? Inderdaad!

* Hoeveel eiwit bevat moedermelk? Ongeveer 3 procent.

* Wat leert de Natuur ons dus? Kleine baby's, wier lichaam zo snel groeit als het nooit meer zal doen en wier behoefte aan eiwit daarom maximaal is, gedijen het best op het bescheiden niveau van ongeveer 3 procent.

Waar halen we ons eiwit *eigenlijk* vandaan?

Deze vraag steekt steeds weer de kop op. Laten we het onder ogen zien. We worden gehersenspoeld. Zelfs als we accepteren dat we al jarenlang te veel eiwit consumeren, waardoor velen van ons erg ziek zijn geworden, en zelfs als we ons realiseren dat we er nog steeds mee doorgaan – zelfs als we uit de meest deskundige bronnen vernemen dat we per dag niet meer eiwit nodig hebben dan tussen de $2^1/_2$ en 8 procent van onze dagelijkse hoeveelheid calorieën – dan nog vragen we: 'Maar waar halen we ons eiwit vandaan?'

De industrie van dierlijke produkten is meer succesvol gebleken dan degenen die in die bedrijfstak werkzaam zijn ooit hebben kunnen denken. Onze hele bevolking (met uitzondering van enkele duizenden mensen, schat ik) gelooft er heilig in dat de enige produkten die eiwit leveren vlees, eieren en zuivelprodukten zijn. Wat een ongelooflijk succesvolle propaganda!

Weet u wel hoe grondig wij zijn gehersenspoeld? Laat ik een voorbeeld geven. Ik ging onlangs voor een periodieke controle naar een uitstekende arts. Deze man is al veertien jaar vegetariër. Hij bezit een grote kennis en ik vind hem een zeer goede medicus. Wat denkt u dat een van de eerste vragen was die hij mij stelde? U raadt het al. 'Waar haal jij je eiwitten vandaan, Marilyn?'

Ik kon het gewoon niet *geloven*. Zelfs hij lijdt aan het kniereflexsyndroom wat betreft eiwitten, net

---

1. David Reuben, *Everything You've Always Wanted to Know About Nutrition* (New York: Avon Books, 1978), blz. 154-155.
2. R.J.Williams, 'We Abnormal Normals', *Nutrition Today*, 2 (1967), blz. 19-28.

zoals de rest van de bevolking. En ik sprak hem er niet eens op aan, maar gaf hem gewoon antwoord alsof het een normale vraag betrof. Ik lijd zelf dus ook aan het kniereflexsyndroom wat betreft eiwitten!

Hoe raken we het eiwit-kniereflexsyndroom kwijt

Daarvoor moeten we enige nieuwe gegevens in ons opnemen. Ook al zou onze behoefte aan eiwitten hoog in het spectrum blijken te liggen, dus op iets meer dan 8 procent, dan nog hoeven we ons er geen seconde druk over te maken of we dat percentage wel halen. Alleen omdat we tientallen jaren hebben gehoord dat eiwitten uitsluitend voorkomen in dierlijke produkten, is het voor veel mensen moeilijk in te zien dat het in overvloedige mate voorkomt in heel veel andere voedingsmiddelen. Bijvoorbeeld:

spinazie	49% eiwit
broccoli	45% eiwit
sla	34% eiwit
kool	22% eiwit
aardappelen	11% eiwit
aardbeien, sinaasappelen, kersen, abrikozen, watermeloen, druiven	8% eiwit
tarwekiem	31% eiwit
havermout	15% eiwit
tahoe	43% eiwit
linzen	29% eiwit

Veel meer dan $2\frac{1}{2}$ tot 8 procent van uw dagelijkse calorieën bestaat *vanzelf* al uit eiwit. Het zit in alles wat u eet uit het plantenrijk. U krijgt het onwillekeurig binnen, zonder er moeite voor te doen. De vraag is niet hoe we er genoeg van binnenkrijgen, maar eerder hoe we kunnen vermijden er te veel van te consumeren! Er ontstaat een probleem als uw eiwit afkomstig is van dierlijke bronnen (vlees, kip, vis, eieren en zuivelprodukten), omdat deze naast eiwit een gevaarlijke hoeveelheid verzadigde vetzuren en cholesterol leveren – waarvan *iedereen* (behalve uiteraard de industrie die dierlijke eiwitten produceert) zegt dat u ze niet moet eten.

De lijsten op bladzijde 36 die ontleend zijn aan het *U.S. Department of Agriculture Handbook No. 456* geven aan hoeveel van de voedingsmiddelen die u eet *tenminste* de gewenste 8 procent eiwit bevatten; veelal bevatten zij meer dan dat.

In hoeverre verschillen vis en kip van rundvlees?

Veel mensen, waaronder diëtisten en artsen, zijn van mening dat vis en kip beter zijn dan rood vlees, zoals rundvlees, varkensvlees en lamsvlees, omdat vis en kip minder verzadigde vetzuren bevatten dan rood vlees en meer meervoudig onverzadigde vetzuren. Volgens sommige onderzoekers zorgen meervoudig onverzadigde vetzuren voor een verlaging van de cholesterolspiegel in het bloed; een feit is echter dat verzadigde vetzuren het cholesterolgehalte twee maal zoveel verhogen als meervoudig onverzadigde vetzuren het gehalte verlagen.[1]

1. John McDougall, *McDougall's Medicine* (Piscataway, N.J.: New Century, 1985), blz. 109.

PERCENTAGE CALORIEËN VAN EIWITTEN

PEULVRUCHTEN

Sojaboonspruiten	54%
Mungboonspruiten	43%
Tahoe	43%
Sojameel	35%
Sojabonen	35%
Sojasaus	33%
Tuinbonen	32%
Linzen	29%
Spliterwten	28%
Rode (nier)bonen	26%
Bruine bonen	26%
Limabonen	26%
Kekererwten	23%

GROENTEN

Spinazie	49%
Waterkers	46%
Boerenkool	45%
Broccoli	45%
Spruitjes	44%
Raapstelen	43%
Bloemkool	40%
Champignons	38%
Chinese kool	34%
Peterselie	34%
Sla	34%
Doperwten	30%
Courgettes	28%
Sperziebonen	26%
Komkommers	24%
Paardebloembladjes	24%
Groene paprika	22%
Artisjokken	22%
Kool	22%
Bleekselderij	21%
Aubergine	21%
Tomaten	18%
Uien	16%
Bieten	15%
Pompoen	12%
Aardappelen	11%
Yams	8%
Zoete aardappelen	6%

GRANEN

Tarwekiem	31%
Rogge	20%
Tarwe	17%
Wilde rijst	16%
Boekweit	15%
Havermout	15%
Gierst	12%
Gerst	11%
Zilvervliesrijst	8%

FRUIT

Citroen	16%
Suikermeloen	10%
Kantaloepmeloen	9%
Aardbeien	8%
Sinaasappel	8%
Bramen	8%
Kers	8%
Abrikoos	8%
Druif	8%
Watermeloen	8%
Mandarijn	7%
Papaya	6%
Perzik	6%
Peer	5%
Banaan	5%
Grapefruit	5%
Ananas	3%
Appel	1%

NOTEN EN ZADEN

Pompoenpitten	21%
Pinda's	18%
Zonnebloempitten	17%
Walnoten	13%
Sesamzaad	13%
Amandelen	12%
Cashewnoten	12%
Hazelnoten	8%

Data uit Nutritive Value of American Foods in Common Units, *U.S.D.A. Agriculture Handbook no. 456.*

Uit: *Diet for a New America* door John Robbins, (Walpole, N.H., Stillpoint Publishing, 1986), blz. 177 (met toestemming van de auteur).

Hier maken veel mensen die achter dit advies over kip en vis staan echter een denkfout. Kip en vis bevatten *cholesterol* en het hogere cholesterolgehalte neutraliseert het effect van de kleinere hoeveelheid verzadigde vetzuren. Het eindresultaat is dat de cholesterolspiegel in het bloed net zo veel stijgt als wanneer u rood vlees zou eten.[1] In dit geval laten niet de verzadigde vetzuren uw cholesterolspiegel stijgen, maar doet de *extra cholesterol* in de voeding dat.

BELANGRIJKE NIEUWE ONTDEKKINGEN OMTRENT HET TELLEN VAN CALORIEËN

We proberen nu al meer dan tien jaar duidelijk te maken dat calorieën op zichzelf mensen niet dik maken. Een calorie is uiteindelijk niet meer dan een warmte-eenheid en van warmte wordt u niet dik. Wij ervaren het als zeer bemoedigend dat we nu op dit gebied enige steun krijgen vanuit de wetenschappelijke wereld.

VOEDINGSVEZELGEHALTE VAN ALLEDAAGSE VOEDINGSMIDDELEN

Voedings-middel	Voedings-vezel (g/kg)	Voedings-middel	Voedings-vezel (g/kg)
Blauwbessen	15,2	Rundergehakt	0
Spruitjes	13,5	Entrecôte	0
Havermout	13,5	Lamskoteletten	0
Pompoen	12,0	Varkenskoteletten	0
Gekookte wortel	9,6	Kip	0
Zilvervlies-rijst	8,1	Zeebaars	0
		Zalm	0
Sla	6,3	Harde kaas	0
Komkommer	5,7	Volle melk	0
Appelmoes	5,3	Eieren	0

Bron: Nutritional Almanac (Revised), Nutritional Research Inc., John D. Kirsmann, McGraw Hill Book Co., New York 1979.

Uit: *Diet for a New America* door John Robbins, (Walpole, N.H., Stillpoint Publishing, 1986), blz. 257 (met toestemming van de auteur).

1. John McDougall, *McDougall's Medicine* (Piscataway, N.J.: New Century, 1985), p. 129.

Onderzoek aan het Stanford Center for Research in Disease Prevention en de Medische Faculteit van Harvard wijst erop dat er *geen enkel verband* bestaat tussen het aantal genuttigde calorieën en de hoeveelheid lichaamsvet. 'Onze gegevens wijzen erop dat in voedsel aanwezig vet kan bijdragen tot ernstig overgewicht, onafhankelijk van het aantal calorieën dat het bevat.'[1] Met andere woorden, als uw calorieën afkomstig zijn van vette voedingsmiddelen, loopt u meer kans dik te worden dan wanneer uw calorieën afkomstig zijn van magere voedingsmiddelen.

VOLWAARDIGE PRODUKTEN TEGENOVER GERAFFINEERDE VOEDINGSMIDDELEN

In heel veel van wat we tegenwoordig over voeding horen wordt de nadruk gelegd op de noodzaak van het eten van volwaardige produkten. Nadat men tientallen jaren lang in hoge mate geraffineerde produkten heeft geconsumeerd, begint de bevolking van ons land nu te leren dat we *het gehele produkt* nodig hebben en niet een restant. Men heeft ons laten zien dat, als een produkt verwerkt wordt, elk deel ervan ter beschikking van de consument moet komen. Als men bijvoorbeeld appelsap maakt, zou het achtergebleven deel van de appel, dat voornamelijk uit voedingsvezel bestaat, gedroogd en gemalen kunnen worden tot 'appelvezel', dat op zijn beurt verwerkt zou kunnen worden in 'appelcrackers' die bij het sap gegeten kunnen worden. Bij de verwerking van de meeste veel geconsumeerde voedingsmiddelen gooit de industrie de belangrijke elementen, waaronder de vezels, echter vaak weg of men verwerkt ze in dierenvoeding; de dieren krijgen zo het beste deel en wij eten 'lege' produkten.

Het *idee van volwaardig voedsel* is het uitgangspunt van de natuurlijke-voedingsindustrie, waar momenteel produkten van zeer hoge kwaliteit, grote zuiverheid en hoge integriteit op het gebied van voedingswaarde worden ontwikkeld, waarbij uitsluitend van volwaardige ingrediënten wordt gebruik gemaakt. Totdat de grote fabrikanten van voedingsmiddelen zich zullen gaan meten met dit produktieniveau, blijft het onze eigen verantwoordelijkheid om ons als consumenten actief op te stellen en onze mening over superieure natuurlijke voedingsmiddelen duidelijk uit te spreken.

Op dit moment is slechts een klein percentage van de produkten in de supermarkt gemaakt van niet-geraffineerde ingrediënten. Dit komt doordat de grote fabrikanten van voedingsmiddelen nog niet helemaal inzien hoe ernstig de Amerikaanse consument het meent met volwaardige produkten. Ze denken nog steeds dat het ons niet *echt* veel kan schelen. Maar daarin vergissen ze zich! Naarmate steeds meer supermarkten merken hoe hun verkoop daalt terwijl de consument in het hele land meer gaat kopen bij de reformwinkels, komen de grote voedselfabrikanten – via hun klanten, de supermarkten – tot inzicht. De supermarkten moeten de effecten van de concurrentie met reformwinkels wel merken nu er in de grote steden in het hele land steeds meer supermarkten komen die uitsluitend 'natuurlijke produkten' verkopen, waar enthousiaste kopers met kennis van zaken rondlopen, die meer dan bereid zijn hun geld uit te geven aan produkten van de hoogste kwaliteit.

Het is duidelijk dat hier een taak ligt voor de voedselfabrikanten, maar we kunnen hen niet alle schuld in de schoenen schuiven als hun produkten niet voldoen aan onze huidige eisen. In de afgelopen honderd jaar hebben zij gewillige consumenten gevonden voor bijna alles wat ze maar produceerden. Het grootste deel van deze eeuw is men bezig geweest met het vervangen van *natuurlijke ingrediënten* door conserveringsmiddelen en chemicaliën, het toevoegen van kleurstoffen aan en het te veel fa-

1. *American Journal of Clinical Nutrition*, 47 (1988), blz. 406, 995.

brieksmatig bewerken van volwaardige produkten en met het verwijderen van datgene waarvan we nu weten dat het onmisbaar is. Zij deden dit – dat dient u zich te realiseren – om de consument *ter wille te zijn*, die tot voor kort steeds vroeg om de mooiste, zoetste en meest tongstrelende gemaksvoeding. En waarom zouden ze dat ook niet blijven doen, zolang de meeste mensen de keuze van hun voeding baseren op reklamekreten, mooie verpakkingen, de prijsstelling en waardebonnen?

FRUIT EN GROENTEN BEVATTEN VEEL VOEDINGSVEZELS

Uit *Science News*, 3 december 1988 (Deel 134, no. 23):

In het verleden heeft men bij onderzoek verband gelegd tussen een dieet met een hoog gehalte aan voedingsvezel en een kleinere kans op kanker van de dikke darm – een vorm van kanker waarvan het voorkomen in de Verenigde Staten uitsluitend wordt overtroffen door long- en borstkanker. Voedingsvezels worden echter in vele vormen aangetroffen. Veel fabrikanten van ontbijtprodukten hebben die stoffen die mogelijk kanker kunnen tegengaan juist uit hun produkten verwijderd. Nu is echter uit onderzoek gebleken dat fruit en groenten – en niet graansoorten – de meest gunstige soort voedingsvezel kunnen leveren. Volgens een onderzoeksrapport in het *Journal of the National Cancer Institute* van 16 november wordt een verminderd risico op kanker van de dikke darm vooral geassocieerd met een dieet dat veel fruit bevat (bij mannen) en een dieet dat veel groenten bevat (bij vrouwen). De epidemioloog Martha L. Slattery, die het onderzoek aan de Medische Faculteit van de Universiteit van Utah leidde merkt op dat enigszins tegen de verwachting in gebleken is dat het eten van graanprodukten bij de onderzochte groepen geen merkbaar beschermend effect had gehad.

Het is heel goed mogelijk dat de industrie zich baseert op eerdere ervaringen en een afwachtende houding aanneemt om te bekijken of deze trend naar volwaardige voeding wel lang genoeg zal duren om erop in te springen. We moeten hen tot inzicht brengen: we *menen* het *echt*! En we zullen alleen datgene kopen dat aan onze *eisen* voldoet! Wij vormen het economische krachtenveld dat een revolutionaire verandering bij de voedingsindustrie teweeg kan brengen!

De grootste voedselproducenten beheersen 100 procent van de schappenruimte in de meeste supermarkten. U kunt met hen in contact komen via de bedrijfsleider van uw supermarkt. Vertel hem welke produkten u op de schappen wilt zien. Koop geen produkten die geraffineerde ingrediënten bevatten en laat dit aan de bedrijfsleider weten. Het zal zeker tot de grote voedselproducenten doordringen dat uw eisen belangrijk zijn en ze kunnen en zullen erop ingaan.

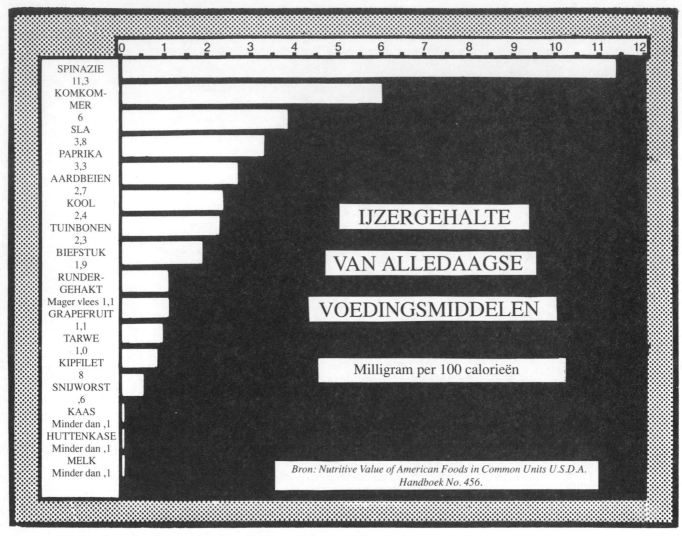

Uit *Diet for a New America* door John Robbins, (Walpole, N.H., Stillpoint
Publishing, 1986), blz. 165 (met toestemming van de auteur).

Goed Nieuws!

In de periode waarin dit boek werd geschreven hebben we gemerkt dat veel grote supermarktketens enthousiast reageren op voorstellen om afdelingen met volwaardige produkten in hun winkels in te richten. Ondertussen zijn grote voedselproducenten in overleg getreden met vertegenwoordigers van de volwaardige-voedingsbeweging om volwaardige produkten voor de Amerikaanse consument te ontwikkelen die op grote schaal gedistribueerd kunnen worden.

DE CONTROVERSE OMTRENT VITAMINE B12

Al enkele jaren bestaat er, sinds de populariteit van het vegetarisme groeiende is, een steeds voortdurende controverse omtrent vitamine B12 die maar niet opgelost wordt. Men is het er geheel over eens dat onze behoefte aan vitamine B12 verbazend gering is. Waar andere bouwstoffen gemeten worden in duizendsten of miljoensten benodigde grammen, wordt vitamine B12 gemeten in *miljardsten* grammen.

De ene partij in het dispuut zegt dat B12 uitsluitend uit dierlijke produkten kan worden opgenomen; de andere partij houdt vast aan de mening dat de zeer kleine hoeveelheid B12 die nodig is, wordt geproduceerd door bacteriën in de mond en de ingewanden, net zoals dat bij alle andere zoogdieren gebeurt. Zij leggen ook uit dat de vitamine eveneens in de vereiste minuscule hoeveelheid aanwezig is in produkten uit het plantenrijk, met name in microscopische bodemdeeltjes die vastzitten aan groenten uit de eigen tuin en bovendien voortkomt uit de gisting die plaatsvindt bij de bereiding van bepaalde sojaprodukten.

In het 'Technical Support Paper on Vegetarianism' van de American Dietetic Association wordt gezegd dat een tekort eerder zou kunnen liggen aan de moeizame *opname* in het lichaam van vitamine B12 dan aan een eventuele afwezigheid ervan in het dieet. In *Vegan Nutrition: Pure and Simple*[1], schrijft dr. Michael Klaper: 'De meeste zorgen die men zich maakt over een adequate hoeveelheid vitamine B12 in het veganistische dieet (waarin geen enkel dierlijk produkt aanwezig is) lijken meer theoretisch dan praktisch van aard te zijn en de meeste veganistische mensen lijken zeer goed te groeien en te functioneren zonder dat zij ooit een vitamine B12 supplement tot zich nemen.' Dr. Klaper is veganistisch arts en behandelt al meer dan tien jaar veganisten. Zijn aanbeveling luidt: 'Omdat een gebrek aan vitamine B12, hoe onwaarschijnlijk het ontstaan daarvan ook is, een ernstige zaak kan zijn en omdat de maatregelen ter voorkoming ervan eenvoudig zijn en in principe zonder risico, dienen alle personen die de veganistische principes hanteren ervoor te zorgen dat zij tenminste driemaal per week een betrouwbare bron van vitamine B12 tot zich nemen.' Als betrouwbare bron noemt hij met B12 verrijkte produkten, zoals uit graan gemaakte ontbijtprodukten, brood, deegwarensoorten, sojamelk en vleesvervangende sojaprodukten. Andere specialisten doen de aanbeveling gegiste sojaprodukten aan de lijst toe te voegen en groenten uit de eigen tuin, als dit tot de mogelijkheden behoort. Zij zijn ook van mening dat taugé of microalgen, zoals spirulina, blauwgroene algen of chlorella vitamine B12 leveren. (Dit zijn volwaardige supplementen die verkrijgbaar zijn bij reformwinkels.) Als iemand zich zorgen maakt over vitamine B12 en er zeker van wil zijn dat deze bouwstof in zijn of haar dieet voorkomt, kan volgens dr. Klaper éénmaal per week een vitamine B12 supplement worden ingenomen van plantaardige oorsprong in een hoeveelheid van ongeveer 25 microgram. Aan kinderen kunnen tabletten (fijngemaakt) of poeders worden toegediend via jus, sojamelk, vruchtesap of -dranken.

Dit zijn de meer conservatieve, preventieve maatregelen die ik u aanreik. Naar mijn mening hebben de onderzoekers zich tot nu toe te veel gericht op dierlijke bronnen van vitamine B12, net als dat gebeurd is bij veel andere bouwstoffen, waarvan ons verteld werd dat zij niet uit plantaardig voedsel konden worden opgenomen (eiwit bijvoorbeeld). Wat noodzakelijk is, is verder onderzoek naar plantaardige bronnen, waarna de controverse omtrent vitamine B12 heel snel zal zijn opgelost. De zorgen over deze bouwstof zullen dan voorbij zijn, net als de zorgen over adequate bronnen van eiwit en calcium.

---

1. Michael Klaper, M.D., *Vegan Nutrition* (Umatilla, Fla., Gentle World, Inc. 1987).

WAAROM IK GEMALEN STEENZOUT GEBRUIK ALS IK ZOUT GEBRUIK

Ik houd rekening met het volgende gedeelte uit *Fresh Fruit and Vegetables*, dat geschreven is door een van mijn mentoren, dr. N.W. Walker, toen hij meer dan 100 jaar oud was. Succes verdient navolging!

Gewoon keukenzout bestaat uit niet-oplosbare anorganische elementen... Bij de commerciële produktie van KEUKENZOUT worden extreem hoge temperaturen gebruikt van ongeveer 800°C om additieven en vervalsmiddelen met het zout te laten binden, waardoor de zoutkristallen met een laagje bedekt worden om ze onder praktisch alle omstandigheden makkelijk strooibaar te laten blijven. Zulk zout is niet volledig in water oplosbaar...

Om dit nadeel het hoofd te bieden, gebruiken we steenzout in alle gevallen waarin we zout gebruiken, het pure STEENZOUT dat gebruikt wordt in waterzuiveringsinstallaties. Steenzout is afkomstig van rotsformaties met een natriumhoudende bodemlaag en wordt niet aan hitte blootgesteld. We hebben gemerkt dat dit zout in water oplosbaar is en het gebruik ervan – uiteraard met mate – blijkt aan alle eisen te voldoen. Om het te kunnen gebruiken malen we het tot de gewenste fijnheid.... Dit steenzout is een natuurlijke katalysator, die de lichaamsenzymen zodanig kunnen verwerken dat er een constructief gebruik van kan worden gemaakt.

Steenzout zal over het algemeen de volgende elementen bevatten:

Natriumchloride	**90-95%**
Calciumsulfaat	**0,05-1%**
Magnesiumsulfaat	**0,05-1%**
Magnesiumchloride	**0,05-1%**

'Gewoon Keukenzout' bevat veelal, naast de bovengenoemde elementen in geheel andere verhoudingen:

Kaliumchloride	**Natriumsulfaat**
Kaliumsulfaat	**Bariumchloride**
Magnesiumbromide	**Strontiumchloride**
Calciumchloride	

De meeste van deze elementen hebben de eigenschap de oplossing van het zout in water tegen te gaan.[1]

Omdat keukenzout, met alle additieven die het bevat, niet in water oplosbaar is, zal het in de bloedbaan terechtkomen en de vaatwanden verharden.

1. N.W. Walker, *Fresh Vegetable and Fruit Juices*, (Phoenix, Ariz.: Norwalk Press, 1978), blz. 48, 49.

VERDELGINGSMIDDELEN: LANDBOUW-PRODUKTEN TEGENOVER DIERLIJKE PRODUKTEN

We horen veel over verdelgingsmiddelen op vruchten en groenten en het is absoluut waar dat de hoeveelheid te groot is, in welke concentratie zij ook op onze landbouwprodukten voorkomen. Toch zullen de meeste mensen schrikken als ze horen dat minder dan 10 procent van de verdelgingsmiddelen die in de Verenigde Staten worden geconsumeerd afkomstig zijn van landbouwprodukten. Meer dan 90 procent ervan wordt aangetroffen in dierlijke produkten. Hoe is dat mogelijk?

Landbouwprodukten worden gedurende de groei een vast aantal keren behandeld met verdelgings-middelen. Dieren uit de bio-industrie worden echter geregeld en herhaaldelijk gevoerd met landbouw-produkten die vol met verdelgingsmiddelen zitten. De verdelgingsmiddelen in dierenvoeding worden gedurende het hele leven van het dier dagelijks toegediend en worden in het weefsel geabsorbeerd en opgeslagen. Een grote vis zal bijvoorbeeld de totale hoeveelheid verdelgingsmiddelen en toxische stof-fen van de duizenden kleinere vissen die hij gegeten heeft in zijn lichaam verzamelen. En elk van deze kleinere vissen zal in zijn weefsels alle verdelgingsmiddelen hebben verzameld die duizenden nog weer kleinere vissen hebben opgenomen, die hem tot voedsel hebben gediend.

Op dezelfde wijze houden dieren uit de bio-industrie (koeien, kippen en varkens) alle verdel-gingsmiddelen vast in hun vlees die ze ooit met hun voedsel hebben binnengekregen. Zij bouwen een extreem hoog gehalte aan chemische verdelgingsmiddelen en toxische stoffen op, omdat hun voedsel bestaat uit vismeel dat stampvol pesticiden zit en landbouwprodukten die herhaaldelijk bespoten zijn met veel meer soorten gevaarlijke chemicaliën. Bovendien worden dieren uit de bio-industrie om ziek-ten tegen te gaan besproeid en bespoten met uiterst giftige mengsels en krijgen zij enorme doses toxi-sche geneesmiddelen toegediend die dieren die op natuurlijke wijze worden gefokt nooit krijgen, in hoeveelheden die zonder enige twijfel gevaarlijk voor mensen zijn.

Al deze gifstoffen worden opgeslagen in het vlees en vet van de dieren die u consumeert. Als u deze dieren eet of de melkprodukten die zij produceren gebruikt, consumeert u geconcentreerde doses van veel van de meest dodelijke chemicaliën die we ooit gekend hebben.

Het *Pesticides Monitoring Journal*, dat wordt uitgegeven door het *Environmental Protection Agency*, maakt melding van talrijke studies die bevestigen dat '*voedingsmiddelen van dierlijke oorsprong de belangrijkste oorzaak zijn van pesticideresidu's in het dieet*'.[1] Recente studies geven aan dat tenminste 90 procent tot wel 99 procent van alle residu's van verdelgingsmiddelen en andere giftige chemicaliën afkomstig zijn van vlees, vis, eieren en zuivelprodukten,[2] en minder dan 10 procent van vruchten, groenten en graansoorten.

Als u zich zorgen maakt over verdelgingsmiddelen in uw dieet, weet dan dat de grootste concen-traties worden aangetroffen in dierlijke produkten. De terechte wens om de hoeveelheid dodelijke chemicaliën die u eet te verminderen is een reden te meer om uw consumptie van dierlijke produkten te verlagen (zie tabel op blz. 46).

1. R. Duggan, 'Dietary Intake of Pesticide Chemicals in the United States, juni 1966-april 1968', *Pesticides Monitoring Journal*, no. 2 (1969), blz.. 140-52.
2. S. Harris, 'Organochlorine Contamination of Breast Milk', *Environmental Defense Fund*, 7 november 1979.

Organische landbouwprodukten zijn voordelig

De prijs van organisch geteeld voedsel geeft de werkelijke kosten van de produktie van voedingsmiddelen weer – wat het kost om een boer een redelijk inkomen te verschaffen. De huidige agrarische crisis in de Verenigde Staten – 35 tot 40 procent van alle boeren wordt met faillissement bedreigd – is een symptoom van een irreële agrarische economie. De bedragen die boeren ontvangen voor hun produkten zijn onvoldoende om de onkosten van het bedrijf te dekken. Deze opbrengsten zijn de laatste vijftien jaar niet veel veranderd, terwijl de onkosten wel vier tot vijf maal zo hoog zijn geworden. De prijzen van olie, benzine, agrarische chemicaliën, voedsel, elektra en behuizing, maar ook rentepercentages zijn alle enorm gestegen, terwijl de boeren nog steeds dezelfde bedragen ontvangen voor hun produkten! Vaak verkoopt de boer zijn produkten met verlies.

Als de Amerikanen sla kopen, kan het zijn dat de kweker 2,50 tot 3 dollar ontvangt voor vierentwintig kroppen. Laten we de kosten van het oogsten en in dozen verpakken van vierentwintig kroppen stellen op 1,50 dollar. De doos zelf kost 1,25 dollar. Wat de boer ervoor krijgt zal nauwelijks de kosten van het oogsten en verpakken dekken, waarbij de kosten van het planten, kweken, bemesten, onkruid wieden, het tegengaan van ziekten en ongedierte, het onderhoud van de machines, de brandstof, het zaad en de irrigatie in het geheel niet gedekt zijn. Geen wonder dat de boer met faillissement beloond zal worden.[1]

De prijzen van organische produkten zijn redelijk: zij geven de boer de kans in zijn onderhoud te voorzien. De organische kweekmethoden zijn anders gezegd niet alleen in agrarische zin vol te houden, maar ook in economische zin. De prijs die de Amerikanen betalen voor organisch geproduceerde voedingsmiddelen maakt het de boer mogelijk meer terug in de grond te stoppen en geen gebruik te maken van de snelstwerkende en goedkoopste 'meststoffen' (die juist het tegenovergestelde doen dan de grond vruchtbaar maken). De organische stoffen die de organische kwekers gebruiken, zorgen ervoor dat de grond weer vruchtbaar wordt; iets dat de conventionele boeren hadden nagelaten. Terwijl de opkomst van verdelgingsmiddelen en kunstmest in de afgelopen veertig jaar voor een vertienvoudiging van het gebruik ervan hebben gezorgd, is het verlies aan oogst door insekten *verdubbeld*. Daartegenover staat dat organische methoden de grond opbouwen, waardoor er sterkere planten kunnen groeien, die beter bestand zijn tegen ziekten.

Dat lijkt mij redelijk! Wat hebben we eraan als agrarische technieken ervoor zorgen dat onze eens zo vitale akkers tot dorre woestijngronden worden gemaakt? Als we zien welke prijs we moeten betalen voor het misbruik van de grond en voor commercieel geproduceerde landbouwprodukten elders in de wereld, is de organisch geteelde voeding in Amerika een *wonder van goedkoopte*.

Op 20 maart 1989 stond dit verhaal in de *Los Angeles Times*:

> **Een overweldigende meerderheid van de Amerikanen zegt dat zij organisch geteelde produkten zouden kopen als zij hetzelfde zouden kosten als fruit en groenten die met verdelgingsmiddelen of kunstmest behandeld zijn, en iets minder dan de helft zou er zelfs meer voor willen betalen, zo wijst een recent onderzoek uit. Deze sterke voorkeur voor fruit en groenten die vrij zijn van chemicaliën kwam aan het licht gedurende een onderzoek dat plaatsvond voordat de alarmerende berichten over giftige druiven uit Chili en appels die waren behandeld met Alar, bekend werden. De Louis**

1. 'Organic Advocate', *Albert's Organics*, no. 1 (december 1988), blz. 4.

Harris-enquête, die uitgevoerd werd in opdracht van het tijdschrift *Organic Gardening*, wees uit dat 84,2% van de ondervraagden organisch geteelde produkten zou verkiezen, als zij de keus hadden, en 49% zei dat ze meer zouden betalen voor organisch geteelde voedingsmiddelen.

Als wij vragen om organisch geteelde produkten en deze ook kopen, steunen we daarmee de heropbouw van het akkerland dat ons ons voedsel levert. Waarom zou iemand willen dat deze grond uitgeput raakt? Organische produkten zijn niet alleen veilig en vrij van verdelgingsmiddelen, maar ook een investering in onze toekomst.

(Bewerkster: In Nederland en België wordt het gebruik van verdelgingsmiddelen onder zeer streng toezicht gehouden. Als u zich hier toch zorgen over maakt kunt u het beste zo veel mogelijk organisch geteelde fruit en groenten kopen bij een reformzaak of supermarkt. Omdat de boeren in EEG-landen forse subsidies krijgen, is de kans op faillissement minder dan in de Verenigde Staten.)

BESTRALING VAN VOEDSEL

Volgens een onderzoek dat is uitgevoerd door het National Institute of Nutrition aan het Medical Research Center in Hyderabad, India, ontwikkelden kinderen die gevoed waren met bestraald graan polyploidie, een afwijking aan de chromosomen van de bloedcellen. Zodra de kinderen dit dieet met bestraald graan niet meer kregen, werd het bloed weer normaal van samenstelling. Polyploidie, dat veel wordt aangetroffen in kankercellen, is een belangrijk gezondheidsprobleem.[1]

Een verhandeling over verdelgingsmiddelen zou niet volledig zijn zonder enkele opmerkingen over voedselbestraling. Het is duidelijk dat de behandeling van voedsel met chemicaliën niemand iets heeft opgeleverd behalve de chemische industrie. De intrinsieke waarde van ons bouwland, de integriteit van ons voedsel en ons onvervreemdbaar recht op gezondheid: het is allemaal ondermijnd door deze betreurenswaardige tactiek. Er zal initiatief, doorzettingsvermogen en een grote steun vanuit de bevolking voor nodig zijn om de toegebrachte schade ongedaan te maken.

Laten we, nu we de schade die chemicaliën bij de voedselproduktie kunnen aanrichten hebben ondervonden, op onze hoede zijn voor nieuwe oplossingen die de bedrijfsvoering op chemische basis in de landbouw tot een verouderde methode maken. Na de Tweede Wereldoorlog was het noodzakelijk voor de chemische industrie om nieuwe markten voor haar produkten te vinden en daarom richtte zij zich op de voedselproduktie. Veel mensen kwamen daartegen in opstand. In hoeverre zullen deze chemicaliën onze gezondheid beïnvloeden? Wat zal de invloed zijn op de bodem en op de planten en dieren die deze bodem met ons delen? Wat zal er gebeuren met de oceanen, meren en rivieren na afvloeiing van het grondwater? Deze mensen werden door de chemische industrie als onruststokers gebrandmerkt. Zij stonden de 'vooruitgang' in de weg. Vooruitgang? *Winst* zou een beter woord zijn.

1. Persbericht *Food Irradiation: Who Wants It?* door Tony Webb, Tim Lang en Kathleen Tucker (Rochester, Vt: Healing Arts, 1987).

Het lijkt erop dat we aan het begin van eenzelfde scenario staan, met dit verschil dat we nu te maken hebben met nog veel gevaarlijker stoffen. Een van de manieren om de hoeveelheid chemicaliën in voedingsmiddelen te verminderen is volgens de nucleaire industrie, het Department of Agriculture in de Verenigde Staten en het Department of Energy, ons voedsel te bestralen. Voorstanders zeggen dat het blootstellen van ons voedsel aan grote doses gammastraling een langere houdbaarheid tot gevolg zal hebben; dat groenten minder snel zullen doorschieten; dat vruchten minder snel zullen rijpen; dat insekten en ongedierte in groenten, fruit en graansoorten gedood zullen worden; dat parasieten in varkensvlees onschadelijk gemaakt worden en dat er minder bacteriën in vlees en vis en schelpdieren zullen blijven zitten.

Moeten we die vele onderzoeksresultaten uit de hele wereld, die ons leren dat bestraald voedsel gevaarlijke veranderingen teweegbrengt in de menselijke fysiologie, dan maar naast ons neerleggen? Van de 413 studies die verzameld zijn door de Food and Drug Administration in de Verenigde Staten zijn er slechts *vijf* die gunstig oordelen over de bestralingstechnologie. Andere studies hebben een verband aangetroffen met kanker, een lager geboortegewicht, nierziekten en veranderingen in witte bloedcellen en chromosomen.

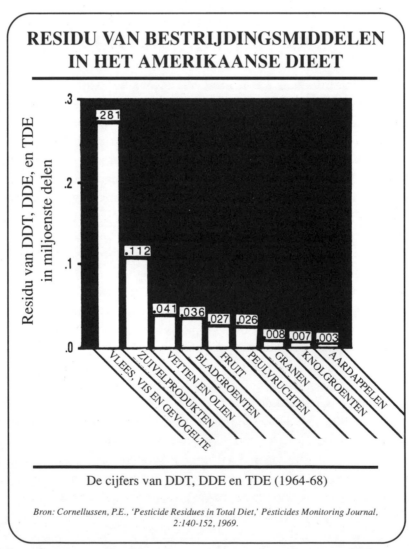

RESIDU VAN BESTRIJDINGSMIDDELEN IN HET AMERIKAANSE DIEET

De cijfers van DDT, DDE en TDE (1964-68)

Bron: Cornellussen, P.E., 'Pesticide Residues in Total Diet,' Pesticides Monitoring Journal, 2:140-152, 1969.

Uit: John Robbins, *Diet for a New America* (Walpole, N.H., Stillpoint Publishing, 1986), blz. 317 (met toestemming van de auteur).

Moeten we het feit naast ons neerleggen dat verdelgingsmiddelen *niet* door bestraling worden geëlimineerd? Moeten we het feit naast ons neerleggen dat de toxinen die bacteriën produceren, niet onschadelijk gemaakt worden als we de bacteriën zelf doden, waardoor er een verhoogd gehalte aan aflatoxinen in het voedsel aanwezig blijft? (Aflatoxinen zijn krachtige veroorzakers van leverkanker.) Moeten we er geen aandacht aan besteden dat bestraald voedsel 'vrije radicalen' bevat, die nieuwe, gevaarlijke chemische verbindingen vormen in het voedsel? Om er enkele te noemen: benzeen, waterstofperoxyde en methanal! Noch de aanwezigheid van deze nieuwe chemicaliën, noch hun verdeling is op adequate wijze aan onderzoek onderworpen.

En moeten we ook de grote hoeveelheid wetenschappelijke literatuur naast ons neerleggen, waaruit blijkt dat voedselbestraling tot 80 procent van alle vitaminen A, B, C, D en K vernietigt en bijna de totale hoeveelheid aanwezige vitamine E? Dit verlies aan vitaminen komt nog bij het verlies dat al ontstaat door bereiding en opslag van het voedsel.

Wie is er voor voedselbestraling?

Op dit moment – in het beginstadium, voordat voedselbestraling is ingeburgerd en de redenen voor toepassing voorgoed in het vergeetboek verdwijnen – is het van het grootste belang dat we erachter komen waarom men, ondanks alle waarschuwingen omtrent onze gezondheid, zo hard zijn best doet om deze technologie aan onze bevolking en onze voedingsmiddelen op te dringen. Ten eerste dienen we te begrijpen wat het inhoudt. Als u een röntgenfoto van de borstkas ondergaat, wordt u blootgesteld aan een fractie van 1 rad aan straling. De Food and Drugs Administration van de Verenigde Staten laat een stralingsdosis van 100.000 rad toe bij de bestraling van voedsel! Planten die op deze wijze behandeld worden, worden blootgesteld aan kobalt 60 en cesium 137. Dit zijn nucleaire afvalstoffen. De ware motivatie achter voedselbestraling wordt, zo menen velen die zich grondig met de materie hebben beziggehouden, gevormd door de noodzaak voor het Department of Energy om een programma te ontwikkelen waardoor kernafval nuttig gebruikt kan worden! Hoe zich te ontdoen van het radioactieve cesium 137, een bijprodukt van de nucleaire technologie, vormt een uiterst nijpend probleem. Het Department of Energy is naarstig op zoek naar een manier waarop juist dit cesium 137 commercieel gebruikt kan worden. Men is bezig om in het kader van het kernafvalproject de financiering van zes demonstratiefabrieken (à raison van 10 miljoen dollar) rond te krijgen. Dit is een ontwikkeling die veel lijkt op het dumpen van chemicaliën in ons voedsel. Toen de Tweede Wereldoorlog was afgelopen, hadden de chemische fabrieken behoefte aan een markt waar zij hun chemicaliën konden dumpen om de winsten op een hoog peil te houden en deze markt werd gevonden in de voedselproduktiebranche. Nu wil het Department of Energy dat wij haar afval 'opeten'. Wat zal de volgende stap zijn?

Dit zijn de vragen die we moeten stellen:

1. Wie is er voor voedselbestraling?
2. Waarom zijn zij ervoor?
3. Is het misschien zo dat de hele promotie van de voedselbestraling niets anders is dan een nauwelijks verholen poging om radioactief afval commercieel te gebruiken?

De Food and Drugs Administration van de Verenigde Staten heeft tot op heden haar goedkeuring verleend aan het bestralen van varkensvlees, fruit, specerijen en groenten. Op dit moment staan het Department of Agriculture en het Department of Energy van de Verenigde Staten achter voedselbestraling. Zij subsidiëren nieuwe bestralingsbedrijven in Californië, Hawaïi, Iowa, Oklahoma en Washington. Ondertussen manoeuvreert men onopvallend heen om zaken als consumentenrechten en keuzevrijheid. De consument wordt gemanipuleerd en veronachtzaamd. *Er bestaat geen test die we kunnen uitvoeren om te zien of voedsel bestraald is. Er bestaat geen test die uitwijst aan hoeveel straling een produkt heeft blootgestaan en hoe vaak bestraling erop is toegepast. Er is ook geen adequate vermeldingsplicht waardoor we zouden kunnen zien welke produkten bestraald zijn en welke we zouden kunnen boycotten als we dat willen.* Bestraald voedsel *ziet* er langer vers uit en de consument denkt daardoor onterecht dat hij te maken heeft met een gezond en voedzaam produkt. In werkelijkheid zijn deze produkten ouder en bevatten zij minder bouwstoffen.

Door het verbeterde 'kosmetische' effect en de mogelijkheid van langduriger opslag, staan veel grote fabrikanten van voedingsmiddelen positief tegenover voedselbestraling: het geeft hen de mogelijkheid meer oude produkten te verkopen. Daarom zijn enkele van de grootste voedselfabrikanten lid van de 'Coalitie ter bevordering van Voedselbestraling'!

Voordat deze technologie vaste voet heeft gekregen, hebben wij nog de keuze. Veel deskundigen voorspellen dat in het jaar 2000 tenminste 40 procent van ons voedsel bestraald zal zijn. Wij moeten onze macht aanwenden om te zorgen dat deze idiote, cynische en kwaadaardige campagne tegen onze gezondheid NU afgebroken wordt.

(Bewerkster: Evenals het gebruik van verdelgingsmiddelen, wordt het bestralen van voedsel in Nederland en België onder zeer streng toezicht gehouden. Momenteel wordt er in Nederland nog steeds gewerkt met individuele toestemming van de minister van WVC. Die toestemming wordt verleend voor een bepaalde hoeveelheid produkt en heeft een korte geldigheidsduur.)

2

De keuken van
Een Leven Lang Fit

Uw kookkunst kan in belangrijke mate verbeteren als u zorgt voor een goed ingerichte keuken. Met deze uitspraak in het achterhoofd, geef ik u een lijstje van benodigdheden voor de keuken die is aangepast aan *Een Leven Lang Fit*. Zelfs de meest eenvoudige keukenbenodigdheden kunnen invloed hebben op de efficiency waarmee u in de keuken werkt, maar ook op uw gezondheid.

APPARATEN EN KOOKGEREI

De keuze van de gebruiksvoorwerpen die u bij het koken hanteert is zeer persoonlijk en er is vaak tijd en een behoorlijke investering voor nodig om die gebruiksvoorwerpen te vinden die u het beste van pas komen. Het is veelal een kwestie van door schade en schande wijs worden. Sprekend vanuit mijn eigen ervaring, kan ik u veel keukenapparaten en -benodigdheden van de firma Braun aanbevelen. Deze zijn praktisch, mooi van vorm en efficiënt. Ik noem hier de handige mixers, sapcentrifuges, citruspersen en food processors.

De Basisuitrusting

Staafmixer De Braun staafmixer is een handig alternatief voor de traditionele mixer. De basis wordt gevormd door een mixer met hoge snelheid, waarmee u vruchtendranken, soepen op roombasis, salade-dressings en diverse sausen kunt maken. Bovendien wordt er een hulpstuk voor snijden en hakken bijgeleverd.

Blender In de grotere, staande modellen met hoog toerental kunnen grotere hoeveelheden verwerkt worden. Deze zijn geschikt voor het intensieve kloppen dat nodig is voor de bereiding van notenmelk, maar het kost meer tijd om ze te reinigen.

Sapcentrifuge De bereiding van uw eigen verse vruchte- en groentesappen komt uw gezondheid zeer ten goede. Met uw Braun sapcentrifuge kunt u exotische sappen maken die niet in de winkel te koop zijn, zoals meloennectar en groentecocktails.

Citruspers Citrusvruchtesap kan altijd met de hand geperst worden, maar een elektrische citruspers werkt sneller en efficiënter.

Fornuis en oven Een gasfornuis maakt snellere en subtielere temperatuurveranderingen mogelijk; een elektrisch fornuis is minder toxisch. Als er te veel vocht in uw oven blijft zitten, als hij niet gelijkmatig warm wordt of als de thermostaat niet goed werkt, moet u de oven laten repareren. Klopt de temperatuur die u met de knop heeft ingesteld met de werkelijke temperatuur in de oven? Als u daaraan twijfelt, controleert u dit met behulp van een oventhermometer.

Als u een magnetron gebruikt, moet u bedenken dat dergelijke ovens verborgen gevaren met zich meebrengen, omdat de mogelijkheid bestaat dat er schadelijke straling vrijkomt. Controleer uw magnetron op scheurtjes, krassen of afgebladderde stukjes lak aan de binnenkant. Kijk ook of het deurtje goed sluit. Laat hem nakijken zodra er ook maar de geringste aanwijzing voor lekken bestaat. Op dit moment zijn er in de Verenigde Staten meer dan honderd onderzoeken aan de gang met betrekking tot de veiligheid van magnetronstraling, die gefinancierd worden door de overheid in de Verenigde Staten. (In de EG is er ook een aantal onderzoeken naar de veiligheid van magnetrons ingesteld – in Nederland moeten alle magnetrons door de KEMA worden goedgekeurd.)

Broodrooster Omdat we u aanraden uw brood licht geroosterd te eten, is een goede broodrooster noodzakelijk. Niets bijzonders!

Drinkwatersysteem In een groot deel van de Verenigde Staten is het water uit de kraan niet voor consumptie geschikt.

Aardige extra's om te hebben

Food processor Voor mij en voor vele anderen is dit apparaat niet langer een luxe. Het werkt tijdbesparend bij het hakken, snijden, mixen, pureren, schaven en bij het bereiden van deeg – en sommige modellen bieden zelfs de mogelijkheid de snijdikte in te stellen. Vaak geef ik er de voorkeur aan deze werkzaamheden met de hand uit te voeren, maar ik gebruik net zo vaak mijn Braun food processor. Hij is van onschatbare waarde.

Elektrische specerijen- of koffiemolen Met het lichtgewicht snijblad van dit apparaat kunt u zaden en kruiden zeer snel malen. De iets zwaardere molens zijn geschikt voor het malen van noten.

Droogkast Dit apparaat is in diverse modellen en maten verkrijgbaar en bestaat in principe uit afgesloten roosters. U gebruikt het om vruchten en groenten te drogen, waarna u ze in gedroogde toestand kunt gebruiken.

Keukenweegschaal Voor die ingrediënten waarvan niet de inhoudsmaat maar het gewicht wordt aangegeven in een recept, is een keukenweegschaal zeer handig.

Pastamachine Zeker een luxe, maar zelfgemaakte deegwaren (pasta) zijn wel heel erg lekker!

Popcornbereider Met de nieuwe heteluchtapparaten, die zonder olie gebruikt worden, kunt u snel en schoon werken. Zij zijn veel beter dan de oude modellen, waarvoor u olie moet gebruiken. Kinderen zijn dol op popcorn.

Tafeloven Spaart tijd en energie bij het bakken, roosteren van brood, opwarmen, bruinen en smoren van gerechten.

Wafelijzer Dit apparaat is beslist niet onmisbaar, maar het is leuk om er speciale 'feestelijke' gerechten mee te maken, vooral als u de nieuwe recepten zonder ei toepast.

KOOKGEREI

Hogedrukpan/snelkookpan Sommige mensen zweren bij de hogedrukpan; anderen niet. Ik hoor toevallig bij de laatste groep.

Steelpannen en koekepannen In diverse maten, geëmailleerd of gemaakt van roestvrij staal, glas of gietijzer. Gebruik geen aluminium pannen (zie blz. 55). U kunt koekepannen met een anti-aanbaklaag gebruiken als u het vetgehalte van uw dieet wilt verlagen.

Stoompan of stoommandje Koop een eenvoudig stoommandje dat u in uw gewone pannen kunt plaatsen of een stoompan waarin zich al een mandje bevindt, maar zorg dat u over een van beide beschikt, zodat u op eenvoudige wijze groenten kunt stomen.

Soeppan Geëmailleerd of van roestvrij staal of glas en groot genoeg om een flinke hoeveelheid soep te bereiden, zodat u altijd kunt beschikken over soep uit de koelkast of de diepvries.

Wok Een wok met anti-aanbaklaag is onmisbaar bij de bereiding van groenten, deegwaren en vele andere gerechten.

Theeketel Roestvrij staal of geëmailleerd. Een keteltje dat 'zingt' is wel zo gezellig.

OVEN- EN BAKGEREI

Ovenvaste schalen en deksels Glazen, aardewerk, keramische of geëmailleerde schalen zijn zeer geschikt om lasagna, groenten en aardappelen uit de oven mee klaar te maken of om ovenschotels in te bereiden.

Braadsleden Van roestvrij staal of pyrex.

Bakplaten en bakvormpjes In diverse maten. Gebruik liever roestvrij staal of vertind staal dan aluminium.

Papieren cakevormpjes Als u papieren vormpjes gebruikt, hoeft u de vormpjes niet in te vetten met olie. U kunt beter papier gebruiken dan aluminium.

Pizzavormen Van roestvrij of vertind staal.

Cake- en broodvormen Van roestvrij of vertind staal of van glas.

Ringvorm Geëmailleerd of van vertind staal. Hiermee maakt u prachtige cakes en rijstranden.

Springvormen Worden gebruikt voor taarten die met zorg uit de vorm gehaald moeten worden.

Taartrooster Dient ter bevordering van een snelle afkoeling van koekjes of cakes. Een taartrooster maakt luchtcirculatie onder de bakplaat of cakevorm mogelijk. Koekjes en cakes kunnen ook ter afkoeling op het rooster worden gelegd nadat zij uit de vorm of van de bakplaat zijn gehaald.

WEEG- EN MEETBENODIGDHEDEN EN SNIJGEREI

Maatkan Glazen of plastic kan met schaalverdeling is handig om vloeistoffen in hoeveelheden van $^1/_2$ deciliter tot 1 liter te meten. Voor droge ingrediënten kunt u beter een weegschaal gebruiken.

Maatlepels Er zijn setjes met lepels in verschillende maten – 15 milliliter (1 eetlepel); 5 milliliter (1 theelepel); $2^1/_2$ milliliter ($^1/_2$ theelepel); $1^1/_4$ milliliter ($^1/_4$ theelepel). Alle maten in droge vorm moeten afgestreken zijn. Het is handig meer dan één set in huis te hebben.

Snijgerei U dient de messen die u veel gebruikt steeds scherp te houden door middel van een al dan niet elektrische messeslijper of een aanzetstaal. Professionele koks bewerken hun messen voor elk gebruik met een aanzetstaal.

Messenset Een koksmes of hakmes voor het snijden en hakken, met een lemmet van 20 centimeter en een handvat dat groot genoeg is om het bij het snijden en hakken goed vast te houden. Ik maak zelf het meest gebruik van deze 'allessnijder'. Verder een voorsnijmes, waarmee u meloenen, pompoenen en andere grote vruchten en groenten kunt doorsnijden en een spatelmes om boter of kruiderijen mee te smeren. U hebt ook een gekarteld broodmes nodig met een lemmet van 20 centimeter en een gekarteld mes met een lemmet van 15 centimeter voor het snijden van tomaten. Tenslotte een schilmesje voor het kleinere werk; daarvoor is een lemmet van 7 tot 10 centimeter het handigst. Ook een grapefruitmesje is nuttig.

Pannekoekmes Niet scherp, maar geschikt voor zijn doel.

Schaar Om verse kruiden, touw enzovoorts mee te knippen.

SPECIFIEK KEUKENGEREI

Snijbonenmolen om snijbonen mee te snijden.

Patatessnijder om aardappelen en rauwe groente ter decoratie in een mooie vorm te kunnen snijden.

Dunschiller voor wortelen, aardappelen, asperges, broccolistronkjes enzovoorts.

Spatels – plat, om te zorgen dat de ingrediënten bij het fruiten of roerbakken in beweging blijven; gemaakt van hout of plastic als u pannen met een anti-aanbaklaag gebruikt.

Schuimspaan om groenten na het blancheren uit de pan te halen, om aardappelen na het koken uit het water te halen etc.

Rubber spatels – met het zachte rubber deel kunt u kommen, kannen, mixerbekers en dergelijke makkelijk leegmaken.

Strooibus om droge ingrediënten voor het bakken goed door elkaar te mengen.

Houten en plastic lepels zijn onmisbaar bij het gebruik van kookgerei met een anti-aanbaklaag.

Gardes zijn belangrijk bij het maken van dressings en sausen.

Kwastjes voor gebruik bij het braden, grilleren en bakken.

Knoflookpers om knoflook en gemberwortel mee tot pulp te persen.

Raspen in diverse maten voor het raspen van nootmuskaat en groenten.

Aardappelstamper voor aardappelen, eventueel ook om peulvruchten te stampen.

Deegrol om deeg mee te rollen en om uw echtgenoot mee binnenshuis te houden (want een lekkere appeltaart zal zelfs de meest uithuizige echtgenoot binnenshuis houden).

Citroentrekkers om mooie, dunne reepjes van citrusvruchten en wortelen te kunnen snijden; gebruik het snijgedeelte om reepjes te snijden en het puntige uiteinde om fraaie strepen te trekken in radijsjes, courgettes, komkommers, paddestoelen enzovoorts.

Diverse andere keukenhulpjes

Blikopener Voor dat enkele blik dat u moet openen als u bij het koken van volwaardige produkten gebruik maakt, hebt u genoeg aan een handblikopener; u bespaart zo energie en het kost maar weinig inspanning.

Kaasdoek Om notenmelk mee te zeven of kruidenbuiltjes voor de soep of stoofschotels mee te maken.

Vergiet(en) Van plastic of roestvrij staal. Om fruit en groenten, deegwaren en peulvruchten te laten uitlekken. Ze zijn verkrijgbaar in verschillende maten; een inhoud van 1 liter tot 3 liter is handig.

Koekjesvormpjes in diverse vormen en maten Hiermee kunt u niet alleen koekjes, maar ook harde groenten in interessante vormen snijden – bijvoorbeeld paprika of wortels die met een dipsausje worden geserveerd!

Snijplank(en) Hout is hiervoor het beste materiaal, als u het tenminste steeds goed afboent met een oplossing van citroen, natriumbicarbonaat of bleekwater en water. Houd een plank apart die u *uitsluitend* gebruikt voor het klaarmaken van fruit en vruchtesap; een tweede plank kan voor algemene doeleinden gebruikt worden. Zo voorkomt u dat uw fruit de sterke geur van knoflook of uien aanneemt. Snijplanken die u gebruikt om vlees, kip of vis op te snijden moeten geregeld *grondig* afgeboend worden om besmetting met bacteriën (salmonella) te voorkomen.

Trechter Om vloeistoffen en droge stoffen over te gieten van een kom naar een fles met een nauwe hals.

Theeëi of -lepel Deze kunt u gebruiken om thee te zetten, maar ook om kruiden mee te laten trekken. Zorg dat u er meer dan één in huis hebt voor het geval u smaak wilt geven aan diverse gerechten tegelijk. Gebruik liever losse thee dan theezakjes.

Groentemolen De eenvoudige versie van plastic of het uitgebreide apparaat dat professionele koks gebruiken. Dit apparaatje is bijzonder praktisch voor het snel in plakjes snijden, raspen en in reepjes snijden van kleine hoeveelheden. Ik werk graag met de plastic uitvoering, die drie snijbladen heeft en twee speciale bladen voor het julienne snijden. Ik gebruik het voor salades, om komkommer in smalle reepjes te snijden of om selderij of komkommers in dunne plakjes te snijden. Deze speciale snijwijze maakt een 'gewone' salade extra aantrekkelijk. Vooral kinderen vinden het belangrijk hoe de ingrediënten van een salade gesneden zijn. De fijnste snijinstelling is ook erg geschikt voor het snijden van papierdunne plakjes komkommer voor sandwiches of voor zeer dunne plakjes ui, te gebruiken in jus of als garnering. Gebruik de groentemolen voorzichtig en volgens de gebruiksaanwijzing. Hij is buitengewoon *scherp*!

Meloensteker Buitengewoon handig om kinderen ertoe te brengen vruchtensalades te eten. Ook nuttig om aardappelballetjes te steken, die u vervolgens bakt, en om komkommerzaad mee te verwijderen. U krijgt dan zaadloze 'halve maantjes'.

Mengkommen Diverse maten en van plastic, roestvrij staal, keramiek of glas. Zij zijn zeer belangrijk en voor van alles en nog wat te gebruiken: mixen, mengen, marineren, afkoelen, omscheppen, bewaren, opdienen en opwarmen. Diepe, niet te brede kommen zijn het meest geschikt voor het mengen en kloppen van grote hoeveelheden, omdat de hoge opstaande rand de ingrediënten binnen de kom houdt. Brede, ondiepe kommen zijn prima voor het kloppen van kleine hoeveelheden (zoals saladedressings of marinades) en zorgen dat u overzicht houdt op de inhoud. Koop kommen die goed op het aanrecht blijven staan. Kommen van melamineplastic met een rubber rand aan de onderzijde voldoen wat dat betreft heel goed. Mijd kommen die te zwaar zijn om makkelijk gehanteerd te worden of te groot om goed te worden opgeborgen.

Schort Om uzelf vlekkeloos schoon te houden. Belangrijk voor uw eigen mentale instelling in de keuken. U kunt zo makkelijk van rol verwisselen en u kunt het koken net zo serieus opvatten als uw andere bezigheden (waarvoor u speciale kleding hebt). Een aantal keukenschorten waaruit u naar gelang uw stemming of bezigheid in de keuken een keuze kunt maken is een goede investering en ze passen vaak uitstekend bij de normale kleding.

Pannelappen Van het type ovenwant of de conventionele lappen. Zij vrijwaren u van brandwonden.

HULPMIDDELEN BIJ HET SERVEREN VAN GERECHTEN

Taartschep

Eetstokjes Voor de liefhebbers van de Aziatische keuken en diegenen die het gewoon prettig vinden om ermee te eten.

Schaal met vakverdeling Om borrelhapjes, dips en zoutjes in te serveren.

Glazen kan met deksel Om vers vruchtesap tot het uitschenken in te bewaren.

Draaiplateau Het is handig om een rond draaiplateau met smaakgevers of gerechten op tafel te zetten, zodat alles binnen ieders bereik staat. Draaiplateaus komen oorspronkelijk uit China, waar het gebruikelijk is dat gasten zichzelf bedienen van de schalen die in het midden van de tafel staan.

Slabestek Hierbij zijn lange stelen makkelijk in het gebruik.

Slakom Zowel voor de toebereiding als voor het opdienen zijn houten en keramische kommen geschikt. Koop diverse maten, waaronder een zeer grote voor als u veel gasten hebt.

Soep- en sauslepels De grote zijn geschikt voor soep, de kleine voor sausen.

Dienbladen Voor het tafeldekken, het serveren en het afruimen, als u niet in de keuken eet.

Onderzetters Om uw tafel te beschermen tegen brandplekken die uw hete dek- en ovenschalen kunnen teweegbrengen.

BEWAREN EN ETIKETTEREN

Mandjes Of u ze nu ophangt of op het aanrecht zet, mandjes zijn zeer geschikt om fruit, zakken chips en ontelbare andere artikelen in te bewaren die zich er niet toe lenen in de koelkast of de provisiekast bewaard te worden.

Keramische schalen op het aanrecht Uitstekend geschikt om fruit in te bewaren. Ze kunnen daarnaast gebruikt worden als mengbeker of als dekschaal of slakom.

Luchtdichte diepvriesbakjes Van onschatbare waarde voor het bewaren van voedingsmiddelen in de kast, de koelkast of de diepvriezer. Voor de vriezer is plastic goed materiaal; voor de koelkast kunt u beter glas gebruiken, omdat plastic een bijsmaak aan het voedsel kan afgeven. Het handigst zijn de ovenvaste schaaltjes met plastic deksel, die u uit de koelkast zo op tafel kunt zetten.

Grote inmaakpotten met deksel Zeer geschikt voor het bewaren van granen, peulvruchten, bloem, noten en andere produkten die u tegelijkertijd zichtbaar en goed verpakt wilt bewaren.

Perspex boek- of recepthouder Een recepthouder van doorschijnend materiaal die vrij op het aanrecht staat is handig om uw kookboek opengeslagen te houden op de gewenste bladzijde en vrij te houden van vlekken die door het gebruik in de keuken kunnen ontstaan.

Stenen of keramische potten In elk geval één, voor koekjes!

Kruidenrek met potjes Kruiden en specerijen zijn lastig in het gebruik als ze niet systematisch zijn opgeborgen. Een rek met potjes die alfabetisch staan opgesteld werkt prima om snel het benodigde te kunnen pakken. Plaats het rek wel op enige afstand van het fornuis, zodat geur en smaak van de specerijen bewaard blijven.

Folie en zakjes: een goede raad Breng aluminiumfolie nooit direct in aanraking met een gerecht dat gare tomaten, paprika of aubergine bevat. Door het zuur van de tomaten zou het aluminium anders rechtstreeks in het voedsel terechtkomen. Een vriend van mij die als kok werkt in een naburig restaurant voor natuurlijke voeding vertelde mij onlangs dat alle koks die daar werken weten dat zij de tomaten-saus die bij de spaghetti geserveerd wordt, niet met aluminiumfolie moeten afdekken. Toen dat wel een keer gebeurd was, merkten zij dat er spatjes gelekte aluminium op de saus dreven. Dit probleem kan als volgt worden ondervangen: u dekt de schaal of ovenschotel eerst af met vetvrij papier en legt daar vervolgens het aluminiumfolie overheen, zodat het papier op zijn plaats blijft. Zie hieronder voor verdere uitleg. Gebruik ook niet te veel plastic zakjes. Het duurt vijfentwintig jaar voordat deze in het milieu zijn afgebroken. Vetvrij papier is een goed produkt en verdient meer bekendheid. Duurzame plastic bakjes en glazen potten met deksel zijn vanuit milieutechnisch oogpunt de beste en meest hygiënische oplossing!

Markeertape Een rolletje papieren plakband is handig in de keuken. U gebruikt het om iets snel van een etiket te voorzien, dat later ook weer makkelijk te verwijderen is.

Plaketiketten Om in de gaten te houden wat u ingevroren hebt (schrijf inhoud en *datum* op de etiketten) en om de inhoud van voorraadpotten met graansoorten, bonen, bloem en meel aan te geven.

WAAROM U BETER GEEN ALUMINIUM KOOKGEREI KUNT GEBRUIKEN

Ik ben nu al veertig jaar arts en door het onderzoek dat ik heb gedaan met betrekking tot de werking van aluminium, kan ik zonder enige twijfel en met alle overredingskracht die ik bezit zeggen dat het gebruik van aluminium bij de bereiding van voedsel en voedingsprodukten een van de meest schadelijke factoren in de moderne beschaving is.

– H. Tomlinson,
M.B., Ch.B., M.R.C.S.,
L.R.C.P.
Londen, Engeland

Ik heb altijd al geweten dat aluminium en voedsel niet te combineren zijn en toen ik dr. Tomlinsons boek *Aluminum Utensils and Disease* las, dat in 1958 in Engeland uitgegeven en in 1978 herdrukt werd, vond ik dat ik enkele van zijn onderzoeksresultaten aan u moest doorgeven.

Hoe hard de aluminiumindustrie dit ook ontkent, het blijft een feit dat aluminium kookgerei aluminium afgeeft aan ons voedsel.

Niettegenstaande alle protesten over de geringe hoeveelheid waarom het gaat of het feit dat er in bepaalde voedingsmiddelen al aluminium aanwezig is (als onderdeel van de moleculaire structuur, *niet* als anorganisch metaal), heeft aluminium dat afkomstig is van kookgerei een nadelig effect op de gezondheidstoestand van een op de drie mensen.[1]

Al in 1913 heeft het rechtzinnige Britse medische tijdschrift *The Lancet* gemeld dat aluminium kookgerei dat met voedsel in aanraking komt, schade aan de gezondheid kan toebrengen. Sinds die tijd zijn medische onderzoeksrapporten verschenen over de schadelijke effecten van aluminium kookgerei in het *Biochemical Journal*, het *British Medical Journal*, het *American Journal of Physiology* en even-

---

1. H. Tomlinson, Aluminum Utensils and Disease (Essex, England: L.N..Fowler Ltd., 1958), blz. 11.

eens in Duitse medische tijdschriften. In Canada, Frankrijk, Duitsland, Groot-Brittannië en de Verenigde Staten zijn boeken uitgegeven waarin een verband wordt gelegd tussen kanker en andere ziekten en aluminium kookgerei. In vele landen over de hele wereld is aluminium kookgerei verboden, maar in de Verenigde Staten gaan in de industrie die dergelijk kookgerei fabriceert miljoenen dollars om.

Het probleem zit in het feit dat aluminium kookgerei oplost in voedsel. U kunt aan de pannen zien dat er pitten in komen. Zelfs in kraanwater dat in aluminium pannen wordt gekookt, wordt aluminium opgenomen. Aluminium lost makkelijk op in de zuren en alkalische stoffen die in de meeste voedingsmiddelen rijkelijk aanwezig zijn. Reinigingsmiddelen lossen aluminium op en hard water eveneens.

Uit onderzoek is gebleken dat een aluminiumvergiftiging een hele reeks ernstige gezondheidsproblemen kan veroorzaken, van migraine tot kanker, ernstige ingewandstoornissen en pijn tot een vermindering van de verstandelijke vermogens die lijkt op de ziekte van Alzheimer. Het gebruik van aluminium in de keuken is zeker het risico niet waard, omdat er zoveel prima alternatieven zijn. Roestvrij staal, email, Pyrex, gietijzer en loodvrij aardewerk zijn alle veilig en uitstekend te gebruiken. Deze materialen zijn misschien wat duurder in de aanschaf, maar ze gaan allemaal beslist langer mee en u brengt er uw gezondheid niet onnodig mee in gevaar.

Helaas is het gebruik van aluminium stevig ingeburgerd in de restaurantwereld en de voedingsindustrie. De produkten die daaruit voortkomen zijn derhalve besmet met dit metaal. U kunt thuis een aluminiumbesmetting voorkomen, maar als u buitenshuis eet of voedsel koopt dat niet bij u thuis is klaargemaakt, bent u overgeleverd aan de willekeur van de commerciële keukens.

TIPS VOOR HET DIEPVRIEZEN

Diepvriezers dienen een temperatuur te hebben van -18°C. Bij een temperatuur van 0°C is de toegestane bewaartijd al de helft korter. Controleer van tijd tot tijd de temperatuur in uw diepvriezer met een speciale diepvriesthermometer.

1. Vries voedsel pas in als het is afgekoeld tot kamertemperatuur. Het is niet goed om uw vriezer te vol te pakken. Volg nauwkeurig de aanwijzingen van de fabrikant.

2. Gebruik luchtdichte zakjes en bakjes die speciaal voor gebruik in de diepvriezer gemaakt zijn. Geef op elk verpakt produkt inhoud en datum van invriezen aan.

3. Zorg voor snelle bevriezing door de bakjes dicht tegen de wand van de diepvriezer te plaatsen en door de bakjes niet te stapelen, maar vrij in het vriesvak te zetten. Pas na 24 uur invriezen kunt u de bakjes stapelen.

4. Vries koekjes, gebakjes, gevulde flensjes etc. onverpakt in op vetvrij papier op een (bak)plaat. Op deze wijze blijven ze gescheiden tot ze bevroren zijn, waardoor hun vorm behouden wordt. Ook vriezen ze zo niet aan elkaar vast. Zodra ze stevig zijn, kunt u ze verpakken en is het mogelijk er later net zo veel uit de vriezer te halen als u nodig hebt.

5. Voedsel dat te lang ingevroren is geweest wordt lichter en vaal van kleur.

6. Op slecht verpakt voedsel verschijnen op den duur grijze en witte vlekjes. De oorzaak hiervan is dat de droge vrieslucht vocht aan het voedsel onttrekt.

7. Als zich ijs binnen in de verpakking bevindt, wil dat zeggen dat het produkt gedeeltelijk ontdooid is geweest en vervolgens weer ingevroren.

8. Als zetmeel in het produkt afgebroken wordt, is het produkt te lang ingevroren geweest. Hetzelfde geldt voor sausen waarvan de consistentie verandert en voor groenten die slap worden.

9. Ontdooi voedsel zo mogelijk altijd in de koelkast, om bederf te voorkomen. Produkten die bij kamertemperatuur ontdooien lopen meer risico op bederf. Tijdens het dooiproces wordt de ontwikkeling van micro-organismen niet langer door de koude tegengehouden, waardoor ze zich opnieuw kunnen gaan vermeerderen.

10. Alle voedingsmiddelen kunnen in de verpakking ontdooid worden, behalve cakes, die het vocht dat zich aan de binnenzijde van de verpakking bevindt, kunnen opnemen. Als u een cake ontdooit, kunt u de verpakking het beste openen.

11. Vries nooit een produkt dat al geheel ontdooid is opnieuw in. Kook het voordat u het opnieuw invriest. Alle voedingsmiddelen die niet fris ruiken na het ontdooien moeten weggegooid worden.

3

De vegetarische boodschappenlijst

Dit is een zeer belangrijke lijst en ik vermoed dat zij nogal wat lezers zal verrassen. Ik heb zo vaak gemerkt dat mensen ten onrechte menen dat vegetarisch 'spartaans' betekent. Dat is een wijdverbreid misverstand dat ik met veel genoegen uit de wereld wil helpen. Deze boodschappenlijst zal u een goed inzicht geven in de vele grondstoffen die u kunt gebruiken om de grote verscheidenheid aan buitengewoon lekkere vegetarische gerechten te bereiden.

Er bestaan vele verrukkelijke voedingsmiddelen en produkten die bij de bereiding van vegetarische maaltijden kunnen worden gebruikt en in alle gevallen is het sleutelwoord zuiverheid.

BOODSCHAPPENLIJST

Mijd alle voorbewerkte voedingsmiddelen met chemische additieven en conserveringsmiddelen. Mijd alles wat zout, geraffineerde suiker, kleurstof of mononatriumglutamaat als hoofdingrediënt bevat. Zorg er bij de aankoop van conserven voor dat u produkten kiest van fabrikanten die de binnenkant van het blik voorzien van een glazuurlaag of koop indien mogelijk, produkten in glazen potten. Het is altijd beter om uit te zien naar volwaardige produkten in plaats van produkten die geraffineerde ingrediënten bevatten. Het woord geraffineerd duidt er slechts op dat de meeste essentiële bouwstoffen uit het produkt verwijderd zijn en dus verspilt u uw geld en energie als u geraffineerde produkten in uw boodschappenkarretje legt. Van bijna alle momenteel verkrijgbare produkten bestaan ook kwalitatief goede soorten, afkomstig van uitstekende firma's die zich bezighouden met volwaardige voeding. Sommige van deze firma's hebben nu hun eigen schapruimte in de supermarkten verworven. Als u consequent dergelijke produkten koopt en die produkten mijdt die niet zijn gefabriceerd met uw gezondheid als uitgangsgedachte, dwingt u de supermarkten ertoe in te gaan op uw behoeften. Hun oogmerk is het behalen van winst en daarom zullen zij in voorraad nemen wat u koopt. Als u in de supermarkt niet kunt vinden wat u zoekt, gaat u bij de reformwinkel kopen. Dat zullen de supermarkten zeker merken. Breng door middel van uw guldens uw stem uit voor produkten die uw gezondheid ten goede komen.

INGREDIËNTEN UIT DE VOORRAADKAST

(Deze voedingsmiddelen behoeven meestal niet gekoeld bewaard te worden.)

Meel, Mixen enzovoorts (zie Bakken met liefde, blz. 348)

maismeel (grof en fijn)

boekweitmeel

havermeel

roggemeel

volkorenmeel*

zelfrijzend volkorenmeel*

gierstmeel

sojameel*

volkoren- of 4-granen-pannekoekmeel

volkorenbroodmix

volkorencakemix

vegetarische braadmixes (op sojabasis)

Volkorengraansoorten (zie Voedsel voor de gehele planeet, blz. 307)

gerst – Parelgort is gepelde en geslepen gerst.

bulgur – Geplette volkorentarwekorrels, voorgekookt en gedroogd.

couscous – Bewerkt griesmeel. Couscous wordt voorgekookt en hoeft alleen maar geweekt te worden.

kasha – (boekweitgrutten) – Hoog eiwitgehalte, hoog vitamine B-gehalte en rijk aan calcium. Wordt fijn, middel of grof gemalen.

gierst – De enige graansoort die geen zuur vormt. Een kleine gele korrel die tijdens het koken sterk zwelt. Gierst heeft een flauwe, nootachtige smaak en is rijk aan eiwit, ijzer, kalium, calcium en vitamine B. Deze graansoort is het basisvoedingsmiddel van het Hunza-volk, waarvan bekend is dat ze hoge leeftijden bereiken.

rijst – Basmati (wit of zilvervlies). Rijstsoort met kenmerkende, nootachtige smaak. Komt oorspronkelijk uit India, maar wordt tegenwoordig ook in de Verenigde Staten verbouwd. De populaire witte basmatirijst, is echter geslepen.

    zilvervliesrijst met lange korrel.

    zilvervliesrijst met ronde korrel.

    wilde rijst.

quinoa – Een relatief nieuwe graansoort uit Zuid-Amerika die makkelijk te bereiden is. Quinoa bevat 16 procent eiwit, 10 keer zoveel ijzer als maïs of tarwe en is rijk aan vitamine B.

* Bewaar in de koelkast of op een koele plaats om ranzigheid te voorkomen.

Deegwaren

volkorendeegwaren bereid met groenten – spinazie, tomaat, enzovoorts

Aziatische deegwaren

   udon – Brede volkorennoedels uit Japan, bereid van tarwe en/of rijst. Heeft een hogere voedingswaarde en betere samenstelling dan andere soorten volkoren-deegwaren.

   soba – Smalle volkorennoedels uit Japan, bereid van tarwe, boekweit en Japanse groenten en kruiden. Heeft een hogere voedingswaarde en betere samenstelling dan andere soorten volkorendeegwaren.

alle soorten volkorendeegwaren – spaghetti, tagliatelle, macaroni, enzovoorts.

echte Italiaanse deegwaren – voor liefhebbers van Italiaanse deegwaren. De meeste soorten zijn echter geraffineerd.

Gedroogde of reeds bereide peulvruchten (zie Voedsel voor de gehele planeet, blz. 307)

Gedroogde peulvruchten

adukibonen	rode (nier)bonen
zwarte-ogenbonen	limabonen
kekererwten	kievitsbonen
bruine bonen	mungbonen
spliterwten (gele en groene)	linzen (grauwe en rode)

Reeds bereide peulvruchten (evt. uit blik)

kievitsbonen, adukibonen,
kekererwten, Mexicaanse gebakken bonen

Soep uit blik of pak – het liefst zonder kleurstof en conserveringsmiddelen

Vleesvervangers

vegetarische braadschijven (burgers), frankfurters, wieners, tahoeschnitzels, tahoe saté enzovoorts

vegetarische braadmixen, krokettenmix, ragoûtmix, sojabrokken

seitan – Een vegetarisch produkt, gemaakt van tarwebloem en tarwegluten en op smaak gebracht met tamari gember, zeewier en laurier

kant-en-klare seitan- en tahoegerechten

Reformcrackers – volkorencrackers zonder kaas, suiker, additieven en conserveringsmiddelen

volkorenbeschuit
rijstwafels
matzes

knäckebröd
soepstengels
toostjes

Chips – zoutloos of zoutarm

Maïschips, aardappelchips, pretzels en andere soorten die bij een reformwinkel te koop zijn.

Granen – volkorengranen, naturel of bereid (pap enz.)

Noten en zaden (rauw) – Bewaren op een koele, droge plaats

amandelen
cashewnoten
(Zelfs de noten die als
   naturel verkocht worden
   hebben minstens een hitte-
   behandeling ondergaan
   om het pellen te ver-
   gemakkelijken)
karwijzaad
sesamzaad
paranoten

hazelnoten
macadamianoten
pecannoten
pijnboompitten
walnoten
pistachenoten
geraspte of gemalen
   kokos (ongezoet)
maanzaad

Gedroogd fruit (zwavelvrij) – Bewaren op een koele, droge plaats

appelen
abrikozen
vijgen
ananas (ongezoet)
papaya

rozijnen
pruimen
dadels
krenten

Zoetstoffen

Lees meer over zoetstoffen in Bakken met liefde (blz. 348)

vruchtesuiker
dadelsuiker
reformhoning
gerstemoutsiroop

rijstsiroop
sorghumgierst
carobpoeder

Sausen, azijn en oliën – Bewaren op een koele, donkere plaats

extra-zuivere olijfolie
koudgeperste olijfolie
mirin – Japanse rijstwijn
rijstazijn (wit of rood)
appelazijn
umeboshi – Japanse pruimazijn (zeer alkalische azijn die van een Japanse *groente* wordt gemaakt)
sojasaus (natriumarm)
tamari (natriumarm) – Geconcentreerde Japanse sojasaus, glutenvrij
teriyakisaus

Groentebouillon en andere smaakmakers

zelfgemaakte groentebouillon
groentebouillontabletten en -korrels
vegetarische juspoeder
strooigist – Smakelijk poeder met een licht zoute, pittige smaak om in plaats van zout aan alle mogelijke gerechten toe te voegen. Zeer rijk aan vitamine B complex.

Zout en zoutloze smaakmakers

kruidenzout
strooikruiden, met of zonder zout
plantaardige soeparoma
steenzout
zeezout
zeewierpoeder en zeewiervlokken

Specerijen (biologisch geteeld met Skal-controle)

pimentkorrels	foelie
asafoetida	mosterdpoeder (droog)
kardamom	nootmuskaat
cayennepeper	paprika (zoete)
chilipoeder	peperkorrels (zwart en wit)
kaneel	rode pepervlokken
kruidnagelen	saffraan
koriander	kurkuma
komijn	zwarte-mosterdzaad
kerriepoeder	venkelzaad
gember	knoflookpoeder
	uienpoeder

Kruiden en kruidenmelanges (biologisch geteeld met Skal-controle)

basilicum	peterselie
laurier	pepermunt
kervel	rozemarijn
dille	salie
venkel (blad)	bonenkruid
majoraan	dragon
oregano	tijm

Zeegroenten en gedroogde paddestoelen

nori – Japans zeewier (gedroogd)

dulse – Paars-rood zeewier uit het Middellandse-Zeegebied. Wordt verwerkt in salades, soepen en stoofschotels. Gemalen gedroogde dulse wordt als vervanger voor zout gebruikt.

kombu – Japans zeewier (gedroogd). Wordt verwerkt in soepen en bonenschotels.

agar-agar – Geleermiddel gemaakt van zeegroenten (zeemos of carragheen).

gedroogde paddestoelen:

    Aziatische – shi-itake, kikurage

    Franse – morieljes, cantharellen

    Italiaanse – porcini

Kruidenthee – Alle cafeïnevrije soorten worden aanbevolen

Reformkoffie (cafeïnevrij)

granenkoffie (gemaakt van o.a. geroosterde en gemalen gerst)

Bakingrediënten: Bindmiddelen
(zie Bakken met liefde, blz. 348)

wijnsteenzuur

dubbelkoolzure soda

arrowroot – Licht verteerbaar zetmeel uit de tropische pijlwortelplant. Te gebruiken als bindmiddel in soepen, groente, jam, pudding, enzovoorts.

Diversen

palmharten – De eetbare bloemen van een tropische palmsoort. Worden vaak in salades verwerkt. In Nederland zijn palmharten uitsluitend in blik verkrijgbaar.

kokosmelk, santen (ongezoet)

tomaten uit blik en gezeefde tomaten uit blik of pak

artisjokbodems

reformpopcorn

INGREDIËNTEN UIT DE KOELKAST OF DIEPVRIEZER

Vers fruit en versgeperste vruchtesappen

Verse groente en versgeperste groentesappen

Jams, gelei en conserven (suikervrij)

Brood (bereid met volkoren- of ontkiemde graansoorten) – Bewaar brood dat bereid is zonder conserveringsmiddelen in de koelkast of diepvriezer, omdat het snel kan bederven.

volkorentarwebrood	volkorentortillas
volkorenroggebrood	volkorenbroodjes
havermout	muffins
pitabrood	ongerezen Aziatisch brood (chapati's enz.)

Smaakmakers en sausen (zonder kleurstof en conserveringsmiddel)

olijven	tomatensaus
tafelrelish	tafelzuren
mosterd	ketchup
reformmayonaise, bereid zonder eieren	

Miso

Een kwarkachtige substantie of pâté, die gemaakt wordt van sojabonen, gist en zout. Heeft een hoog zuurgehalte. In Japan denkt men dat het een goede invloed heeft op maag en darmen en dat het een versterkend effect op het bloed heeft; daarom wordt miso door veel mensen dagelijks gedronken als een vervanger voor koffie en thee, of als soep. Lichte miso (shiromiso) kan gebruikt worden als vervanger voor zuivelprodukten. Denk eraan dat miso poeder minder van kwaliteit is dan misopasta en heel weinig voedingswaarde heeft. (Zie Soep is waar 't om gaat, blz. 210).

Noten- en zaadpasta's

pindakaas
amandelboter
cashewboter
zonnebloempasta

sesampasta (tahin) – wordt
   in het Midden-Oosten
    gebruikt als zuivelvervanger
notenmoes (van gemengde noten)

Oliën (koudgeperst)

zonnebloemolie
sesamolie

avocado-olie
saffloerolie

Kant-en-klare slasausen – Bereid van zuivere ingrediënten (zonder suiker, kaas en additieven)

Sojaprodukten (zie Waardoor kunt u dierlijke produkten vervangen, blz. 114)

tempeh
tahoe (gekruid of met kerriesmaak)
Japanse tahoe (is zacht en mild van smaak)
sojamelk (vacuümverpakt) – Dichte pakken kunnen een halfjaar in de kast worden bewaard.
   Geopende pakken blijven een week goed in de koelkast.
tahoe- of sojaburgers (uit de koelvitrine)
sojamargarine – Gemaakt van sojabonen, gedeeltelijk gehydrogeniseerde sojaolie, lecithine en caroteen.

INGREDIËNTEN UIT DE DIEPVRIEZER

Groenten en fruit (verpakt zonder zout of suiker)

Kant-en-klare snacks

Het loont de moeite om eens in de diepvriesvitrine van uw reformwinkel te kijken, u kunt daar vast wel iets van deze heerlijke kant-en-klare produkten vinden.

pizza's
loempia's
diverse tahoeprodukten (schnitzels, burgers enz.)

Toetjes

rijsteijs
waterijsjes – Gemaakt van vers vruchtesap
taarten en gebakjes
deeg

Ik heb deze boodschappenlijst niet opgenomen om u aan te sporen alles te kopen wat erop staat, maar meer om u een idee te geven van wat er zoal te koop is in de diverse reformwinkels en supermarkten. Het kan soms wel moeilijk zijn om al de produkten op de lijst te vinden in uw lokale reformwinkel, maar het is niet zo dat u niet zonder deze produkten kunt, ze zijn slechts als suggestie opgenomen. In een recept waar een ingrediënt is genoemd dat, naar mijn ervaring, niet makkelijk verkrijgbaar is, heb ik, waar mogelijk, een alternatief opgenomen. Maar omdat het aantal reformzaken groter en groter wordt, waarmee tevens de verscheidenheid groter wordt, heb ik zoveel mogelijk produkten aangegeven om u een ruimere keuze te bieden.

4

De vriendelijke dorstlessers

Er zijn veel dranken die zowel verrukkelijk als goed voor u zijn, die uw gezondheid en vitaliteit kunnen verbeteren en u bovendien erbij helpen op gewicht te blijven. Als ik wel eens een van de drankjes uit dit hoofdstuk aan vrienden aanbied die ze niet kennen, ben ik altijd weer verrast door hun enthousiasme en belangstelling. Dan besef ik dat *de meeste mensen nooit iets echt positiefs drinken*. Het gaat hier om een categorie voedingsmiddelen die danig onderschat wordt en waar men veel te weinig aandacht aan besteedt.

De meeste mensen ervaren het als een grote ontdekking dat er zo'n grote verscheidenheid aan frisse en dorstlessende soorten sap bestaat, gemaakt van één of meerdere vruchte- of groentesoorten en die het water in de mond doen lopen. Nadat ze de mogelijkheden hebben geproefd, kopen ze hun eigen vruchtenpers om deze drankjes zo vaak ze maar willen te kunnen maken. Men kent gewoon die koele, fruit-'smoothies' en die romige amandelmilkshakes niet. Als men deze dranken eenmaal heeft leren kennen, is men er snel toe bekeerd en gaat men de nieuwverworven kennis uitdragen. Ik heb zo'n idee dat u op dezelfde manier zult reageren.

Hier zijn dus die vriendelijke dorstlessers. Zij zijn verrukkelijk. Ze zijn luxueus. Ze zijn betaalbaar! *En* u hoeft zich niet te beperken tot een goedgekeurde veilige hoeveelheid. Ik doe u alleen mijn suggesties aan de hand; na enige tijd zult u – net als iedereen – uw eigen favoriete dranken gaan verzinnen.

Proost! En op uw gezondheid!

HOE U UW DORST KUNT LESSEN

Frisdranken en dorst

Amerikanen drinken meer frisdrank dan water! Het lessen van onze dorst behoort tot onze belangrijkste biologische behoeften. Het komt zelfs op de tweede plaats na het inademen van lucht. Dranken zijn eerste levensbehoeften, maar wij zijn bij onze keuze van dranken veel verder gegaan dan dat. Men heeft voor het eerst in de geschiedenis een vervangingsmiddel voor de primaire dorstlesser van de menselijke soort gevonden – en dat vervangingsmiddel is een chemische verbinding met een zeer hoog gehalte aan suiker of chemische zoetstof. (Een blikje Coca Cola bevat *9,2 theelepels* suiker.[1] Stelt u zich eens voor dat u zoveel suiker in een groot glas ijsthee zou oplossen!) De gevolgen van deze keuze zijn catastrofaal voor de gezondheid. Ons verdedigingsleger, dat wij het immuunsysteem noemen, staat voortdurend paraat om de aanval van dergelijke hoeveelheden chemicaliën op ons lichaam af te slaan. Dit lijkt een oneerlijke, domme en onnodige verspilling van energie.

Hoe zit het met water?

Samen met zuurstof is water de belangrijkste factor die ons in staat stelt te overleven. Uw lichaamscellen bestaan voor 60 tot 90% uit water. Uw hersencellen bevatten relatief erg veel water; de mogelijkheid tot helder denken hangt zelfs af van de aanwezigheid van een adequate hoeveelheid water in de hersenen.[2] Om het bloed constant te laten circuleren is 5 liter water nodig. Het zou, zonder water in de bekledingsweefsels van de longen, onmogelijk zijn om zuurstof op te nemen en koolzuurgas uit te scheiden. Water vervult een transportfunctie bij de voedselopname, draagt bij tot de regulatie van de lichaamstemperatuur en zorgt dat de gewrichten soepel kunnen bewegen. Bovendien helpt water bij het uitscheiden van afvalstoffen. Ondanks de noodzakelijkheid van het dagelijks drinken van genoeg water, drinken de meesten van ons niet voldoende.

We kunnen niet genoeg hameren op het belang van water in uw leven. U zou steeds als u dorst krijgt water moeten drinken, zodat u zelfs de geringste vorm van uitdroging voorkomt. Ik heb u al een idee gegeven van de mate waarin uw lichaam afhankelijk is van water, maar u verliest de hele dag door water via de huid, de ingewanden, de longen en de nieren. U moet dit water aanvullen door te drinken. Soms zoeken mensen die zich niet optimaal gezond voelen naar ingewikkelde oorzaken, terwijl ze gewoon last hebben van de symptomen van uitdroging. U kunt in lichte mate last van uitdroging hebben als:

1. Uw stem hees wordt of de toonhoogte hoger wordt.

2. Uw mond en lippen droog aanvoelen.

3. U zich verzwakt voelt.

4. U zich lusteloos voelt.

5. U moe bent, ook als u voldoende gerust hebt.

6. U last hebt van overmatige transpiratie.

7. De hoeveelheid urine afneemt, maar de concentratie ervan toeneemt.

Als u geregeld een of meer van deze symptomen bij uzelf constateert, bestaat de mogelijkheid dat u niet genoeg water drinkt.

Ik raad u aan geen water uit de kraan te drinken, omdat dat te zeer verontreinigd is om nog gezond te kunnen zijn en er bestaan gelukkig goede en betaalbare oplossingen voor dat probleem. In het verleden hebben we u aangeraden gedistilleerd water te gebruiken – water dat in stoom is omgezet, vervolgens alle verontreinigende stoffen achterlaat en opnieuw tot water gecondenseerd wordt. Distillatie in combinatie met actieve kool zorgt voor water van hoge kwaliteit, maar heeft als nadeel dat het vlak smaakt doordat het geen zuurstof meer bevat. Dit is ook vanuit gezondheidsoogpunt een nadeel, omdat stoffen die rijk aan zuurstof zijn, ook gezonde stoffen zijn. Mijn eigen onderzoek en ervaring hebben mij tot de

1. *Nutrition Action*, augustus 1981, blz. 8.
2. Thrash and Thrash, *Nutrition for Vegetarians*, blz. 87.

overtuiging gebracht dat u de gunstige effecten op uw gezondheid van water met een hoog zuurstofgehalte kunt bereiken door gebruik te maken van het omgekeerde osmose-met-actieve-koolproces. Naast eenzelfde kwaliteit als gedistilleerd water heeft dergelijk water een uitstekende smaak.
(Bewerkster: In Nederland en België is leidingwater geschikt voor consumptie. Voor diegenen die liever geen leidingwater willen drinken zijn er vele soorten bronwater verkrijgbaar en ook zijn er goede water-filter-systemen te koop. Meer over dit onderwerp kun u lezen in *Waterwijzer* door Dejonghe/Jacobs, uitg. Bigot & Van Rossum, Baarn 1991.)

Maar bevatten vruchtesappen, vruchten en groenten niet zeer veel water?

Jazeker, en als u er veel van gebruikt zult u zeker niet zo veel dorst krijgen als wanneer u daarvoor in de plaats andere voedingsmiddelen consumeert. Toch zijn deze produkten niet alleen gezond en rijk aan water. Het zijn *voedingsmiddelen*. Water is een pure vloeistof die geen bouwstoffen bevat. Als uw lichaam vraagt om water, heeft het op dat moment niet altijd behoefte aan voedsel en het is niet juist om de behoefte aan vocht van het lichaam uitsluitend te stillen met voedsel. Water is voor ons een *essentiële vloeistof*. Voedingsmiddelen die veel water bevatten zijn belangrijk. Water is dat ook. Beide hebben hun eigen functie; het een kan het ander niet vervangen.

Wanneer moeten wij drinken

Het *slechtste* moment om water te drinken – of welke drank dan ook – is gedurende de maaltijd. Als u water en voedsel samen gebruikt, wordt de produktie van speeksel afgeremd. Ook wordt het voedsel te snel 'weggespoeld', namelijk voordat het voldoende is fijngekauwd en goed kauwen is van uitermate groot belang voor een volledige en efficiënte vertering van het voedsel. Bovendien verdunt water dat tegelijk met voedsel wordt ingenomen, de enzymen van mond en maag die voor de vertering moeten zorgen, waardoor de vertering van zetmeel en eiwitten wordt gehinderd en er gisting ontstaat en gas in het spijsverteringskanaal wordt gevormd.

> **Drink water vóór de maaltijd of tenminste een uur na de maaltijd, maar niet bij de maaltijd. Hetzelfde geldt – in hogere mate – voor andere dranken, die het verteringsproces nog meer zullen ontregelen, omdat zij in principe gecompliceerder van structuur zijn.**

Vers sap

Een veelgestelde vraag is: 'Waarom zou ik sap drinken? Kan ik niet beter de hele vrucht eten?'
Vers sap is iets heel anders dan de vrucht waarvan het afkomstig is en het is net zo nuttig en belangrijk voor uw dieet. Beide hebben hun eigen plaats in het dieet. Hele vruchten en groenten bevatten een groot scala aan bouwstoffen en enzymen, water en voedingsvezel. Verse vruchte- en groentesappen bevatten dezelfde bouwstoffen en enzymen *en* het water, maar door het persen is de voedingsvezel niet meer aanwezig. Deze vloeibare voedingsmiddelen in de vorm van sap zijn binnen enkele minuten verteerd. Anderzijds moet het lichaam, als u de hele vrucht of groente eet, zelf de voedingsvezels verwij-

deren – een proces dat enkele uren kan duren. De reden dat vers sap een eigen plaats in uw dieet opeist is dat uw lichaam er makkelijker bouwstoffen uit opneemt dan uit welke andere vorm van voedsel ook.

Kortom, vers sap vormt een *snelle dosis* bouwstoffen, enzymen en water van hoge kwaliteit, die uw lichaam kan benutten zonder enig energieverlies. U dient sap en hele vruchten en groenten dagelijks in een evenwichtige verhouding in uw voedingspatroon op te nemen, zodat uw lichaam ook de voedingsvezel binnenkrijgt die het nodig heeft. Voedingsvezels functioneren als bezem voor de ingewanden. De dikke darm gebruikt ze om alles wat niet bruikbaar en nuttig is mee op te ruimen. Een evenwichtige verdeling van vers sap en volwaardig voedsel helpt u uw lichaam schoon en gezond te houden.

Sap vult aan wat in uw lichaam ontbreekt.

Hoofdinspecteur voor de Volksgezondheid, Koop, zegt in zijn 'Report on Nutrition and Health' dat 'een adequate opname van bouwstoffen en energie essentieel (is) voor het behoud van een optimaal immuniteitssysteem'. Het lichaam vraagt voortdurend om bouwstoffen. Het is een levend organisme dat voortdurend goed onderhouden dient te worden. Geen enkel ander produkt dan vruchtesap levert u deze bouwstoffen in zo een makkelijk te verwerken, *geconcentreerde* en plezierige vorm.

Omdat het doel van dit boek is u te helpen begrijpen hoe u uw lichaam beter kunt voeden, is de beste methode te beginnen met verse sappen. Realiseer u hoe belangrijk de rol is die zij spelen voor de gezondheid en voor een lange levensduur. Geniet van de heerlijke natuurlijke smaak en wordt een *actieve* gebruiker van vers sap.

Om zoveel mogelijk baat te hebben bij vers sap, dient u dit altijd te drinken op een lege maag – niet samen met ander voedsel of vlak na het nuttigen van ander voedsel.

Bedenk steeds dat sap voedsel is. Drink het niet te snel! Drink langzaam, waardoor het sap zich met uw speeksel vermengt. Maak daarbij kauwbewegingen. Zo geeft u het lichaam de kans er zoveel mogelijk profijt van te trekken.

DE DAGELIJKSE BASISSAPPEN

Koop een sapcentrifuge en een citruspers, zodat u elke dag kunt genieten van vers sap. U kunt dan zeer veel verschillende soorten sap maken, die per seizoen variëren. Wij horen vaak van mensen dat zij zich 'de koning te rijk' voelen vanwege alle verse en verrukkelijk smakende sappen en combinaties van sappen die zij op elk gewenst moment kunnen maken sinds zij over een sapcentrifuge en een citruspers beschikken. U kunt ook een hele nieuwe wereld van heerlijke, gezonde dorstlessers betreden.

Optimaal gebruik van uw sapcentrifuge en citruspers

Elke vrucht heeft zijn eigen seizoen en dat geldt ook voor elke soort vruchtesap. Vruchten zijn het meest gezond en lekker in hun eigen seizoen en zo is het ook met vruchtesap. U zult bijvoorbeeld citrusvruchten met hun volle smaak het lekkerst vinden bij een koele wintertemperatuur. Meloensap komt het meest tot zijn recht bij warm weer. Groentesappen zijn het hele jaar door lekker, maar worden extra smakelijk door toevoeging van verse tomaten in de zomer. Bovendien is sap dat u maakt van seizoen-vruchten nog voordelig ook.

De navolgende basissappen vertegenwoordigen alle jaargetijden. Begin de dag met een van de vruchtesappen. Drink 's middags een groentesap als tussendoortje of als aperitief. Als u zich futloos of 'niet zo lekker' voelt, kunt u vers sap gebruiken als opkikkertje of om uw lichaam te reinigen.

VERSE CITRUSSAPPEN

sinaasappel	tangelo
satsuma	grapefruit
mandarijn	

Met een citruspers, handbediend of elektrisch, kunt u een sombere, druilerige dag wat opfleuren met een glas 'vloeibare zon'. Het is de perfecte manier om een drukke dag te beginnen. Citrussap kan het best versgeperst gedronken worden of uiterlijk enkele uren na het persen: het heeft namelijk de eigen-schap om de zoetheid te verliezen en wordt al snel bitter of zuur.

In Nederland onderscheiden wij pers- en handsinaasappels. Perssinaasappels zijn volop sap en dus moeilijk te pellen. Handsinaasappels, zoals de navelsinaasappel, bevatten minder sap en zijn dus makkelijk te pellen. Satsuma's, tangelo's en mandarijnen zijn allemaal zeer geschikt om te persen. De zoetere, roze grapefruit kan het beste voor sap gebruikt worden, op zichzelf of in combinatie met een ander citrussap.

MELOENSAPPEN

Alle meloensoorten zijn tijdens de zomer- en vroege herfstmaanden op hun best en u kunt er heerlijke sappen van maken. Als u nog nooit meloensap heeft geproefd dan wacht u een ware verrassing. Met warm zomerweer is er niets verfrissenders denkbaar dan een koel glas zoet meloensap. 's Zomers geef ik een mengsel van verschillende soorten meloensap aan mijn gasten, als een aperitief. Meestal wordt hier verrast op gereageerd en vraagt men wat het is, waarna het met genot gedronken wordt.

Watermeloensap

$1/4$ grote watermeloen

Schil de watermeloen, snijd het vruchtvlees (met zaadjes) in dunne repen en passeer ze door de sap-centrifuge. Roer het watermeloensap goed door en dien direct op.

ca. 1 liter

Watermeloen-kantaloepsap

$^1/_4$ grote watermeloen $^1/_2$ middelgrote kantaloep

Schil de watermeloen en snijd het vruchtvlees (met zaadjes) in dunne repen. Schep de zaadjes uit de kantaloepmeloen, snijd het vruchtvlees in dunne repen, verwijder de schil en passeer beide soorten meloen door de sapcentrifuge. Roer het meloensap goed door en dien direct op.

ca. 1$^1/_4$ liter

Variatie: Voeg $^1/_4$ suikermeloen toe en bereid als kantaloepmeloen.

Iets over meloensap

- Meloensap is niet *echt* duur als u het maakt wanneer meloen volop verkrijgbaar is. Op die manier drinkt u het sap wanneer het uw lichaam het meeste goed doet.

- Meng meloensap nooit met andere vruchten of groenten en drink het op een lege maag. Dien meloensap nooit op met of na een maaltijd, tenzij u het wilt combineren met een verse vruchtensalade. Meloenen reinigen het lichaam en hebben, vergeleken met ander fruit, een hoog watergehalte. Meloensap spoelt de lege maag schoon en reinigt het maagdarmkanaal. Als meloensap in uw maag vermengd wordt met voedsel dat u tegelijkertijd eet, of dat al in uw maag aanwezig is, dan reageert het hier direct mee, begint te fermenteren en is de oorzaak van brandend maagzuur. U kunt meloensap het beste op een nuchtere maag drinken ('s ochtends) of nadat de maag enkele uren leeg is geweest.

- U kunt baby's vanaf zes maanden meloensap geven ook als ze tot nu toe alleen nog maar borstvoeding hebben gehad. Leng $^1/_2$ tot 1 deciliter meloensap aan met gedistilleerd water en geef het aan het begin van de dag. Baby's, peuters en ook grote kinderen drinken graag meloensap.

- Dien versgeperst meloensap direct op om er het meeste voordeel uit te halen. Als u toch te veel maakt, dan kunt u het sap in de koelkast bewaren. Roer het sap voor het opdrinken goed door.

- U kunt meloensap ook in ijsvormpjes invriezen – kinderen zijn er dol op.

DIVERSE SAPPEN

Appel-bleekselderijsap

Wacht maar eens af tot u deze combinatie geproefd heeft! De bleekselderij geeft wat 'pit' aan het appelsap, wat het bijzonder lekker maakt. Het hoge alkaligehalte van de bleekselderij zorgt ervoor dat eventuele zuren in de maag geneutraliseerd worden. Het draagt bij tot een juiste alkalibalans in het bloed, zodat u zich goed voelt in plaats van zuur en geïrriteerd. Daarbij komt nog dat bleekselderij een hoog gehalte heeft aan natuurlijk natrium. Als u tijdens een training of met een andere sportbeoefening flink zweet, of als u zich door de hitte nogal flauw voelt, dan zorgt het appel-bleekselderijsap ervoor dat het uitgezwete natrium weer aangevuld wordt. In feite verhoogt het de 'hittedrempel' van uw lichaam (het zou het geheime wapen van de beroepsatleet kunnen zijn, die bij warm weer prestaties moet leveren!).

Gebruik 3 delen appelsap op 1 deel bleekselderijsap.

6 appels, geboord   2 stengels bleekselderij,
  en in vieren gesneden   zonder blad

Om te voorkomen dat het sap bitter smaakt moet u goed opletten dat u *alle* pitjes uit de appels haalt. U hoeft ze echter niet te schillen. Passeer de appels en de bleekselderij door de sapcentrifuge, roer het sap goed door en verwijder eventueel schuim.

ca. 2 $^1/_2$ dl

Tip: U kunt dit sap eventueel in de koelkast bewaren – gebruik een stengeltje bleekselderij als 'roerstokje' om het sap, vlak voor het opdienen, door te roeren.

Variatie: Bleekselderijsap kan direct bij vers appelsap gevoegd worden, wat een uitstekend resultaat oplevert.

Romig wortelsap

Een glas romig wortelsap is een maaltijd op zich – een glas beta-caroteen! Wortelsap moet u zo vers mogelijk opdrinken. Als u toch verpakt wortelsap bij uw reformwinkel wilt kopen, moet u de datum op de verpakking goed controleren om te kijken of het sap redelijk vers is. Het is heel handig als u een sapcentrifuge ter beschikking heeft om zelf wortelsap te maken. Dan weet u in elk geval zeker dat het vers is!

7 – 8 middelgrote wortels

Boen de wortels goed schoon en snijd beide uiteinden eraf om te voorkomen dat het sap bitter smaakt. Passeer de wortels door de sapcentrifuge en roer het sap goed door.

1 persoon

Wortel-bleekselderijsap

Het wortelsap wordt frisser en pittiger van smaak als u er wat bleekselderijsap aan toevoegt. Wortel-bleekselderijsap is een prima dorstlesser.

2 stengels bleekselderij,   2 middelgrote wortels
    zonder blad

Bereid de wortels zoals bij het recept voor Wortelsap is beschreven, maak de bleekselderij schoon en passeer beide groenten door de sapcentrifuge.

1 persoon

Cocktail van verse groenten

Een verfrissend, supergezond groentesap, dat ook nog heerlijk smaakt. Deze groentesap-cocktail zit volop enzymen, vitaminen, mineralen en aminozuren – alle benodigdheden voor een vitaal leven! Het is geen slecht idee om hier uw vaste aperitief van te maken.

Verse groentesappen kunt u niet lang bewaren en kunnen het beste direct (maar langzaam) na het bereiden worden opgedronken. Zo smaken ze het beste en u krijgt er het meeste voordeel van. Doe een stengeltje bleekselderij in elk glas om het sap vlak voor het opdrinken mee door te roeren.

6 – 7 middelgrote wortels   handvol spinazie, peterselie
4 – 5 stengels bleekselderij   of slabladeren
3 middelgrote tomaten, in   evt. $1/2$ gekookt bietje
    partjes gesneden   evt. scheutje citroensap
1 middelgrote groene of rode
    paprika, zonder zaadjes

Was de groenten zorgvuldig, snijd de uiteinden van de wortels af en snijd de paprika in vieren. Passeer de groenten door een sapcentrifuge, roer het sap goed door en verwijder het schuim. Voeg wat citroensap toe en doe in elk glas een stengeltje bleekselderij of een lange reep wortel om als 'roerstokje' te gebruiken.

3 personen

SAPPEN VOOR SPECIALE GELEGENHEDEN

Hieronder volgen enkele ideetjes om groente- en vruchtesappen op parties te schenken, of voor die keer dat u trek heeft in iets speciaals.

Schuimige zomerlimonade

Met klaverhoning krijgt u een bijzonder lekker resultaat.

1 ¼ dl citroensap
3 volle eetlepels honing
2 ½ dl koud water

ijsklontjes
12 verse muntblaadjes

1. Meng citroensap, honing, water en wat ijsklontjes met een staafmixer tot de ijsklontjes fijngemalen zijn.

2. Doe in elk glas enkele ijsklontjes en 3 blaadjes munt. Schenk de limonade over de ijsklontjes en dien direct op.

4 personen

Aardbeienlimonade met munt

Op een warme zomerse dag smaakt deze limonade heerlijk fris. Omdat de limonade vers fruit bevat kunt u er een schaal verse fruitsalade bijgeven.

2 liter water
2 pepermunttheezakjes
12 takjes verse munt

12 aardbeien
het sap van 2 citroenen
½ dl vloeibare honing

1. Breng het water aan de kook. Doe de theezakjes en 8 takjes munt in een vuurvaste glazen kan. Giet het kokende water over de theezakjes en laat de thee 10 minuten trekken.

2. Pureer de aardbeien met het citroensap en de honing.

3. Haal de theezakjes en de takjes munt uit de kan en roer het aardbeienmengsel door de thee. Laat de limonade goed afkoelen en zet de kan in de koelkast.

4. Verdeel de gekoelde limonade over 4 glazen en garneer elk glas met een takje munt.

4 personen

Appelspritzer

Dit is een goed drankje voor diegenen die het alcoholische aperitief proberen uit te bannen. Gebruik het liefst natriumarm mineraalwater.

2½ dl vers appelsap
ijsklontjes
1¼ dl mineraalwater

scheutje citroensap
schijfje citroen of limoen

Giet het appelsap over de ijsklontjes en voeg het mineraalwater en citroensap toe. Garneer de spritzer met een schijfje citroen of limoen.

1 persoon

Groene kracht

Dit is meer dan zo maar een sapje, dit is de 'groene kracht' – een krachtgevende drank voor diegenen die een extra dosis nutriënten nodig hebben op een moment dat er geen tijd is om de voedingsmiddelen die deze nutriënten bevatten, te eten. Deze drank bevat een natuurlijk gegroeide blauwgroene alg. Deze alg is een rijke bron van veel verschillende nutriënten, onder andere de moeilijk te vinden vitamine B12. Harvey en ikzelf zijn er erg enthousiast over. Sommige mensen vinden de smaak wel erg sterk. Neem aanvankelijk kleine porties en dan geleidelijk aan wat meer naar gelang uw smaak zich verder ontwikkelt. Het biedt zoveel nutriënten, dat u na dit gedronken te hebben, de rest van de dag minder honger hebt. (Het is een perfecte aanvulling op een dag waarop u alleen 'levend' voedsel eet.)

$2^1/_2$ dl vers appelsap   1 eetl. vers citroensap
$^1/_4$ – $^1/_2$ theelepel algepoeder

Meng alles 10 tot 15 seconden met een staafmixer tot de algepoeder opgelost is. Direct maar langzaam opdrinken.

1 persoon

Tomate-groentesap

Maak deze drank in de zomermaanden wanneer er volop sappige tomaten zijn. Tomate-groentesap smaakt heerlijk fris bij warm weer en is rijk aan natrium, dat uw weerstand tegen de hitte verhoogt. De alkaliteit neutraliseert de zuren die zich in de loop van de dag in uw lichaam verzamelen. Dit sap zorgt ervoor dat u zich goed voelt!

6 rijpe tomaten   2 rode paprika's, zonder
3 middelgrote wortels   zaadjes
5 stengels bleekselderij, $^1/_4$ gekookt bietje
  zonder blad   scheutje citroensap

1. Maak de groenten goed schoon en snijd de tomaten en de paprika's in vieren.
2. Passeer de groenten door de sapcentrifuge en meng het sap met een staafmixer.
3. Breng het sap op smaak met citroensap en verdeel het over 2 glazen. Doe in elk glas een 'roerstokje' bleekselderij.

2 personen

Tropische ambrosia

Een heerlijke vruchtenbowl om aan uw gasten te geven. Met dit recept kunt u ook een overvloed aan zomervruchten opmaken.

600 g watermeloen, zonder pitten,
  in blokjes gesneden
300 g kantaloep, in
  blokjes gesneden
300 g verse ananas, in
  blokjes gesneden
200 g abrikozen, gehalveerd
150 g verse pruimen, gehalveerd

200 g rode druiven,
zonder pit
6 – 8 sinaasappels *of* 5 dl
  vers sinaasappel- of
  appelsap
1 grote banaan

1. Passeer alle vruchten, behalve de sinaasappels en de banaan, door een sapcentrifuge.

2. Pers de sinaasappels uit met een citruspers. Meng het sinaasappelsap en de banaan met een staafmixer.

3. Doe het vruchtenmengsel en het sinaasappelmengsel in een glazen kan met een goedsluitend deksel en schud alles goed door elkaar. Bewaar de ambrosia in de koelkast.

8 – 10 personen

Tip: Voor een feestje kunt u ijsklontjes maken van sinaasappelsap en de tropische ambrosia, met de ijsklontjes en wat takjes munt, in een mooie glazen bowl doen.

FRUIT SMOOTHIES

Mensen die dol op fruit smoothies zijn geworden, kunnen vaak niet makkelijk meer zonder. Vaak vervangen ze een maaltijd door een smoothie, vooral wanneer ze het te druk hebben om een gezond ontbijt of lunch te gebruiken. Hoewel smoothies zeer romig smaken en de maag goed vullen, zijn ze eigenlijk niets anders dan vruchtenpuree gemengd met vruchtesap. Smoothies geven ons hetzelfde, voldane gevoel dat we krijgen na een dikke milkshake of yoghurt, maar dan wel zonder de negatieve aspecten van zuivelprodukten – geen vet, geen cholesterol, geen schuld. Ze zijn heerlijk koel, romig en schandelijk zoet van smaak, maar zolang u de smoothies op een *lege maag* drinkt, zult u geen ons aankomen en niets dan energieleverende en gezonde voeding binnenkrijgen. Vooral op een warme zomerse dag smaakt een smoothie heerlijk fris.

Het is heel makkelijk om een smoothie te bereiden. Vers of bevroren fruit, vers vruchtesap en een staafmixer is alles wat u nodig heeft. Of u maar 1 of 2 bananen gebruikt, hangt ervan af hoe dik u het drankje wilt hebben.

2¹/₂ dl vers appel- of
   sinaasappelsap
1 – 2 verse of bevroren
   bananen

150 g kleingesneden vers fruit
(aardbeien, frambozen,
blauwbessen, mango,
papaya, perziken, kersen,
abrikozen of appels)

1. Meng het appel- of sinaasappelsap, de bananen en het kleingesneden fruit 15 tot 20 seconden met een staafmixer tot het mengsel zeer glad en romig is.

3. Drink de smoothie direct op. Na verloop van tijd verandert de smaak, doordat de banaan oud wordt.

1 grote smoothie

Tips om uw smoothie extra lekker te maken

1. U krijgt een koelere, romiger smoothie wanneer u bevroren bananen gebruikt. Schil de bananen, verpak ze in diepvriesdozen of diepvrieszakken en vries ze in. U kunt de bevroren bananen het beste binnen 10 dagen gebruiken, anders worden ze bruin en de smaak gaat er ook op achteruit.

2. In plaats van bevroren bananen kunt u bijvoorbeeld bevroren aardbeien (of ander fruit) gebruiken. Voor een romiger samenstelling kunt u dan een verse banaan toevoegen.

3. U kunt een smoothie ook met vers fruit en gekoeld vruchtesap bereiden – zo heeft het een optimale temperatuur voor uw lichaam.

4. Sommige mensen koelen de smoothie door er ijsklontjes aan toe te voegen. Hierdoor ontstaan 2 problemen: (a) u moet de ijsklontjes van gedistilleerd water maken, anders krijgt u alle onzuiverheden binnen die in kraanwater zitten; (b) ijsklontjes smelten en verdunnen de smoothie en u moet hem te vlug opdrinken om verdunning te voorkomen.

5. Maak de smoothie extra zoet en romig door er wat dadels aan toe te voegen.

6. Hoewel veel mensen denken dat smoothies zuivelprodukten in de vorm van melk, roomijs of yoghurt bevatten, is dit helemaal niet waar. Zuivelprodukten hebben een nadelige invloed op de verteerbaarheid van het fruit, voegen vet en cholesterol toe, kunnen maagzuur veroorzaken en maken van uw slanke en energieleverende smoothie een ongezond, dikmakend drankje. Als u toch naar melk verlangt, kijk dan op bladzijde 87 naar de recepten voor milkshakes bereid met amandelmelk. U zult verrast zijn!

Onze favoriete recepten voor smoothies

De hiervolgende recepten worden allemaal op dezelfde manier klaargemaakt. Meng alle ingrediënten 15 tot 30 seconden met een staafmixer. Giet de smoothie in een glas en drink het langzaam op.

1 – 2 personen

Aardbei
2¹/₂ dl vers appel- of sinaasappelsap
6 – 8 middelgrote verse of bevroren aardbeien
1 middelgrote verse of bevroren banaan

Hollandse appel

$2^1/_2$ dl vers appelsap

1 grote handappel, geschild, geboord en in vieren gesneden

2 – 3 dadels, zonder pit

1 kleine verse of bevroren banaan

snufje kaneelpoeder

Sinaasappel sunrise

$2^1/_2$ dl vers sinaasappelsap

1 bevroren banaan

4 dadels, zonder pit

Aardbei met papaya

$2^1/_2$ dl vers appel-, sinaasappel- of ananassap

stukje rijpe papaya, geschild en zonder pitjes

6 middelgrote aardbeien

1 kleine rijpe banaan

3 dadels, zonder pit

Banaan met perzik

$2^1/_2$ dl vers appel- of sinaasappelsap

1 grote verse of bevroren banaan

2 rijpe perziken, gepeld en in stukjes gesneden

Dadel, appel en aardbei

$2^1/_2$ dl vers appelsap

1 kleine appel, geschild, geboord en in stukjes gesneden

2 grote dadels, zonder pit

5 middelgrote verse of bevroren aardbeien

Dadelpruim met dadel

$2^1/_2$ dl vers appel- of sinaasappelsap

2 dadelpruimen, zonder pitjes en in vieren gesneden

3 – 4 rijpe dadels, zonder pit

6 – 8 appelsap-ijsblokjes

Watermeloen met framboos

$2^1/_2$ dl vers watermeloensap

100 g verse frambozen

1 middelgrote bevroren banaan

Mango met kokos

$2^1/_2$ dl vers sinaasappelsap

200 g mango, in blokjes gesneden

1 eetlepel geraspte kokos

1 middelgrote bevroren banaan of 6 sinaasappelsap-ijsblokjes

Appel met meloen
2½ dl vers appelsap
300 g watermeloen, zonder pitten
2 middelgrote bevroren bananen

Meloen met aardbei
2½ dl watermeloensap
300 g kantaloep
6 bevroren aardbeien

Tuttifrutti
2½ dl vers appel- of sinaasappelsap
1 appel, geschild, geboord en in vieren gesneden
6 verse of bevroren aardbeien
1 middelgrote verse of bevroren banaan
stukje papaya, geschild en zonder pitten

Ananas met pepermunt
2½ dl ijskoude pepermuntthee
200 g verse ananas, in blokjes gesneden
1/2 middelgrote bevroren banaan
1 kleine appel, geschild, geboord en in vieren gesneden

Papaya met banaan
2½ dl vers sinaasappel- of appelsap
1 kleine papaya, geschild, gehalveerd en zonder pitten
1 kleine verse of bevroren banaan
snufje geraspte nootmuskaat

Appel met blauwbessen
2½ dl vers appelsap
2 appels, geschild, geboord en in vieren gesneden
75 g verse of bevroren blauwbessen
1 middelgrote verse of bevroren banaan
evt. 2 dadels, zonder pit

VRUCHTENMELK

Wanneer u sommige soorten vruchten met een staafmixer mengt, worden ze net zo romig als een dikke milkshake. Als bepaalde vruchten in het seizoen zijn kunt u hiervan genieten, in plaats van sap. Het voordeel van een vruchtenmelk is dat de voedingsvezels in de vruchten niet verloren gaan. U 'drinkt' in feite de hele vrucht. Vruchtenmelk moet u direct na het maken opdrinken. Door het mixen komt er veel lucht in het mengsel, waardoor het schuimig wordt. Als u het lang laat staan, dan verdwijnt het schuim, het mengsel gaat schiften en bederft dan vrij snel.

Bananemelk

Een voedzaam alternatief voor vruchtesap en een goede vervanger voor zuivelprodukten. Bananen zijn het hele jaar door makkelijk te krijgen en niet aan een bepaald seizoen gebonden. Gebruik zeer *rijpe* bananen, die bruine vlekken op de schil hebben, anders wordt de bananemelk niet echt zoet. Bananemelk is een zeer voedzame drank die vooral geschikt is voor jonge kinderen en oude mensen, maar eigenlijk voor ons allemaal!

1 dadel, gepeld en zonder pit   2$\frac{1}{2}$ dl water
    of 1 theelepel ahornsiroop   1 grote rijpe banaan, gepeld

Meng de dadel met de helft van het water met een staafmixer, voeg de banaan en de rest van het water toe en meng alles goed door elkaar.

1 persoon

Kantaloepmelk

Toen wij kantaloepmelk voor het eerst maakten, waren we heel enthousiast. Dit gebeurde vlak voordat we *Een Leven Lang Fit*-video op een cruiseschip gingen opnemen, dus we namen een doos kantaloeps *en* onze staafmixer mee!

1 rijpe kantaloep

Snijd de kantaloep doormidden en schep de pitten eruit. Schep het vruchtvlees met een eetlepel uit de schil en meng het met een staafmixer.

1 persoon

Tip: U kunt een deel van het vruchtvlees in stukken snijden en invriezen. Gebruik de helft bevroren meloen en de helft verse meloen voor een heerlijk koele kantaloepshake.

Suikermeloenmelk

Volg het recept voor Kantaloepmelk om deze mooie lichtgroene meloendrank te maken. Omdat suikermeloenen over het algemeen groter zijn dan kantaloeps heeft u geen hele meloen nodig.

1 persoon

Watermeloenmelk

Meng 300 – 400 g watermeloen (zonder schil en pitten) met een staafmixer en dien direct op.

1 persoon

ZUIVELVERVANGENDE DRANKEN

De meeste mensen hebben er moeite mee het gebruik van zuivelprodukten op te geven. Bijna iedereen is ooit in zijn leven wel eens verzot geweest op zuiveldranken zoals melk, chocolademelk en milkshakes. De dikke, romige en gladde consistentie spreekt veel mensen aan, vooral als er zoete smaakstoffen aan toegevoegd zijn en de drank ijskoud geserveerd wordt.

Wat zuivel echter minder aantrekkelijk maakt is het effect dat het op ons lichaam heeft. Zuivelprodukten bevatten veel cholesterol, veel verzadigde vetzuren en een hoge concentratie verdelgingsmiddelen. Bovendien worden veel elementen door pasteuriseren onwerkzaam gemaakt. Zuivelprodukten hebben dus weinig te bieden naast het kortdurende genoegen dat ze ons geven. De afgelopen jaren zijn er in wetenschappelijke publikaties verbanden gelegd tussen zuivel en bijna *elke* slopende ziekte. Bovendien is het gebruik van zuivelprodukten een van de oorzaken van het ernstigste gezondheidsprobleem van de huidige tijd – het dichtslibben van de slagaderen.

In het hele land zijn miljoenen mensen er serieus mee bezig om hun consumptie van zuivelprodukten te beperken, waarmee zij de richtlijnen van de Hoofdinspecteur voor de Volksgezondheid van de Verenigde Staten volgen. Ik heb goed nieuws voor deze mensen. Het is zelden mogelijk om 'van twee walletjes te eten', maar in dit geval is dat wel mogelijk.

De meeste mensen weten niet dat melk niet alleen van de koe hoeft te komen. Mensen maakten echter al lang voordat we koeien in grote aantallen bezaten, melk van noten, zaden en zelfs van maïs! U kunt amandelmelk gebruiken in plaats van koemelk.

Amandelmelk

Ik wil u hier graag aan amandelmelk voorstellen. Amandelmelk heeft een dikke, romige, zachte samenstelling. U kunt het in plaats van koemelk drinken, en het is minstens zo lekker, zo niet lekkerder! Amandelmelk bevat *geen cholesterol*, *geen verzadigde vetzuren,* bevat vrijwel *geen sporen van bestrijdingsmiddelen* en is *niet gepasteuriseerd.* U kunt er de heerlijkste milkshakes van maken, als u het ijskoud mengt met zoete ingrediënten. Doordat u amandelmelk zelf in uw eigen keuken kunt maken, kunt u er zoveel en zo vaak van genieten als u maar wilt!

Pure amandelmelk is heerlijk als een koel drankje. Het kan koemelk vervangen bij het bakken van taarten (u kunt dezelfde hoeveelheden aanhouden). Het kan aan soepen en sausen toegevoegd worden, maar dan wel aan het eind van de bereidingstijd – zorg ervoor dat de soep of saus dan niet meer aan de kook komt. (Omdat amandelmelk niet gehomogeniseerd is vertoont het, bij hoge temperaturen, de neiging om te schiften.) Voor een ware traktatie kunt u wat amandelmelk aan een kop sterke granenkoffie toevoegen. Kinderen van alle leeftijden zijn dol op amandelmelk over cornflakes, muesli of fruitsalade. Als uw baby van de borst of fles af is, dan kunt u hem of haar amandelmelk geven, gemengd met bananen of aardbeien; u kunt dit ook invriezen voor ijsjes.

Het volgende heeft u nodig:

een food processor
een fijne zeef
kaasdoek om de zeef mee te bekleden
een grote kom
een glazen kan met deksel

Week amandelen met vlies in $2^1/_2$ deciliter kokend heet water. Laat de amandelen 15 tot 30 minuten in het water staan en wrijf de velletjes eraf. Laat de gepelde amandelen op keukenpapier uitlekken. U kunt natuurlijk, ook reeds gepelde amandelen gebruiken.

100 g gepelde amandelen   5 dl water
evt. 1 eetlepel ahornsiroop

1. Maal de amandelen zeer fijn in een food processor. Voeg de ahornsiroop en de helft van het water toe en meng alles circa 2 minuten op de hoogste stand.

2. Voeg de rest van het water langzaam toe, terwijl de motor nog draait en laat alles nog 2 minuten mengen.

3. Plaats de zeef boven een grote kom en bekleed hem met de kaasdoek. (Als u geen kaasdoek heeft kunt u de amandelmelk 2 keer door een zeer fijne zeef passeren.)

4. Giet de amandelmelk in de zeef en vang de 'melk' op in de kom.

5. Er blijft wel wat amandelvezel in de kaasdoek of zeef achter. Als u een stuk kaasdoek gebruikt heeft, dan kunt u dit aan de hoeken bijeenhouden en de rest van de melk er zachtjes uitknijpen, of gebruik anders een lepel om de achtergebleven melk zachtjes door een zeef eruit te drukken. (De amandelvezel kunt u een paar dagen in de koelkast bewaren en als een vochtgevende 'zeep' gebruiken onder de douche.)

ca. 5 dl

Tip: U kunt amandelmelk 4 tot 5 dagen goed houden in de koelkast, maar als u eenmaal de recepten op bladzijde 87 tot bladzijde 89 heeft gezien, zult u hem *nooit* zo lang kunnen houden. Bewaar de amandelmelk in een glazen kan met goedsluitende deksel.

Amandelen zijn goed voor u

Botanisch gezien zijn amandelen vruchten. De amandel is de voorloper van latere vruchten die een grote pit als zaad hebben, zoals de nectarine, de perzik, de pruim en de abrikoos. De amandel heeft een harde, grijsgroene schaal die veel lijkt op een kleine, langwerpige perzik. Na rijping springt de schaal open, waardoor het bekende amandelvlies zichtbaar wordt dat de noot bevat.

Amandelen zijn het hele jaar door verkrijgbaar. Zij vormen een uitstekende bron van plantaardige eiwitten, verscheidene B-vitaminen, essentiële mineralen, onverzadigde vetzuren en voedingsvezel. Zij bevatten ook weinig natrium en hebben een zo hoge concentratie aan voedingsstoffen dat zij uitstekend kunnen worden gebruikt als 'opbouw'produkt door mensen die een te laag lichaamsgewicht hebben.

Koop amandelen in grote hoeveelheden en bewaar ze in luchtdichte bakjes of plastic zakjes in de koelkast of diepvriezer. Amandelen zijn een compleet eiwit en bevatten alle acht essentiële aminozuren (zie tabel op blz. 418). Naast de hoge waarde aan eiwitten bevatten zij een ruime hoeveelheid van veel andere belangrijke bouwstoffen.

VOEDINGSWAARDE VAN 30 GRAM AMANDELEN

Nutriënt	Hoeveelheid (in grammen)	
eiwit	5,65	g
koolhydraten	5,78	g
vetten	14,8	g
verzadigd vet	1,40	g
oliezuur	9,44	g
linoolzuur	2,97	g
cholesterol	0	g
thiamine (B1)	0,06	mg
riboflavine (B2)	0,22	mg
nicotinezuur	0,95	mg
vitamine B6	0,032	mg
vitamine E	6,78	mg
foliumzuur	15,64	mcg
calcium	75,45	mg
ijzer	1,04	mg
fosfor	147,4	mg
zink	0,83	mg
koper	0,27	mg
pantotheenzuur	0,13	mg
mangaan	0,64	mg
fluoride	25,52	mcg
voedingsvezel	2,64	g

Andere soorten melk van noten en zaden

U kunt met behulp van dezelfde apparaten, hoeveelheid ingrediënten en werkwijze heerlijke melk maken van sesamzaad, zonnebloempitten of cashewnoten. Amandelmelk is de meest geliefde en meest veelzijdige soort, maar deze andere soorten melk hebben elk hun eigen belangrijke functie.

Sesammelk heeft de robuuste smaak van sesamzaad en bevat veel calcium, eiwit, lecithine (dat ervoor zorgt dat de hoeveelheid vetzuren laag blijft en dat ze hun vloeibare vorm houden), verscheidene B-vitaminen en vitamine E.

Zonnebloempitmelk is eveneens zeer voedzaam. Deze melk heeft een sterke smaak, net als sesam-melk, en is goed te combineren met smaakmakers als johannesbrood (carob), kaneel, nootmuskaat en zoetstoffen.

Cashewmelk ligt nogal zwaar op de maag. Ik raad u aan deze melk niet puur te drinken. U kunt haar toepassen waar u anders room zou gebruiken (zie blz. 116).

Cashewmelk

100 g rauwe cashewnoten

5 dl water

1 eetlepel ahornsiroop

1. Maal de cashewnoten zeer fijn in een food processor. Voeg de helft van het water en de ahornsiroop toe en meng alles op de hoogste stand.

2. Voeg de rest van het water langzaam toe, terwijl de motor nog draait, en meng alles nog 2 minuten op de hoogste stand.

ca. 5 dl

Amandelmelk mengen met andere voedingsmiddelen

Er zijn mensen die het niet goed zullen vinden om zo een eiwitrijk drankje met andere ingrediënten (fruit, graan enz.) te mengen. U gebruikt echter niet de hele noot, alleen maar een 'extract' hiervan en dit 'extract' is minder geconcentreerd en dus kunt u er meer mee doen.

Als u zich afvraagt of het wel juist is om amandelmelk met fruit te mengen, denk er dan maar aan dat veel tegenstanders van het combineren van voedingsmiddelen wel het mengen van noten en fruit propageren, want botanisch gezien zijn noten ook vruchten. Ik zelf ben geen voorstander van het mengen van noten met fruit of zelfs maar met amandelmelk, *zeker als u probeert af te vallen.* Als gewicht verliezen belangrijk voor u is, dan heeft u het *reinigende* effect van het fruit nodig en dit mag dan niet in de war gebracht worden door andere dingen. Als u eenmaal op uw verlangde gewicht bent, dan kunt u wel een beetje amandelmelk aan uw fruitsalades toevoegen.

COMBINATIES MET AMANDELMELK

Als u van romige dranken houdt, kunt u hieruit een keuze maken.

Aardbeienmelk

Kleine kinderen zijn er dol op.

2$^1/_2$ dl Amandelmelk (blz. 82)

6 rijpe aardbeien

1 – 2 theelepels ahornsiroop

(hoeveelheid hangt af van hoe zoet de aardbeien zijn)

Meng de melk, aardbeien en ahornsiroop 2 minuten met een staafmixer.

1 persoon

Amandelmelk met banaan

Heerlijk bij het ontbijt.

2$^1/_2$ dl Amandelmelk (blz. 82)   1 rijpe banaan

Meng de melk en banaan 2 minuten met een staafmixer.

Amandelmelk met papaya

Een romige drank met een vol aroma.

1 kleine papaya, geschild   3$^1/_2$ dl Amandelmelk
  en van de pitten ontdaan   (blz. 82)

Meng de papaya en melk 2 minuten met een staafmixer. Dien deze drank gekoeld of op kamertemperatuur op.

1 – 2 personen

Appelmelk

Een zachte, romige drank. U kunt er ook ijsjes van maken.

2$^1/_2$ dl vers appelsap   1 middelgrote banaan
2$^1/_2$ dl Amandelmelk (blz. 82) $^1/_4$ theelepel kaneelpoeder

Meng alle ingrediënten 15 seconden met een staafmixer.

3 personen

Feestelijke 'Eggnog'

Dien deze drank direct op omdat banaan van smaak verandert als u hem na het mengen laat staan. Deze drank kunt u beter *niet* in de koelkast bewaren.

5 dl Amandelmelk (blz. 82) $^1/_2$ theelepel vanille-extract
2 rijpe bananen
$^1/_4$ theelepel geraspte nootmuskaat

Meng alle ingrediënten 30 seconden met een staafmixer. Bestrooi elke portie met een beetje geraspte nootmuskaat.

4 personen

AMANDELMILKSHAKES

Nu u amandelmelk hebt gemaakt, is het grote moment van beloning aangebroken. De smaak is zo lekker dat iemand die zijn eerste milkshake had gemaakt mij enthousiast vertelde: 'Nu weet ik dat er iets bestaat dat *lekkerder* is dan roomijs.'

En dat is de waarheid! Een amandelmilkshake is een goede vervanger van roomijs. De consistentie is dik – zo dik dat u hem, als u dat wilt, met een lepel kunt eten. Amandelshakes zijn romig en voedzaam en geven u het gevoel dat u een volledige, maar lichte maaltijd gegeten hebt. Door er diverse andere produkten aan toe te voegen, kunt u de smaak oneindig variëren.

Ik ben zeven jaar geleden amandelmilkshakes gaan bedenken, toen mijn jongste kind bijna vier jaar was. Op die jonge leeftijd wist hij nog niet wat roomijs was, maar ik wist dat hij er spoedig achter zou komen, toen hij op warme zomerse dagen blootsvoets met de andere kinderen uit de buurt begon te spelen. Ik wachtte die ontdekking niet af. Ik zette hem amandelmilkshakes voor toen hij het roomijs nog niet ontdekt had, zodat hij alvast *iets beters* leerde kennen. De jaren daarna heb ik zoveel kleine kinderen amandelmelk geserveerd, dat het soms leek alsof ik er een restaurant in was begonnen. Ik kan u zonder enige reserve vertellen dat kinderen van alle leeftijden en alle achtergronden wat voeding betreft, *dol* zijn op amandelmilkshakes!

En het is inderdaad 'iets beters': geen kwalijke vetten, geen cholesterol, geen hulpstoffen of conserveringsmiddelen van welke aard dan ook en geen geraffineerde suiker; alleen maar veel eiwitten van hoge kwaliteit, uitgebalanceerde suikers, vitaminen en mineralen – pure gezondheid bij elke slok!

Om een goede milkshake te krijgen hebt u altijd bevroren bananen nodig. De amandelmelk zorgt voor de romige consistentie; de bevroren bananen zorgen voor de *ijsachtige romigheid*, dus zorg dat u er altijd een voorraadje van hebt liggen. Uw 'hoofdvrucht', die de smaak van de milkshake bepaalt, kan zowel in verse als in bevroren vorm worden toegevoegd.

De beste dadelshake ter wereld

Niet écht een bescheiden naam, maar deze milkshake verdient dat wel. U zult wel zien waarom!

3³/₄ dl Amandelmelk (blz. 82)   6 grote dadels, zonder pit
2 bevroren bananen

Meng de Amandelmelk, dadels en bananen 2 minuten met een staafmixer. Als u een minder dikke shake wilt, neem dan maar 1¹/₂ banaan.

2 personen

Aardbeienshake

Aardbeienmilkshakes smaken heerlijk in de zomermaanden wanneer aardbeien volop verkrijgbaar zijn. U kunt er echter het hele jaar door van genieten als u een voorraadje aardbeien invriest.

$3^1/_2$ dl Amandelmelk (blz. 82)
2 middelgrote bevroren bananen
6 grote verse of bevroren aardbeien

evt. 1 eetlepel
ahornsiroop

Meng de Amandelmelk, bananen, aardbeien en eventueel de ahornsiroop 2 minuten met een staafmixer.

2 personen of 6 – 8 ijsjes

Perzikenshake

Een ware koning onder de milkshakes!

$2^1/_2$ dl Amandelmelk (blz. 82)
1 grote rijpe perzik, gepeld

$1^1/_2$ bevroren banaan

Meng de Amandelmelk, perzik en banaan 2 minuten met een staafmixer. Voeg eventueel wat extra bevroren banaan toe en eet de 'shake' met een lepel!

1 – 2 personen

Bananeshake

Deze romige milkshake is er echt een voor de liefhebbers van bananen.

$2^1/_2$ dl Amandelmelk (blz. 82)

2 middelgrote bevroren
bananen (voor een dikke
milkshake)

Meng de Amandelmelk en de bananen 2 minuten met een staafmixer.

Carobshake

Liefhebbers van chocola, die carob afwijzen, maken een grote fout. U kunt ze niet met elkaar vergelijken. Carob smaakt anders dan chocola, maar het zit wel in dezelfde smakenfamilie! Carob is zachter van smaak, niet zo zoet als chocola; het is lichter en romiger en smaakt bijzonder goed. Voedingtechnisch gezien is carob veel beter dan chocola. In tegenstelling tot chocola bevat het bijna geen vet, cafeïne en oxaalzuur (wat calciumopname in het lichaam tegengaat). Daarbij komt dat carob wel calcium, fosfor, ijzer en sommige B-vitaminen bevat: de pectine in carob helpt goed als uw maag van streek is. Alles bij elkaar genomen, verdient carob het zeker om positief gezien te worden en het met open armen tegemoet te treden (of eigenlijk met open mond!).

2$^1/_2$ dl Amandelmelk (blz. 82)	1 eetlepel ahornsiroop
2 theelepels ongezoet carobpoeder	1$^1/_2$ middelgrote bevroren banaan

Meng de Amandelmelk, carobpoeder en ahornsiroop 15 seconden met een staafmixer. Voeg de bevroren banaan toe en meng ze nog 2 minuten op de hoogste stand.

2 personen

Tip: Voeg een extra bevroren banaan toe en eet de 'shake' met een lepel.

CAFEÏNEVRIJE WARME DRANKEN

Als u hete dranken drinkt (trouwens ook als u heet voedsel eet), sterven miljoenen cellen van uw tong en uw slokdarm af. Uiteindelijk vernietigt u zo uw smaakpapillen, waardoor u steeds meer en meer gekruid voedsel nodig hebt, omdat u simpelweg niets meer proeft. Dat is niet nodig. Laat dranken iets afkoelen en drink ze warm in plaats van heet.

Dan nu even iets over cafeïne. Als u koffie of 'light' frisdranken moeilijk kunt laten staan, hoeft u daar niet verbaasd over te zijn. Deze produkten bevatten behoorlijk veel cafeïne, net als de meeste soorten thee (behalve kruidenthee), chocolade en veel geneesmiddelen die vrij verkrijgbaar zijn. Cafeïne belast de nieren en maakt dat er tweemaal zoveel calcium wordt uitgescheiden uit het lichaam dan normaal.[1] Daardoor is cafeïne een belangrijke oorzaak van osteoporose.

De reden dat het zo moeilijk is om cafeïnehoudende dranken te laten staan is dat cafeïne zo'n verslavende werking heeft. Uw verstandelijke vermogens gaan erdoor achteruit, het houdt u wakker als u wilt slapen en belast uw zenuwstelsel zodanig dat het uitgeput kan raken en zijn taken niet meer aankan. Geef kinderen *alstublieft* geen frisdrank die cafeïne bevat!

Miljoenen mensen zijn van hun cafeïneverslaving afgekomen, dus het is zeker mogelijk. Het gebruikelijke ontwenningsverschijnsel bij cafeïneverslaving is zware hoofdpijn gedurende de periode waarin de stof door het lichaam wordt uitgescheiden. Deze hoofdpijn gaat over en is een redelijke prijs voor een cafeïnevrij lichaam. Als u zover bent kunt u echt gaan genieten van de cafeïnevrije dranken die nu volgen.

Thee gemaakt van kruiden en andere ingrediënten

Kruiden smaken heerlijk in thee en in voedsel. Zij zijn behalve geurig en rustgevend ook weldadig voor het lichaam. Veel reformwinkels hebben een complete voorraad losse kruiden. Kruiden smaken het best als ze vers zijn of direct na het plukken gedroogd zijn. Als u zelf kruiden kweekt, kunt u steeds over een voorraadje beschikken. Ik pluk geregeld bepaalde kruiden uit mijn tuintje, hang ze dan te drogen en gebruik ervan wat ik nodig heb. Als u een grote voorraad losse kruiden koopt, dient u ze in

---

1. Robert P. Hearney et al., 'Effects of Nitrogen, Phosphorus and Caffeine on Calcium in Women', *Journal of Laboratory and Clinical Medicine*, no. 99 (1982), blz. 46.

luchtdichte glazen potten te bewaren. U kunt beter kleine hoeveelheden kopen, zodat uw voorraad altijd vers is.

Van veel makkelijk verkrijgbare kruiden of wortels kunt u heerlijke, rustgevende thee maken. Sommige holistisch ingestelde artsen bevelen de volgende kruiden aan als werkzaam in de aangegeven omstandigheden:

kamille – tegen koorts en verkoudheid, maagklachten en diarree

venkel – voor de spijsvertering

alfalfa – om een flinke hoeveelheid extra bouwstoffen toe te dienen; tegen een opgeblazen gevoel

smeerwortel – voor verbetering van de interne conditie; rustgevend; slijmoplossend

brandnetel – levert ijzer

gember – tegen keelpijn en maagklachten en om het lichaam van warmte te voorzien

muntblad – voor de spijsvertering; neutraliseert maagzuur; levert calcium

pepermunt – voor de spijsvertering; neutraliseert maagzuur; levert calcium

groene munt – voor de spijsvertering; levert calcium

rode klaver – rustgevend voor het zenuwstelsel; zuivert het bloed

salie – tegen keelpijn, koorts en verstopping

lobelia – ter ontspanning

rode framboos – tegen menstruatieklachten; bij zwangerschap

koningskaars – werkt slijmoplossend

Als u kruidenthee maakt, laat u de blaadjes en zaden trekken. Wortels kookt u mee met het water. Gebruik ongeveer 1 theelepel kruiden op een kopje water. Veel van deze kruiden zijn verkrijgbaar in theezakjes, los of in combinatie met andere, bijpassende kruiden. Er bestaan veel meer krachtige kruiden dan ik hierboven heb genoemd; dit zijn de kruiden die ik naar volle tevredenheid zeer geregeld gebruik. Er zijn veel uitstekende boeken over het gebruik van kruiden te koop.

Warm citroenwater

Veel mensen drinken 's ochtends vroeg een glas warm citroenwater om het lichaam te 'reinigen'. Als u de avond tevoren iets vettigs heeft gegeten is dit een prima manier om uw lichaam te 'ontvetten'.

$2^1/_2$ dl water

1 eetlepel vers citroen- of limoensap

Breng het water aan de kook, voeg het citroen- of limoensap toe en laat het geheel iets afkoelen.

1 persoon

Warme kruidenthee

$2^1/_2$ dl water

$^1/_2$ theelepel smeerwortel

$^1/_4$ theelepel alfalfapoeder

$^1/_4$ theelepel pepermunt

1 theelepel honing

2 theelepels citroensap

1 schijfje verse
gemberwortel

Breng het water aan de kook, giet het over de kruiden en laat ze 10 minuten trekken. Voeg de honing en het citroensap toe. Pers het schijfje gember uit in een schone knoflookpers en doe het sap in de thee. Roer alles goed door en drink de kruidenthee warm op.

1 persoon

Pepermuntthee met kaneel

1 zakje pepermuntthee

2 theelepels citroensap

1 stukje pijpkaneel

$2^1/_2$ dl kokend water

1 volle theelepel honing

Doe het theezakje, het citroensap, het kaneelstokje en de honing in een beker en giet er het hete water over. Laat de thee 2 tot 3 minuten trekken en roer alles goed door. Haal het theezakje en het stukje pijpkaneel uit de beker en drink de thee warm op. Drink deze pepermuntthee wanneer u keelpijn heeft, neem een warm bad en ga vroeg naar bed. Uw lichaam zendt waarschuwingssignalen uit dat uw verdedigingsmechanisme op een laag pitje staat.

1 persoon

Gemberthee

Deze eenvoudige thee is een uitstekend middel tegen een buikgriepje en helpt de symptomen van een verkoudheid of griep te verzachten. U moet wel verse gemberwortel gebruiken. Neem kleine teugjes van deze hete thee en laat de goede krachten op u inwerken.

Stuk gemberwortel (5 cm),
zeer fijngehakt of geraspt

5 dl water

Doe de fijngehakte of geraspte gemberwortel en het water in een pan en laat het mengsel 10 minuten zachtjes koken. Giet de thee door een zeefje en drink het direct op.

1 persoon

Thee om de geest op te wekken

Deze pikante thee is zeer opwekkend en u wordt er goed wakker van.

5 schijfjes verse gemberwortel
5 kardamompitten
4 zwarte peperkorrels

3 hele kruidnagelen
1 kaneelstokje
5 dl water

Doe alle ingrediënten in een pan en breng het mengsel aan de kook. Neem de pan van het vuur en laat de thee 40 minuten trekken. Giet de thee door een zeefje en drink het warm of koud op. (U kunt deze thee eventueel weer opwarmen.)

2 personen

DIVERSE WARME DRANKEN

Café santé

Vindt u de smaak van koffie of cacao lekker? Deze heerlijke warme drank is een goede vervanging voor zowel koffie als warme chocolade.

5 dl water
3 theelepels granenkoffie
$2^{1}/_{2}$ theelepel geroosterde
  carobpoeder
snufje kaneelpoeder
snufje geraspte nootmuskaat

$^{1}/_{2}$ theelepel vanille-extract
2 theelepels ahornsiroop
  (of naar smaak)
$1^{1}/_{4}$ dl sojamelk (zie tip),
Cashewmelk (blz. 85)
of Amandelmelk (blz. 82)

1. Breng het water aan de kook in een pan, voeg de granenkoffie toe en roer alles goed door.
2. Doe de rest van de ingrediënten erbij en laat het geheel zachtjes en al roerend doorwarmen.
3. Verdeel de café santé over 2 of 3 bekers en bestrooi elke portie met wat geraspte nootmuskaat.

Tip: Verpakte sojamelk, naturel, gezoet, met carob- of chocoladesmaak is verkrijgbaar bij de meeste reformzaken en soms ook bij uw supermarkt. Sojamelk is een prima vervanger voor koemelk.

Wortelbladthee

Heerlijk, vers wortelgroen, kan op een bijzondere manier gebruikt worden. Was het wortelgroen en hak het niet al te fijn. Zet het wortelgroen op met water, laat het enkele minuten in de afgedekte pan koken, giet het water af door een zeef en dien dit direct op als thee. Afgekoelde wortelbladthee kunt u met ijsklontjes opdienen – verfrissend en helder van smaak.

Gekruide amandelmelk

7^1/$_2$ dl Thee om de geest op
   te wekken (blz. 92) of een
   ander soort kruidenthee

100 g gepelde amandelen
   (blz. 83)

Bereid de thee. Meng de amandelen met 2^1/$_2$ deciliter thee 2 minuten met een staafmixer. Voeg de rest van de thee er langzaam aan toe en meng alles nog 2 minuten met de staafmixer. Giet het theemengsel door een fijne zeef en warm het weer op. De gekruide amandelmelk mag echter niet aan de kook komen.

3 personen

Rode-misothee

Rode miso is een geconcentreerde sojaboonpasta en u kunt er een pittige, alkalische thee van zetten. Miso is rijk aan aminozuren die makkelijk door het lichaam worden opgenomen – ijzer, calcium, fosfor en B-vitaminen. Omdat miso meestal als basis voor soep gebruikt wordt, zal ik het uitgebreider behandelen in Hoofdstuk 7. Ik wil echter dit recept voor Rode-misothee met u delen, omdat ik het een zeer voedzame en rustgevende vervanger voor gewone thee vind. Miso is een 'stralingbeschermend' ingrediënt, omdat het zich met bepaalde radioactieve elementen in het lichaam bindt en deze uit het lichaam verwijdert![1]

3 dl water
1 eetlepel rode miso
1 theelepel citroensap

evt. 1 theelepel
   fijngehakte bosuitjes

Breng het water aan de kook, voeg de miso en bosuitjes toe en roer alles goed door. Laat het mengsel 1 minuut zachtjes koken, tot de miso is opgelost. Voeg het citroensap toe en giet de thee in een beker.

1 – 2 personen

ALCOHOL – VOOR DE GOEDE VERSTAANDER

EXTRA EDITIE! EXTRA EDITIE! Lees er nu alles over! De Hoofdinspecteur voor de Volksgezondheid van de Verenigde Staten vaardigt in zijn rapport over gezondheid en voeding een nieuw mandaat uit dat het alcoholgebruik moet beperken: niet meer dan twee glazen alcoholhoudende drank per dag! Zwangere vrouwen wordt dringend aanbevolen alcohol geheel te mijden!

1. Sara Shannon, *Diet for the Atomic Age* (Wayne, N.J.: Avery Publishing Group, 1987) blz. 48-49.

Dit bericht hadden de kranten in oktober 1989 als hoofdartikel moeten voeren, maar dat hebben ze niet gedaan. Daarom heb ik maar een krantekop voor u gemaakt. We mogen het publiek passende krantekoppen niet onthouden.

Overmatig alcoholgebruik wordt in verband gebracht met drie belangrijke doodsoorzaken:

1. Levercirrose
2. Ongevallen
3. Zelfdoding

Elk jaar overlijden achtduizend Amerikaanse tieners ten gevolge van ongevallen die verband houden met alcoholgebruik. Het mandaat van de voormalige Hoofdinspecteur voor de Volksgezondheid, Koop, zou moeten resulteren in pressie van het publiek om *op zijn minst* de televisiereclame te beteugelen die ons voorhoudt dat er 'zoveel sociale voordelen' aan de consumptie van alcohol zijn verbonden. De reclamespots suggereren dat jonge mensen niet 'gaaf' of 'cool' zijn als ze er niet aan meedoen. Sigarettenreclame bewees ons dezelfde slechte dienst totdat de publieke opinie ervoor zorgde dat zij verboden werd.

Gelukkig is het zo dat het alcoholgebruik daalt naarmate men zich meer bewust wordt van het belang van een goede gezondheid. John Maxwell, een woordvoerder uit de drankindustrie[1] zegt: 'Als iemand net acht kilometer gejogd heeft, zal hij zich bij thuiskomst niet laveloos drinken.' Steeds meer mensen stellen zich positief tegenover het Leven op! Alcohol is *dodelijk* – op een snelle manier als het ongevallen en zelfdoding tot gevolg heeft, of langzaam, door de aftakeling van geest en lichaam. Bovendien onderdrukt alcohol het immuunsysteem; iets dat we in deze tijd echt niet kunnen gebruiken. Bij het bepalen van de nieuwe limiet van twee glazen per dag is aan heel wat meer gedacht dan onze gezondheid alleen, maar als de Hoofdinspecteur tot het stellen van *deze* limiet is overgegaan, moeten de gegevens betreffende alcohol die hij bestudeerd heeft, wel erg overtuigend geweest zijn.

Als u toch alcohol blijft drinken, beperkt u zich dan tot het aanbevolen maximum. Blijf er af en toe onder. Blijf er ook eens helemaal van af.

Uw lichaam zal u dankbaar zijn.
Deze tijd vereist een nuchtere instelling.

---

1. *Nutrition Action*, december 1984, blz. 6.

5

Wat kunt u doen met fruit

Fruit! Dat heerlijke fruit! Fruit is door alle prachtige kleurschakeringen en weelderige variëteiten misschien wel de eerlijkste vorm van expressie van onze rijke aarde – voor iedereen bereikbaar, perfect van vorm en een onuitputtelijke bron van genoegen. Wie van ons, inclusief de beste koks, kan iets bedenken dat lekkerder is en dat meer plezier verschaft dan een pas geplukte framboos? Een koele, stevige meloen? Of een sappige, zongerijpte sinaasappel?

Uitsluitend leden van de vruchtenfamilie bezitten het vermogen om *verder te rijpen* nadat ze geplukt zijn. Als u een tomaat in het zonnetje op uw vensterbank legt, wordt deze dieper van kleur en zoeter van smaak. Een ananas krijgt een goudgele kleur en wordt sappiger en sterker van smaak. De kleur van bananen verandert van groen in heldergeel als u ze op de fruitschaal op tafel hebt gelegd. Dit geldt natuurlijk niet voor alle vruchten. Sinaasappels, druiven en appels blijven alleen maar vers in de koelkast. Maar de smaak en de structuur van avocado's, meloenen, peren, mango's, papaya's, guaven, granaatappels, kiwi's, loquats, perziken, nectarines, pruimen en abrikozen verbetert *na* het plukken en bovendien krijgen zij dan een hoger gehalte aan bouwstoffen. Vruchten *leven* in feite bij ons! Deze verrukkelijke vruchtenfamilie werkt met ons samen om aan onze behoeften tegemoet te komen door voor onze ogen te rijpen en onze leefomgeving op te fleuren met die vrolijke kleuren en verleidelijke geuren. Dat en nog veel meer doen ze voor ons – ze leveren in overvloedige mate de enzymen, vitaminen, mineralen, aminozuren, suikers en voedingsvezels die voor hen de *essentie van het bestaan* vormen en voor ons de *essentie van het Leven* zijn.

Hoewel wij tegenwoordig soms opgeschrikt worden door berichten over bepaalde kweekmethoden en onze positieve gevoelens ten opzichte van fruit daardoor soms overschaduwd worden, is het misschien toch goed even bij die situatie stil te staan. U weet dat commerciële fruittelers, bij hun misplaatste pogingen om de consument het hele jaar door te voorzien van aantrekkelijk fruit, te ver zijn gegaan in het gebruik van hormonen en chemicaliën die het fruit zouden moeten 'beschermen', veranderen, doen glanzen, kleuren, conserveren, vergroten en op andere manieren 'verbeteren'. Nu de ongewenste effecten van al deze onjuiste en onnatuurlijke manipulaties aan het licht zijn gekomen, is het bemoedigend te zien dat de organische landbouwprodukten langzaam maar zeker een grotere plaats op de markt gaan innemen. In de tussenfase raad ik u aan een bepaalde benaderingswijze toe te passen. Koop in die winkels of op die markten waar u de *meest verse* produkten kunt kopen van de *beste kwaliteit*. Koop in reformwinkels of bij de tuinder die organische produkten verkoopt die vers van het land komen. *Zorg dat u altijd kwaliteit koopt.* Een kwaliteitsprodukt is niet te vervangen. Al kost het u meer, het is op den duur zowel veiliger als voordeliger.

PRAKTISCHE ADVIEZEN OM MEER EN KWALITATIEF BETERE VRUCHTEN TE CONSUMEREN

1. Bedenk dat de term *organisch* belangrijk is. Vraag geregeld om organische produkten; kijk ernaar uit en koop ze als u ze kunt krijgen.

2. Als u naar de markt gaat, vraag de groenteman dan om specifieke informatie over zijn produkten. Zorg dat u erachter komt welke vruchten de minste behandeling hebben ondergaan en houd er bij uw aankopen rekening mee. Vraag om organische produkten. Vraag of men duidelijk wil aangeven welke produkten geïmporteerd zijn (deze bevatten vaak meer resten van verdelgingsmiddelen).

3. Ga naar reformwinkels die organische landbouwprodukten verkopen. Als een dergelijke winkel ver van uw huis is, kunt u er een wekelijkse of veertiendaagse trip van maken, in samenwerking met familie en vrienden.

4. Bestel kisten met organische produkten bij uw reformwinkel (bijvoorbeeld appels en sinaasappels) en bewaar ze om zo te eten of om er sap van te maken. Als u een hele kist koopt krijgt u vaak wel wat korting en u kunt de kosten delen met vrienden of bekenden als een kist te veel voor u is. Eet deze vruchten, aangevuld met bananen, gedroogd fruit, sap en groenten. U hoeft niet het gevoel te hebben dat u *elke dag* veel verschillende soorten fruit moet eten. De seizoenen zorgen voor de variatie.

5. Was alle vruchten grondig met een mild reinigingsmiddel, spoel ze en droog ze zo mogelijk goed af. Schil al het fruit waarvan u denkt dat het bespoten is met hoge doses verdelgingsmiddelen.

6. Kijk eens of u één of meer vruchtbomen kunt kweken in uw eigen tuin of die van familieleden. De laatste twee jaar hebben wij bijna vijftig vrucht- en notebomen geplant en we kunnen nu al van de oogst eten.

7. Breng uw mening bij elke gelegenheid naar voren, zodat u een bijdrage levert aan de steeds groter wordende druk die door het publiek wordt uitgeoefend om de landbouw-chemische industrie te dwingen tot koerswijziging.

8. Sluit u aan bij actiegroepen die zonder winstoogmerk bezig zijn met milieubeheer.

9. Schrijf naar ambtenaren van het Ministerie van Landbouw en Visserij en van Volksgezondheid en Milieuzaken. Schrijf naar de vertegenwoordiger van uw partij in de Tweede Kamer die zich met milieuzaken bezighoudt, om druk op hen uit te oefenen.

FRUIT ALS ONTBIJT

Als u erop uit bent uw lichaam schoon en energiek te houden, raden wij u ten zeerste aan om fruit als ontbijt te gebruiken in plaats van de traditionele zwaardere ontbijtprodukten, vooral in warmere streken waar het hele jaar door een overvloed aan fruit wordt geproduceerd. In koudere streken, waar de ijzige wind in de winter wel door je heen lijkt te gieren en goed fruit niet altijd beschikbaar is, kan het echter realistischer en aantrekkelijker zijn om een steviger ontbijt te gebruiken, dat het lichaam van warmte voorziet. Daarom hebben we in de laatste hoofdstukken van dit boek recepten opgenomen voor wentelteefjes, flensjes en muffins – allemaal bereid zonder zuivelprodukten en dus gezond. Als u een zwaarder ontbijt neemt, *begin* dan in ieder geval met vers vruchtesap of een sappige vrucht om uw spijsverteringskanaal te reinigen en uw lichaam te voorzien van de uitgebalanceerde enkelvoudige suikers die uw lichaam de broodnodige, snelle energie geven die het nodig heeft. Als de zon warmer wordt en de seizoenen wisselen, kunt u uw voordeel doen met 'fruit in de ochtend', dat uw lichaam schoonmaakt, verjongt en energie geeft.

ALLES OVER FRUIT

Fruit is geschikt om op vele verschillende manieren te verwerken. Het is makkelijk om gewoon zo te eten, maar daarnaast kan het de basis vormen van verrukkelijke creaties. Om van fruit te kunnen genieten is het belangrijk dat u weet hoe u het beste fruit kunt kiezen. Het onderstaande is bedoeld om u te helpen het beste fruit te kopen dat verkrijgbaar is. Ik heb naast de u bekende soorten ook enkele niet zo bekende vruchten opgenomen, om u aan te moedigen uw ervaring uit te breiden. Wist u bijvoorbeeld dat de beste perssinaasappels een dunne, glanzende schil hebben en een zoete geur afgeven? Of dat de zoetste watermeloen er mat en enigszins wasachtig uitziet?

Hoe kiest u het beste fruit

Algemeen bekende vruchten

Abrikozen. Onrijp als ze geel van kleur zijn; de beste zijn diep oranje met een rode blos en voelen enigszins zacht aan. Bewaar rijpe exemplaren in de koelkast; ze bederven snel.

Appels. Koop geen appels die van een waslaagje zijn voorzien om ze mooi glanzend te maken en kies de onbehandelde soorten (let op: een natuurlijk wasachtig laagje lijkt soms op kunstmatig aangebrachte was). Kijk uit naar appels zonder plekjes erop, die koud aanvoelen. De volgende appelrassen horen zeer hard te zijn: Red Delicious, Granny Smith en Cox. De beste Red Delicious appels zijn langwerpig en enigszins hartvormig. De rassen Golden Delicious, McIntosh en Jonathan geven iets mee als u er druk op uitoefent. Bewaar ze in de koelkast.

Avocado's. Er bestaat een grote variatie in grootte, vorm en structuur. De beste rassen zijn peervormig, langwerpig, eerder mat en wasachtig van kleur dan glanzend. De schil hoort eerder glad dan bobbelig te zijn. Een avocado moet u altijd iets kunnen indrukken als hij rijp is. Als hij te zacht is, smaakt hij ranzig. U kunt ze het beste kopen als ze rijp zijn. U kunt ze ook laten rijpen in een afgesloten papieren zak. Leg ze direct in de koelkast als ze rijp zijn en wel onverpakt.

Bessen. Deze moeten altijd onbeschadigd zijn, diep van kleur, zonder 'bloedende' plekjes. Koop geen aardbeien die groen of wit zijn aan de uiteinden of erg grote exemplaren die niet zoet zijn. Controleer even de verpakking op de geur van verdelgingsmiddelen. Koop de vruchten niet als u iets verdachts ruikt. Bessen horen fris en zoet te ruiken. Bewaar de bessen afgespoeld en afgedroogd in een afgesloten doos in de koelkast.

Druiven. Moeten stevig aanvoelen. Controleer ze op verdelgingsmiddelen door eraan te ruiken. Kijk uit naar druiven die er gepoederd en fleurig uitzien; dat duidt op versheid. Was ze *grondig*, want ze worden veelvuldig met zware verdelgingsmiddelen behandeld. Organisch geteelde druiven zijn tegenwoordig op veel plaatsen verkrijgbaar. Witte druiven moeten stevig aanvoelen en zijn meestal zoeter als hun kleur groengeel is dan wanneer ze de groene kleur van limoenen hebben. Als zich rimpels hebben gevormd in de buurt van de steeltjes zijn de druiven oud. De steeltjes moeten groen zijn; als ze droog zijn, of bruin of zwart, zit er weinig smaak aan de druiven. Bewaar druiven onverpakt in de koelkast.

Kersen. Horen eerder hard dan zacht aan te voelen en moeten stevig zijn. Koop geen kersen met donkere stelen – die zijn oud. De kersen met de donkerste rode kleur zijn de zoetste. Gele rassen moeten ook eerder stevig dan zacht aanvoelen. Kersen zijn zeer beperkt houdbaar. Was ze en zet ze niet afgedekt in de koelkast. U kunt ze niet langer dan 2 tot 3 dagen bewaren.

Nectarines. Moeten stevig maar niet hard aanvoelen. Langs de groef horen zij iets zacht te zijn en de kleur is goudgeel met een rode blos. Koop geen onrijpe, groene vruchten, want die hebben een laag suikergehalte. Als ze een lekker aroma afgeven zijn ze rijp en zoet. Bewaar nectarines in de koelkast als ze rijp zijn.

Peren. Koop peren als ze hard zijn en laat ze thuis enigszins zacht worden. De Doyenne du Comice, met de gele schil, kunt u eten als hij zeer zacht is. De Anjou en de Bartlett kunnen gegeten worden als ze hard of halfhard zijn. Aziatische peren zijn stevig en hard en worden als appels gegeten. Bewaar peren in de koelkast als ze rijp zijn.

Perziken. Het vruchtvlees geeft iets mee als ze rijp zijn. Perziken horen altijd een matte, maar frisse kleur te hebben. Ze mogen niet kleurloos of bleek zijn. Koop geen perziken met groene plekken. Als ze een lekker aroma afgeven zijn ze rijp. Harig aanvoelende perziken zijn meestal niet zo zwaar bespoten, want de harige schil duidt erop dat de perzik aan het commerciële 'badhuis' is ontsnapt. Bewaar perziken onverpakt in de koelkast als ze rijp zijn.

Pruimen. Er bestaan veel soorten. Meestal worden ze gegeten als ze zacht zijn, hoewel sommige soorten ook gegeten kunnen worden als ze hard aanvoelen. Koop geen pruimen die er rimpelig uitzien, pruimen met scheurtjes in de schil of tekenen van schimmelvorming. Schil de vrucht als de schil te zuur is. Overleg met uw groenteman, want de tekenen van rijpheid variëren van soort tot soort. Bewaar ze in de koelkast als ze rijp zijn.

Vijgen. Moeten vlezig zijn en druppelvormig; soms zijn ze enigszins rimpelig of zitten er scheurtjes in. De vijg is optimaal rijp als hij zacht en vochtig is en vol zit met nectar. Harde, droge vijgen zijn on-rijp en hebben niet voldoende smaak. Ze zijn zeer beperkt houdbaar; bewaar ze onafgedekt in de koelkast.

Citrusvruchten

Citroenen. De citroenen met de dikste schil bevatten het minste sap. Ze moeten niet al te zacht tot enigszins stevig aanvoelen en een goudgele kleur hebben. Als u citroenen langer dan een paar dagen wilt bewaren, kunt u ze het best in de koelkast leggen.

Grapefruit. Er zijn witte, roze en rode grapefruits, die altijd een gladde, dunne en glanzende schil horen te hebben. Ook moeten zij zwaar aanvoelen. De Ugli, een kruising tussen grapefruit, sinaasappel en tangerine, ziet eruit als een grote, onregelmatige grapefruit en hoort goudgeel van kleur te zijn. Hij hoort enigszins zacht aan te voelen als hij rijp is en is makkelijk in partjes te verdelen. Deze vrucht kan als een sinaasappel gegeten worden. Bewaar ugli's enige dagen bij kamertemperatuur of leg ze, als u ze langer wilt bewaren, in de koelkast.

Limoenen. Limoenen en citroenen zijn niet onderling verwisselbaar. Limoenen smaken zoeter. Ze horen stevig te zijn en helder van kleur. Als u ze langer dan een paar dagen wilt bewaren, kunt u ze het best in de koelkast leggen.

Sinaasappels. Commercieel gekweekte sinaasappels kunnen nogal zwaar overbehandeld zijn. De schil hoort glad, dun en glanzend te zijn. De vruchten moeten zwaar en stevig aanvoelen en een zoet aroma afgeven. De kleur varieert van geel met groene vlekken bij kleine perssinaasappels tot diep oranje bij navels en mandarijnen. Controleer alle sinaasappels op sporen van verdelgingsmiddelen door eraan te ruiken; ze horen naar citrusvruchten te ruiken en niet naar chemicaliën. Koop zo mogelijk organisch geteelde sinaasappels.

Tangerines. De Satsuma is helder oranje en heeft een losse, matte schil; meestal zijn de kleinste ook de zoetste. Mineola is ovaal en heeft aan een kant een uitstulping. Hij kan glanzend of mat zijn met een uitgesproken kleur en is moeilijk te schillen. De *sterke* smaak kan erg zuur of erg zoet zijn. Bewaar deze vrucht in een koele kamer.

Meloenen

Laat alle soorten meloen bij kamertemperatuur rijp worden voordat u ze in de koelkast legt.

Kantaloep. Een gelijkmatige roomkleur (dus geen groenige kleur) duidt op rijpheid. Het deel waar de steel heeft gezeten hoort glad te zijn en iets naar binnen af te lopen. Het moet ook iets meegeven als u er druk op uitoefent. Een goed aroma duidt op een goede smaak. Hoort zwaar aan te voelen. Laat de meloen rijpen bij kamertemperatuur voordat u hem in de koelkast legt.

Suikermeloen. Zowel de suikermeloen met oranje vruchtvlees als die met groen vruchtvlees horen mee te geven als u erop drukt, vooral het gedeelte waar de steel heeft gezeten. Een bruine dooradering van de schil wijst gewoonlijk op een hoog suikergehalte. Een vleugje groen in de schil betekent dat de meloen rijp is. Een groene suikermeloen mag geen witte schil hebben. Oranje suikermeloenen hebben, als ze rijp zijn, een vleugje oranje in de schil en een muskusachtige geur. Moeten zwaar aanvoelen voor hun grootte. Laat de meloen rijpen bij kamertemperatuur voordat u hem in de koelkast legt.

Watermeloen. De schil moet mat zijn en enigszins wasachtig. De uiteinden horen rond te zijn en goed gevuld, dus niet puntig. De meloen moet zeer zwaar aanvoelen voor haar grootte en de onderkant moet lichtgeel, crèmekleurig zijn en niet wit. Als u erop klopt, mag u geen dof geluid horen maar een donker, hol geluid. Als de meloen is doorgesneden, kunt u erop letten dat het vruchtvlees helderrood is en dat de zaadjes donkerbruin of zwart zijn en niet wit. Koop geen exemplaren die witte strepen in het vrucht- vlees hebben of donker gekleurde melige plekken rond de zaden. Bewaar op kamertemperatuur tot u de meloen hebt aangesneden. Leg haar daarna verpakt in de koelkast.

Tropische en exotische vruchten

Ananas. De onderzijde moet bij rijpe vruchten enigszins zacht zijn. Het aroma is zoet zonder spoor van gisting. Als de ananas rijp is, verandert de kleur van groen in goudgeel en zijn de bladeren makke- lijk te verwijderen. Zorg dat de vrucht gelijkmatig rijp wordt door de bladeren te verwijderen en de vrucht *omgekeerd* neer te zetten op kamertemperatuur, zodat het zoete sap dat zich onderin heeft verza- meld door de gehele vrucht kan lopen. Bewaar de ananas in de koelkast als hij rijp is.

Bananen. Eet geen groene bananen. Laat ze in een gesloten papieren zak liggen om het rijpingspro- ces te versnellen. Eet de bananen pas als al het groen is verdwenen en de banaan vol bruine plekken zit. Deze plekken duiden erop dat al het zetmeel is omgezet in suiker. Bananen horen stevig en onbescha- digd te zijn. Als het moeite kost de banaan te schillen doordat de schil aan het uiteinde niet breekt, is de banaan niet rijp. Als de schil aan het vruchtvlees blijft vastzitten is er nog te veel zetmeel in de vrucht aanwezig om hem te kunnen eten. Rode bananen moeten er opgezwollen uitzien; ze moeten iets zacht aanvoelen en de kleur dient veranderd te zijn van rood in oranje. De schil mag gespleten zijn. Bananen horen niet in de koelkast thuis; daar worden ze bruin.

Dadelpruim. De soort Fuyu is oranjegeel en hard, heeft de vorm van een tomaat en wordt gegeten als een appel. Schil de vrucht en snijd hem dwars in schijfjes. Hierdoor wordt de mooie bloemach- tige vorm van het binnenste zichtbaar; uitstekend geschikt voor vruchtenschotels. De Hychia is diep oranje en enigszins druppelvormig; hij is zo groot als een nectarine of een flinke pruim. Is erg zacht als hij rijp is, met de consistentie van pudding. Serveer deze vrucht in zijn geheel of als saus bij een vruchtensalade. Koop de vrucht als hij nog stevig aanvoelt en laat hem rijpen in een gesloten papieren zak.

Dadels. Zijn geen gedroogde vruchten, al lijken ze daarop. Neem geen dadels die er erg gerimpeld, droog of schilferig uitzien of die ruiken naar gisting. In die gevallen zijn de dadels oud of ze zijn niet op de juiste wijze bewaard. Bewaar dadels in een luchtdicht bakje in de koelkast of diepvriezer.

Guave. Koop onbeschadigde vruchten die er niet rimpelig uitzien aan de uiteinden. Als ze rijp zijn, geeft het vruchtvlees mee als u het indrukt. Bewaar ze op kamertemperatuur. Schil ze en snijd ze in dobbelsteentjes, in vieren of doormidden, zodat u ze kunt uitlepelen.

Kiwi. Horen iets zacht te zijn en niet papperig, want dan zijn ze overrijp. Mijd gekneusde en keiharde exemplaren. Leg ze in de koelkast als ze rijp zijn. U kunt ze schillen en in plakjes snijden of doormidden snijden en uitlepelen.

Lychees. Deze vruchten zijn rond met een ruwe bruine of rozerode schil. Ze zijn even groot als een walnoot. Gebruik geen lychees waarvan de schil is gescheurd en waaruit sap lekt. Ook mogen zij geen geur van gisting afgeven. Ze moeten er rond en vlezig uitzien en de schil moet er stevig omheen zitten. Ze dienen halfzacht aan te voelen. Bewaar ze in de koelkast.

Mango's. Komen in vele kleuren voor – kunnen groengeel tot goudgeel zijn of oranjerood tot diep rood. De vorm is rond of langwerpig en ze kunnen zo groot zijn als een kleine kantaloep of zo klein als een perssinaasappel. Voor alle soorten geldt dat grote, zwarte plekken duiden op bederf. Ze zijn rijp wanneer u ze makkelijk kunt indrukken en de geur zoet en aromatisch is. Ze zijn overrijp als ze erg zacht zijn en een zwaar aroma hebben, dat naar gisting zweemt.

Papaya. Kies exemplaren die tenminste voor de helft geel of oranjegeel zijn en niet groen. Ze moeten voor hun grootte zwaar aanvoelen en zeer aromatisch zijn. Het gedeelte waar de steel heeft gezeten kunt u indrukken als de vrucht rijp is. Neem geen te zachte of gekneusde vruchten en ook geen vruchten met zachte of harde plekken. Het vruchtvlees is helder oranje of het heeft de kleur van aardbeien. Bewaar ze in de koelkast als ze rijp zijn.

Gedroogde vruchten

Appels, abrikozen, bananen, krenten, rozijnen, vijgen, mango's, papaya's, perziken, peren, ananasschijven, pruimen en druiven kunnen worden gedroogd.

1. Koop uitsluitend vruchten die *aan de zon* gedroogd zijn.

2. Mijd vruchten die gedurende het drogingsproces met zwavel behandeld zijn. (Zwavel wordt gebruikt om de kleur van het fruit lichter te maken, nadat het fruit is geblancheerd, waardoor er verlies aan smaak en bouwstoffen optreedt.) Vruchten die niet met zwavel zijn behandeld, zijn donkerder van kleur en steviger van consistentie. Bovendien hebt u geen last van de negatieve effecten van toegevoegd zwavel.

3. Mijd gedroogde vruchten die gesuikerd of in honing gedoopt zijn.

4. Bewaar gedroogde vruchten in luchtdichte verpakking op een koele plaats of in de koelkast of diepvriezer.

5. Wees matig in het gebruik. U hebt te maken met zeer geconcentreerde produkten, die verhoudingsgewijs veel suiker bevatten. Laat gedroogde abrikozen, perziken, peren, pruimen, vijgen, druiven, krenten en rozijnen enkele uren weken in zuiver water voordat u ze eet. Zij zorgen in gerehydreerde vorm voor een voldaan gevoel, dus u zult er niet te veel van eten. U kunt het weekwater drinken of verwerken in vruchtensausen of -dranken.

VRUCHTENSALADES EN VRUCHTENSAUSEN

Vruchtensalades zijn leuke gerechten. Ze zien er mooi uit en vormen een plezierig samenspel van kleur en smaak. Ze bevatten een diversiteit aan zoete smaken, gecombineerd in een enkele portie en ze zorgen voor een voldaan gevoel, terwijl u toch merkt dat u licht gegeten hebt. Ze zijn dorstlessend, schakelen uw appestaat* uit en maken dat uw mond en lichaam schoon en prettig aanvoelen. Kinderen zullen zelden of nooit een mooie vruchtensalade afwijzen. Als ik terugdenk aan de duizenden keren dat ik vruchtensalades heb geserveerd, kan ik me zelfs niet één keer herinneren dat iemand een portie af-sloeg – tenzij die persoon zijn maag met ander voedsel had gevuld**.

Sausen voor fruitsalades

Hoe lekker een verse fruitsalade ook mag zijn, hij smaakt nog lekkerder als u er een vruchtensaus bij geeft. Vruchtensausjes om over een fruitsalade te schenken, om door een fruitsalade te mengen en zelfs als een dipsaus te gebruiken, zijn heerlijk en toch heel makkelijk om zelf te bereiden. Ze maken zelfs het eten van een eenvoudige fruitsalade tot een ware ervaring en zorgen ervoor dat het gebruik van fruitsalades altijd nieuw en spannend blijft. Vruchtensausjes zijn een verrassing bij elke fruitmaaltijd.

Al deze recepten kunt u met een staafmixer bereiden en elk recept is voldoende voor ruim 3 deciliter saus.

Appel-dadelsaus. Meng 12 dadels en $2^1/_2$ deciliter appelsap met een staafmixer, tot er een romige saus ontstaat.

Romige perzikensaus. Meng 1 banaan, 2 perziken en $1^1/_4$ deciliter sinaasappel- of appelsap met een staafmixer.

Abrikozen-cashewroom. Meng 2 eetlepels cashewnoten met $1^1/_4$ deciliter water of appelsap met een staafmixer. Voeg 3 rijpe, ontpitte abrikozen en 2 ontpitte dadels toe en meng alles goed door elkaar.

Koele kantaloeppuree. Snijd $^1/_4$ kantaloep in stukjes en vries ze in. Meng de stukjes bevroren meloen met een scheutje appelsap met een staafmixer tot er een dikke puree ontstaat. Garneer verse fruitsalades met een schepje ijskoude kantaloeppuree.

Koele suikermeloenpuree. Volg het recept voor kantaloeppuree.

Koele blauwbessenpuree. Meng 100 gram verse of bevroren blauwbessen met voldoende cashew-melk (blz. 85) zo dat ze net onder staan met een staafmixer, tot er een dikke, koele saus ontstaat.

Aardbei-bananesaus. Meng 8 rijpe aardbeien met $^1/_2$ banaan en een scheutje sinaasappelsap met een staafmixer.

Regenboogpuree. Vries 8 grote aardbeien, 1 grote gepelde banaan en 1 middelgrote mango (in blok-jes gesneden) in en meng ze samen of apart, met een scheutje sinaasappelsap, met een staafmixer. Schep de puree over een verse fruitsalade.

Papayaroom. Meng 1 papaya en $1^1/_4$ deciliter Amandel- of Cashewmelk (blz. 82 en 85) of $1^1/_4$ deciliter sinaasappelsap met een staafmixer.

Perzik-bananesaus. Meng 1 rijpe of bevroren banaan, $^1/_2$ deciliter vers sinaappelsap en 1 verse of be-vroren perzik met een staafmixer en breng de saus op smaak met nootmuskaat en kardamom. (Als de banaan en de perzik allebei bevroren zijn heeft u waarschijnlijk meer sinaasappelsap nodig.)

Papaya-vijgesaus. Meng 1 kleine rijpe papaya en 6 rijpe, verse vijgen met een staafmixer.

Ananas-bananesaus. Meng 150 gram verse ananas (in blokjes) en 1 verse of bevroren banaan met een staafmixer. Voeg eventueel wat vers sinaasappelsap toe.

Appel-dadelpruimsaus. Meng 1 grote, geschilde Red Delicious appel en 1 zeer rijpe dadelpruim met

---

* De 'appestaat' is een uiterst klein orgaan dat zich onderaan de hersenen bevindt en dat een signaal afgeeft als de bloedsom-loop bouwstoffen nodig heeft. Het resultaat is een hongergevoel. Vanaf het moment dat u gaat eten duurt het 30 minuten voor-dat uw appestaat reageert. Eet uw fruitsalade daarom langzaam op en u zult zien dat zij uw honger stilt.
** Denk eraan dat fruit, dat voor 90 procent uit water bestaat, op een lege maag gegeten dient te worden.

1 deciliter vers appelsap met een staafmixer en breng de saus op smaak met wat kaneelpoeder en geraspte nootmuskaat.

Appel-avocadosaus. Meng 2¹/₂ deciliter appelsap en 1 rijpe avocado met een staafmixer.

Zoete avocadosaus. Meng 2¹/₂ deciliter vers druivesap en 1 avocado met een staafmixer.

Gemarineerde peren met dadelpruimen

10 minuten

In Azië zijn dadelpruimen een zeer geliefde soort fruit; tegenwoordig zijn ze in Nederland regelmatig verkrijgbaar. Ze smaken heerlijk en het is zeer de moeite waard om ze eens te proberen.

2 grote peren, geschild en in
   blokjes gesneden
2 dadelpruimen
2 eetlepels rozijnen, geweld
4 dadels, ontpit en in vieren
   gesneden
2¹/₂ dl appelsap

6 dadels, zonder pit
snufje gemalen kruidnagels
   of gemalen piment
¹/₄ theelepel gemalen
   kaneel
1 mandarijntje, zonder
   pitten, in partjes

1. Doe de blokjes peer in een glazen kom. Schil de dadelpruimen, snijd ze in plakjes en schik ze op de peren. Voeg de gewelde rozijnen en in vieren gesneden dadels toe.

2. Meng appelsap, hele dadels, kruidnagels of piment, kaneel en mandarijnpartjes met een staafmixer.

3. Giet deze saus over de peren en dadelpruimen, dek de kom af en laat alles 1 uur staan.

3 personen

NUTTIGE TIPS OVER BANANEN

– Als garnering

Trek met een vork gleuven in de lengterichting van een gepelde banaan, snijd deze dan kruislings door, om er leuke gekartelde plakjes mee te krijgen.

– Om de kleur te behouden

Bedruppel plakjes banaan met citroen-, sinaasappel- of ananassap.

– Rijpheid

Gebruik bananen alleen wanneer de schillen bruine vlekken vertonen, de schillen mogen nergens groen zijn, zelfs niet bij de punten. Overrijpe bananen kunt u in plaats van eieren, in taarten of gebak verwerken.

– Invriezen

Vries bananen in om in Smoothies (blz. 77) of Vruchtenmelk (blz. 80) te verwerken. Pel de bananen en verpak ze in luchtdichte diepvrieszakken of in diepvriesdozen. Bevroren bananen kunt u 2 tot 3 weken bewaren voordat ze verkleuren.

Aardbeien met roze amandelroom

Een heerlijk ontbijt voor kinderen van alle leeftijden. Denk er aan dat aardbeien het beste smaken als ze donkerrood van kleur zijn.

1¼ dl Amandelmelk (blz. 82)   100 g ahornsuiker
500 g grote aardbeien
  met kroontjes

1. Meng de Amandelmelk en 6 – 8 grote aardbeien (kroontjes verwijderd) met een staafmixer.
2. Doe de rest van de aardbeien in een grote kom en de Amandelroom en de ahornsuiker in aparte kleine kommen. Elke aardbei wordt eerst in de Amandelroom en daarna in de ahornsuiker gedompeld.

3 personen

Vruchtensorbet

15 minuten

Meng verse fruitsalade met uw lievelingsvruchtensaus en doe het in sorbetglazen of coupes. Schep op elke portie een lepeltje Cashewroom (blz. 116) en garneer met een 'aardbeibloem'. Deze heerlijke sorbets kunt u als voorgerecht opdienen, gevolgd door een salade als hoofdgerecht.

300 g kantaloepballetjes   Evt. 30 g geraspte kokos
300 g suikermeloenballetjes   3 – 5 dl Vruchtensaus naar
100 g frambozen of aardbeien   eigen keuze (blz. 101)
  (in plakjes)   1¼ dl Cashewroom (blz. 116)
100 g verse blauwbessen   Aardbeibloemen (zie tip)
1 kleine papaya, zonder pitjes   en muntblaadjes
  en in blokjes gesneden
1 mango, geschild en in blokjes gesneden
Evt. 100 g gewelde rozijnen

1. Vul 6 coupes met afwisselende lagen fruit; bestrooi elke laag fruit met gewelde rozijnen en geraspte kokos.
2. Schep de Vruchtensaus en een deel van de Cashewroom over het fruit en garneer elke coupe met een lepeltje Cashewroom, een aardbeibloem en wat muntblaadjes.

6 personen

Tip: Hoe u een 'Aardbeibloem' kunt maken:

1. Was een grote aardbei en dep hem droog met keukenpapier. Haal het kroontje er *niet* af.
2. Maak met een scherp mes 4 tot 5 evenwijdige sneden in de aardbei, van boven naar beneden, tot juist boven de basis. De sneden moeten dicht bij elkaar gemaakt worden, niet meer dan circa 2 millimeter van elkaar.
3. Trek de schijfjes aardbei voorzichtig los van elkaar om er een 'bloem' van te maken.

Meloencompote met blauwbessen

10 – 15 minuten

Heerlijk fris op een warme zomerse dag.

400 g suikermeloenballetjes
100 g verse blauwbessen
2 rijpe perziken, in schijfjes
    gesneden

8 grote bevroren aardbeien
1 grote bevroren banaan
vers vruchtesap

1. Schep de suikermeloenballetjes, blauwbessen en perzikenschijfjes voorzichtig door elkaar – pas op dat u de blauwbessen niet stuk drukt, waardoor de mooie kleur van het fruit bedorven wordt.
2. Meng de bevroren aardbeien, de bevroren banaan en wat vruchtesap met een staafmixer tot er een dikke, ijskoude puree ontstaat.
3. Schep de vruchtenpuree over de meloencompote.

3 personen

***Variatie*:** Hol 3 halve kantaloeps iets uit, vul ze met de meloencompote en schep de fruitpuree erbovenop. Een exotische fruitmaaltijd.

Meloencompote met munt

10 minuten

Verse munt en meloen smaken allebei heerlijk fris. Verse munt is veel meer dan een smakelijke garnering: het is ook nog rijk aan calcium, neutraliseert maagzuur en bevordert de spijsvertering.

1 kleine suikermeloen
1 middelgrote kantaloep of
    ogenmeloen

$1/4$ middelgrote watermeloen
fijngehakte muntblaadjes

1. Snijd de suiker- en kantaloep of ogenmeloen doormidden en verwijder de pitten. Halveer de beide soorten meloen en verwijder de pitten. Verwijder zoveel mogelijk pitten uit de watermeloen.
2. Steek balletjes uit het vruchtvlees van alle drie soorten meloen en doe ze in een kom.
3. Schep de fijngehakte munt door de meloenballetjes en laat alles minstens 3 uur in de koelkast staan, zodat de smaken zich met elkaar kunnen vermengen.

6 – 8 personen

Zomerse fruitsalade

10 – 15 minuten

Deze fruitsalade is zo vol van smaak dat ik u aanraad om alleen maar een eenvoudige saus of sap, zoals bijvoorbeeld sinaasappelsap, erbij te geven: maar als u toch een 'dipsaus' wilt opdienen, dan is aardbei-Bananesaus hier bijzonder geschikt voor.

1 banaan, in schuine
  plakjes gesneden
150 g aardbeien, in
  plakjes gesneden
2 kiwi's, geschild en in
  plakjes gesneden
150 g rode druiven,
  gehalveerd

evt. 20 g geraspte kokos
1 dl vers sinaasappelsap
slabladeren
150 g kersen, ontpit

1. Meng de gesneden vruchten met de kokos in een kom en schep het sinaasappelsap er voorzichtig door.
2. Bekleed 3 platte borden met slabladeren, schep de fruitsalade op de sla en garneer elke portie met kersen.

3 personen

Gevulde Kantaloep

10 minuten

Maak deze heerlijke fruitsalade wanneer perziken volop verkrijgbaar zijn.

2 kleine kantaloeps
4 rijpe perziken, gepeld
  en in blokjes gesneden
100 g verse blauwbessen
  of frambozen

verse muntblaadjes, om te
  garneren

1. Snijd de kantaloeps doormidden en verwijder de pitten.
2. Meng de blokjes perzik met de blauwbessen of frambozen, vul de kantaloeps hiermee en garneer ze met verse muntblaadjes.

4 personen

VRUCHTENSCHOTELS

Het enige verschil tussen fruitsalades en vruchtenschotels is de wijze waarop ze opgediend worden. In salades zijn de stukjes fruit kleiner en worden ze met een gebakvorkje of met een lepel gegeten. Schijfjes of plakjes fruit op een schotel worden meestal met mes en vork gegeten, omdat het fruit dan in grotere stukken gesneden is. Dien vruchtenschotels op voor een lunch of diner, speciaal als uw lichaam laat weten dat het wat minder vet nodig heeft, of als het warm weer is. Alle aanbevelingen hieronder, kunnen goed gecombineerd worden met bleekselderij en sla.

Citrus met avocado. Schil sinaasappels, roze grapefruit en avocado's. Snijd avocado's in plakjes en citrusvruchten in schijfjes.

Papaya met avocado en banaan. Snijd papaya's en avocado's doormidden en verwijder de pitten. Snijd bananen in dikke schuine plakken.

Banaan en avocado. Een 'stevige' combinatie. Snijd beide vruchten in plakjes.

Banaan, avocado en peer. Volg het recept voor Banaan en Avocado. De peer voegt water en voedingsvezel toe.

Peer, dadelpruim, kiwi en dadel. Schil peren, verwijder klokhuizen en snijd ze in schijven. Schil kiwi's en snijd ze in plakken. Halveer de dadels en verwijder de pitten. Schil dadelpruimen en snijd ze in plakken.

Mango, papaya, ananas en avocado. Schil mango's en snijd het vruchtvlees in schijven of blokken. Schil papaya's, snijd ze doormidden en verwijder de pitten. Snijd het vruchtvlees in schijven. Schil ananas en snijd het vruchtvlees in de lengte in staven. Schil avocado's en snijd ze in plakken.

Appel, druif, bleekselderij en noten. Schil appels, boor ze uit, snijd ze in plakken en schik ze, samen met trosjes rode en witte druiven, op de borden. Geef er stengels schoongemaakte bleekselderij en een schaal noten (amandelen, pecannoten of walnoten) apart bij.

Meloen. Schik schijfjes watermeloen, ogenmeloen, kantaloep en suikermeloen dakpansgewijs op platte borden.

Suikermeloen, perzik, pruim, abrikoos en blauwbes. Bekleed de bordjes met dunne schijfjes suikermeloen en bedek ze met schijfjes perzik, pruim en abrikoos. Doe een hoopje blauwbessen (of frambozen) in het midden van de vruchtenschijfjes.

Bessen met notenmelk. Doe een kommetje notenmelk in het midden van een schaal en schik er hoopjes blauwbessen, aalbessen, bramen, aardbeien, frambozen enzovoorts omheen.

Vruchtenschotels met meloenijs

20 minuten

Als er 's zomers fruit in overvloed verkrijgbaar is, maak er dan goed gebruik van. Maar bedenk wel dat fruit iets meer is dan alleen maar een snack om deze tijd van het jaar. Het is de door de natuur bepaalde tijd om fruit te eten, in grote hoeveelheden. U kunt in deze periode fruit best als hoofdgerecht gebruiken. Als u moet afvallen, lukt het op deze manier het best, bovendien geeft het uw lichaam gelijk een grote schoonmaakbeurt. Fruit is een natuurlijke lichaamsreiniger. De meeste andere voedingsmiddelen (afgezien van rauwe of gestoofde groenten) laten resten gif achter. Maar deze smakelijke en gezonde fruitmaaltijden dragen ertoe bij om deze slechte stoffen uit uw systeem te bannen en u weer helemaal te vernieuwen!

Het volgende recept kunt u zo nodig aanpassen aan de vruchten die op dat moment in seizoen en dus volop verkrijgbaar zijn. Het perfecte lunchgerecht op een warme dag.

12 schijven suikermeloen
36 balletjes kantaloep
2 rijpe perziken, pruimen of
  nectarines, elk in 6
  plakjes gesneden
12 aardbeien, in de lengte
  doorgesneden

2 rijpe vijgen, in plakjes
  gesneden
250 g stukjes bevroren
  suikermeloen
250 g stukjes bevroren
  kantaloep

1. Schik de gesneden vruchten op 4 platte borden.

2. Meng de stukjes bevroren meloen, samen of apart, met een staafmixer, tot er een dikke puree ontstaat.

3. Garneer elke vruchtenschotel met een schep meloenijs en dien direct op.

4 personen

NUTTIGE TIPS OVER VRUCHTENSCHOTELS

1. Bestrijk plakken avocado en schijfjes banaan met citroensap om verkleuren te voorkomen.

2. U kunt alle soorten noten en zaden gebruiken om de vruchten-schotels mee te garneren (amandelen, pecannoten, walnoten, zonnebloempitten, pompoenpitten enz.), behalve wanneer u avocado's in de schotel verwerkt. Uw lichaam heeft er geen behoefte aan een vette avocado (weliswaar een 'goede' vetsoort, maar toch!) met een zo geconcentreerde eiwitvorm als noten te moeten verwerken. Vetten hinderen namelijk de vertering van de eiwitten.

3. Bleekselderij en slabladeren kunt u altijd bij vruchtenschijfjes geven.

Aardbeienschijfjes met kiwi, banaan, en sinaasappel

15 minuten

Dit is een klassiek gerecht – een heerlijke combinatie van smaken die ik niet uit deze verzameling recepten weg kan laten. Het schikken van de vruchtenschijfjes als een 'bloem' creëert een indrukwekkend en smakelijk effect.

2 navelsinaasappels, in
schijfjes gesneden
2 middelgrote bananen, in
schuine plakken gesneden
300 g aardbeien, in schijfjes
gesneden

2 grote kiwi's, geschild
en in plakjes gesneden
1 dl sinaasappelsap of
Aardbei-bananesaus
(blz. 101)

1. Verdeel de schijfjes sinaasappel over 4 platte borden. Schik de plakken banaan als bloembladeren op de sinaasappels.

2. Schep de aardbeien in het midden van elke 'bloem' en garneer ze met schijfjes kiwi. Geef de saus er apart bij.

4 personen

Vruchtenmozaïek

20 minuten

Dien deze elegante verzameling vruchtenpurees op als voorgerecht. De briljante kleuren die zo goed met elkaar mengen, en de pure smaak van de vruchten zullen van deze schotel iets bijzonders maken. Hoewel een vruchtenmozaïek makkelijk en snel te bereiden is komt het er toch uit te zien als een geweldige artistieke creatie.

4 kiwi's
1 mango
1 papaya
2 of 3 Bartlett peren

2 eetlepels vers citroensap
16 aardbeien voor de puree,
    plus 6 of 8 voor de garnering
muntblaadjes
4 Aardbeibloemen (blz. 103)

1. Schil de kiwi's, snijd ze in vieren en pureer ze met een staafmixer. Laat de puree minstens 30 minuten in de koelkast staan.

2. Schil de mango, snijd het vruchtvlees in stukjes en pureer ze met een staafmixer. Laat de puree minstens 30 minuten in de koelkast staan.

3. Schil de papaya, verwijder de pitjes en pureer het vruchtvlees met een staafmixer. Laat de puree minstens 30 minuten in de koelkast staan.

4. Schil de peren, verwijder de klokhuizen en bedruppel het vruchtvlees met citroensap. Laat ze 10 minuten staan.

5. Pureer de aardbeien en laat de puree minstens 30 minuten in de koelkast staan. Pureer de peren en zet de puree ook koel weg.

6. Beginnend met de peer, dan de aardbei, mango, kiwi en papaya, legt u 2 eetlepels van elke vruchtenpuree op grote gekoelde borden (werk met de klok mee). Tik lichtjes op de borden om de puree gelijkmatig te verdelen. Maak er met een mes een mozaïekpatroon in en garneer elk bord met wat muntblaadjes en een 'aardbeibloem'.

6 – 8 personen

ONTBIJTSCHOTELS VOOR DE WINTERMAANDEN

Op deze manier kunt u vruchten met noten en zaden zodanig combineren dat u er een robuust en stevig 'rauw' ontbijt van maakt dat met elk gekookt ontbijtprodukt (bijv. pap) uitstekend kan concurreren. Het verschil ligt in de hoge voedingswaarde. Uw lichaam moet hard werken om alle bruikbare voedingswaarde uit een gekookt of bewerkt graanprodukt te halen. Met relatief weinig energieverbruik zal een rauw vruchtenontbijt u volop met enzymen, vitaminen, mineralen, onverzadigde vetzuren en suiker belonen. Alles wat uw lichaam nodig heeft om gezond te blijven!

De basisingrediënten van zo een vruchtenschotel zijn appels, banaan, noten en zaden, amandelmelk of appelsap en specerijen. U kunt ook stukjes perzik, mango of peer of hele bessen toevoegen.

Deze vruchtenschotels zijn ideaal gedurende de wintermaanden, net als de andere vruchtenmaaltijden die ik reeds voorgesteld heb, smaken ze lekker en ze zijn gezond in de zomermaanden. Is het niet fijn om deze stevige, geheel uit fruit bestaande schotels, als alternatief te hebben als u eigenlijk trek hebt in iets stevigers? Het natuurlijke vet dat noten en kokosnoot bevat, geeft uw lichaam voldoende brandstof om u warm te houden.

Appelschotel met noten

20 minuten

1 grote banaan, in plakjes
  gesneden
1 grote appel, grof geraspt
25 – 50 g rauwe amandelen,
  cashewnoten, sesamzaad,
  zonnebloempitten of een
  mengsel hiervan

kaneelpoeder
geraspte nootmuskaat
evt. 1 theelepel
  ahornsiroop
50 g rozijnen of krenten
Amandelmelk (blz. 82)

1. Meng de banaan en de appel in een kom.

2. Hak de noten en zaden zeer klein met een food processor of rasp ze op een notenrasp.

3. Strooi de noten en zaden over het fruit en voeg kaneelpoeder, geraspte nootmuskaat, ahornsiroop en rozijnen of krenten toe.

4. Doe de appelschotel in 1 of 2 kommen en schenk er wat Amandelmelk over.

1 – 2 personen

Variatie: Voeg eventueel wat stukjes dadelpruim of peer aan deze gezonde ontbijtschotel toe.

Perenschotel met kokosnoot

20 minuten

Hier heeft u een heerlijke vruchtenschotel die het hele gezin lekker zal vinden. In plaats van de peren kunt u eventueel ook appels gebruiken.

4 stevige handperen, geschild,
  geboord en in plakjes gesneden
4 middelgrote rijpe bananen,
  gepeld en in plakjes gesneden
30 g gehakte dadels of rozijnen

2 theelepels kaneelpoeder
25 g geraspte kokos
1 dl Amandelmelk (blz. 82)

1. Meng de peren en de bananen in een kom.
2. Voeg de dadels, kaneelpoeder en geraspte kokos toe.
3. Giet de Amandelmelk over het vruchtenmengsel en meng alles goed door elkaar.

4 personen

Tip: U kunt het 'droge' vruchtenmengsel eventueel over 4 kommen verdelen en de Amandelmelk er apart bij geven.

Vruchtenpap voor de herfst

10 minuten

Een stevige vruchtenpap – een uitstekende ontbijtschotel voor een frisse ochtend.

3 rijpe bananen, gepeld en in
  plakjes gesneden
3 eetlepels sinaasappelsap
3 rijpe peren, geschild,
  geboord en in plakjes gesneden
1 zachtzure appel, geschild,
  geboord en in plakjes gesneden
6 grote dadels, ontpit en
  kleingesneden

2 eetlepels rozijnen of
  krenten
25 g geraspte kokos
1 dl Amandelmelk (blz. 82)

1. Schep de plakjes banaan door het sinaasappelsap en voeg de peren en appel toe.
2. Doe de dadels, rozijnen en kokos erbij en schep alles door elkaar.
3. Schenk de Amandelmelk over het fruitmengsel en roer alles goed door tot er een stevige 'pap' ontstaat.

6 personen

Appel-vijgenschotel met amandelen

10 minuten

2 zachtzure appels, geschild
  en geboord
1 eetlepel rozijnen
20 g geraspte kokos
2 gedroogde vijgen, in
  stukjes gesneden

25 g amandelen, grof
  gemalen
evt. 2 eetlepels ahorn-
  siroop
$^1/_2$ theelepel kaneelpoeder
$^1/_2$ dl vers appelsap

1. Hak de appels en de rozijnen (niet te fijn) in een food processor.
2. Voeg de rest van de ingrediënten aan het appelmengsel toe en meng alles goed door elkaar.

2 personen

Appelschotel met dadels

5 minuten

Op een ochtend eiste een 4-jarige vegetarische keukenprinses (Kyra) een ontbijt waar je lekker op kon kauwen! Dit is het resultaat van wat we samen hebben gecreëerd.

2 grote dadels, zonder pit
1 appel, geschild, geboord,
  en in vieren gesneden

1 grote bevroren banaan
1 sinaasappel, in partjes
3 grote dadels, in stukken
  gesneden

1. Pureer de eerste 4 ingrediënten met een staafmixer.
2. Schenk het mengsel in een hoog glas en roer de stukken dadel erdoor. Deze appelschotel moet u met een lepel opeten.

2 – 3 personen

VRUCHTENGRANITA'S

Vruchtengranita's zijn heel makkelijk te maken. U heeft alleen maar fruit nodig. Er zijn eindeloze variaties op dit thema en kinderen zijn er dol op. U kunt ze, met behulp van een food processor of staafmixer, makkelijk bereiden.

1. Snijd het fruit in stukken van $2^1/_2$ centimeter en vries ze in in diepvriesdozen of luchtdichte diepvrieszakken.
2. Pureer het bevroren fruit met een staafmixer en dien direct op met een lepel. U kunt eventueel wat vers vruchtesap toevoegen om de vruchtengranita iets dunner van samenstelling te maken.

U kunt praktisch alle soorten fruit invriezen om er een vruchtengranita van te maken. Hieronder vindt u een aantal van onze favorieten.

kantaloep	papaya
suikermeloen	abrikoos
aardbei	mandarijn
banaan	nectarine
perzik	dadelpruim
ananas	mango

Bananegranita

Iedereen vindt deze granita heerlijk, maar vooral peuters en kleuters. Een klein vriendinnetje van mij, Alexandra, had last van chronische, hevige oorpijn. Ze was echter dol op yoghurt en andere zuivelprodukten, maar toen haar moeder haar melk en yoghurt begon te vervangen door vruchtesap en bananegranita had ze geen last meer van oorpijn!

Rijpe bananen

Pel de bananen, verpak ze in luchtdichte diepvrieszakken en vries ze in. Pureer ze, eventueel met wat vers sinaasappelsap, met een staafmixer en dien de granita direct op.

SNOEPJES

Om onze behoefte aan zoetigheid te bevredigen en om ons energie te geven, hebben we deze snoepjes gemaakt. Toen we op reis waren, hebben we hier bijna geheel van geleefd, met alleen maar een salade 's avonds. Ze zijn zo rijk aan vitaminen, mineralen, aminozuren en suiker dat ze de honger urenlang kunnen stillen. Deze snoepjes zijn fantastisch om op een drukke dag bij de hand te hebben.
Zorg dat ze luchtdicht verpakt zijn en bewaar ze in de diepvriezer of in de koelkast.

Vruchtentoffees

20 minuten

Voor diegenen die moeite hebben om fruit en noten samen te verteren, kunt u de noten door bananechips vervangen. Nog beter is om ze door gedroogde plakjes banaan te vervangen; deze zijn minder vet dan de gebakken bananechips.

200 g gemengde noten of	100 g gedroogde vijgen
100 g bananechips	150 g rozijnen
8 grote dadels, zonder pit	

1. Doe alle ingrediënten in een food processor en meng ze tot er een stevige bal deeg ontstaat.

2. Vorm, met natgemaakte handen, stukjes van het deeg tot balletjes of rolletjes en bewaar ze in de koelkast of diepvriezer.

Ca. 16 toffees

Dadelsnoepjes met kokos

20 minuten

400 g grote dadels, zonder pit   80 g geraspte kokos

1. Doe de dadels en de kokos in een food processor en meng ze tot er een stevige bal deeg ontstaat.

2. Vorm, met natgemaakte handen, stukjes van het deeg tot balletjes en bewaar ze in de koelkast of diepvriezer.

ca. 12 snoepjes

Energierepen

40 minuten

Als u een droogkastje heeft kunt u de bananen in dunne plakjes snijden en ze één nacht in de droogkast zetten.

40 g sesamzaad	200 g gedroogde vijgen
50 g cashewnoten	120 g rozijnen
50 g pinda's	$1^{1}/_{4} - 2^{1}/_{2}$ dl Cashew-
100 g dadels, ontpit	of Amandelmelk
100 g gedroogde bananen of	(blz. 85 en blz. 82) of appelsap
rozijnen	80 g geraspte kokos

1. Hak het sesamzaad, de cashewnoten en de pinda's grof of fijn in een food processor.

2. Voeg de dadels, gedroogde bananen, vijgen, rozijnen en voldoende Cashew- of Amandelmelk toe tot een stevig deeg ontstaat.

3. Doe de geraspte kokos op een diep bord, vorm het deeg, met natgemaakte handen, tot repen en wentel ze door de kokos.

ca. 24 repen

Tip: U kunt andere soorten zaden, pitten, noten of gedroogd fruit gebruiken of alleen maar één soort noten en rozijnen bijvoorbeeld. Wij geven u het idee en de methode en u zoekt zelf uw eigen melange.

6

Waardoor kunt u dierlijke produkten vervangen

Een miljoen Amerikanen overlijden jaarlijks aan atherosclerose – het dichtslibben van de slagaderen -, de oorzaak van hartinfarcten, hersenbloedingen en andere hart- en vaatziekten.[1] Elke 32 seconden, 24 uur per dag, overlijdt er iemand ten gevolge van atherosclerose. Er zijn meer sterfgevallen als gevolg van dichtgeslibde slagaderen dan door welke andere oorzaken samen.[2] En 98 procent van de kinderen in de Verenigde Staten heeft al tenminste één symptoom van een hartziekte.[3]

Dit is geen informatie die u gewend bent aan te treffen in een kookboek, maar een feit is dat dit boek juist geschreven is om redenen van deze informatie. *Wij zijn geheel en al in staat om atherosclerose onder controle te houden.* De meest prominente medische en andere wetenschappelijke deskundigen vertellen ons dat een dieet dat veel verzadigde vetzuren en cholesterol bevat leidt tot atherosclerose. Om de zaak in de hand te kunnen houden, is het noodzakelijk dat we weten welke voedingsmiddelen verzadigde vetzuren en cholesterol leveren. Ook op dit punt bestaat er geen verschil van mening onder de medici en wetenschappers: *De voedingsmiddelen die verzadigde vetzuren en cholesterol bevatten zijn de dierlijke produkten – alle soorten vlees, kip, vis, zuivelprodukten en eieren.* Hoe meer dierlijke produkten u eet, des te waarschijnlijker is het dat u zult overlijden aan atherosclerose. Hoe meer dierlijke produkten u uw kinderen voorzet, des te waarschijnlijker is het dat zij tot de 98 procent zullen gaan behoren die ten minste één symptoom van hartziekten vertoont.

In augustus 1988 heeft de Hoofdinspecteur voor de Volksgezondheid, C. Everett Koop, de vermindering van het gebruik van dierlijke produkten gemaakt tot een van zijn nationale dieetrichtlijnen in zijn 'Report on Nutrition and Health'. Slechts enkele maanden later nam het National Research Council zijn aanbevelingen van harte over. Het National Cancer Institute, de American Heart Association en de Wereld Gezondheids Organisatie waren al tot deze conclusie gekomen. Hoewel we nog steeds overstelpt worden door reclame die ten doel heeft dierlijke produkten aan de man te brengen, is het tij gekeerd. De consument is aan het minderen. In de Verenigde Staten is de consumptie van rundvlees alleen al verminderd van 50 kilogram per persoon per jaar in 1976 naar 38 kilogram in 1988. Dat is zeer goed nieuws voor onze gezondheid en die van onze kinderen.

In dit hoofdstuk staat beschreven hoe u het zichzelf uitstekend naar de zin kunt maken zonder

---

1. Hoofdinspecteur voor de Volksgezondheid C. Everett Koop, 'Report on Nutrition and Health', 1988, blz. 4.
2. Ibid.
3. 'The Dismal Truth About Teenage Health', *Reader's Digest*, maart 1988.

gebruik te maken van dierlijke produkten. U zult zien dat deze produkten kunnen worden vervangen door produkten die meer eiwitten en calcium bevatten en geen cholesterol, bijna *geen* verzadigde vetzuren, terwijl ze toch *verrukkelijk* smaken. Bovendien zijn ze in vergelijking veel goedkoper dan hun tegenhangers van dierlijke oorsprong.

BELANGRIJKE MEDEDELING AAN DE LEZER

In veel recepten uit dit boek zijn gangbare zuivelprodukten zoals boter, kaas, melk, room en zure room, die veel cholesterol en verzadigde vetzuren bevatten, vervangen door plantaardige oliën, pure sojamargarine, tahoe, sojamelk, notenmelk en notencrème. Deze vervangende produkten, die geen cholesterol bevatten en weinig verzadigde vetzuren, komen in de meeste recepten, in gelijke hoeveelheden, in de plaats van zuivelprodukten. Als er een ingewikkelder werkwijze nodig is, wordt deze consequent uitgelegd.

Als u toch liever geen gebruik maakt van deze vervangende produkten, of als ze niet verkrijgbaar zijn, kunt u in plaats daarvan de traditionele vetarme produkten gebruiken. Mijn recepten zijn zodanig samengesteld dat het resultaat even goed is, of u nu de gezondere vervangingsmiddelen gebruikt of de eigenlijke zuivelprodukten.

ZUIVELVERVANGENDE MELK EN ROOM

In Hoofdstuk 3 hebben we u kennis laten maken met enkele uitstekende melkvervangende produkten. We gebruikten een food processor om amandelen met water te veranderen in een schuimige, romige witte melk. We deden hetzelfde met sesamzaad, zonnebloempitten en zelfs met cashewnoten. Vervolgens voegden we er aardbeien, bananen en andere vruchten aan toe, zodat het resultaat een zoete roze drank, een 'eggnog' of een chocolademelkachtige drank was. Door de toevoeging van bevroren vruchten kregen we een scala aan heerlijke ijsdranken en milkshakes, die u moest proeven om te geloven dat zo iets verrukkelijks bestaat.

U kunt heel makkelijk voedzame melk maken zonder daarbij gebruik te maken van dierlijke melk. Deze soorten melk bezitten dezelfde romigheid met daarbij meer *bouwstoffen* (zie de tabel op blz. 117), minder verzadigde vetzuren en *geen* cholesterol. U kunt deze melksoorten op precies dezelfde wijze gebruiken als dierlijke melk: in dranken, bij het bakken, in soepen en sausen.

Sojamelk

Ik heb in Hoofdstuk 3 niet over sojamelk gesproken, omdat ik mij wilde beperken tot de noten- en de zadenmelk, die meer smaak hebben. Noten- en zadenmelk is ook makkelijker en sneller te maken dan zelfgemaakte sojamelk. Sojamelk is echter ook een niet-dierlijk melkprodukt dat u in veel gerechten kunt toepassen in plaats van dierlijke melk. Als het u om de smaak of de voedingswaarde gaat, is amandel- of sesammelk te prefereren, maar het voordeel van sojamelk is dat u het vacuümverpakt in pakjes kunt kopen in de supermarkt. Er is sojamelk zonder toegevoegde smaak, maar ook sojamelk met vanille-, chocolade- of carobsmaak. Voor het koken is de gewone sojamelk het meest geschikt. Sojamelk met een smaakje is erg lekker om zo te drinken. Misschien is de sojamelk u nooit opgevallen in de winkel. Deze melk staat ook niet in de koeling, omdat zij pas na opening in de koelkast hoeft te worden bewaard. Toch is sojamelk in de meeste supermarkten te krijgen.

Sojamelk is ontwikkeld in Japan, na de Tweede Wereldoorlog, om hongerlijdende Japanse kinderen te kunnen voeden. Zij wordt gemaakt van sojabonen die zijn geweekt, fijngemalen met water, gekookt en gezeefd. Commercieel geproduceerde sojamelk bevat ook gerst, rijst, olie, zoetstof en soms ook de smaakmakers die ik al noemde. Ik vind het handig om een paar pakjes sojamelk in mijn provisiekast te hebben voor het geval ik eens een klein beetje nodig heb. U kunt liter en $^1/_2$ liter verpakkingen kopen; de kleine verpakking is handiger, omdat u vaak maar een kleine hoeveelheid nodig hebt. De uiterste verkoopdatum staat op de verpakking aangegeven. Ongeopend blijft sojamelk minstens zes maanden goed; als u de verpakking eenmaal hebt geopend, kunt u de melk nog ongeveer een week in de koelkast bewaren.

Sojamelk maken van sojapoeder

10 minuten

U kunt sojamelk in poedervorm krijgen bij veel reformwinkels en in toko's. De smaak van het uiteindelijke produkt is niet zo goed als die van verse sojamelk, maar het is makkelijk en snel te bereiden. Deze melk is goed te gebruiken bij het maken van gebak. Gebruik sojamelkpoeder volgens de aanwijzing op de verpakking of volg de richtlijnen die hieronder staan.

Om sojamelk te krijgen doet u 50 gram sojamelkpoeder met 3 deciliter water in een middelgrote steelpan. Roer met de garde tot het poeder geheel is opgelost en breng het mengsel snel aan de kook op hoog vuur onder voortdurend roeren. Zet het vuur laag en laat het geheel 3 minuten zachtjes koken. U hebt nu 3 deciliter sojamelk om koud of warm op te dienen.

Niet-dierlijke room

Dikke cashewmelk is een goed vervangingsmiddel voor room. Er zitten bijna geen verzadigde vetzuren in en geen cholesterol, maar toch moet u er met mate gebruik van maken, omdat het wel *vet* is! Gebruik cashewroom bij bijzondere gelegenheden en gebruik kleine hoeveelheden waar u anders dierlijke room zou gebruiken.

Cashewroom

5 minuten

100 g ongebrande cashewnoten   2 theelepels ahornsiroop
3$^1/_2$ dl water

Meng de cashewnoten, het water en de ahornsiroop 3 minuten in een food processor, tot er een dikke, gladde room ontstaat.

Ca. 5 dl

VERGELIJKING VAN DE VOEDINGSWAARDE VAN SOJAMELK MET DIE VAN DIERLIJKE MELK EN MOEDERMELK

	Sojamelk	Dierlijke melk	Moedermelk
Water (g)	88,6	88,6	88,6
Eiwitten	4,4	2,9	1,4
Calorieën	52	59	62
Vetten	2,5	3,3	3,1
Koolhydraten	3,8	4,5	7,2
Calcium (mg)	18,5	100	35
Natrium	2,5	36	15
Fosfor	60,3	90	25
IJzer	1,5	0,1	0,2
Thiamine (B1)	0,04	0,04	0,02
Riboflavine (B2)	0,02	0,15	0,03
Nicotinezuur	0,62	0,20	0,2

Bron: *Standard Tables of Food Composition* (Japan). Uit: William Shurtleff en Akiko Aoyagi, *The Book of Tofu* (Berkeley, Californië: Ten Speed Press, 1983).

Luchtige Cashewroom

5 minuten

Dien deze lekkernij op bij verse vruchtentaarten, gekoelde pompoentaart of alles waarvan u denkt dat een beetje slagroom erbij wel lekker is. Vooral bij ons recept voor Zoete pompoentaart op bladzijde 378 smaakt het fantastisch. Luchtige cashewroom is niet moeilijk te maken en iedereen is er dol op.

200 g ongebrande cashewnoten	4 eetlepels ahornsiroop
2¹/₂ dl water	¹/₂ theelepel vanille-extract
Ca. 2¹/₂ dl zonnebloemolie	snufje zout

Meng de cashewnoten en het water in een food processor, tot er een dikke room ontstaat. Voeg de zonnebloemolie langzaam aan het cashewnootmengsel toe en meng alles nogmaals in de food processor De cashewroom wordt erg dik en romig. Voeg de ahornsiroop, het vanille-extract en het zout toe en dien de cashewroom gekoeld op.

Ca. 6 dl

Sesam tahin

Een ander vervangingsmiddel voor room is sesam tahin. Dit voedingsmiddel is zo veelzijdig dat het wel flinke aandacht in dit hoofdstuk verdient.

Sesam tahin is een wondermiddel, krachtvoedsel. Het wordt gemaakt van gemalen sesamzaad en is bijzonder voedzaam. Tahin zit letterlijk vol met aminozuren, calcium, vitaminen B en E, de noodzakelijke vetzuren, ijzer, mangaan, fosfor, kalium, zwavel en zink, maar het bevat geen verzadigde vetzuren of cholesterol. Zodra het meer algemeen bekend wordt dat dit een hoogwaardig voedingsmiddel is, zal het zijn terechte plaats gaan innemen in de hongergebieden van de wereld.

Tahin heeft onuitputtelijke mogelijkheden om als vervanger te dienen van room, melk, eieren, boter en kaas en is naturel of geroosterd verkrijgbaar. Naturel tahin is natuurlijk te prefereren, omdat alle nutriënten nog intact en niet door het roosteren verdwenen zijn. Het is ook verkrijgbaar als organisch produkt, gemaakt van organisch gekweekt sesamzaad. Tahin is meestal te koop in potjes of in blik bij een reformwinkel of supermarkt.

Tegenwoordig gebruik ik tahin regelmatig als een vervanger voor zuivelprodukten. Zelfs in die gevallen dat er maar weinig zuivelprodukten gebruikt worden, voegen ze nog steeds verzadigde vetzuren en cholesterol toe, in mijn verder pure recepten. Ik vind dat tahin het eindprodukt op alle mogelijke manieren sterk verbetert. In feite is de smaak zuiverder en lekkerder en het gerecht is minder vettig.

Tijdens de laatste jaren ben ik ertoe overgegaan om tahin ook in soep toe te passen, in plaats van room. Het is een uitstekende vervanger van mayonaise of kaas in saladedressings. Gecombineerd met fijngehakte groenten, wordt het een 'Stedda' tonijnsalade (blz. 131). Als sesamroom kan het mayonaise vervangen op sandwiches en broodjes, vooral op shoarmabroodjes is het erg lekker.

Bij manieren van koken waarbij eieren gebruikt moeten worden, kan het dienst doen als bindmiddel en zo de eieren vervangen. Door het hele boek heen vindt u uitgebreide aanwijzingen voor de toepassing van tahin.

Tip: De dikkere tahin is beter dan de dunne. Meestal ligt er een laagje olie op de tahin in het potje. Omdat ik vind dat de bedoeling van tahin is om minder vet te gebruiken, giet ik deze olie van de tahin af, in plaats van deze erdoorheen te mengen, zoals vaak op de verpakking staat aangegeven. De tahin wordt er echt niet minder van. In zijn drogere vorm kan hij minstens even goed bewaard worden en het smaakt even lekker.

Sesamroom

5 minuten

Een hartige room die u bij het bereiden van slasauzen kunt gebruiken. Sesamroom kunt u, in plaats van mayonaise, ook gebruiken in belegde shoarmabroodjes, op Tomateburgers (blz. 208) of om hartige sausen te binden of romig te maken. U kunt de sesamroom in een afgedekt schaaltje in de koelkast bewaren. Het komt altijd wel van pas!

1 teentje knoflook, uitgeperst	$3/4$ – 1 dl citroensap
100 g sesam tahin	evt. 1 theelepel kelppoeder
$1/2$ – 1 dl water	of strooikruiden zonder zout

1. Meng de knoflook, tahin en $1/2$ deciliter water met een staafmixer, tot er een gladde pâté ontstaat.

2. Voeg het citroensap (hoeveel u nodig heeft hangt van uw eigen smaak af) en eventueel wat extra water toe. Breng de sesamroom op smaak met kelppoeder of strooikruiden.

3 – 4 dl

CHOLESTEROLVRIJE MAYONAISE

Hoewel er vele soorten zuivelvrije mayonaises op de markt zijn, kan het zijn dat u zelf een heerlijke mayonaise wilt maken. Gebruik dan rauwe amandelen als basis in plaats van eieren. Het uiteindelijke resultaat is dik, wit en ongelooflijk lekker. Amandelmayonaise is een cholesterolvrije mayonaise die veel mensen doet denken aan roomkaas. U kunt hem op dezelfde wijze als mayonaise gebruiken: op brood of in borrelhapjes. Amandelmayonaise draagt meer dan alleen maar smaak bij aan een gerecht. Probeer hem uit op Sandwich de luxe (blz. 201), Goodwiches (blz. 195), Broodje paprika met amandel-mayonaise (blz. 207) en op alle sandwiches en broodjes van Hoofdstuk 8. Voeg er wat van toe aan uw saladedressings; die worden er romiger van. U kunt er ook wat kruiden doorheen mengen en dit mengsel als dipsaus serveren (recept volgt). Om een pittige witte groentesaus te krijgen, mengt u enkele theelepels amandelmayonaise met wat water en citroensap.

In 1988 heb ik mijn recept voor Amandelmayonaise verrijkt. De nieuwe versie is beter van smaak en langer te bewaren.

Verrijkte amandelmayonaise

25 minuten

100 g amandelen, met vlies
1 – 1$^1/_2$ dl water of sojamelk
evt. 2 volle theelepels
  sojapoeder
1 theelepel strooigist
snufje knoflookpoeder

steen-, zee- of kruidenzout,
  of strooikruiden
2$^1/_2$ – 3 dl saffloer-
  of zonnebloemolie
3 eetlepels citroensap
$^1/_2$ theelepel appelazijn

1. Giet kokend water over de amandelen en laat ze 15 minuten weken. Pel de amandelen en dep ze droog met keukenpapier.

2. Maal de amandelen fijn in een food processor en voeg de helft van het water of de sojamelk, de sojapoeder, de strooigist, de knoflookpoeder en wat zout of strooikruiden toe. Voeg de rest van het water of de sojamelk toe en meng alles tot er een gladde room ontstaat.

3. Zet de food processor op de laagste stand en laat de saffloer- of zonnebloemolie in een dunne straal op de amandelroom lopen tot het mengsel op dikke mayonaise lijkt.

4. Klop het citroensap en de appelazijn door de mayonaise en laat alles nog 1 minuut op de laagste stand, goed mengen. U kunt de amandelmayonaise 10 tot 14 dagen in een afgesloten pot in de koelkast bewaren.

4 – 5 dl

Tip: Laat u niet uit het veld slaan als uw amandelmayonaise niet naar verwachting dik wordt. Eigengemaakte mayonaise is een van de moeilijkste sausen om te bereiden en soms gaat het gewoon niet. Dit recept is door veel mensen met succes gemaakt, maar zo nu en dan lukt het zelfs mij niet. Maar voor elke keer dat het mis ging, ging het honderden keren wel goed, het is dus best de moeite waard om het eens te proberen.

Amandelmayonaise met tuinkruiden

Deze pikante versie van Verrijkte amandelmayonaise maakt een heerlijke dipsaus voor rauwkost en smaakt ook lekker op een boterham. De kruidenmelange kunt u eventueel zelf samenstellen.

1 x het recept voor Verrijkte amandelmayonaise

2 eetlepels maanzaad

2 theelepels gedroogde kervel

2 theelepels gedroogde basilicum

2 theelepels fijngehakt bieslook (vers of gedroogd)

Voeg de kruiden aan de Verrijkte amandelmayonaise toe en meng alles nog 15 seconden in een food processor of met een staafmixer.

DIVERSE 'BOTERVERVANGERS'

Er zijn meer dingen te bedenken om op brood te smeren dan alleen maar boter; helemaal als je weet dat 1 eetlepel roomboter 35 mg cholesterol en 100% verzadigde vetzuren bevat, is het zeker de moeite waard om hiervoor alternatieven te zoeken. U kunt deze 'botervervangers' ook op gekookte of gestoomde groenten gebruiken.

1. In Spanje wordt geroosterd brood met olijfolie bestreken en de smaak van het brood en de smaak van de olijfolie vullen elkaar uitstekend aan. Olijfolie smaakt ook heerlijk op gekookte of gestoomde groenten en u kunt het zelfs ook op gepofte aardappelen gebruiken (zie Hoofdstuk 11).

2. Geprakte avocado heeft een boterzachte samenstelling en is ideaal om op geroosterd brood te smeren. Avocado's bevatten *geen* cholesterol en bevatten volop vitaminen en mineralen (ook nog vitamine E). De Avocadoboter die hieronder wordt beschreven, is ideaal om als dipsaus bij rauwkost te gebruiken.

3. Noten- en zaadboters zijn ook goede zuivelvrije vervangers voor boter op brood, maar omdat ze zeer geconcentreerd zijn, zullen sommige mensen ze misschien te zwaar vinden. Persoonlijk gebruik ik notenboter veel als dipsaus bij rauwkost, maar een aantal uitstekende atleten hebben mij verteld dat sommige noten- en zaadboters, vooral sesam tahin, urenlang 'brandstof' leveren! Pindakaas wordt het meest gebruikt, maar amandelboter (niet zuur), zonnebloempitboter, cashewboter en sesam tahin zijn allemaal uitstekend. Gebruik ze direct uit de pot op brood, of verdun ze met water en gebruik ze als een dipsaus voor rauwe of gestoomde groenten.

Avocadoboter

1 middelgrote avocado,
  ontpit en geschild
2 – 3 eetlepels citroensap

ca. 1 dl water
$^1/_4$ – $^1/_2$ theelepel
  kelppoeder, knoflook-
  poeder, kerriepoeder,
  versgemalen peper of een
  smaakmaker naar eigen keuze

Meng alles met een staafmixer op de hoogste stand en gebruik de boter op gestoomde groenten of als dipsaus.

4 – 5 dl

IN PLAATS VAN VLEES

Ik heb koken altijd enig gevonden! Voordat ik in 1975 vegetariër werd, wijdde ik al het grootste deel van mijn creativiteit, mijn tijd en energie aan het bereiden van vleesschotels. Meer dan tien jaar lang heb ik uitgebreid onderzoek gedaan naar autochtone en allochtone keukens en ik vond het heerlijk om de gerechten die ik vond te bereiden en te proeven. Maar soms merken we dat onze favoriete bezigheden niet stroken met de behoeften van ons lichaam. In mijn geval was mijn gezondheid zo achteruitgegaan door het eten van al die dierlijke produkten dat ik wel gedwongen was met andere ingrediënten te gaan koken. Hoewel ik aanvankelijk de produkten die ik gewend was te gebruiken wel miste en vaak snakte naar het voedsel dat ik gewend was te eten, vervulde de vegetarische keuken mij met steeds meer enthousiasme. Ik begon de vrijheid en het zelfvertrouwen te voelen die het gevolg zijn van het voeden van het lichaam met die stoffen waarop het gedijt en begon mij te wijden aan de ontwikkeling van een nieuwe, vegetarische keuken die aansluit bij de huidige inzichten.

In die begintijd, toen er nog zoveel mij onbekend terrein bestond, was ik als een kind zo blij als ik weer iets nieuws ontdekte. Nu ervaar ik diezelfde gevoelens, omdat het vegetarisch koken zich in een opvallend snel tempo uitbreidt. Nu men zich meer bewust is van het belang van een goede gezondheid en conditie en steeds meer intelligente en creatieve mensen overgaan op een gezonder dieet, ontstaan er in zo'n snel tempo nieuwe ideeën en nieuwe produkten dat het een uitdaging is om bij te blijven.

Deze sfeer van verandering heeft een enorme invloed gehad op mijn manier van koken. Onlangs heb ik een doorbraak beleefd door de ontwikkeling van die spannende produkten die ik 'Stedda's' noem, naar de Engelse uitdrukking 'instead of', die 'in plaats van' betekent. Het basisingrediënt van deze nieuwe produkten is tahoe ofwel tofu, een produkt dat zo veelzijdig is dat het precies datgene kan zijn wat u wilt dat het is. Bovendien kan het dezelfde functies vervullen als dierlijke produkten – en zelfs nog meer! Tahoe heeft het mij mogelijk gemaakt om veel traditionele gerechten, die ik vroeger met dierlijke produkten bereidde, om te vormen tot nieuwe, even lekkere, zo niet lekkerder gerechten, die veel gezonder zijn.

In de eerste uitgave van ons boek *Een Leven Lang Fit* spraken wij heel anders over tahoe. Toen het boek echter later in paperback verscheen, hebben wij de gelegenheid te baat genomen onze mening te herzien. De eerste uitgave gaf Harvey's puristische mening over natuurlijke hygiëne weer, die inhoudt dat de beste voeding bestaat uit rauwe ingrediënten – en tahoe is zeer zeker niet rauw. De herziene mening was de mijne. (Ik ben niet zo'n purist behalve in mijn mening dat we ons eclectisch moeten opstellen!) Toen Harvey zijn mening neerschreef, was ik nog niet begonnen met mijn onderzoek naar tahoe; maar toen ik de mijne formuleerde, zat ik middenin mijn ervaringen met tahoe en het enthousiasme over de ontdekkingen die ik had gedaan.[1]

Ik kan u zeggen dat Harvey onlangs zijn mening voor de mijne heeft ingeruild. Hij is nog wel steeds onvermurwbaar wat betreft de voordelen van levend voedsel, maar hij ziet wel in dat tahoe culinaire voordelen heeft en een gezonde voedingswaarde. Als hij nu de stukjes 'Stedda' Kipfilet (blz. 136) uit zijn salade vist of glimt van genoegen als hij zijn bleekselderij in een bakje met pittige Tahoekäse Dip (blz. 127) steekt, erkent hij volmondig dat hij wat tahoe betreft zijn blikveld behoorlijk verruimd heeft.

Het is een natuurlijk gegeven dat men dingen die men niet kent, niet gebruikt – vooral in de tegenwoordige keukens, waar de tijd vaak beperkt is en nieuwe ingrediënten vaak een aparte aanpak vereisen die te veel aandacht kost. Met deze gedachte in het achterhoofd heb ik achterin dit hoofdstuk een minicursus voor het bereiden van tahoe opgenomen. U zult een breed scala aan recepten vinden, variërend van 'kaas' en 'eieren' als broodbeleg en omeletten tot kebabs en mixed grill gerechten. Deze zijn alle opgenomen om u een basisvaardigheid in het werken met tahoe te geven en een gevoel van zelfvertrouwen en kundigheid als u het gebruikt. In de volgende hoofdstukken krijgt u nog veel meer gelegenheid om uw voordeel te doen met tahoe. Het doel is eenvoudig: dat u begint te begrijpen wat u allemaal met tahoe kunt doen, zodat het een vast ingrediënt in uw keuken wordt.

Wat *is* tahoe precies?

Tahoe is een zacht, wit blok, dat lijkt op kaas en dat verkocht wordt in verpakkingen van circa 250 gram in de koeling of op de groenteafdeling van veel supermarkten in het land. Tahoe bevat sojabonen, water en een natuurlijke kleefstof en wordt op ongeveer dezelfde wijze gemaakt als kaas. Wat voedingswaarde betreft is tahoe echter veel beter dan kaas en trouwens veel beter dan welk dierlijk produkt ook. Er bestaat geen ander eiwitrijk produkt dat zo goedkoop is, dat zo makkelijk verkrijgbaar is en dat zoveel complete eiwitten, calcium, vitaminen en mineralen bevat en daarbij zo *weinig* calorieën, vet en natrium bevat en helemaal geen cholesterol en lactose. Slechts 150 gram tahoe voorziet al in ongeveer:

50% van uw dagelijkse behoefte aan eiwit
34% van uw dagelijkse behoefte aan calcium
50% van uw dagelijkse behoefte aan magnesium
30% van uw dagelijkse behoefte aan ijzer
24% van uw dagelijkse behoefte aan zink
42% van uw dagelijkse behoefte aan koper
24% van uw dagelijkse behoefte aan fosfor
16% van uw dagelijkse behoefte aan foliumzuur
en levert bovendien een behoorlijke hoeveelheid vitaminen van de B-groep en B-complex, essentiële vetzuren en andere belangrijke bouwstoffen.[2]

1. Een van de adviseurs op het gebied van de gezondheid die ik het meest respecteer, dr. Ralph Cinque, directeur van Hygeia Health Retreat te Yorktown, Texas, gaf mij het advies mijn gezondheid te verbeteren door het eten van tahoe en hij had, zoals gewoonlijk, absoluut gelijk.
2. Informatie uit *The Book of Tofu*, William Shurtleff en Akiko Aoyagi (Brookline, Mass.: Autumn Press, 1975) en het USDA *Handbook 8-16*. Enkele waarden wijken iets af in verband met afrondingen.

De geloofsbrieven van tahoe zijn waarlijk indrukwekkend. Afhankelijk van het percentage water (er zit meer water in zachte tahoe dan in stevige tahoe), bevat tahoe tussen de 8 en 17% complete en makkelijk te verteren eiwitten. Dat is 230 tot 450% *meer* dan er in volle melk zit, waarbij tahoe, in tegenstelling tot melk *geen* cholesterol of sterk verzadigde vetzuren bevat. **Het is een feit dat talrijke studies hebben uitgewezen dat het soja-eiwit in tahoe de cholesterolspiegel van het bloed verlaagt, ook als u daarnaast produkten eet die cholesterol bevatten. Als boeren het cholesterolgehalte en het gehalte aan verzadigde vetzuren in het vlees van hun vee willen verlagen, voeren ze het vee met sojabonen!**

Tahoe is ook rijk aan *bruikbaar* calcium en kan tot 43% calcium bevatten, wat meer is dan er in melk of eieren zit. Onderzoek heeft ook uitgewezen dat het calcium in tahoe makkelijker door het lichaam wordt opgenomen.

Ik vraag me af hoeveel mensen zich de opwinding in de pers over visolie nog herinneren die enkele jaren geleden heerste en de hoog aangeprezen ingrediënten die zij bevatten, welke hartziekten konden voorkomen? **Die essentiële omega-3 vetzuren bevinden zich eveneens in tahoe, maar dan zonder het cholesterol dat vis bevat. Bovendien is het grootste deel van de vetzuren in tahoe meervoudig onverzadigd (de meeste dierlijke vetzuren zijn verzadigd); en in tegenstelling tot dierlijke vetten, bevat het vet in tahoe lecithine, een substantie waarvan men meent dat zij meehelpt aan het oplossen van vet in het lichaam.**

Veel mensen hebben moeite met de vertering van geconcentreerde eiwitten, een probleem dat ik goed kan begrijpen, omdat ik het zelf heb ondervonden. Hoewel ik niet eerder het verband heb gelegd, heb ik later begrepen dat het eten van vlees, zuivelprodukten, vis, kip en eieren als bronnen van eiwit mij doodziek maakten. De pijn die ik leed als ik deze produkten had gegeten was ondraaglijk en er bestond geen maagtabletje of wat ook dat mij op de lange duur van de pijn verloste. Nu ik weet hoe het is om vrij van pijn te zijn, is het voor mij onbegrijpelijk dat ik zoveel jaren zo intens geleden heb.

Tahoe is het eerste eiwitrijke produkt dat mijn lichaam zonder enig probleem heeft kunnen verteren. Ik heb zelfs ontdekt dat tahoe in Japan vaak het eerste vaste voedsel is dat men zuigelingen geeft en ik begrijp goed waarom. Tahoe is voor 95% verteerbaar en is daarom zeer aan te bevelen voor ouderen, die na hun vijfenzestigste jaar nog maar ongeveer 15% van de oorspronkelijk aanwezige hoeveelheid zoutzuur bezitten.[1] Tahoe is vrij van lactose en caloriearm, bevat weinig vet en natrium en is daarom een ideaal produkt voor mensen met een lactose-intolerantie, mensen die willen afvallen of mensen die een natriumarm dieet moeten volgen. We mogen het ook prijzen om de lage alkaliteit, die ervoor zorgt dat alle zure voedingsmiddelen die we consumeren geneutraliseerd worden. Alle dierlijke produkten zijn trouwens zuur en daarom is er zoveel reclame op de televisie voor maagzuur-neutraliserende middelen.

Een culinair utopia: een droom die werkelijkheid wordt!

Wat zo opwindend is aan het koken met tahoe is dat je er zoveel mee kunt doen! Als u uw schort hebt omgedaan, kunt u op twee gebieden het beste bereiken. U kunt uw geliefde recepten blijven klaarmaken, maar dan zo dat ze veel lekkerder smaken, veel minder zwaar op de maag liggen en wat voedzaamheid betreft uitmuntend van kwaliteit zijn. U zult merken dat u die vroegere gerechten met dierlijke produkten als basis, die uw smaakpapillen, uw lijn en bovendien uw lichaam geweld aandeden,

---

1. Sara Shannon, *Diet for the Atomic Age* (Wayne, N.J.: Avery Publishing, 1987), blz. 106.

ook kunt klaarmaken met 100% onweerstaanbare, slankmakende en de gezondheid bevorderende vegetarische ingrediënten.

Tahoe wordt terecht een culinaire kameleon genoemd. Omdat het niet zo'n uitgesproken smaak heeft, neemt het makkelijk de smaak aan van datgene waarmee het in contact komt. Daarom is koken met tahoe zo leuk. U kunt een heel scala van smaakmakers bij de hand houden waarmee u tahoe precies die smaak kunt geven die u wenst.

Toen tahoe enkele tientallen jaren geleden op de Amerikaanse markt werd geïntroduceerd, kwam het vooral voor in Aziatische gerechten (in Nederland wordt tahoe veel in de Indonesische en Chinese keukens gebruikt). Het werd vaak verwerkt in roergebakken groenteschotels met sojasaus of gekruid met tamari. De recente opleving van de vegetarische keuken heeft echter een veelheid aan andere mogelijkheden aan het licht gebracht. U kunt met tahoe lasagna maken die smaakt alsof er kaas in verwerkt is of een traditionele Spaghetti Bolognese waarvan u zou zweren dat er vlees in zat! U kunt 'Stedda' kipfilets (blz. 136) marineren en roosteren op de barbecue, waarbij u dezelfde smaakmakers en technieken gebruikt als u gewend was bij het bereiden van kip. U kunt tahoe gebruiken bij het bakken van 'kwarktaarten' en andere zuivelvrije lichte vormen van gebak. In *Het Groot Leven Lang Fit Kookboek* verandert tahoe in 'hüttenkäse', 'zure room', 'roereieren', 'matze brie', 'kaastaart', 'eiersalade', broodje 'gebakken vis' en verschillende sausen. In dit boek geef ik veel van deze gerechten de naam 'Stedda's' mee, maar wie ze ook eet, niemand vindt dat hij ze in plaats van iets anders eet! Het zijn geweldige topgerechten die ons doen watertanden!

Tahoe kopen en bewaren

Er bestaan twee hoofdsoorten tahoe: Japanse en Chinese. Japanse tahoe heeft een fijne structuur en is wat geleiachtig. In de zeer verfijnde Aziatische keuken is dit een belangrijk ingrediënt, maar voor onze doeleinden is deze soort slechts in enkele gerechten bruikbaar. De meer algemene Chinese tahoe is veelzijdiger en komt in twee versies voor, de zachte tahoe (die meer water bevat) en de stevige tahoe (die minder water bevat). Zowel de zachte als de stevige Chinese tahoe is wat ruwer, minder fijn van structuur en compacter dan de Japanse tahoe.

Omdat tahoe aan bederf onderhevig is, kunt u het vinden in de groenteafdeling of de zuivelafdeling van uw supermarkt of reformwinkel. Leg het na aankoop in de koelkast en gebruik het vóór de uiterste verkoopdatum die op de verpakking staat aangegeven. Om te zorgen dat de tahoe zo vers mogelijk blijft, bewaart u het onder water in een gesloten bakje. Ververs dit water geregeld. Ook al gebruikt u maar een klein beetje, u dient ervoor te zorgen dat het restant onder water blijft staan, in een afgesloten bakje.

Net als sommige ongepasteuriseerde zuivelprodukten kunt u de tahoe ongeveer een week bewaren. Het zal zo vers mogelijk blijven als u het water tenminste om de dag ververst. De tahoe begint te bederven als hij kleverig wordt, niet meer fris ruikt of zurig of enigszins bitter smaakt. Ik geef u deze tekenen van bederf wel aan, maar mijn ervaring is dat tahoe niet zo snel bederft en daarom zult u deze 'tekenen' niet snel aantreffen. Als u denkt dat de tahoe een 'opfrisbeurt' nodig heeft, legt u hem gedurende 2 à 3 minuten in kokend water of in een stoommandje. Laat de tahoe uitlekken en knijp hem uit of pak hem in, zodat het overtollige water kan afvloeien.

Het inpakken van tahoe

Voor veel tahoerecepten, vooral wanneer u de tahoe gebruikt als vervanger van zure room, hüttenkäse, ricotta of eieren, gebruikt u de tahoe direct uit de verpakking. U kunt voor de bereiding van 'Stedda' vlees, kip en vis de tahoe echter ook iets indikken als u dat wilt, door iets van het overtollige water te verwijderen. Dit doet u door een simpele werkwijze toe te passen die we 'inpakken' noemen:

1. Haal de tahoe uit het zakje en gooi het water weg.

2. Snijd het blok in de lengte doormidden zodat u twee plakken van ongeveer $2^1/_2$ cm dikte krijgt of in 8 'filets' van ongeveer 1 cm dik.

3. Leg de plakken tahoe op een droge, schone keukendoek. Wikkel de doek er stevig omheen in enkele lagen en laat het geheel zo 30 minuten liggen. (Als de doek erg dun is, gebruikt u er twee.)

4. Haal de tahoe uit de doek (die nu een groot deel van het water uit de tahoe geabsorbeerd heeft). De tahoe is klaar voor gebruik.

Tahoe invriezen

Als u wilt dat de tahoe een stevige consistentie krijgt, kunt u hem invriezen. Laat de tahoe volledig uitlekken, snijd hem in vieren, zodat hij makkelijker te hanteren is en leg hem in een luchtdicht afsluitbaar diepvriesbakje, waar u de datum op noteert. Als u de tahoe wilt gebruiken (een dag tot drie maanden later), laat u hem geheel ontdooien, waarna u het water eruit perst. (De tahoe heeft nu een sponsachtige consistentie en zal dus niet uiteenvallen als u erin knijpt.) Verkruimel de blokken of breek ze met de hand in kleine stukjes. Marineer deze of gebruik ze op de manier die het recept aangeeft. Ontdooide tahoe is vooral handig in groentegerechten die u roerbakt, in ovenschotels en in Bolognesesaus zonder vlees (blz. 304).

Tahoe marineren

Als de tahoe eenmaal zijn overtollige water is kwijtgeraakt door het 'inpakken', bent u klaar om aan de bereiding van uw recept te beginnen. Een van de meest gebruikte technieken is marineren. In dit hoofdstuk en enkele andere vindt u diverse marinaderecepten. U kunt ook een eenvoudige kant-en-klaar marinade gebruiken of een saus die u lekker vindt. Er zijn vele uitstekende sausen zonder additieven te koop, vooral in de goedgesorteerde reformwinkels. Het belangrijkste is de tahoe zo lang te laten marineren dat de smaak van de marinade door de tahoe wordt opgenomen. Het beste resultaat krijgt u bij 'ingepakte' tahoe, omdat deze enigszins is ingedroogd en daardoor de marinade kan opnemen.

Marineer de tahoe minstens 30 minuten tot twee of drie uur. Dan krijgt u de beste smaak. Leg de plakken, filets, blokjes of reepjes in een brede, ondiepe schaal of in een ovenschaal, zodat alles gelijkmatig door de marinade bedekt wordt. Dek de schaal af en zet hem in de koelkast tot de benodigde tijd verstreken is.

Een belangrijke tip: tahoemarinade mag *nooit* olie bevatten, omdat olie de tahoe met een laagje zou bedekken, waardoor de andere smaakmakers er niet in kunnen doordringen. Olie is echter wel nodig als u de tahoe gaat grilleren of bakken in de oven; dit om aanbakken te voorkomen. Als u gemarineerde filets of kebabs in de grill of in de braadslee legt, moet u daarom wat olie aan de overgebleven marinade toevoegen en de tahoe hiermee aan alle kanten inkwasten. De tahoe zal bruin worden en zelfs een korstje krijgen, maar zal niet vastbakken.

Tahoe combineren met andere produkten

Tahoe bevat zoveel water dat het een zeer licht en goed verteerbaar eiwit is. Toch is het het beste, als we ons strikt houden aan de principes van combinaties van voedingsmiddelen, om de tahoe te verwerken in of te serveren bij salades en groentegerechten. Diegenen die zich wat flexibeler willen opstellen wat betreft hun dieet, zullen merken dat tahoe met succes en zonder moeite te combineren is met zo ongeveer alles. Tahoe is een alkalisch voedingsmiddel dat ons helpt bij het neutraliseren van zuren die door andere produkten worden opgewekt en het belast ons spijsverteringskanaal nauwelijks, of we het nu apart eten of in combinatie met andere produkten.

Het tegelijkertijd consumeren van dierlijke eiwitten en zetmeel levert voor veel mensen problemen op. Geconcentreerde dierlijke eiwitten en de verzadigde vetzuren die zij bevatten belasten ons spijsverteringskanaal zo ernstig dat de consumptie van zetmeel daar nog bij gewoonlijk de druppel is die de emmer doet overlopen. Als u overstapt op een zuiver vegetarisch dieet en geen dierlijke produkten meer eet, zijn combinaties van bepaalde plantaardige eiwitten en zetmeel over het algemeen acceptabel, vooral als we daarbij denken aan tahoe.

Hoe gaan we verder

De algemene instructies die ik u zojuist over het voorbereiden van de tahoe heb gegeven, zijn basishandelingen. In alle recepten waarin tahoe is verwerkt worden deze eenvoudige handelingen nogmaals in het kort uitgelegd als extra richtlijn.

U bent er nu klaar voor om de wereld van de tahoe 'Stedda's' te betreden. Als u deze recepten eenmaal kent, zult u waarschijnlijk zorgen dat u altijd een of twee pakjes tahoe bij de hand hebt. Neem een apart bakje waarin u uw voorraad tahoe bewaart en ververs het water om de dag. U zult enthousiast worden over de 'Stedda's', in plaats van ... *en uw leven zal er beslist van opfleuren!*

In de recepten die volgen worden u vele ideeën aangereikt voor tahoehapjes die u makkelijk zelf kunt maken. Er worden ook enkele produkten uit de winkel in genoemd, die bijna overal verkrijgbaar zijn. Deze produkten hebben mij geholpen op een makkelijke en handige manier kennis te maken met tahoe en om die reden kan ik ze u aanbevelen.

'Stedda' zure room

Deze tahoeroom smaakt net als zure room en is heerlijk zacht van samenstelling. Neem het elke keer als u anders zure room zou gebruiken. Voeg eventeel wat fijngehakte bieslook toe.

150 g zachte tahoe
1 eetlepel sojaolie
evt. wat strooigist
2 eetlepels citroensap

2 theelepels rijstazijn
1 theelepel Umeboshi
   pruimazijn

1. Stoom de tahoe 2 minuten boven een pan heet water.
2. Meng alles 1 minuut met een staafmixer.

'Stedda' zure room met bosuitjes

1¹/₂ dl 'Stedda' zure room
1 teentje knoflook, uitgeperst
2 bosuitjes, fijngehakt
1 theelepel Worcestershire Sauce

1¹/₂ dl Amandelmayonaise
   (blz. 119) of reform-
   mayonaise

Meng alles 1 minuut met een staafmixer.

Ca. 4 dl

Tahoekäse

Een prima vegetarische vervanger voor Hüttenkäse of Feta kaas, die in bijvoorbeeld salades kan worden verwerkt. Pas de hoeveelheid smaakmakers aan uw eigen smaak aan.

500 g tahoe
evt. 1 eetlepel sojaolie
1 eetlepel appelazijn
2 eetlepels citroensap
evt. 2 eetlepels strooigist

¹/₂ uitje, geraspt
1 eetlepel fijngehakt
   bieslook
2 theelepels fijngehakte
   dille
¹/₂ theelepel gomasio*

Meng de helft van de tahoe en de rest van de ingrediënten met een staafmixer, tot er een dikke room ontstaat en doe het in een kom. Prak de rest van de tahoe met een vork en schep het door de tahoeroom. Controleer de smaak en bewaar in de koelkast.

Ca. 500 g

---

* Gomasio wordt gemaakt van geroosterd sesamzaad en zeezout en is verkrijgbaar bij uw reformzaak.

'Stedda' Ricotta

'Stedda' Ricotta kunt u gebruiken in Lasagne (blz. 302) of in elk ander recept waarin u anders Hüttenkäse of Ricotta zou verwerken.

500 g tahoe
1 1/2 dl olijfolie
1/2 theelepel geraspte
  nootmuskaat

1/2 theelepel gemalen
  steen- of zeezout
1/4 theelepel gomasio

Meng driekwart van de tahoe en de rest van de ingrediënten met een staafmixer tot er een dikke room is ontstaan. Prak de rest van de tofu met een vork en schep het door de tahoeroom.

Ca. 500 g

Tahoekaas met olijven

10 minuten + 30 minuten koelen

Het Amerikaanse maandblad *Vegetarian Times* is een succes van de bovenste plank geworden. Het werd 17 jaar geleden opgezet door de toen 21-jarige student Paul Obis, die hiermee het vegetarisme wilde bevorderen: hij begon met 3 abonnees. Tegenwoordig wordt het blad, met veel informatieve artikelen over de vegetarische leefwijze en met veel recepten en tips, maandelijks in een oplage van enkele honderdduizenden verspreid. Paul Obis is de hoofdredacteur.

Deze nieuwe manier om tahoe te bereiden is een voorbeeld van een van de vele recepten die elke maand in dit maandblad gepubliceerd worden.

250 g tahoe
2 eetlepels miso
1 eetlepel sesam tahin
4 eetlepels rijstazijn
  of citroensap

1 teentje knoflook, uitgeperst
3 eetlepels fijngehakte
  verse dille of 3
  eetlepels fijngehakte
  rode ui en 2 eetlepels
  fijngehakte peterselie
8 groene of zwarte olijven,
  fijngehakt

1. Doe de tahoe in een pan kokend water en neem de pan van het vuur. Laat de tahoe enkele minuten staan en spoel hem daarna af met koud water. Verpak de tahoe in een kaasdoek en druk het overtollige vocht er voorzichtig uit.

2. Prak de tahoe met de miso en de tahin. Meng de rest van de ingrediënten er voorzichtig door en laat de tahoekaas 30 minuten in de koelkast staan.

6 personen

Tip: Smeer een dikke laag van de tahoekaas op een shoarmabroodje of volkorenboterham. Beleg het brood met komkommer, sla of spinazie en taugé.

'STEDDA' EIEREN

Heel veel mensen zijn de laatste jaren afgestapt van het gebruik van eieren, omdat hun lichaam de enorme doses cholesterol niet aankon. Het ei is een van de eerste produkten die artsen van dieetlijstjes schrappen als mensen voor een algemeen lichamelijk onderzoek langskomen en dat is ook terecht. Van alle dierlijke produkten zijn eieren het meest schadelijk wat het cholesterolgehalte betreft. Een grote eidooier bevat 252 milligram cholesterol en vergelijk dat eens met 225 milligram in 100 gram boter of 152 milligram in ¼ liter zure room. Het is duidelijk dat eieren tot de grootste boosdoeners behoren als we kijken naar de oorzaken van hartziekten. Veel mensen vinden het echter erg moeilijk om ze te laten staan. Eieren zijn stevig ingebed in onze eetcultuur; gekookte eieren, gebakken eieren en omeletten maken deel uit van onze culinaire traditie.

Sommige mensen zullen mij niet geloven als ik zeg dat u deze gerechten met genoegen kunt blijven eten. Ze kijken erbij alsof ik ze de hemel op aarde had beloofd! Maar: uitproberen is weten! Probeer zelf uit wat wij hebben ervaren en grote aantallen mensen met ons. U zult nogmaals beseffen dat u 'van twee walletjes kunt eten'.

Ranchero's

30 minuten

Dit is een van die gerechten waarover niet lang gepraat hoeft te worden! Maak het en eet het maar, je zult er geen spijt van hebben. *Andale, amigos! Que buen gusto!*

500 g tahoe, in stukjes gesneden	3 vleestomaten
2 eetlepels olijfolie	evt. 3 chilipepers uit
6 maïstortilla's	blik, fijngehakt
1 rood uitje, in ringen gesneden	¼ theelepel gemalen
1 teentje knoflook, uitgeperst	komijn
4 eetlepels fijngehakte	Versgemalen peper
verse peterselie of koriander	9 partjes avocado voor
	de garnering

1. Verhit de stukjes tahoe en de helft van de olijfolie in een koekepan met anti-aanbaklaag. Prak de tahoe met een vork tot deze op roerei lijkt en laat het nog 2 tot 3 minuten zachtjes fruiten.

2. Bak de tortilla's om en om in een tweede koekepan, ook met anti-aanbaklaag, en doe 2 warme tortilla's op elk bord.

3. Verdeel het tahoemengsel over de tortilla's.

4. Fruit het uitje en de knoflook in de rest van de olijfolie en voeg eventueel iets water toe om aanbranden te voorkomen. Voeg de peterselie of koriander, de tomaten (in partjes of stukjes gesneden) chilipepers, komijn en wat peper toe en laat de tomaten even doorwarmen maar niet stukkoken. Schep deze saus over het tahoemengsel en garneer de ranchero's met partjes avocado.

3 personen

Gekruide tahoe

10 minuten

Een eenvoudige tahoeschotel die erg op roerei lijkt.

500 g tahoe
2 theelepels olijf-
of zonnebloemolie
$1/4$ theelepel kurkuma
$1/4$ theelepel kerriepoeder
$1/4$ theelepel komijn
1 theelepel uienpoeder

evt. 1 eetlepel strooigist
evt. steen- of zeezout
1 middelgrote tomaat
evt. 2 bosuitjes,
fijngehakt
versgemalen peper

1. Prak de tahoe in een koekepan met anti-aanbaklaag. Voeg de olijf- of zonnebloemolie toe en laat de tahoe 1 minuut op een laag vuur fruiten. Doe de rest van de ingrediënten erbij en schep alles goed door elkaar.
2. Fruit het tahoemengsel circa 4 minuten, tot het door en door warm en lichtgeel van kleur is. De tahoe moet echter zacht blijven en niet aanbakken.

4 personen

Tahoe met shi-itake paddestoelen

10 minuten

Dit gerecht smaakt heerlijk bij de Aardappelsalade op blz. 178.

5 theelepels olijfolie
250 g verse shi-itake
paddestoelen, in plakjes
gesneden
4 bosuitjes, kleingesneden
500 g tahoe

$1/2$ dl water
versgemalen zwarte peper

1. Doe 3 theelepels olijfolie en de shi-itake in een koekepan met anti-aanbaklaag en bak de shi-itake tot ze zacht zijn. Houd ze warm.
2. Doe de rest van de olijfolie en de bosuitjes in dezelfde pan en fruit de bosuitjes tot ze zacht beginnen te worden. Breek de tahoe in stukjes en laat ze 3 minuten meefruiten.
3. Voeg het water aan het tahoemengsel toe en laat alles 3 tot 4 minuten koken op een matig vuur tot het lichtgeel van kleur is. Roer het tahoemengsel regelmatig door met een houten lepel. Schep de gebakken shi-itake door het tahoemengsel en breng alles op smaak met zwarte peper.

3 – 4 personen

'Stedda' matze Brie

40 minuten

Dit joodse gerecht werd gecreëerd om resten matzes na het Paasfeest op te maken. Normaal gesproken gebruikt men Brie om dit gerecht te bereiden, maar met tahoe smaakt het net zo lekker. *Le Chaim!* (Proost!)

2 volkoren of gewone matzes	500 g tahoe
2$^1/_2$ dl sojamelk, zonder suiker	strooikruiden
1 eetlepel zonnebloemolie	versgemalen peper
1 uitje, fijngehakt	

1. Breek de matzes in stukjes, doe ze in een diep bord, begiet ze met de sojamelk en laat ze 15 tot 30 minuten weken. Knijp de geweekte matzes droog en bewaar de sojamelk voor later.
2. Doe de zonnebloemolie en het uitje in een koekepan met anti-aanbaklaag en fruit het uitje 3 minuten op een laag vuur. Breek de tahoe in stukjes en voeg ze, samen met het matzemengsel, aan het gefruite uitje toe. Laat alles 2 minuten doorbakken.
3. Roer de sojamelk door het tahoemengsel en breng alles op smaak met strooikruiden en peper. Dien het gerecht op met een grote gemengde salade.

3 personen

VEGETARISCHE BURGERS EN ANDERE BROODJES

Zonder te veel moeite hebben wij gezonde alternatieven voor de meest populaire 'fast-foods' in de Verenigde Staten gecreëerd. Deze heerlijke, vegetarische burgers en belegde broodjes smaken net zo lekker als hun voorgangers en zijn *veel* beter voor uw gezondheid.

'Stedda' tonijnsalade

10 minuten

Tonijnsalade is een geliefd gerecht in de Verenigde Staten, als beleg of als dipsaus bij crackers en rauwkost. Deze vegetarische versie van de beroemde 'Tuna Salad' is makkelijk te bereiden in een food processor, zeer voedzaam, voortreffelijk van smaak, voordelig in prijs en is goed houdbaar in de koelkast (mits goed afgesloten).

1 stengel bleekselderij
1 grote wortel, geschild
1 uitje
1 bosuitje
4 eetlepels fijngehakte
  peterselie
4 eetlepels fijngehakte
  verse dille of 2 eetlepels
  gedroogde dille

$2^1/_2$ dl dikke sesam tahin
  (zie Tip)
het sap van $^1/_2$ citroen
2 eetlepels tamari

1. Hak bleekselderij, wortel, uitje, bosuitje, peterselie en dille zeer fijn in een food processor.
2. Meng de tahin met het citroensap en $^1/_2$ deciliter kokend water.
3. Voeg het tahinmengsel aan de fijngehakte groenten en kruiden toe en klop alles goed door elkaar.

Ca. 5 dl

Tip: Sesampasta wordt verkocht als tahin en is verkrijgbaar bij uw reformzaak. Dikke sesam tahin (zoals pindakaas) verdient de voorkeur. Als u alleen maar dunne sesam tahin kunt krijgen, dan moet u er minder water aan toevoegen.

'Stedda' eiersalade

10 minuten

Eiersalade als dipsaus of beleg is ook zeer populair in de Verenigde Staten. Onze versie wordt met tahoe bereid en smaakt net zo lekker. Opdienen met sla en tomaat op geroosterde volkorenbroodjes, of gewoon met een gemengde salade erbij.

250 g tahoe
2 eetlepels fijngehakte
  bleekselderij
1 eetlepel fijngehakte ui
$^1/_2$ theelepel kurkuma
$^1/_4$ theelepel kerriepoeder
$^1/_4$ theelepel gemalen komijn
evt. versgemalen peper

$^1/_4$ theelepel gemalen
  koriander
2 eetlepels strooigist
$^1/_2$ theelepel kelppoeder
2 – 3 eetlepels Amandel-
  mayonaise (blz. 119) of
  mayonaise zonder eieren

1. Breek de tahoe in stukjes en doe ze in een kom.
2. Prak de rest van de ingrediënten met een vork door de tahoe en controleer de smaak.

4 personen

'Stedda' kipburgers

50 minuten

Een heerlijk recept dat heel gauw het lievelingsgerecht van elk gezin kan worden.

250 g stevige tahoe
1 eetlepel olijfolie
4 bosuitjes, fijngehakt
100 g groene kool, geraspt
75 g wortels, geraspt

100 g volkorenmeel
2 eetlepels strooigist
1^1/$_2$ eetlepel ketjap
2 theelepels bakpoeder
^{1}/$_2$ theelepel kipkruiden

1. Verpak de tahoe in huishoudfolie en laat het minstens 10 minuten in de diepvries staan. Snijd de tahoe in dunne plakken en laat ze uitlekken op keukenpapier.

2. Doe de olijfolie, bosuitjes, kool en wortels in een koekepan met anti-aanbaklaag en fruit de groente 5 minuten, tot ze zacht zijn.

3. Pureer de tahoe in een food processor, voeg volkorenmeel, strooigist, ketjap, bakpoeder en kipkruiden toe en meng alles goed door elkaar. Doe de gefruite groenten erbij en schakel de food processor 3 keer even aan en uit.

4. Schep het tahoemengsel in 4 hoopjes op een ingevette bakplaat en vorm het tot platte, ronde koekjes. Bak de tahoeburgers 15 minuten in een voorverwarmde oven (180° C), keer ze om en bak ze nog 10 minuten.

5. Doe elke tahoeburger op een volkorenbroodje en garneer ze met Amanadelmayonaise, schijfjes tomaat, schijfje augurk en taugé.

4 personen

'Stedda' gebakken vis

35 minuten (na het uitlekken)

Vroeger gingen wij één keer in de week naar een vegetarisch restaurant in de buurt om deze lekkere 'vis'schnitzels te eten. Wij hebben intussen ons eigen recept gecreëerd, dat heerlijk smaakt met Tartaarsaus (zie blz. 134) of gewoon op geroosterde volkorenbroodjes.

400 g stevige tahoe, in
    4 plakken gesneden
40 g fijne volkoren-
    broodkruimels
evt. 1 eetlepel strooigist
^{1}/$_4$ theelepel knoflookpoeder

^{1}/$_4$ theelepel uienpoeder
^{1}/$_4$ theelepel paprikapoeder
1 theelepel kelppoeder of
    strooikruiden
olijfolie

1. Laat de plakken tahoe 30 minuten op keukenpapier uitlekken.

2. Doe de broodkruimels op een diep bord en meng ze met de rest van de ingrediënten, behalve de olijfolie.

3. Bestrijk de plakken tahoe aan beide kanten met de olijfolie en wentel ze door het broodkruimel-mengsel. Doe ze op een ingevette bakplaat en bak ze 20 minuten in een voorverwarmde oven (180° C) tot ze goudbruin en knapperig zijn.

2 – 4 personen

'Stedda' Tartaarsaus

1¹/₄ dl Amandelmayonaise of
  mayonaise zonder eieren
2 – 3 augurkjes, geraspt

1 eetlepel citroensap

Meng de mayonaise met de geraspte augurkjes en citroensap en bewaar in de koelkast.

Tip: Voor een heerlijk warm belegd broodje, bestrijkt u opengesneden volkorenbroodjes met olijfolie en roostert ze onder een hete grill. Besmeer de broodjes met tartaarsaus en beleg ze elk met een 'vis'-schnitzel, 1 eetlepel tartaarsaus, een schijfje tomaat en wat taugé.

4 personen

'STEDDA' VLEESMARINADES

Tahoe kunt u marineren en verder als vlees behandelen. Plakken tahoe kunnen net als steaks en koteletten, gemarineerd en daarna gegrilleerd of gebakken worden. Gemarineerde en gegrilleerde of gebakken tahoe kan ook in een Grillschotel (blz. 136), in Kebabs (blz. 137) of in een Salade (blz. 158) worden verwerkt of gewoon op een geroosterd broodje worden geserveerd.

Als u tahoe marineert, marineer dan een grote hoeveelheid tegelijk. U kunt alles bakken of grilleren en de koude restjes kunt u als broodbeleg gebruiken of in salades verwerken. Hieronder vindt u een aantal recepten voor marinades die allemaal voldoende zijn om 500 gram tahoe te marineren. Meng de ingrediënten voor de marinade goed door elkaar, snijd de tahoe in plakken of blokken en laat ze minstens 1 uur in de saus marineren.

Basismarinade I

2 theelepels mosterdpoeder
1³/₄ dl natriumarme ketjap
1 theelepel ahornsiroop
2 eetlepels reformhoning
cayennepeper

¹/₂ uitje, geraspt, of
  1 theelepel uienpoeder
2 teentjes knoflook,
  uitgeperst of 1 theelepel
  knoflookpoeder

Basismarinade II

2¹/₂ dl krachtige groentebouillon
1 eetlepel Umeboshi pruimazijn

2 theelepels kerriepoeder
2 theelepels ahornsiroop

'Kip'marinade

2 volle eetlepels groentebouillonkorrels
2 eetlepels barbecuesaus
1 theelepel rijstazijn
1¹/₄ dl kokend water
2 eetlepels natriumarme ketjap

1 theelepel gedroogde
  tuinkruiden
snufje paprikapoeder
snufje knoflookpoeder
snufje uienpoeder
versgemalen peper

Barbecuemarinade

2 theelepels groente-
  bouillonkorrels
1¹/₄ dl kokend water
3 eetlepels barbecuesaus
1 theelepel Worcestershire
  Saucc

¹/₄ theelepel uienpoeder
¹/₄ theelepel knoflook-
  poeder
¹/₄ theelepel paprikapoeder

Pikante marinade

¹/₂ dl natriumarme ketjap
¹/₂ theelepel groentebouillonkorrels
1¹/₄ dl kokend water
2 theelepels mosterdpoeder
1 eetlepel reformhoning

1 eetlepel ahornsiroop
¹/₂ theelepel knoflook-
  poeder
¹/₂ theelepel paprika-
  poeder

Zoetzure marinade

4 bosuitjes, fijngehakt
1 teentje knoflook, uitgeperst
1¹/₄ dl groentebouillon
2 eetlepels tomatenketchup
¹/₂ dl water
1 eetlepel natriumarme ketjap

2 eetlepels fijngehakte
  verse koriander of
  peterselie
1 eetlepel reformhoning
¹/₄ theelepel chilipoeder
snufje cayennepeper

'Stedda' kipfilet

30 minuten (uitlekken)
30 – 120 minuten (marineren)
15 – 20 minuten (grilleren)

Dit is een van mijn lievelingsgerechten met tahoe. U kunt er een voortreffelijke maaltijd van maken wanneer u de gemarineerde en gegrilleerde tahoe met veel groenten opdient (zie Grillschotel hieronder). Let op dat u de olijfolie vlak voor het gebruik aan de marinade toevoegt, om te voorkomen dat de plakken tahoe zich aan het grillrooster vastplakken. Keer de plakken tahoe ook regelmatig om. Grilleer of rooster de tahoe op 10 centimeter afstand van de warmtebron. Maak voldoende voorraad en bewaar het in de koelkast.

500 g stevige tahoe   2 eetlepels olijfolie
Basismarinade I (blz. 134)
  of 'Kip'marinade (blz. 135)

1. Snijd de tahoe in 8 plakken en laat ze 30 minuten uitlekken op keukenpapier.
2. Leg de plakken tahoe in de marinade, dek de schaal af en laat de tahoe 30 tot 120 minuten in de koelkast staan.
3. Neem de plakken tahoe uit de schaal. Klop de olijfolie door de marinade en bestrijk de plakken tahoe hiermee. Grilleer of rooster ze 5 tot 10 minuten onder een voorverwarmde grill of op de barbecue. Keer de plakken tahoe regelmatig om en bestrijk ze elke keer opnieuw met de marinade.

4 personen

Grillschotel

30 minuten (uitlekken)
1 – 3 uur (marineren)
15 minuten (grilleren)

500 g stevige tahoe   2 aubergines, in schuine
2 x het recept voor   plakken gesneden
  Basismarinade I of II   2 courgettes, in schuine
1 grote ui, in ringen   plakken gesneden
  gesneden   ¹/₂ dl olijfolie

1. Snijd de tahoe in 8 plakken en laat ze 30 minuten uitlekken op keukenpapier.
2. Doe in een enkele laag de plakken tahoe in een grote, ondiepe, ovenvaste schaal. Giet de helft van de marinade over de plakken tahoe, bedek ze met de uieringen en begiet ze met een deel van de rest van de marinade.
3. Verdeel de aubergines en de courgettes over de uieringen en giet de rest van de marinade erover.
4. Verwarm de grill voor. Schep de plakken tahoe en de groenten uit de schaal en schik de helft hiervan op de grillrooster. Klop de olijfolie door 1 deciliter van de marinade en bestrijk de plakken tahoe en

de groenten hiermee. Grilleer de tahoe en de groenten 5 minuten, keer ze om, bestrijk ze opnieuw met de marinade en grilleer ze nog 5 minuten.

5. Houd de tahoe en de groenten warm in de oven terwijl u de rest onder de grill roostert.

4 personen

Variaties: U kunt asperges, rode of groene paprika's en champignons ook op dezelfde wijze marineren en grilleren.

Kebabs

30 minuten (uitlekken)
1 – 3 uur (marineren)
10 minuten (grilleren)

Houten satépennen moet u 30 minuten in koud water weken om te voorkomen dat ze aanbranden. Dien de kebabs op met Klassieke groene salade (blz. 160) en Broccolipilaf (blz. 325) of bereid minikebabs en dien ze op als borrelhapje of voorgerecht.

500 g stevige tahoe	12 champignons
2 grote wortels, geschild	5 dl marinade (eigen keuze)
2 rode paprika's	$^1/_2$ dl olijfolie
1 grote ui	

1. Snijd de tahoe in de lengte door in 4 plakken en laat deze 30 minuten uitlekken op keukenpapier.

2. Snijd de wortels in dikke plakken en stoom ze 15 minuten. Snijd de paprika's (zonder zaadjes) en de ui in partjes.

3. Snijd de tahoe in blokken, doe deze, samen met de groenten, in een ondiepe ovenvaste schaal en giet er de marinade over. Dek de schaal af en laat alles 1 tot 3 uur marineren.

4. Rijg de tahoe en de groenten op spiezen, klop de olijfolie door 1 deciliter van de marinade en bestrijk de kebabs hiermee.

5. Verwarm de grill voor, doe de kebabs op een rooster en grilleer ze rondom licht-goudbruin. Bestrijk ze regelmatig met de marinade.

4 personen

Tahoe meunière

1 uur

Dien op met Aardappel-courgettesalade (blz. 281) en de Klassieke groene salade op blz. 160.

500 g stevige tahoe

Marinade

1 teentje knoflook, uitgeperst
1 bosuitje, fijngehakt
het sap van $1/2$ citroen
1 theelepel rozemarijn
$1/2$ theelepel kelppoeder

2 eetlepels tamari of
   1 eetlepel tamari en
   1 eetlepel teriyakisaus

Paneerlaag

25 g fijne volkoren-
   broodkruimels of 25 g
   grof volkorenmeel

$1/4$ theelepel kelppoeder of
   zeezout en peper

Om te Bakken

2 – 3 eetlepels olijfolie
citroensap

4 eetlepels fijngehakte
   peterselie

1. Snijd de tahoe in 8 gelijke plakken en laat ze 30 minuten uitlekken op keukenpapier.

2. Doe de ingrediënten voor de marinade in een ondiepe schaal en meng ze goed door elkaar. Leg de plakken tahoe in de marinade en zet de (afgedekte) schaal minstens 1 uur in de koelkast.

3. Meng de broodkruimels of het volkorenmeel met de kelppoeder of zeezout en peper en wentel de plakken tahoe erdoor.

4. Verhit de olijfolie in een grote koekepan en bak de plakken tahoe aan beide kanten goudbruin. Schik ze op een schaal, bedruppel ze met citroensap en bestrooi ze met fijngehakte peterselie.

3 – 4 personen

'Stedda' kip met citroen

10 minuten

Dien op met de Aardappelsalade (blz. 178) en gestoomde maïskolven.

500 g stevige tahoe
1 eetlepel olijfolie
1 teentje knoflook, uitgeperst
3 bosuitjes, kleingesneden
1 eetlepel volkorenmeel
evt. 1 eetlepel strooigist

$^1/_2$ theelepel Umeboshi
  pruimazijn
2 eetlepels teriyakisaus
  of lichte sojasaus
1 eetlepel citroensap

1. Snijd de tahoe in plakjes ($^1/_2$ cm dik) en snijd deze daarna in repen (2 cm breed).

2. Doe de olijfolie en de knoflook in een wok en fruit de knoflook 1 minuut. Doe de repen tahoe erbij en laat ze 1 minuut al roerend bakken. Voeg de bosuitjes toe en laat ze 1 minuut meebakken.

3. Strooi het volkorenmeel en de strooigist over het tahoemengsel en laat alles nog 2 minuten roerbakken, tot de repen tahoe knapperig beginnen te worden. Voeg de Umeboshi en teriyakisaus toe en laat het vocht op een hoog vuur inkoken. Schep het citroensap door het tahoemengsel en dien het gerecht direct op.

4 personen

'Stedda' Chinese kipsalade

1 uur 15 minuten

Een uitstekende manier om blokjes gemarineerde tahoe te bereiden. Van deze heerlijke salade kunt u een grote portie eten met niets anders erbij. De eerste 20 minuten erna voelt u zich vol, maar daarna juist niet meer, alleen goed doorvoed en – het beste van alles – barstend van energie! Dus dit is een goed voorbeeld van vegetarisch eten en het laat u duidelijk zien wat voor gunstig effect dit op uw leven heeft!

Dien eventueel op met Aubergines met sesamzaad (blz. 247) en Zoete aardappelbroodjes (blz. 363)

Salade

500 g stevige tahoe
'Kip'marinade (blz. 135)
2 eetlepels barbecuesaus

300 g paddestoelen of
  champignons
2 eetlepels natriumarme ketjap
100 g spinazie
1 rode paprika, in reepjes
  gesneden
$^1/_2$ komkommer, in stokjes
  gesneden

Dressing

2 eetlepels sesamzaad
1 eetlepel sesamolie
1½ theelepel natriumarme
ketjap
1½ eetlepel citroensap

1 eetlepel rijstazijn
1 eetlepel geraspte
gemberwortel* of 1
theelepel gemberpoeder
1 teentje knoflook,
uitgeperst

1. Snijd de tahoe in de lengte doormidden en laat hem 30 minuten uitlekken op keukenpapier.

2. Meng de marinade met de barbecuesaus.

3. Snijd de tahoe in blokjes, schep ze door het marinademengsel en laat ze minstens 30 minuten staan. Keer ze regelmatig om.

4. Doe de paddestoelen of champignons en de ketjap in een koekepan en verhit ze geleidelijk totdat de ketjap geheel is opgenomen.

5. Was de spinaziebladeren en snijd ze in stukjes. Doe de spinazie, samen met de rode paprika, komkommer en paddestoelen of champignons in een slakom.

6. Meng het sesamzaad met de sesamolie en ½ theelepel ketjap in een kleine koekepan. Verwarm alles 5 minuten op een laag vuur, tot het sesamzaad licht-goudbruin is geworden. Neem de pan van het vuur en roer de rest van de ingrediënten voor de dressing door het sesamzaadmengsel.

7. Doe de blokjes tahoe samen met de marinade in een grote, droge koekepan en laat ze 10 tot 15 minuten koken op een matig-hoog vuur tot de blokjes tahoe knapperig beginnen te worden. Schep de blokjes tahoe regelmatig om en giet het overtollige vocht uit de pan.

8. Voeg de blokjes tahoe en de dressing aan de spinaziesalade toe en schep alles voorzichtig door elkaar. Dien direct op.

4 personen

* In plaats van raspen kunt u een stukje gemberwortel eventueel door een schone knoflookpers drukken.

7

Hoe maakt u salades die uw maaltijd tot een feest maken

Als we salades een nieuw aanzien geven, zullen zij een prominente plaats gaan innemen op onze tafel. Ze zullen de brandstof van het nieuwe decennium gaan vormen. De trend is al begonnen, maar hoofdzakelijk op commerciële basis. Als u kijkt naar de populaire kant-en-klaarafdelingen in veel supermarkten, wat ziet u dan? Een hoorn des overvloeds van salades (op de plaats waar vroeger de delicatessenafdeling was), die het oog en de smaakpapillen streelt. Praktisch alles wat u kunt verzinnen om te eten kunt u daar vinden, op een slimme manier samengevoegd tot kleurige, fraai uitziende salades in grote schalen.

Het is geen wonder dat salades zoveel succes hebben! Ze zijn veelzijdig. Ze bevredigen onze behoefte aan verser en gezonder voedsel. Zij geven ons minder van wat we beter niet kunnen eten en meer van wat ons tegenwoordig zo warm wordt aanbevolen. In salades zitten van nature al veel verschillende, levende voedingsmiddelen en produkten die minder geconcentreerd zijn, waardoor ze makkelijk verteerbaar, voedzamer en evenwichtig zijn en meer bouwstoffen bevatten. Misschien is de belangrijkste sleutel tot hun succes van dit moment dat ze *verrukkelijk smaken* en *nooit vervelen*. Nog een voordeel is dat zij goed als 'totale maaltijd' kunnen worden gebruikt, waarvoor alleen een bord of kom en een vork nodig is, hetgeen betekent dat afruimen en afwassen snel gebeurd is. Ze zijn ook voordelig en blijven urenlang goed in de koelkast. Omdat de diverse smaakmakers die in de keukens van allerlei landen voorkomen heel goed in salades kunnen worden verwerkt, vindt bijna iedereen ze lekker. Tenslotte kunnen ze in kleine hoeveelheden voor een persoon of in enorme schalen voor een groot aantal gasten worden klaargemaakt. Hun populariteit is zeker terecht te noemen!

Het is natuurlijk zo dat onze vroegere ideeën over salade hemelsbreed verschillen van wat wij er nu onder verstaan. Weet u nog dat we onder een salade verstonden: een mengsel van wat blaadjes ijsbergsla, een partje tomaat, misschien wat plakjes komkommer en een beetje geraspte wortel, aangemaakt met iets wat we 'slasaus' noemden. In de jaren vijftig was dat wat de meeste mensen een salade noemden. Toen de jaren zestig ten einde liepen, voegden we er wat zonnebloempitten, avocado en taugé aan toe. In de jaren zeventig breidden we onze keuze uit met nieuwe soorten sla, bonen, kaas, diverse soorten peulvruchten- en linzespruiten, croûtons en verschillende soorten dressing. Maar het duurde tot ver in de jaren tachtig dat de salade zijn eigen volwassen status kreeg. Men ging salades samenstellen met pasta, aardappelen of rijst, stukjes vlees, vis, kip of vis en schelpdieren, kaas, elke denkbare groente, en exotische produkten, zoals paddestoelen en palmharten, afgemaakt met een oneindige variatie aan dressings en sausen.

Salades als hoofdgerecht zijn niet meer weg te denken en dat is goed nieuws. Toch treffen we ze meestal aan in bakjes uit de groentewinkel en worden ze niet veel zelf gemaakt in de keuken. En dat is precies wat er wel moet gebeuren: we moeten de salades die ons hoofdgerecht vormen zelf in de keuken maken. Het is zo makkelijk om ze zelf klaar te maken en veel goedkoper. U kunt uw eigen fantasie eenvoudiger uitleven op een salade als hoofdgerecht dan op bijna elk ander gerecht. Zij nemen al meer dan tien jaar een prominente plaats in als 'eenpansmaaltijd' in de *Een Leven Lang Fit* keuken. Ik verzeker u dat de basisformule zo simpel is als wat. De basis is bijna altijd hetzelfde. Alleen de accenten die aangebracht worden verschillen naar gelang uw ideeën van het moment. Ik hoor mensen vaak klagen: 'Ik zou veel meer sla eten als ik maar een dressing wist die ik lekker vind!' *Die kunt u vinden*! Saladedressings zijn *makkelijk te maken*! Er is praktisch geen handigheid voor nodig om een zeer smakelijke - nee, een *fantastische* dressing te maken. Kunt u de dop van een fles olijfolie schroeven? Kunt u een citroen uitpersen? Kunt u een teentje knoflook in de knijper stoppen en het uitpersen? Kunt u wat kruiderij in een kom doen? Dan kunt u ook een dressing maken! U kunt dressings maken die u en anderen verrukkelijk zullen vinden! Heel veel dressings!

TWEE-MINUTENDRESSINGS

Er zijn twee manieren om deze dressings te maken, de ene is niet beter dan de andere. Ze zijn ook zo makkelijk dat er geen excuus voor is om ze niet allebei te kennen. De eerste is de zogenaamde kommethode.

DRESSINGS VOLGENS DE KOM-METHODE

Basis-saladedressing

Bereid deze dressing direct in de slakom.

4 eetlepels extra-zuivere
   olijfolie*
$1^1/_2$ eetlepel citroensap
evt. 1 teentje knoflook, uitgeperst

zeezout, uienzout, knof-
lookzout of strooi
kruiden (zeer kleine
hoeveelheden voor
diegenen die echt niet
zonder kunnen)

Doe de olijfolie en het citroensap in een slakom, voeg eventuele andere ingrediënten toe en klop alles met een garde.

2 - 3 grote salades

* Het is zeer belangrijk om een olijfolie van uitstekende kwaliteit te gebruiken.

Deze saladedressing vormt de basis voor een groot aantal andere dressings die u graag wilt bereiden. Voeg één of meer van de volgende ingrediënten aan de basisdressing toe - de bereidingswijze blijft echter dezelfde. Recepten voor specifieke dressings vindt u hieronder. De volgende lijst geeft u de mogelijkheid om de basisdressing naar eigen keuze op smaak te brengen.

$1/_2$ - 1 theelepel milde mosterd

1 theelepel - 1 eetlepel mayonaise zonder eieren of Amandelmayonaise (blz. 119)

1 theelepel sesam tahin + 1 theelepel water

scheutje Worcestershire Sauce

1 theelepel Umeboshi pruimazijn

1 - 2 theelepels tamari

1 theelepel honing

1 - 2 theelepels barbecuesaus

2 - 4 eetlepels Amandel- of Cashewmelk (blz. 82)

1 theelepel cashew- of amandelboter

1 theelepel - 1 eetlepel 'Stedda' Zure Room (blz. 127)

1 eetlepel geraspte bleekselderij

$1/_2$ - 1 theelepel gedroogde kruiden in elke gewenste combinatie: basilicum,
    dragon, kervel, oregano, bonekruid, dille, tijm, bieslook, munt, enzovoorts

1 eetlepel fijngehakte verse tuinkruiden

$1/_2$ - 1 theelepel kerriepoeder

snufje cayennepeper

$1/_2$ theelepel paprikapoeder

$1/_4$ - $1/_2$ theelepel mosterdpoeder

1 theelepel maanzaad, of zwart of wit sesamzaad

$1/_2$ theelepel zeewierpoeder of -vlokken

1 eetlepel fijngehakt bosuitje of fijngehakte peterselie

2 eetlepels fijngehakte groene of zwarte olijven

Zuivelvrije Thousand-Island dressing

Deze dressing is vooral geliefd onder de jonge mensen en kan makkelijk in een slakom worden bereid.

1 dl Amandelmayonaise (blz. 119)
  of mayonaise zonder eieren
3 eetlepels tomatenketchup

2 theelepels vers
  citroensap
2 - 3 zoetzure augurken,
  fijngehakt

Doe de Amandelmayonaise, de tomatenketchup en het citroensap in een grote slakom. Voeg de gehakte augurken toe en klop alles met een garde.

2 - 3 personen

Een Leven Lang Fit dressing

Dit is een van onze favoriete dressings. Ik gebruik deze dressing vaak, omdat hij bij zoveel andere ingrediënten past, vooral bij sla. De tahin geeft een 'kaasachtig' effect, net alsof u Parmezaanse kaas had toegevoegd, maar dan wel zonder de negatieve effecten van een zuivelprodukt.

4 eetlepels olijfolie
$1\frac{1}{2}$ eetlepel citroensap
1 teentje knoflook, uitgeperst
1 theelepel sesam tahin
1 eetlepel water

$\frac{1}{2}$ - 1 theelepel milde
   mosterd
evt. steen- of zeezout of
   strooikruiden
evt. versgemalen peper

Doe de olijfolie en het citroensap in een slakom. Voeg de rest van de ingrediënten toe en klop alles met een garde.

2 - 3 personen

Echte Franse dressing

U kunt wel fijngehakte verse of gedroogde tuinkruiden aan deze dressing toevoegen, maar zonder kruiden is het nog steeds een van de meest populaire dressings die ik maak. Men kan hier nooit genoeg van krijgen. Dit recept is mijn persoonlijke versie van die perfecte uitgebalanceerde dressing die overal in Frankrijk wordt geserveerd. Gebruik olijfolie van een zeer hoge kwaliteit - u zult het verschil met gewone slaolie duidelijk merken. Deze dressing smaakt vooral lekker op een groene salade.

4 eetlepels extra-zuivere
   olijfolie
1 teentje knoflook, uitgeperst
$1\frac{1}{2}$ eetlepel citroensap
$\frac{1}{4}$ - $\frac{1}{2}$ theelepel milde mosterd

evt. steen- of zeezout of
   strooikruiden (zout heeft
   u niet echt nodig omdat
   mosterd ook zout bevat)
evt. versgemalen peper

Doe de olijfolie en knoflook in een slakom. Voeg het citroensap, de mosterd en eventuele andere kruiderij toe en klop alles met een garde. Deze dressing moet romig en lichtgeel van kleur zijn.

2 - 3 personen

Tip: Het is belangrijk dat u een groene salade pas vlak voor het opdienen met deze dressing aanmaakt, anders worden groenten zoals sla, andijvie en spinazie slap en onsmakelijk.

Sesamdressing

Een heerlijk pikante dressing.

6 eetlepels extra-zuivere
  olijfolie
2-3 eetlepels citroensap
1 teentje knoflook, uitgeperst
2 theelepels wit of zwart
  sesamzaad of maanzaad
2 eetlepels sesam tahin
2 eetlepels mayonaise zonder
  eieren of Amandelmayonaise
  (blz. 119)

4 - 6 eetlepels water
evt. scheutje Worcester-
  shire Sauce of Umeboshi
  pruimazijn
  snufje cayennepeper
evt. steen- of zeezout of
  strooikruiden
evt. versgemalen peper

Doe de olijfolie, het citroensap, de knoflook en het sesamzaad in een slakom. Voeg de rest van de ingrediënten toe en klop alles met een garde.

4 - 6 personen

Kerrie-mayonaisedressing

Ik gebruikte deze dressing voor de Kerrie-kipsalade in ons boek *Een Leven Lang Fit* en ontving hierover veel lovende brieven van lezers die het zo heerlijk vonden. Probeer deze dressing eens op een nieuw recept - de 'Stedda' kipsalade op blz. 178 voor een ware traktatie!

2 eetlepels extra-zuivere
  olijfolie
1 eetlepel vers citroensap
1 - 2 eetlepels mayonaise
  zonder eieren of Amandelmayonaise
1 theelepel honing
$^1/_2$ theelepel kerriepoeder

$^1/_2$ theelepel gedroogde
  of 2 theelepels fijn-
  gehakte verse basilicum
$^1/_4$ theelepel steen- of
  zeezout of $^1/_2$ theelepel
  kelppoeder
versgemalen zwarte peper

Doe de olijfolie, het citroensap, de mayonaise en de honing in een grote slakom. Voeg de rest van de ingrediënten toe en klop alles met een garde.

2 personen

Umeboshi dressing

De zoute smaak van de Japanse Umeboshi pruim, die in feite een groente is, geeft deze dressing een zoute maar ook een pikante smaak. Umeboshi dressing smaakt vooral lekker als het erg warm weer is. In de macrobiotische keuken wordt Umeboshi pruimpasta veel gebruikt vanwege zijn zuurgehalte. Ik gebruik het zo nu en dan, in kleine hoeveelheden, omdat het vrij zout is. De meeste macrobiotische reformwinkels hebben het wel. Omdat het vrij veel zout bevat, kunt u het zeer lang bewaren en het hoeft niet in de koelkast.

2 eetlepels sesam- of olijfolie	2 theelepels citroensap
1 theelepel Umeboshi pruimpasta	1 eetlepel water
$1/2$ theelepel geraspte gember-	1 kleine tomaat, ontveld
wortel	en kleingesneden

Meng de sesam- of olijfolie, de pruimpasta en de gemberwortel in een slakom. Voeg de rest van de ingrediënten toe en klop alles met een garde.

2 personen

Knoflook-kruidendressing

Als u een grote salade wilt maken voor een picknick of een diner, dan wilt u er wel iets speciaals van maken, dus een dressing uit zo maar een flesje is niet goed genoeg. De Provençaalse rijstsalade (blz. 180) heb ik eens gemaakt voor een gezelschap van veertig mensen; deze dressing heb ik er toen bij gemaakt. Het is makkelijk om bij de hand te hebben, juist voor het geval dat u onverwachte gasten krijgt.

Normaal zou ik deze dressing in een slakom bereiden, maar dat kan niet wanneer u zo veel wilt maken. Deze dressing wordt dus met een staafmixer bereid, wat mijn tweede manier is om saladedressings te maken.

1 liter extra-zuivere olijfolie	2 theelepels gedroogde munt
2 dl vers citroensap	2 theelepels gedroogde tijm
10 teentjes knoflook, uitgeperst	1 theelepel gedroogde
3 theelepels paprikapoeder	oregano
2 theelepels gedroogde	1 theelepel gedroogde kervel
basilicum	uien- of knoflookzout
	naar smaak

Meng de helft van de hoeveelheid van de ingrediënten met een staafmixer. Giet de dressing in een kan en bereid de rest van de ingrediënten op dezelfde wijze.

40 personen

Variaties: (1) vervang een deel van het uien- of knoflookzout door 4 eetlepels milde mosterd of (2) voeg 4 eetlepels sesam tahin en 1 deciliter water toe.

Limoendressing met dille

Limoenen zijn over het algemeen minder zuur van smaak dan citroenen en als u citroensap door limoensap wilt vervangen, zult u waarschijnlijk meer limoensap nodig hebben. Deze frisse dressing kunt u bereiden wanneer er volop verse dille te krijgen is.

$1/_2$ dl extra-zuivere olijfolie
2 eetlepels vers limoensap
1 eetlepel fijngehakte verse
  dille

1 teentje knoflook,
  uitgeperst
evt. steen- of zeezout en
  versgemalen peper

Doe de olie en het limoensap in een grote slakom. Voeg de rest van de ingrediënten toe en klop alles met een garde.

3 - 4 personen

Chinese dressing

Een heerlijke dressing voor een salade waarin u veel Aziatische groenten (paksoi, Chinese kool, peultjes, taugé enz.) verwerkt.

1 dl sesam- of extra-zuivere
  olijfolie
1 teentje knoflook, uitgeperst
2 theelepels fijngeraspte
  gemberwortel
2 eetlepels tamari

snufje cayennepeper
2 eetlepels vers citroen-
  of limoensap
evt. 2 theelepels honing
1 theelepel sesamzaad
evt. 1 bosuitje, fijngehakt

Doe de sesam- of olijfolie, knoflook, gemberwortel en tamari in een grote slakom. Voeg de rest van de ingrediënten toe en klop alles met een garde.

4 - 6 personen

DRESSINGS VOLGENS DE STAAFMIXER-METHODE

Dit is zo'n gemakkelijke manier om saladedressings te maken. Alle ingrediënten kunnen in enkele seconden met een staafmixer gemengd worden. De mogelijkheden zijn bijna oneindig. Ik geef u hier enkele combinaties die ik met veel succes gemaakt heb. De methode is altijd dezelfde. Meet de hoeveelheden af direct in een kom. Na enkele seconden mengen met een staafmixer, heeft u een zachte, lobbige dressing.

Tip: Als u minder olie wilt gebruiken in deze dressings, dan kunt u de aangegeven hoeveelheid olie vervangen door gelijke delen olie en groentebouillon of wortelsap.

Eenvoudige slasaus

Kinderen zijn er dol op.

3 eetlepels mayonaise zonder
  eieren
$^1/_2$ dl extrazuivere olijfolie
2 eetlepels vers citroensap

1 teentje knoflook
kelppoeder, naar smaak

Ca. 1 dl

7-Kruidendressing

2 teentjes knoflook, uitgeperst
1 dl olijfolie
4 eetlepels vers citroensap
$^1/_2$ theelepel gedroogde
  basilicum
$^1/_2$ theelepel gedroogde kervel
$^1/_4$ theelepel gedroogde tijm
$^1/_4$ theelepel gedroogde oregano
$^1/_2$ theelepel gedroogd
  bonekruid

$^1/_4$ theelepel gemalen
  koriander
$^1/_8$ theelepel gedroogde
  salie
evt. steen- of zeezout of
  strooikruiden
2 theelepels milde mosterd
1 eetlepel mayonaise zonder
  eieren of Amandel-
  mayonaise (blz 119)

Ca. 1$^3/_4$ dl

Romige knoflookdressing

$^1/_2$ dl water
1 teentje knoflook
100 g zachte tahoe
$^1/_2$ dl olijfolie
3 eetlepels citroensap
2 theelepels rijstazijn

1 theelepel kelppoeder
1 eetlepel maanzaad
1 theelepel gedroogde dille
evt. kruidenzout of
  strooikruiden

Ca. 3$^1/_2$ dl

Avocadodressing

1 middelgrote rijpe avocado
1 kleine komkommer, geschild
  en in dobbelsteentjes
  gesneden

kruidenzout of strooikruiden
1 eetlepel limoensap
2 eetlepels extrazuivere
  olijfolie

Ca. 3$^1/_2$ dl

Kruidendressing met tomaat

1 grote, rijpe tomaat
1 eetlepel citroensap
$^1/_2$ dl extra-zuivere olijfolie
$^1/_2$ theelepel gedroogde of
   1$^1/_2$ theelepel fijngehakte
   dragon

1 eetlepel fijngehakte
   verse of 1 theelepel
   gedroogde basilicum
$^1/_4$ theelepel mosterdpoeder
snufje cayennepeper
evt. strooikruiden

Ca. 2 dl

Citroendressing met maanzaad

1$^1/_2$ eetlepel maanzaad
2$^1/_2$ eetlepel citroensap
1 theelepel honing

2 eetlepels mayonaise
   zonder eieren
1$^1/_2$ eetlepel zonnebloemolie

Ca. 1$^1/_4$ dl

Citroen vinaigrette

1$^1/_4$ dl extra-zuivere olijfolie
3 eetlepels citroensap
1 eetlepel fijngehakte verse
   of 1 theelepel gedroogde tijm

1 eetlepel fijngehakte
   verse dille
1 eetlepel fijngehakt
   bieslook

Ca. 1$^3/_4$ dl

Sesam dressing met knoflook

$^1/_2$ dl olijfolie
1 teentje knoflook
2 eetlepels citroensap
1 volle eetlepel sesam tahin
2 eetlepels water

$^1/_4$ theelepel gemalen
   steen- of zeezout of
   strooikruiden
$^1/_2$ theelepel gedroogde
   oregano
$^1/_2$ theelepel gedroogde kervel
versgemalen peper

Ca. 1$^1/_4$ dl

Mosterddressing met tuinkruiden

100 g stevige tahoe
$^1/_2$ dl olijfolie
1 teentje knoflook
1 kleine tomaat
2 theelepels natriumarme ketjap
3 eetlepels water
$^1/_2$ theelepel milde mosterd
$2^1/_4$ eetlepels rijstazijn

3 eetlepels citroensap
1 eetlepel appelazijn
1 uitje
1 eetlepel fijngehakt bieslook
$1^1/_2$ eetlepel fijngehakte verse
  of 2 theelepels gedroogde dille
evt. $^1/_4$ theelepel gemalen
  steen- of zeezout

Ca. 3³/₄ dl

Romige komkommerdressing met dille

2 eetlepels citroensap
5 eetlepels extra-zuivere
  olijfolie
stuk (10 cm) komkommer,
  geschild
1 eetlepel mayonaise zonder
  eieren of Amandelmayonaise
  (blz. 119)
$^1/_8$ - $^1/_4$ theelepel mosterdpoeder

2 eetlepels fijngehakte
  verse of 2 theelepels
  gedroogde dille
1 teentje knoflook of
  $^1/_2$ uitje
evt. steen- of zeezout of
  strooikruiden

Ca. 2¹/₂ dl

Tamaridressing

1 eetlepel extra-zuivere
  olijfolie
1 volle eetlepel sesam tahin

1 eetlepel limoensap
$^1/_2$ uitje
1 eetlepel tamari

Ca. 1¹/₄ dl

Sinaasappeldressing

1 middelgrote tomaat
$^1/_2$ dl mayonaise zonder
  eieren of Amandelmayonaise
  (blz. 119)

3 eetlepels olijfolie
knoflookpoeder naar smaak

Ca. 2¹/₂ dl

DIPSAUSEN VOOR RAUWKOST OF CRACKERS

Hier is nog een geliefde versie van een saladedressing, die ik niet wil overslaan, speciaal omdat deze vrij veel gebruikt wordt bij borrelhapjes. Dipsausen zijn altijd geliefd. Wie vindt het niet leuk om heerlijke rauwe groenten te knabbelen en ermee te dippen?

Linda's Hummus

Mijn zuster Linda is dol op hummus (kekererwtenpâté), maar omdat zij ook nog een druk leven heeft, had ze nooit echt de gelegenheid om het maken. Ik was dus niet verbaasd toen zij dit *snelste en beste hummus* recept bedacht. Hummus is niet alleen een zeer voedzame dipsaus voor rauwkost, chips of crackers, maar het kan ook als broodbeleg worden gebruikt. Dit recept is in 10 minuten klaar!

2 - 3 eetlepels olijfolie
het sap van 1 citroen
1 teentje knoflook

$^1/_2$ dl sesam tahin
1 blik kekererwten,
   uitgelekt

Meng de olijfolie, het citroensap, de knoflook en de tahin met een staafmixer of in een food processor. Voeg de uitgelekte kekererwten toe en meng alles op de hoogste stand tot er een gladde pâté is ontstaan.

Ca. 5 dl

Guacamole

Veel mensen zijn dol op guacamole, een pikante Mexicaanse dipsaus. Deze versie kan zo mild of zo vurig zijn als u zelf wilt, door er meer of minder chilipoeder en cayennepeper aan toe te voegen. Gebruik guacamole als dipsaus voor rauwkost, tortillachips (zonder conserveringsmiddel) of bij Aardappelschijfjes (blz. 270) en Ovenfrites (blz. 271).

2 bosuitjes, kleingesneden
1 teentje knoflook, uitgeperst
1 grote tomaat, kleingesneden
1 eetlepel vers citroensap
4 eetlepels fijngehakte peterselie
2 eetlepels fijngehakte
   verse koriander
1 theelepel gemalen komijn

$^1/_2$ theelepel chilipoeder
cayennepeper naar smaak
het vruchtvlees van 4
   rijpe avocado's, geprakt
kruidenzout
versgemalen peper

U kunt de groenten met de hand of in een food processor klein snijden. Meng alles goed door elkaar en dien het gekoeld op.

Ca. 6 dl

Doperwtendipsaus

Deze dipsaus is net zo lekker als guacamole en kan met rauwkost en chips worden opgediend of op crackers of toostjes gesmeerd. Garneer de crackers met schijfjes olijf.

ca. 225 g diepvriesdoperwten
1 eetlepel zonnebloemolie of
   plantaardige boter
1 eetlepel Amandelmayonaise (blz. 119)
   of mayonaise zonder eieren
1 - 2 theelepels gemalen komijn

$^1/_2$ theelepel citroensap
evt. $^1/_2$ theelepel zeezout
$^1/_2$ - 1 theelepel gemalen
   koriander
versgemalen peper
evt. 1 - 2 eetlepels water

Stoom de doperwten 5 minuten of tot ze gaar zijn en doe ze, samen met de rest van de ingrediënten, in een food processor. Meng alles tot er een smeuïge saus ontstaat.

Ca. 5 dl

Guacamole à la Minute

Als u geen tijd heeft om een echte guacamole te bereiden kunt u op deze versie terugvallen, die echt binnen 5 minuten op tafel staat. De oregano geeft een frisse smaak.

het vruchtvlees van 2 rijpe
   avocado's
$^1/_4$ - $^1/_2$ theelepel knoflookpoeder
$1^1/_2$ - 2 eetlepels vers citroensap

$^1/_2$ theelepel gedroogde oregano
evt. $^1/_4$ - $^1/_2$ theelepel
   gemalen komijn
versgemalen peper naar smaak

Prak de avocado's met een zilveren vork of pureer ze in een food processor. Voeg de rest van de ingrediënten toe en meng alles goed door elkaar. Laat de guacamole het liefst 15 minuten staan en dien hem gekoeld op.

4 - 5 dl

Aubergine-dipsaus

Deze aubergine-dipsaus met tahin is romig en hartig tegelijk. Ik heb het aan mensen gegeven die aubergines en tahin allebei 'eigenlijk niet zo lekker vinden' en met plezier zag ik hoe ze het smakelijk naar binnen werkten!

1 middelgrote aubergine (ca. 350 g)
$^1/_2$ dl citroensap
$^1/_2$ dl sesam tahin
1 - 2 teentjes knoflook,
   uitgeperst, of knoflookpoeder

evt. steen- of zeezout
1 eetlepel olijfolie
4 eetlepels fijngehakte peterselie
takjes peterselie

Verwarm de oven voor tot 200° C. Prik de aubergine overal in met een vork en doe hem in een ovenvaste schaal. Dek de schaal losjes af met aluminiumfolie en bak de aubergine 40 minuten, tot het vruchtvlees zacht is. Schil de aubergine en verwijder eventuele harde plekjes. Hak het vruchtvlees zeer fijn of pureer het met een staafmixer en klop het citroensap en de tahin er langzaam doorheen. Breng het auberginemengsel op smaak met knoflook en zout en klop er de olijfolie en fijngehakte peterselie door. Doe de aubergine-dipsaus in een ondiepe schaal en garneer met takjes peterselie.

4 - 6 personen

Tip: Bewaar deze dipsaus in een goed afgesloten pot in de koelkast. Breng hem op kamertemperatuur voordat u hem opdient.

Paprika salsa

Een milde versie van de klassieke Mexicaanse salsa (pepersaus).

3 rode paprika's, in stukjes
  gesneden
1 groene paprika, in stukjes
  gesneden
1 bosuitje, in stukjes gesneden
3 (Italiaanse) tomaten, in vieren
  gesneden

3 eetlepels vers limoensap
1 eetlepel olijfolie
versgemalen peper

Hak de paprika's, het uitje en de tomaten fijn met een food processor, maar maak er *geen* puree van. Doe het mengsel in een kom en voeg het limoensap en de olijfolie toe. Breng de paprika salsa op smaak met peper en laat het minstens 30 minuten staan.

Ca. 5 dl

Groene salsa

Deze dipsaus kunt u met tortillachips opdienen of als een saus bij warme tortilla's geven.

500 g tomaten, ontveld
1 middelgrote ui
1 chilipeper, zonder zaadjes
$1/_2$ theelepel honing

2 eetlepels fijngehakte
  verse koriander of
  peterselie

Hak alles fijn met een food processor, maar maak er *geen* puree van. Verdun de dipsaus eventueel met water.

Ca. 5 dl saus

VERSE TORTILLACHIPS

versgebakken maïstortilla's
saffloerolie
kruidenzout

Snijd de tortilla's in repen en verdeel ze over een bakplaat. Laat ze enkele uren opdrogen. Verhit een bodem saffloerolie in een koekepan en bak de repen tortilla goudbruin.
Laat ze uitlekken op keukenpapier en breng ze op smaak met het kruidenzout.

Klassieke salsa (heet!)

Let goed op bij het bereiden van chilipepers. Bescherm uw handen met rubber of plastic handschoenen en laat het sap niet in de beurt van uw ogen, neus of mond komen. Hak de chilipepers op een snijplank en boen deze na gebruik goed schoon om te voorkomen dat ander voedsel de vurige smaak van de chilipepers overneemt! Ikzelf vind het niet de moeite waard om chili's te gebruiken, ik hou niet van deze vurige gerechten - ze zijn slecht voor je maag en vernietigen je smaak. Als u chilipepers toch lekker vindt, dan is deze klassieke Mexicaanse pepersaus of salsa wel naar uw smaak. Deze pepersaus is een van de weinige echte 'hete' recepten in dit boek en ik heb het erbij gedaan, omdat ik begrijp dat er mensen zijn die dol op 'heet' voedsel zijn. (Even een waarschuwing - de Mexicanen hebben het grootste aantal maagzweren van de hele wereld!)

500 g tomaten, ontveld en
  kleingesneden
2 eetlepels fijngehakte
  verse koriander
1/2 uitje, fijngehakt
1 theelepel fijngehakte chilipepers

1/2 theelepel honing
chilipoeder
zout
wijnazijn of citroensap

Meng de tomaten, de koriander, het uitje en de chilipepers door elkaar en breng de salsa op smaak met honing, chilipeper, zout en wijnazijn of citroensap.

Ca. 6 dl

Milde salsa

Een lekkere salsa voor mensen die niet van chilipepers houden.

400 g tomaten, ontveld
  en kleingesneden
$^1/_2$ uitje, fijngehakt
1 rode en 1 groene paprika,
  van de zaadjes ontdaan en
  fijngehakt
chilipoeder
cayennepeper

evt. 3 eetlepels fijn-
  gehakte verse koriander
evt. 1 teentje knoflook,
  uitgeperst
3 eetlepels extrazuivere
  olijfolie

Meng de tomaten, het uitje, de paprika's, de koriander en de knoflook in een kom. Roer de olijfolie erdoor en breng de salsa op smaak met chilipoeder en cayennepeper.

6 - 7 dl

Tahina

Deze dikke, romige sesam- en knoflookdipsaus smaakt heerlijk met rauwkost of chips of op geroosterde shoarmabroodjes. Tahin direct uit de pot heeft een vrij dikke samenstelling, maar wordt melkachtig wanneer u het met wat water mengt. Met citroensap kunt u de tahina weer dikker maken.

$2^1/_2$ dl sesam tahin
3 - 4 teentjes knoflook,
  uitgeperst
$^1/_2$ theelepel zeezout

$1^3/_4$ - $2^1/_2$ dl water
1 - $1^1/_4$ dl citroensap

Meng de tahin, de knoflook en het zeezout met een staafmixer en voeg water en citroensap toe om er de juiste samenstelling te krijgen.

Ca. 6 dl

Gekoelde aubergine-dipsaus uit Armenië

Een heerlijke lekkernij op een warme zomerse dag of als onderdeel van een buffet. De exotische maar toch bescheiden smaak van deze dipsaus geeft een extra dimensie aan elke maaltijd. Geef er chips, crackers of rauwkost bij of schep de dipsaus in kleine kommen en dien hem op als een salade.

1 stevige, middelgrote
  aubergine
1 middelgrote groene paprika
1 teentje knoflook
2¹/₂ dl water
1 grote rijpe tomaat, ontveld
  en kleingesneden

evt. 1 eetlepel olijfolie
1 theelepel citroen- of
  limoensap
evt. snufje zeezout of
  kruidenzout
versgemalen peper

Verwarm de oven voor tot 190° C. Prik de aubergine en de paprika overal in met een vork en doe ze, samen met het teentje knoflook, in een ondiepe ovenvaste schaal. Giet het water in de schaal en bak de groenten circa 1¹/₂ uur tot ze zacht zijn. Neem de schaal uit de oven, laat de groenten iets afkoelen, schil de aubergine en verwijder het vel en de zaadjes van de paprika.

Prak het vruchtvlees van beide groenten, samen met de knoflook, in een kom. Voeg de tomaat, de olijfolie, het citroen- of limoensap en wat zeezout en peper toe en meng alles goed door elkaar. Dek de kom af en laat de dipsaus enkele uren staan.

6 - 8 personen

Cashewpâté

350 g ongeroosterde cashewnoten
¹/₂ komkommer, geschild
  en in stukjes gesneden
1 - 2 dunne stengels bleekselderij, zonder blad
1 worteltje, geschild
1¹/₂ eetlepel groente-
  bouillonpoeder
¹/₈ theelepel gemalen komijn

2 eetlepels sesam tahin
1 eetlepel sesamzaad
4 eetlepels fijngehakte
  verse dille
snufje cayennepeper
snufje chilipoeder

Meng de cashewnoten en de komkommer in een food processor tot er een dikke pâté ontstaat. Voeg de rest van de ingrediënten toe en meng het geheel tot de pâté dik en romig is. Druk de pâté in een ondiepe ingevette kom en laat het enkele uren in de koelkast staan. Keer de pâté op een plat bordje en geef er crackers en rauwkost bij.

8 - 10 personen

Romige bieslookdipsaus

Deze pikante dipsaus wordt gemaakt van 'Stedda' zure room gemengd met fijngehakt bieslook. Een dipsaus wordt vaak met zure room bereid, maar door tahoe te gebruiken, bevat deze versie geen verzadigde vetzuren en cholesterol maar wel veel eiwitten (ruim 200% meer eiwitten dan een dipsaus op zuivelbasis.) Tahoe bevat naar verhouding meer bruikbare calcium dan melk, eieren of spinazie en ook nog lecithine, dat door het lichaam gebruikt wordt om vetachtige substanties op nuttige wijze op te lossen. Dit recept is makkelijk te bereiden en ik zou de hoeveelheid verdubbelen om er wat van over gepofte aardappelen te scheppen bij uw volgende maaltijd.

ca. 150 g zachte tahoe, uitgelekt
1 eetlepel zonnebloemolie of
   lichte olijfolie
2 eetlepels citroensap
enkele druppels plantaardige
   soeparoma

2 theelepels rijstazijn
2 eetlepels fijngehakt
   bieslook

Meng alles, behalve het bieslook, met een staafmixer, tot er een romige saus ontstaat. Roer het bieslook door de saus en dien gekoeld op.

Ca. 2$^1/_2$ dl

BONE- EN LINZESPRUITEN: WAAROM WIJ ZE MOETEN ETEN

Als u een bone- of linzespruit eet, eet u in feite een heel klein, makkelijk verteerbaar plantje, dat zich bevindt in het stadium waarin het de top van zijn voedingswaarde bereikt heeft. Dit plantje zit propvol enkelvoudige suikers, aminozuren in complete eiwitvorm, vetzuren, vitaminen (waaronder, volgens sommige deskundigen, vitamine B12) en makkelijk op te nemen mineralen. Tot op het moment dat u een verse, rauwe bone- of linzespruit eet, groeit deze nog en wordt de voedingswaarde steeds *hoger*. Alle andere groenten gaan langzamerhand achteruit in voedingswaarde als ze geoogst zijn. Als we de kosten vergelijken is er geen enkel ander voedingsmiddel dat u zoveel waar voor uw geld geeft.

Als u op zoek bent naar een voedzame, maagvullende groente, waar geen verdelgingsmiddelen aan te pas zijn gekomen, zult u merken dat u deze gevonden hebt in de vorm van bone- of linzespruiten. Beschouw ze als een levende 'opkikker' die uw immuniteitssysteem een positieve impuls geeft en die uw lichaam in goede gezondheid houdt, in betere conditie brengt en regenereert. Beschouw ze als mini-energiecentrales voor uw lichaam en voeg ze geregeld en in flinke hoeveelheden toe aan uw dieet, naast alle verse vruchten en groenten die u eet.

Koop bone- of linzespruiten of kweek ze zelf

In veel reformwinkels en supermarkten kunt u tegenwoordig bonespruiten (taugé en alfalfa) krijgen. Om er zeker van te zijn dat u verse bone- of linzespruiten koopt, kunt u uitzoeken wanneer ze in de winkel worden aangeleverd. U koopt ze dan zo snel mogelijk daarna. Vraag ook aan de groenteman of de leverancier werkt met organisch verkregen zaden en dring erop aan dat de winkel bij zo'n leverancier gaat bestellen, want er zijn er genoeg die organische produkten leveren. Mijd bone- of linzespruiten die er niet meer vers uitzien, die uitelkaar vallen, die er bij de wortel donker uitzien, die verwelkt zijn of plakkerig aanvoelen. Mijd ook bone- of linzespruiten die ranzig ruiken.

Bone- en linzespruiten zijn makkelijk zelf te kweken. Als u daartoe overgaat, legt u een miniatuur-tuintje aan in uw keuken waar u veel plezier aan zult beleven. Mensen die niet in staat zijn een groente-tuin buitenshuis aan te leggen, scheppen hier veel voldoening in. Alles wat u nodig hebt om bone- en linzespruiten te kweken is een pot of schaal, zaden en water en uw levende tuintje zal voor u blijven doorgroeien, ook al sneeuwt het buiten. Er zijn wel folders en boeken over - die vindt u bij uw reform-zaak of bij een goede boekhandel.

Veel huisdieren kunnen bone- en linzespruiten eten. U dient de spruiten dan te hakken en door het voer te mengen. Begin met kleine beetjes, want huisdieren vinden een verandering in hun voedsel vaak niet prettig. Bone- en linzespruiten voorzien in hun behoeften op voedingsgebied in een mate die voedseladditieven in de verste verte niet kunnen bereiken.

EN DAN NU - SALADES!

Als u erop uit bent levend voedsel te eten, kunt u hier ook terecht. De produkten die u gebruikt om uw salades te maken, zijn *vol van leven*. Alle groenten waar u van geniet - de slasoorten en spinazie, gecombineerd met tomaten, komkommer, selderij, avocado, radijs, wortelen en andere rauwe groenten - voorzien u van bio-actief (bio=leven, actief=werkzaam) voedsel. Deze levende, werkzame produkten zijn, samen met de bone- en linzespruiten uw 'spaarbank' op het gebied van bouwstoffen.

U hebt uw slakom en klaargemaakte dressings gereedstaan; dan kunt u nu uw droomsalade gaan maken. Ik heb bij elk recept voor salade een recept voor dressing vermeld, zodat u niet steeds in het boek hoeft te zoeken naar passende dressings. Het gedeelte van het boek dat over salades gaat bestaat uit drie delen:

1. Snelle, frisse, **Eenvoudige salades**, die maximaal 10 minuten bereidingstijd vergen.

2. Maaltijdsalades met niet-traditionele toevoegingen.

3. Salades van gare ingrediënten die zo gegeten kunnen worden of gecombineerd met rauwe salades, zodat u een nieuwe salade als hoofdgerecht krijgt. Voor al deze categorieën, maar in het bijzonder voor de eerste twee, geldt:

> **Als u *Een Leven Lang Fit* wilt blijven, gaat u bij de maaltijdplanning uit van uw salade. Denk daar eerst over na en bepaal dan wat er het beste bij past.**
>
> **Maak uw salade eerst klaar, dan hebt u het belangrijkste gerecht van uw maaltijd. De dressing kan in het geval van salades van bladgroenten op het laatste moment toegevoegd worden, zodat de blaadjes niet verwelken.**

Voor degenen die maximaal succes en een voortdurend goede gezondheid in de jaren negentig nastreven, zal dit gedeelte van het boek een van de meest gebruikte delen, zo niet het meest gebruikte deel, worden. Om u zo volledig mogelijk deelgenoot te laten worden van de salade-levensstijl, zijn hier enkele tips:

1. Als u boodschappen doet, koop dan eerst uw groenten, omdat dat het belangrijkste voedsel op uw bord is. Als u niet veel te besteden hebt, moet u ervoor zorgen dat uw budget voor groenten zo hoog mogelijk is. Dat doet u door eerst naar de groentenafdeling te gaan en daarna zo min mogelijk uit te geven op de andere afdelingen van de supermarkt.

2. Onthoud dat u kunt *leven* van wat u op de groenteafdeling koopt.

3. Doe minstens tweemaal per week boodschappen, zodat u altijd verse groenten hebt. De meeste bladgroenten voor salades, zoals sla en spinazie, kunnen maximaal 4 tot 5 dagen in de koelkast bewaard worden. Houd ze vers door ze in afgesloten plastic zakjes te bewaren en was ze pas vlak voor het gebruik. Als u wegens tijdgebrek een hoeveelheid van tevoren moet wassen, moet u dat voorzichtig doen, zodat ze niet beschadigen (want daardoor bederven ze eerder). Droog ze dan grondig af en bewaar ze in plastic zakjes waarin u een stuk keukenpapier hebt gelegd. Daardoor wordt overtollig vocht geabsorbeerd.

4. U verwijdert verdelgingsmiddelen van sla en spinazie door bij het wassen de blaadjes van elkaar te halen en de groenten in ruim water te dompelen.

5. Zorg dat u *altijd* een ruime voorraad verse groenten in voorraad hebt, zodat u altijd bij de hand hebt wat nodig is om een heerlijke salade te maken. Vul uw koelkast met verse groenten en gebruik ze bij elke maaltijd. Denk bij alles wat u koopt of thuis hebt liggen na of het iets is dat in of bij uw salade past.

Een opmerking over sla: Niet alle soorten sla zijn gelijkwaardig. Kropsla, krulsla en rode sla zijn de meest lichtverteerbare rassen voor mensen die zijn begonnen meer sla te eten. IJsbergsla is een kruising en mist daardoor enkele bouwstoffen. Combineer ijsbergsla, als u die graag eet, met andere slarassen. Bittere groenten, zoals witlof en andijvie worden door hun sterke smaak niet door iedereen gewaardeerd. Waterkers bevat toxische mosterdolie en mag slechts in beperkte mate gebruikt worden, omdat niet iedereen het waardeert.

Wat de voedingswaarde betreft, sla is een prima bron van enzymen, aminozuren, vitaminen en mineralen. Als mensen u vragen: 'En hoe kom je aan je eiwitten?', antwoordt u dat u die uit sla haalt. Ze zullen waarschijnlijk denken dat u een grapje maakt, maar u hebt het grootste gelijk van de wereld! Zoals u weet, bevat sla 34% eiwitten.

EENVOUDIGE SALADES

Klassieke groene salade

10 minuten

De eenvoudigste en ook een van de beste salades wordt met verse sla bereidt. Deze salade kan echter alleen maar een succes worden als u versgeplukte sla gebruikt en als de dressing een fijne smaak heeft. Deze eenvoudige salade is een van onze favoriete bijgerechten die elke hoofdschotel goed aanvult. Ik dien hem overal bij op!

4 eetlepels extra-zuivere olijfolie
1½ eetlepel citroensap
evt. 1 teentje knoflook, uitgeperst
1 theelepel milde mosterd
evt. kruidenzout, strooikruiden
of steen- of zeezout

evt. versgemalen peper
gewassen kropsla, rode sla
ijsbergsla enz.

1. Doe de olijfolie en het citroensap in een slakom. Voeg de knoflook, mosterd en andere smaakmakers toe en klop alles met een garde.

2. Scheur de gewassen sla in stukjes, doe ze in de slakom en schep de dressing er voorzichtig door. Dien direct op.

3 - 4 personen

Variatie: Vervang een derde deel van de slabladeren door verse spinazie of gebruik een mengsel van verschillende soorten sla.

Een salade waarvan u kunt leven

5 minuten

Deze eenvoudige salade bevat geen slaolie en geeft u een *schoon* gevoel van binnen. Sterk aanbevolen! Geef er 'Stedda' tonijnsalade (blz. 131) bij als dipsaus voor de komkommer en bleekselderij, of dien deze salade op met Tahoekäse (blz. 127) of met Wortelsalade met rozijnen (blz. 169).

gewassen kropsla of ijsbergsla
100 g verse spinazie
1 tomaat, in partjes gesneden
het sap van ½ kleine citroen

stukjes komkommer
stukjes bleekselderij
taugé

1. Was de sla en de spinazie zo grondig mogelijk, scheur grote bladeren in stukjes en doe ze in een slakom.

2. Voeg de tomaat, komkommer, bleekselderij en taugé toe en bedruppel alles met het citroensap.

1 persoon

Variaties: (1) voeg ¹/₄ avocado (in blokjes) toe; (2) bestrooi de salade met 1 eetlepel sesamzaad of geweelde zonnebloempitten; (3) schep wat gestoomde groenten door de salade: of (4) voeg wat geraspte wortel - of 25 gram pecannoten of amandelen - toe (als u noten toevoegt laat dan de avocado weg - veel te veel vet!).

Franse groene salade met tahoekäse

10 minuten

Een heerlijke nieuwe versie van een bekend recept. Het is een trucje om salades interessant en ongewoon te houden, zodat uw familie en uw gasten steeds weer iets nieuws voorgezet krijgen.

3 eetlepels extra-zuivere olijfolie
1 eetlepel citroensap
¹/₄ theelepel milde mosterd
1 teentje knoflook, uitgeperst
evt. kruiden- of zeezout
   en versgemalen peper

1 kropsla
100 g verse spinazie
100 g Tahoekäse (blz. 127)

1. Klop de eerste 5 ingrediënten in een slakom.
2. Scheur de gewassen sla in stukjes en schep ze, samen met de spinazie, door de dressing. Voeg de tahoekäse toe en schep alles weer voorzichtig door elkaar.

2 personen

Salade van linzespruiten

15 minuten

Het is zo makkelijk om linzen zelf te laten spruiten. Week de linzen enkele uren in een goed afgedekte pot. Spoel ze af, laat ze goed uitlekken en doe ze in een spruitbak. Laat de linzen één nacht op een donkere plaats staan en de volgende dag kunt u de linzespruiten gebruiken! Linzespruiten zijn zeer voedzaam en omdat ze ook knapperig zijn, zijn ze uitstekend om met andere kleingesneden rauwkost in een salade te verwerken.

Dressing

2 eetlepels extra-zuivere
   olijfolie
ca. 2 theelepels citroensap
¹/₄ theelepel gemalen komijn
¹/₄ theelepel kerriepoeder

evt. 1 eetlepel fijngehakte
   verse of 1 theelepel
   gedroogde dille
versgemalen peper naar
   smaak

Salade

100 g linzespruiten	3 eetlepels fijngehakte
2 tomaten, kleingesneden	peterselie
50 g alfalfaspruiten	2 stengels bleekselderij
1 bosuitje, kleingesneden	fijngehakt
evt. $^1/_4$ rode of gele	
paprika, fijngehakt	

1. Klop de ingrediënten voor de dressing in een slakom.

2. Doe de linzespruiten en de rest van de salade-ingrediënten in de kom en schep alles goed door elkaar. Dien deze salade gekoeld op.

3 personen

Vloeibare salade

5 minuten

Het kan wel eens voorkomen dat u tussen de middag trek in een salade heeft, maar geen tijd of zin heeft om groenten schoon te maken en een dressing samen te stellen. Soms heeft u zelfs geen tijd om een salade op te eten! Deze vloeibare salade geeft de oplossing. Meng alle salade-ingrediënten met een food processor. Als u veel honger heeft kunt u er zelfs wat amandelen, zonnebloempitten of sesamzaad bij doen. De 'salade' kunt u nu met een lepel eten. Het ziet er weliswaar niet echt aantrekkelijk uit en is dus niet geschikt om uw gasten voor te zetten, maar het voorziet u wel van een zeer gezond tussendoortje!

1 middelgrote tomaat	gewassen slabladeren
stuk (8 cm) komkommer*,	1 grote stengel bleek-
geschild	selderij
1 kleine rode of groene	noten, zaden of pitten
paprika, zonder zaadjes	

1. Pureer de tomaat en de komkommer in een food processor. Voeg de paprika, sla en bleekselderij toe en meng alles goed door elkaar.

2. Doe de noten, zaden of pitten erbij en schakel de food processor een paar keer aan en uit. Deze ingrediënten geven uw 'salade' een knapperige samenstelling.

1 - 2 personen

* Onbespoten komkommer hoeft u *niet* te schillen!

Groene salade met shi-itake en basilicum

20 minuten

Gedurende de wintermaanden zijn lekkere tomaten en ook andere saladegroenten moeilijk te krijgen en we hebben al onze inventiviteit nodig om de belangstelling voor salades hoog te houden. Een garnering van shi-itake paddestoelen en basilicum maakt van een eenvoudige salade een elegante schotel. In plaats van shi-itake paddestoelen kunt u ook gewone champignons gebruiken. U heeft niet veel shi-itake nodig voor dit recept; met een paar kunt u al veel doen, het is dus best de moeite waard, helemaal als u een bijzondere salade wilt om uw maaltijd mee te beginnen. Dien het op als voorgerecht met warm brood.

1 grote kropsla
125 g verse spinazie
4¹/₂ eetlepel extra-
   zuivere olijfolie
1¹/₂ eetlepel citroensap
1 teentje knoflook, uitgeperst
¹/₂ theelepel milde mosterd
evt. kruidenzout

6 verse shi-itake padde-
   stoelen
2 eetlepels verse of 1
   theelepel gedroogde
   basilicum
evt. snufje zeezout

1. Was de sla en de spinazie zeer grondig en laat ze goed uitlekken. Klop 4 eetlepels olijfolie, het citroensap, de knoflook, de mosterd en het kruidenzout in een grote slakom.

2. Verwijder de stelen van de shi-itake en snijd de hoedjes in plakjes. Fruit de shi-itake 2 minuten in de rest van de olijfolie, voeg de basilicum en eventueel het zeezout toe en laat alles nog 1 minuut fruiten. Roer de shi-itake regelmatig door om aanbranden te voorkomen.

3. Scheur de slabladeren in stukjes en doe ze, samen met de spinazie in de slakom. Schep alles voorzichtig door elkaar, verdeel de salade over 4 of 5 platte borden en garneer elke portie met een schep van het shi-itakemengsel.

4 - 5 personen

Tip: Week gedroogde shi-itake 10 tot 15 minuten in heet water. Laat ze uitlekken, knijp het overtollige water eruit en gebruik ze zoals boven is beschreven.

Italiaanse salade

10 minuten

Salade

150 g sperziebonen in
  stukjes gebroken
1 kropsla
150 g kekererwten uit blik,
  uitgelekt
75 g zwarte of groene olijven
75 g taugé of spinazie

1 middelgrote tomaat, in
  dobbelsteentjes gesneden
100 g artisjokbodems uit
  blik, uitgelekt en in
  vieren gesneden
evt. wat uieringen

Dressing

³/₄ dl olijfolie
3 eetlepels citroensap
1 theelepel milde mosterd

1 teentje knoflook
kruidenzout naar smaak
versgemalen peper naar smaak

1. Breng 1 liter water aan de kook, blancheer de sperziebonen 1 minuut en spoel ze meteen af onder de koude kraan.
2. Scheur de sla in stukjes en doe ze in een slakom. Voeg de kekererwten, olijven, taugé of spinazie, geblancheerde sperziebonen, tomaat en artisjokbodems toe.
3. Meng de ingrediënten voor de dressing met een staafmixer. Giet de dressing over de salade en schep alles voorzichtig door elkaar.

4 personen

Avocadosalade met koolrabi en grapefruit

10 minuten

De avocado en de grapefruit vullen elkaar uitstekend aan en de koolrabi voegt er iets knapperigs aan toe. Wat betreft de verteerbaarheid van de salade is het suikergehalte van de grapefruit zo laag dat de vrucht zich vrij goed met de groenten combineert. Een prachtige salade om op te dienen en om van te genieten.

1 grote of 2 kleine
  avocado's
2 middelgrote rode grapefruits
250 g koolrabi

evt. 2 eetlepels walnootolie
1 eetlepel fijngehakte
  peterselie

1. Schil de avocado's, verwijder de pitten en snijd het vruchtvlees in partjes. Schil de grapefruit, verwijder alle witte vliezen en snijd het vruchtvlees ook in partjes. Vang het grapefruitsap op en bewaar het voor later. Schil de koolrabi en snijd ze in partjes die even groot zijn als de partjes avocado.

2. Schik op vier borden afwisselend partjes avocado, grapefruit en koolrabi in een cirkel of een waaiervorm.

3. Meng de walnootolie met het grapefruitsap en de peterselie en bedruppel de salades hiermee.

4 personen

Witlofsalade met rode sla

10 minuten

Dit is een perfecte salade om bij Italiaans voedsel op te dienen. De dressing bevat weinig azijn; het zijn de tomaten die de dressing een licht-zure smaak geven. Geen knoflook, maar wel een vleugje geraspte ui. Dien deze salade als voorgerecht op, vooral als u huiverig bent om zure ingrediënten zoals tomaten of azijn te combineren met zetmeelprodukten die misschien in andere schotels verwerkt worden. Maak de salades individueel op en giet een deel van de dressing over elke portie.

1 struik witlof, schoongemaakt	1 theelepel fijngehakte
1 kropje rode sla	peterselie
verse basilicum	$^{1}/_{2}$ dl olijfolie
1 middelgrote tomaat, in	1 theelepel citroensap
dobbelsteentjes gesneden	$^{1}/_{2}$ theelepel rode-
1 - 2 theelepels fijngehakte ui	wijnazijn
	zout en versgemalen peper

1. Trek de bladeren van de witlof en week ze 5 minuten in ijskoud water met zout om de bittere smaak te laten verdwijnen. Laat de witlofblaadjes uitlekken, dep ze droog met keukenpapier en snijd ze in stukjes. Snijd de rode sla ook in stukjes en snipper de verse basilicum. Verdeel de witlof en de rode sla over 3 of 4 eenpersoonsbordjes en bestrooi ze met de basilicum.

2. Meng de tomaat met de ui, de peterselie, de olijfolie, het citroensap, de wijnazijn en zout en peper naar smaak. Klop het mengsel met een vork en giet deze dressing over de salades.

3 - 4 personen

Koolsalade met basilicum

15 minuten

Dien deze heerlijke salade op bij Samosa's (blz. 339)

1 kleine witte kool
$^1/_2$ dl kokend water
2 eetlepels sesam tahin

3 eetlepels citroensap
handvol verse basilicum

1. Schaaf de kool zo fijn mogelijk (zie het recept voor Koolsla op blz. 172). Giet het kokende water over de geschaafde kool, laat het afkoelen en kneed de kool met uw handen tot het zacht wordt. Laat de kool uitlekken en doe het weekwater in een kleine kom.
2. Prak de tahin met het koolwater en voeg het citroensap toe.
3. Snipper de basilicum, meng deze door de kool, giet er de tahindressing over en schep alles door elkaar.

6 - 8 personen

Griekse salade 2000

20 minuten

Voor diegenen die dol op Griekse salades zijn, maar die kaas niet meer lekker vinden.

Dressing

4 eetlepels extra-zuivere olijfolie
2 eetlepels vers citroen- of limoensap
$^1/_3$ theelepel milde mosterd
scheutje Worcestershire Sauce
1 eetlepel Tahoekäse (blz. 127)

$^1/_4$ middelgrote tomaat
3 eetlepels water
kruidenzout of strooikruiden
versgemalen peper naar smaak
4 blaadjes verse of $^1/_2$ theelepel gedroogde basilicum
$^1/_2$ uitje, fijngehakt
$^1/_2$ theelepel rode-wijnazijn

Salade

1 kropsla of $^1/_2$ ijsbergsla
50 g verse spinazie
30 g Griekse olijven

60 g Tahoekäse (blz. 127)
5 - 6 ringen rode of gele
  paprika
evt. 5 - 6 plakjes rode ui

1. Klop de ingrediënten voor de dressing met een garde.
2. Scheur de sla en de spinazie in stukjes en doe ze in een slakom. Voeg de olijven, Tahoekäse, paprika en ui toe, giet de dressing over de salade en schep alles goed door elkaar.

2 - 4 personen

IJsbergsalade

10 minuten

Ik heb deze knapperige salade altijd met veel succes aan kinderen van alle leeftijden gegeven. Zelfs kinderen die maar een kleine portie wensen omdat ze 'meestal niet van salade houden', zitten echt te schransen en vragen om meer.

stuk ijsbergsla, in stukjes
    gescheurd
1 middelgrote tomaat, in
    dobbelsteentjes gesneden
$^1/_2$ middelgrote avocado, in
    dobbelsteentjes gesneden
50 g taugé

1 eetlepel extrazuivere
    olijfolie
1 eetlepel citroensap
$1^1/_4$ eetlepel mayonaise
    zonder eieren of Amandel-
    mayonaise (blz. 119)
$^1/_4$ theelepel kelppoeder of
    kruidenzout of
    knoflooppoeder

1. Doe de sla, tomaat, avocado en taugé in een slakom.
2. Voeg de rest van de ingrediënten toe en schep alles goed door elkaar.

1 - 2 personen

Tomaten met pesto

10 minuten

Pesto is een Italiaanse basilicumsaus die heerlijk smaakt bij tomaten. Deze pikante saus kunt u in kleine potjes kopen in de meeste grote supermarkten.

3 middelgrote tomaten
3 eetlepels pesto

3 eetlepels heet water
versgemalen peper

1. Blancheer de tomaten 1 minuut in kokend water en verwijder de vellen.
2. Meng de pesto met het hete water en doe het mengsel in een ondiepe schaal.
3. Snijd de tomaten in plakjes en wentel ze voorzichtig door de pesto. Bestrooi ze met versgemalen peper naar smaak en dien gekoeld op.

4 personen

Spinaziesalade met tomaten

10 minuten

3 eetlepels olijfolie
³/₄ - 1 eetlepel citroensap
¹/₄ theelepel milde mosterd
   of 1 theelepel mayonaise
   zonder eieren of Amandelmayonaise (blz. 119)

150 g verse spinazie
2 tomaten, in plakjes
   gesneden
100 - 200 g Tahoekäse
   (blz. 127)

1. Doe de eerste 3 ingrediënten in een slakom en klop ze met een garde.

2. Was de spinaziebladeren, laat ze goed uitlekken en dep ze droog met keukenpapier. Doe ze, samen met de tomaten en Tahoekäse in de slakom en schep alles goed door elkaar.

2 personen

Romaanse tomatensalade

10 minuten

Als u geen pestosaus in huis heeft, kunt u deze eenvoudige versie van Tomaten met pesto bereiden. Basilicum is een zeer geurig kruid met een karakteristieke smaak die zeer goed bij tomaten past. Door eenvoudig de tomaten met gesnipperde verse basilicum te bestrooien krijgt u bijna de smaak van pestosaus. Deze salade is een ideaal gerecht wanneer u iets bijzonders wilt creëren maar gewoon niet voldoende tijd ter beschikking heeft.

8 rijpe Italiaanse tomaten,
   ontveld en in plakjes gesneden
verse basilicum naar smaak,
   gesnipperd

2 theelepels citroensap
steen- of zeezout
versgemalen peper naar
   smaak

1. Schik de plakjes tomaat dakpansgewijs op kleine borden en bestrooi ze met de gesnipperde basilicum.

2. Klop de ingrediënten voor de dressing goed door elkaar, bedruppel de salades hiermee en bestrooi ze met wat extra versgemalen peper.

3 - 4 personen

Wortelsalade met rozijnen

10 minuten

Dien deze frisse salade op bij Komkommersalade met munt (blz. 170) en versgebakken Bananebrood (blz. 372).

40 - 75 g rozijnen*	1 eetlepel citroensap
1³/₄ dl heet water	evt. snufje gemalen kaneel
1 - 2 eetlepels sesam tahin	100 g wortels, geraspt
2 theelepels honing	

1. Wel de rozijnen enkele uren of een nacht in 1 deciliter van het hete water. Laat ze uitlekken en bewaar het vocht.

2. Meng het vocht van de rozijnen, de rest van het hete water, de tahin, de honing, het citroensap en de kaneel met een staafmixer.

3. Doe de geraspte wortels en gewelde rozijnen in een slakom, giet de dressing erover en meng alles goed door elkaar.

1 - 4 personen

Variatie: Voeg 50 g taugé aan de wortelsalade toe.

IJsbergsalade met spinazie en avocado

10 minuten

De zoute smaak van nori (Japanse zeewier) is bekend geworden door de stijgende populariteit van Japans eten. Ik vraag me af of de vele liefhebbers van 'sushi' (rauw visgerecht) ooit hebben gedacht om salades ook met nori op smaak te brengen. U kunt nori kopen bij een goede toko of bij een reform-winkel - het is niet al te duur en u hoeft er maar weinig van te gebruiken.

Dressing

6 eetlepels extra-zuivere olijfolie	1 teentje knoflook uitgeperst

Salade

1 ijsbergsla	50 g taugé
100 g spinazie	5 velletjes nori
50 g alfalfaspruiten	1 middelgrote avocado

* De rozijnen hoeft u niet per se te wellen. Voeg 1 deciliter heet water en 1 extra theelepel honing aan de ingrediënten voor de dressing toe en volg het recept zoals boven is beschreven.

1. Doe de olijfolie en de knoflook in een grote slakom en klop ze met een garde.

2. Was de ijsbergsla en de spinazie; scheur de sla in stukjes. Doe sla, spinazie, alfalfaspruiten en taugé in de slakom.

3. Houd elk velletje nori boven een gasvlam en keer het een paar keer om tot het smaragdgroen van kleur wordt. Scheur de velletjes nori in stukjes en voeg ze aan de salade toe. Schil de avocado, verwijder de pit en snijd het vruchtvlees in blokjes. Voeg deze aan de salade toe en schep alles goed door elkaar.

4 personen

Tip: Geroosterde nori is soms ook verkrijgbaar, maar is veel duurder dan de ongeroosterde soort. Nori is zo makkelijk te roosteren dat de extra kosten van kant-en-klare geroosterde nori niet de moeite waard zijn.

Variatie: Vervang de avocado door $1/2$ komkommer, geschild en in dunne plakjes gesneden. Dit maakt een lichtere salade die toch even lekker smaakt.

Komkommersalade met munt

5 minuten

Een eenvoudige, frisse salade. Verwijder de zaadjes van de komkommers om te voorkomen dat de salade 'waterig' wordt. Munt bevordert de spijsvertering; maak dus veel gebruik van gerechten waarin dit kruid wordt verwerkt.

2 komkommers
$1/2$ dl vers limoen- of
   citroensap

4 eetlepels verse of 2
   eetlepels gedroogde
   munt
evt. steen- of zeezout
   naar smaak

1. Schil de komkommers, snijd ze in de lengte doormidden en verwijder de zaadjes. Schaaf de komkommer met een food processor of kaasschaaf of snijd ze met een scherp mes in zeer dunne plakjes.

2. Doe de komkommers in een kom, meng ze met de rest van de ingrediënten en zet de kom minstens 1 uur in de koelkast. Hoe langer deze salade koel staat, hoe beter de smaak.

6 personen

Geraspte wortelsalade

5 minuten

Sommige mensen vinden een Wortelsalade met rozijnen (zie blz. 169) niet zo lekker, omdat ze niet van rozijnen houden. Voor deze mensen kunt u een eenvoudige wortelsalade zoals deze bereiden. Gebruik kleine of middelgrote wortels vanwege hun zoete smaak. Schil ze en snijd de toppen en punten eraf, omdat deze vaak iets bitter van smaak zijn.

2 middelgrote of 4 kleine
  wortels
1 eetlepel extra-zuivere olijfolie

$1^1/_2$ theelepel citroensap
snufje zeezout

1. Rasp de wortels op een fijne rasp en schep ze door de olijfolie.
2. Voeg het citroensap en zeezout toe en meng alles goed door elkaar.

1 - 2 personen

Variatie: Gebruik mayonaise zonder eieren in plaats van olijfolie en citroensap.

Champignonsalade met venkel

10 minuten

Venkel is een knolgroente die al tientallen jaren in Italië populair is. Eindelijk begint ze tot haar recht te komen in de Verenigde Staten en ook in andere Europese landen. Venkel lijkt enigszins op bleekselderij en heeft een frisse, anijsachtige smaak. In India kauwt men op venkelzaad om de spijsvertering te bevorderen. Net als bleekselderij is venkel een zeer alkalische groente die op ons vaak zure dieet een prima neutraliserende werking heeft. Dien deze salade op met Romaanse tomatensalade met basilicum (blz. 168) en een Grillschotel (blz. 136)

250 g champignons
1 grote venkelknol
3 eetlepels fijngehakte
  verse dille
evt. versgemalen peper

3 eetlepels olijfolie
1 eetlepel citroensap
1 teentje knoflook,
  uitgeperst

1. Veeg de champignons af, breek de stelen voorzichtig af en snijd de hoedjes in plakjes. Maak de venkelknol schoon, verwijder de zachte bladeren en snijd de knol in dunne plakjes. Doe beide groenten in een kom en meng ze met de dille.
2. Klop de olijfolie, het citroensap en de knoflook met een garde en giet deze dressing over de groenten. Schep alles goed door elkaar en breng de salade eventueel op smaak met peper.

3 - 4 personen

Variatie: Voeg $^1/_4$ - $^1/_2$ theelepel milde mosterd aan de dressing toe.

Koolsla

20 minuten

Het blijkt dat praktisch iedereen koolsla lekker vindt, vooral bij een barbecue of picknick. Ik maak het al jaren maar dat wil niet zeggen dat ik niet constant bezig ben om het perfecte recept te creëren! U zult deze nieuwste versie zeker lekker vinden. Als u weinig tijd heeft kunt u de kool met een food processor schaven (zo spaart u 10 minuten op de bereidingstijd) - persoonlijk snijd ik de kool met de hand als een vorm van 'keuken-meditatie'. Dien deze koolsla op bij de Goodwiches op blz. 195 en Aardappelschijfjes (blz. 270)

1 middelgrote witte kool, geschaafd	1 theelepel honing
$^1/_2$ dl kokend water	1 dl mayonaise zonder eieren of Amandel-
steen- of zeezout naar smaak	mayonaise (blz. 119)
2 eetlepels fijngeraspte wortel	3 eetlepels citroensap
3 eetlepels fijngehakte verse dille	evt. versgemalen peper

1. Schaaf de witte kool zo fijn mogelijk met een food processor of snijd met een scherp mes in zeer dunne plakjes. Op de volgende manier kunt u de kool het beste met de hand snijden. Snijd een dikke plak van de bovenzijde van de kool (tegenover de stronk). Leg deze plak plat op de snijplank en snijd hem in fijne sliertjes met een scherp mes. Houd de rest van de kool met uw hand vast bij de stronk en snijd met uw andere hand fijne sliertjes van de kool af. Draai de kool en blijf snijden totdat u de stronk bereikt heeft. Draai dan de kool om en snijd weer opnieuw schuin weg, zodanig dat u geen sliertjes van de stronk krijgt.

2. Doe de geschaafde kool in een slakom, giet er het kokende water over, bestrooi het geheel met steen- of zeezout naar smaak en laat het water iets afkoelen. Kneed de kool 1 tot 2 minuten met beide handen en laat het uitlekken.

3. Voeg de geraspte wortel en de dille aan de kool toe, bedruppel de groenten met de honing en voeg de mayonaise en het citroensap toe. Schep alles goed door elkaar en breng de koolsla op smaak met peper. Laat deze salade het liefst enkele uren in de koelkast staan voor u hem opdient.

6 personen

MAALTIJDSALADES

In dit boek (of bij welk onderdeel van de kookkunst dan ook) is er waarschijnlijk geen andere categorie te vinden die meer plaats biedt aan creativiteit dan de Maaltijdsalades. Als u smaak *en* gezondheid belangrijk vindt, dan zult u zien dat deze Maaltijdsalades hiertoe alle mogelijkheden bieden. Geen enkele andere schotel (uitgezonderd fruitsalades) biedt dezelfde mogelijkheden voor verse voedingsmiddelen waarin alle benodigde enzymen, aminozuren, vitaminen, vetzuren en koolhydraten te vinden zijn. Het is zelfs zo dat de enzymen die in verse groenten voorkomen helpen om elk ander gekookt voedingsmiddel te verteren, en zodoende een goede werking op de spijsvertering van deze salades hebben; ze hebben ook een aantal andere belangrijke voordelen.

1. Omdat maaltijdsalades voor het grootste deel met ingrediënten met een hoog watergehalte (rauwe groenten) zijn bereid, ondersteunen ze het principe uit *Een Leven Lang Fit,* dat er de nadruk op legt dat 70 procent van onze dagelijkse inname van voedsel uit verse groenten en vruchten bestaat. Deze salades ondersteunen ook de richtlijnen uit het rapport van de Minister voor de Volksgezondheid in de Verenigde Staten 'Report on Health and Nutrition' om een behoorlijke portie verse groenten te gebruiken in plaats van de traditionele gekookte maaltijden.

2. Ze zijn snel en makkelijk te bereiden en in de meeste gevallen kunt u een complete maaltijd binnen een uur op tafel hebben.

3. Ze zijn voordelig in prijs.

4. Ze laten de weg open voor een eigen uitdrukking van uw creativiteit.

5. In de meeste gevallen zal een maaltijdsalade niet onder de categorie 'rauwkost' vallen, omdat ze voor een gedeelte uit gekookte ingrediënten (warm of op kamertemperatuur) bestaat. Zogenaamd 'warm' eten vernietigt de cellen op de tong, in de keel en in de slokdarm, maar als dit voedsel op kamertemperatuur word gegeten, dan kunnen onze smaakpapillen ons tot op hoge leeftijd van dienst zijn.

Doe-het-zelf salades

De hieronder genoemde porties zijn voor 4 personen.

ca. 400 g sla (één soort of gemengde bladeren) in stukjes gescheurd
100 g spinazie of waterkers
ca. 100 g bone- of linzespruiten, het liefst 'niet-geconcentreerde' spruiten zoals alfalfa-, klaver-, zonnebloempitspruiten, enzovoorts*
200 - 400 g rauwe groenten naar keuze zoals:
    tomaten, in partjes of schijfjes gesneden
    komkommer, in stukjes of schijfjes gesneden
    wortels, geraspte of in reepjes gesneden
    bleekselderij, in plakjes gesneden of geraspte
    avocado, in dobbelsteentjes of plakjes gesneden
    geschaafde witte, rode of Chinese kool
    uien, in plakjes gesneden of geraspt
    rauwe champignons, in plakjes gesneden
    venkelknol, in plakjes gesneden
    in reepjes gesneden rode, gele of groene paprika's

* Als u gekookte 'geconcentreerde' ingrediënten aan de salade wilt toevoegen kunt u beter geen 'geconcentreerde' spruiten van linzen, bonen of erwten toevoegen, anders wordt de salade moeilijk te verteren. Als u alleen maar rauwkost en gestoomde groenten gebruikt, kunt u *wel* van deze 'geconcentreerde' spruiten gebruik maken.

Een basisdressing omvat:

6 eetlepels extrazuivere olijfolie
2 eetlepels citroen- of limoensap
$^1/_4$ theelepel uitgeperste knoflook of knoflookpoeder
$1^1/_2$ theelepel sesam tahin of $^1/_2$ theelepel milde mosterd
2 eetlepels water (als u sesam tahin gebruikt)
evt. gemalen steen-, zee- of kruidenzout of strooikruiden
evt. versgemalen peper

U kunt 200 - 400 gram van de volgende groenten toevoegen:

Gemengde gestoomde groenten

artisjokbodems	doperwtjes
asperges	maïs
bietjes	peultjes
bloemkool	snijbonen
broccoli	sperziebonen
courgettes	wortels

Aardappelen

(Zie Die ouwe getrouwe aardappel op blz. 268)

gekookt
gestoomd en geraspt
gebraden
gebakken
gestoomd

Deegwaren

U kunt alle soorten gebruiken, van brede lintnoedels tot vermicelli en alles wat ertussenin ligt. U kunt zelfs lasagne in slierten snijden en aan een salade toevoegen.

Andere granen

rijst
couscous
gierst
gerst

Tahoeprodukten

(of dierlijke produkten die u langzaam uit uw dieet probeert weg te laten)*

'Stedda' kipfilet (blz. 136), in dobbelsteentjes gesneden
'Stedda' kip met citroen (blz. 139), in dobbelsteentjes gesneden
Tahoe meunière (blz. 138), in dobbelsteentjes gesneden
Tahoekäse (blz. 127)
Gebakken tahoe (zie 'Stedda' mozzarellasalade op blz. 180), in dobbelsteentjes gesneden

Diverse en exotische ingrediënten

artisjokbodems
bonen (alle soorten)
croûtons
gefruite champignons
maischips
palmharten
olijven
sesamzaad
zeegroenten (zeewier - vooral nori)
zonnebloempitten

De basisbereidingswijze is eenvoudig. Houd een assortiment sla, spinazie en andere verse groenten bij de hand. Alle soorten sla kunnen in een salade worden verwerkt, maar scheur de bladeren in stukjes, zodat ze makkelijk met de andere groenten te mengen zijn. Verse spinazie kunt u eventueel snijden.

Bepaal eerst wat de basis voor uw salade zal zijn, welke ingrediënten u wilt toevoegen. Waar hebt u eigenlijk trek in? Hoe kunt u dat in de salade verwerken. Wat heeft uw lichaam nodig voor een goed uitgebalanceerd dieet. Bereid alle toevoegingen voor: snijd, schaaf, marineer, enzovoorts de diverse ingrediënten. Bereid de dressing in de slakom. Doe bladgroenten en andere rauwkost in de kom en voeg de rest van de ingrediënten toe. Schep alles goed door elkaar en let op dat al de verschillende ingrediënten goed zichtbaar zijn. Als u alleen maar bladgroenten (sla enz.) kunt zien, dan heeft u de salade niet goed gemengd.

Wanneer u deegwaren, rijst, aardappelen of couscous klaarmaakt, bereid dan wat extra om een andere keer in een salade te verwerken. Bewaar deze resten in afgesloten potten in de koelkast. Of maak wat extra gekookte, gestoomde of gegrilleerde groenten klaar en bewaar ze in afgesloten plastic dozen in de koelkast voor een andere keer. Tahoegerechten (zie Hoofdstuk 6) kunt u ook vooruit maken en later in een salade verwerken.

---

* De eerste salade die ik in 1976 maakte was een salade voor liefhebbers van rundvlees. Ik was toen *net* vegetariër geworden en als ik toch heel erg naar rundvlees verlangde (wetend dat het me waarschijnlijk ziek zou maken), dan voegde ik een *kleine* hoeveelheid in reepjes gesneden rundvlees aan een grote 'levende' salade toe. Alle verse, 'levende' ingrediënten in de salade 'leidden' het vlees zonder al te veel problemen door mijn lichaam. De salade was het voertuig dat mij over mijn verslaving aan rundvlees heen geholpen heeft.

'Stedda' rundvleessalade

40 minuten

Deze heerlijke maaltijdsalade geeft u het gevoel dat u gebarbecued vlees eet, maar alle ingrediënten zijn zuiver plantaardig. Dien deze salade op met een Basis crèmesoep (blz. 212) en Aardappelkoekjes (blz. 276).

Salade

500 g stevige tahoe
Barbecuemarinade (blz. 135)
500 g sperziebonen
1 kropsla

50 g alfalfa- of zonne-
  bloempitspruiten
1 struik witlof
80 g spinazie
versgemalen peper

Dressing

5 eetlepels extrazuivere
  olijfolie
1¹/₂ eetlepel citroensap

¹/₂ theelepel milde mosterd
1 teentje knoflook,
  uitgeperst

1. Snijd de tahoe in 12 dunne plakjes, wikkel ze in keukenpapier en laat ze 10 minuten zo staan. Snijd de tahoe vervolgens in reepjes, schep ze door de marinade en laat ze 20 minuten staan, terwijl u de rest van de salade bereidt.

2. Maak de sperziebonen schoon en blancheer ze 3 minuten in kokend water. Snijd ze in stukjes (4 cm) en bewaar ze voor later.

3. Doe 4 eetlepels olijfolie, het citroensap, de mosterd en knoflook in een slakom en klop alles met een garde.

4. Snijd de sla in reepjes en doe ze, samen met de alfalfaspruiten in de kom. Week de witlof 10 minuten in water met zout en snijd hem in ringen. Snijd de spinazie in reepjes en doe de witlof en de spinazie in de kom.

5. Doe de rest van de olijfolie, de reepjes tahoe en de marinade in een koekepan en fruit het geheel 8 tot 10 minuten, tot de tahoe knapperig begint te worden. Voeg de tahoe, de geblancheerde sperziebonen en peper naar smaak aan de salade toe en schep alles goed door elkaar.

3 - 4 personen

Doperwtensalade met shi-itake

25 minuten

Salade

500 g diepvriesdoperwtjes
1 eetlepel saffloerolie
2 bosuitjes, kleingesneden
$1/_2$ teentje knoflook,
  uitgeperst
evt. 200 g tahoe, in dobbelsteentjes gesneden
$1/_2$ theelepel gemalen komijn
100 g shi-itake paddestoelen,
  in plakjes gesneden

1 eetlepel fijngehakte
  verse of $1/_2$ theelepel
  gedroogde basilicum
$1/_2$ komkommer, in dunne
  plakjes gesneden
1 kropsla
stuk ijsbergsla
1 vleestomaat, in 12
  partjes gesneden

Dressing

$1^1/_4$ dl olijfolie
$1/_2$ dl water
2 - 4 eetlepels citroensap
3 teentjes knoflook
1 theelepel honing

1 dl mayonaise zonder
  eieren
verse basilicum naar smaak
zeezout
versgemalen peper

1. Stoom de doperwtjes gaar en bewaar ze voor later.
2. Doe de saffloerolie, bosuitjes en knoflook in een wok en fruit de bosuitjes en knoflook enkele seconden. Voeg de dobbelsteentjes tahoe toe en laat ze 1 minuut meebakken. Strooi de komijn in de wok en roerbak het tahoemengsel tot het knapperig begint te worden. Voeg de shi-itake toe en laat ze 3 tot 4 minuten meebakken, tot ze zacht zijn. Blus het groentemengsel eventueel met wat water om aanbranden te voorkomen.
3. Roer de gestoomde doperwtjes door het tahoemengsel en voeg de basilicum en komkommer toe.
4. Meng de ingrediënten voor de dressing met een staafmixer.
5. Scheur de kropsla en de ijsbergsla in stukjes en verdeel ze over 3 platte borden. Schep het tahoemengsel over de sla, begiet elke portie salade met een deel van de dressing en garneer ze elk met 4 partjes tomaat.

3 personen

'Stedda' kipsalade

25 minuten

Dressing

4 eetlepels olijfolie
1½ eetlepel citroensap
3 theelepels Amandelmayonaise
   (blz. 119)
¼ theelepel kerriepoeder
⅛ theelepel mosterdpoeder

1 teentje knoflook,
   uitgeperst
2 eetlepels water
evt. enkele druppels
   plantaardige soeparoma
steen- of zeezout en vers-
   gemalen peper naar smaak

Salade

4 plakken 'Stedda' kipfilet
   gegrilleerd (blz. 136)
1 kropsla
100 g spinazie
30 g wortel, kleingesneden

25 g alfalfaspruiten
1 middelgrote tomaat,
   kleingesneden
evt. 350 g gestoomde
   asperges, in schuine
   stukken gesneden

1. Doe de ingrediënten voor de dressing in een slakom en klop ze met een garde.

2. Snijd de 'Stedda' kipfilet in dobbelsteentjes en bewaar ze voor later. Snijd de sla en de spinazie allebei in reepjes.

3. Doe de sla, spinazie, tahoe, wortel, alfalfaspruiten, tomaat en asperges in de kom en schep alles goed door elkaar. Controleer de smaak.

3 personen

Aardappelsalade

30 minuten

Het originele recept voor deze salade schreef ik twaalf jaar geleden en het laat duidelijk zien hoe belangrijk het is om kooktechnieken regelmatig bij te werken. Vroeger bakte ik de aardappelen in room-boter, maar dit is eigenlijk niet zo verstandig. Het is veel beter om ze in weinig olijfolie te bakken - zo maakt u een salade die cholesterolvrij en praktisch vrij van verzadigde vetzuren is. Dien deze salade op met een kom Ouderwetse bleekselderij-crèmesoep (blz. 219) en een Paprikabroodje (blz. 206).

Salade

600 g stevige aardappelen, in dobbelsteentjes gesneden en 10 - 15 minuten gestoomd	75 g spinazie, grofgehakt
1 eetlepel olijfolie	40 g alfalfaspruiten
$^1/_4$ theelepel fijngehakte verse knoflook, $^1/_2$ theelepel knoflookpoeder, of $^1/_4$ theelepel groentebouillon-korrels	40 g zonnebloempitspruiten
1 kropsla, in reepjes gesneden	40 g geschaafde kool of 1 tomaat, kleingesneden
stuk ijsbergsla, in reepjes gesneden	250 g broccoliroosjes, 3 minuten gestoomd

600 g stevige aardappelen,
   in dobbelsteentjes gesneden
   en 10 - 15 minuten gestoomd
1 eetlepel olijfolie
$^1/_4$ theelepel fijngehakte
   verse knoflook, $^1/_2$
   theelepel knoflookpoeder, of
   $^1/_4$ theelepel groentebouillonkorrels
1 kropsla, in reepjes gesneden
stuk ijsbergsla, in reepjes
   gesneden

75 g spinazie, grofgehakt
40 g alfalfaspruiten
40 g zonnebloempitspruiten
40 g geschaafde kool of
   1 tomaat, kleingesneden
250 g broccoliroosjes,
   3 minuten gestoomd

Dressing

4 eetlepels extra-zuivere
   olijfolie
2 eetlepels mayonaise zonder
   eieren of Amandelmayonaise
   (blz. 119)
1 teentje knoflook, uitgeperst
$1^1/_2$ eetlepel citroensap

evt. $^1/_2$ theelepel milde
   mosterd
enkele druppels plant-
   aardige soeparoma of $^1/_2$
   theelepel strooikruiden
$^1/_4$ theelepel gedroogde tijm
evt. versgemalen peper naar
   smaak

1. Meng de gestoomde aardappelen met de olijfolie en de knoflook en verdeel ze over een grote bak-plaat. Rooster de aardappelen 3 minuten onder een hete grill, tot deze goudbruin en knapperig zijn.

2. Doe de ingrediënten voor de dressing in een slakom en klop ze met een garde.

3. Doe beide soorten sla, spinazie, spruiten, zonnebloempitten en kool of tomaat in de slakom en schep de geroosterde aardappelen en de gestoomde broccoliroosjes erdoor.

4 personen

Variatie: Doe wat uieringen bij de gestoomde aardappelen en meng ze met de olijfolie en de knoflook. Rooster het aardappelmengsel onder een hete grill zoals boven is beschreven, en schep het door de salade.

'Stedda' mozzarellasalade

15 minuten

In Italië bereidt men vaak een salade uit mozzarellakaas en tomaten. Deze smaakt wel lekker, maar heeft een zeer hoog percentage verzadigde vetzuren en cholesterol. Onze versie is even lekker van smaak, maar is cholesterolvrij en heeft een zeer laag percentage verzadigde vetzuren. De heerlijke smaken van het originele gerecht zijn volop aanwezig, maar deze tahoesalade is veel lichter en ook beter voor uw gezondheid. Dien op met Broccoli met citroenvinaigrette (blz. 251) of Romige aspergesoep met venkel (blz. 218). Een voortreffelijk diner op een warme zomerse avond, zeker als u de aspergesoep gekoeld opdient. Fris en voedzaam!

250 g stevige tahoe, in
  4 plakken gesneden
steen-, zee- of kruiden-
  zout
1 eetlepel + 1 theelepel
  extra-zuivere olijfolie
1 bosuitje, kleingesneden

2 rijpe vleestomaten,
  ontveld en kleingesneden
2 eetlepels fijngehakte
  verse of 1 theelepel
  gedroogde basilicum
1 kropsla
2 theelepels citroensap
versgemalen peper

1. Snijd de tahoe in blokjes en bestrooi ze met zout of kruidenzout naar smaak. Doe 1 theelepel olijfolie en het bosuitje in een koekepan met anti-aanbaklaag en laat het bosuitje 2 minuten zachtjes fruiten. Doe de blokjes tahoe erbij en laat ze 3 minuten, steeds omscheppend, meebakken.

2. Schep de tomaten en basilicum door de rest van de olijfolie.

3. Snijd de sla in reepjes en doe ze in een slakom. Schep het tomatenmengsel door het tahoemengsel en voeg het, samen met citroensap en peper, naar smaak aan de sla toe. Schep alles goed door elkaar.

2 personen

Provençaalse rijstsalade

30 - 60 minuten, afhankelijk van het soort rijst

Deze salade maak ik ook al meer dan 10 jaar. Het is een makkelijke salade om in grote hoeveelheden te bereiden wanneer u gasten verwacht.

Salade

150 g basmati- of zilver-
  vliesrijst
5 - 5$^1/_2$ dl water
1 theelepel zonnebloemolie
1 eetlepel olijfolie

150 g spinazie, grofgehakt
40 g alfalfa- of zonne-
  bloempitspruiten
75 g gevulde groene olijven
4 eetlepels fijngehakte

300 - 400 g courgettes,
  in plakjes gesneden
1 theelepel gedroogde basilicum
1 theelepel gedroogde oregano
1 kropsla, in reepjes gesneden

verse basilicum of 2
eetlepels fijngehakte
munt
evt. steen- of zeezout

Dressing

$1^1/_4$ dl extra-zuivere olijfolie
3 eetlepels vers citroensap
1 teentje knoflook, uitgeperst
evt. $^1/_2$-1 theelepel honing
$^1/_2$ theelepel gedroogde kervel
$^1/_4$ theelepel gedroogde munt

$^1/_2$ theelepel gedroogde tijm
$^1/_8$ theelepel gedroogde
  dragon
$^1/_2$ theelepel milde mosterd
$^1/_2$ theelepel steen- of
  zeezout of strooikruiden

1. Doe de rijst in een pan. Giet het water over de rijst (gebruik 5 deciliter water met basmatirijst en $5^1/_2$ deciliter water met zilvervliesrijst) en voeg de zonnebloemolie toe. Breng alles aan de kook, roer de rijst één keer door, dek de pan af en laat basmatirijst 20 minuten en zilvervliesrijst 40 minuten gaar koken. Neem de pan van het vuur, roer de basmatirijst met een vork, maar laat de zilvervliesrijst nog 10 minuten in de afgedekte pan nagaren.

2. Doe intussen de olijfolie, courgettes, basilicum en oregano in een wok en roerbak het geheel 5 tot 7 minuten op een matig hoog vuur. Voeg eventueel 1 of 2 eetlepels water toe om aanbranden te voorkomen. Pas op dat de courgettes niet te zacht worden en uiteenvallen.

3. Meng de ingrediënten voor de dressing met een staafmixer.

4. Doe de sla, de spinazie en de dressing in een grote slakom. Voeg de rijst en de courgettes toe en meng alles door elkaar. Schep de spruiten, de in plakjes gesneden olijven en de verse kruiden door de rijstsalade en breng het geheel op smaak met steen- of zeezout, of strooikruiden.

4 personen

Maïssalade met deegwaren

25 minuten

Knapperige maïs en deegwaren vormen een fantastische en ongewone combinatie.

Salade

250 g volkorendeegwaren
4 maïskolven
300 g asperges
1 kropsla

75 g spinazie
1 bosje waterkers
100 g gevulde olijven,
  in plakjes gesneden

Dressing

4 eetlepels olijfolie

2 eetlepels Tahoekäse (blz. 127)

$^1/_2$ middelgrote tomaat,
  kleingesneden

4 eetlepels water

scheutje Worcestershire Sauce
  of $^1/_2$ theelepel rode-wijnazijn

3 eetlepels vers citroensap

$^1/_2$ theelepel milde mosterd

plantaardige soeparoma naar
  smaak

3 eetlepels fijngehakte
  verse of 1 eetlepel
  gedroogde basilicum

1. Kook de deegwaren bijtgaar volgens de aanwijzing op de verpakking. Laat ze uitlekken en spoel ze meteen af met koud water om te voorkomen dat ze aan elkaar vastplakken.

2. Stoom de maïskolven 10 minuten en rits de korrels eraf.

3. Meng de ingrediënten voor de dressing met een staafmixer.

4. Blancheer de asperges 4 minuten in kokend water of bestrijk ze met olijfolie en rooster ze 4 tot 5 minuten onder een hete grill (zie Gegrilleerde asperges op blz. 244). U kunt ook de asperges roerbakken (zie Asperges met tahoe op blz. 245).

5. Scheur de sla in stukjes en meng ze met de spinazie en de waterkers. Snijd de deegwaren eventueel in stukjes en voeg ze, samen met de maïs, de asperges en de olijven, aan het slamengsel toe. Giet de dressing over de salade en schep alles goed door elkaar.

4 personen

Eenvoudige tostada

35 - 40 minuten

U kunt kant-en-klare salsa (Mexicaanse paprikasaus), zonder suiker of conserveringsmiddelen, gebruiken voor deze salade. Het is ook makkelijk om uw eigen salsa te bereiden. Een klassieke tostada wordt met bonen bereid, maar door de bonen door groenten te vervangen, krijgt u een lichte, California-style Mexicaanse maaltijd. Heerlijk bij Tomateburgers (blz. 208) en ideaal voor een picknick.

Groenten

150 g diepvriesdoperwtjes

150 g verse of diepvries-
  maïskorrels

150 g wortels, in blokjes

150 g sperziebonen,
  in stukjes gebroken

Salsa

250 g tomaten, ontveld
  en kleingesneden

1 ui, fijngehakt

1 rode paprika, fijngehakt

1 groene paprika, fijngehakt

3 eetlepels fijngehakte
  verse koriander of peterselie

evt. 1 teentje knoflook, fijngehakt

3 eetlepels extrazuivere olijfolie

chilipoeder en cayennepeper

Guacamole

1 grote avocado
2 theelepels citroensap
$^1/_4$ theelepel gedroogde
  oregano

$^1/_2$ theelepel gemalen
  komijn

Salade

stuk ijsbergsla, in reepjes
  gesneden
$^1/_2$ kropsla, in reepjes
  gesneden

tortillachips
olijven voor de garnering

1. Stoom de doperwtjes, maïskorrels, wortels en sperziebonen gaar.

2. Bereid intussen de salsa. Meng de kleingesneden groenten en kruiden met de olijfolie, chilipoeder en cayennepeper naar smaak.

3. Bereid de guacamole door de avocado te prakken en met de rest van de ingrediënten te mengen.

4. Doe beide soorten sla in een grote slakom, voeg de gestoomde groenten en $1^3/_4$ deciliter salsa toe en schep alles goed door elkaar.

5. Verdeel het slamengsel over 4 grote borden en schik wat tortillachips rondom elke portie. Doe een schepje guacamole in het midden van elke tostada en garneer met olijven. Geef de rest van de salsa er apart bij.

4 personen

Eenvoudige tostada met bonen

30 minuten

Een variatie op Eenvoudige tostada op blz. 182.
Wel met dezelfde salsa en guacamole, maar deze keer worden de groenten door bonen vervangen.

Salsa

250 g tomaten, ontveld
  en kleingesneden
1 ui, fijngehakt
1 rode paprika, fijngehakt
1 groene paprika, fijngehakt

3 eetlepels fijngehakte
  verse koriander of
  peterselie
evt. 1 teentje knoflook, fijngehakt
3 eetlepels extrazuivere olijfolie
chilipoeder en cayennepeper

Guacamole

1 grote avocado
2 theelepels citroensap

$^1/_2$ theelepel gemalen komijn
$^1/_4$ theelepel gedroogde oregano

Tostada

stuk ijsbergsla, in reepjes
gesneden
150 g verse of diepvries-
maïskorrels, gestoomd met
1 kleingesneden bosuitje
40 g alfalfaspruiten
6 eetlepels geraspte wortel

2 tomaten, kleingesneden
300 g gekookte kievitsbonen
3 maïstortilla's, opgewarmd
olijven, voor de garnering

1. Bereid eerst de salsa. Meng de kleingesneden groenten en kruiden met de olijfolie en chilipoeder en cayennepeper naar smaak.

2. Bereid de guacamole door de avocado met een vork te prakken en met de rest van de ingrediënten te mengen.

3. Doe beide soorten sla in een grote slakom. Voeg de gestoomde maïskorrels, alfalfaspruiten, wortel, tomaat en 1$^3/_4$ deciliter salsa toe en meng alles goed door elkaar.

4. Leg de warme tortilla's elk op een groot bord. Bedek ze met de warme kievitsbonen en de salade. Doe een schepje guacamole in het midden van elke tostada. Bedruppel de tostada's met de rest van de salsa en garneer ze met olijven. *Olé!*

3 personen

Californiësalade

20 - 25 minuten

250 g deegwaren - macaroni,
fettuccine, fusilli enz.
1 stevige avocado, geschild,
ontpit en in blokjes gesneden
2 middelgrote tomaten, ontveld
en in blokjes gesneden
1 stengel bleekselderij,
kleingesneden
1 rode paprika, van de zaadjes
ontdaan en kleingesneden
$^1/_2$ komkommer, geschild en
kleingesneden
2 eetlepels extra-zuivere olijfolie

2 eetlepels fijngehakte
verse of 1 eetlepel
gedroogde basilicum
evt. 1 eetlepel fijngehakte
rode ui
1 eetlepel olijfolie
$^1/_2$ kropsla, in reepjes
gesneden
75 g spinazie
steen- of zeezout
versgemalen peper

1. Kook de deegwaren bijtgaar volgens de aanwijzing op de verpakking. Doe intussen de kleingesneden groenten, olijfolie, basilicum en eventueel de rode ui in een grote slakom en schep alles goed door elkaar.

2. Laat de deegwaren goed uitlekken en schep de olijfolie erdoor. Doe de sla, de spinazie en de uitgelekte deegwaren bij de groenten in de slakom, breng de salade op smaak met zout en peper en schep alles weer goed door elkaar.

2 personen

Salade van exotische paddestoelen en groenten

40 minuten

Een elegante salade die u uw gasten rustig als voorgerecht kunt opdienen. Gebruik zoveel mogelijk jonge groenten.

Salade

200 g verse oesterzwammen	250 g dunne asperges
200 g verse shi-itake	1 kropsla
1 eetlepel extrazuivere olijfolie	200 g gekookte bietjes,
$^1/_2$ rode ui, fijngehakt	in dobbelsteentjes
2 eetlepels fijngehakte	gesneden
peterselie	cherrytomaten, gehalveerd

Dressing

4 eetlepels extra-zuivere olijfolie	$^1/_4$ theelepel milde mosterd
1 eetlepel + 1 theelepel	1 teentje knoflook, uit-
citroensap	geperst

1. Veeg de paddestoelen voorzichtig af, snijd grote oesterzwammen doormidden en snijd de hoedjes van de shi-itake in plakjes. De stelen heeft u niet nodig. Doe de olijfolie en rode ui in een koekepan en laat de ui 2 minuten zachtjes fruiten. Voeg beide soorten paddestoelen toe en laat ze 4 minuten meefruiten, tot ze zacht zijn. Roer de peterselie door de gefruite paddestoelen en bewaar het mengsel voor later.

2. Blancheer de asperges 2 minuten in kokend water, tot ze fel groen van kleur zijn. Laat ze uitlekken en dompel ze meteen in ijskoud water.

3. Doe de ingrediënten voor de dressing in een slakom en klop ze met een garde. Doe $1^1/_2$ eetlepel van de dressing in een aparte kom en bewaar deze voor later. Scheur de sla in stukjes en schep ze door de dressing in de slakom.

4. Schik de sla op 2 grote platte borden. Verdeel het paddestoelmengsel, de asperges en de bietjes over de sla en garneer met gehalveerde cherrytomaten. Bedruppel de salades met de rest van de dressing.

2 personen

Lentesalade

30 minuten

Salade

$^1/_2$ ijsbergsla, kleingesneden

$^1/_2$ kropsla, kleingesneden

2 tomaten, kleingesneden

50 g zwarte olijven

25 g alfalfaspruiten

25 g zonnebloempitspruiten

150 g broccoliroosjes, gestoomd

150 g bloemkoolroosjes, gestoomd

1 courgette, in dobbel-steentjes gesneden

150 g peultjes

150 g diepvriesdoperwtjes

Dressing

5 eetlepels extra-zuivere olijfolie

2$^1/_2$ eetlepel citroensap

2 eetlepels mayonaise zonder eieren of Amandel-mayonaise (blz. 119)

$^1/_2$ theelepel milde mosterd

scheutje Worcestershire Sauce

2 eetlepels water

1 theelepel geraspte ui

1. Doe de beide soorten sla in een grote slakom.

2. Meng de ingrediënten voor de dressing met een staafmixer.

3. Voeg de tomaten, olijven, beide soorten spruiten en de broccoli- en bloemkoolroosjes aan de sla toe. Fruit de courgette, zonder olie, in een koekepan met anti-aanbaklaag. Blancheer de peultjes en snijd ze doormidden. Stoom de doperwtjes gaar. Voeg de courgettes, peultjes en doperwtjes aan de salade toe, giet de dressing erover en schep alles goed door elkaar.

4 personen

Komkommersalade met paksoi en venkel

30 minuten

Hoewel deze salade geen sla bevat, is ze wel geschikt om als maaltijdsalade te worden opgediend. De salade is fris en licht verteerbaar, maar heeft toch een heerlijke smaak en is interessant genoeg om het middelpunt van een maaltijd te vormen. Heerlijk met de Caraïbische zoete aardappelsoep op blz. 216. Om op een ontspannende wijze weer tot uzelf te komen na een drukke dag, kunt u de komkommers met de hand en niet met een food processor snijden.

Salade

2 theelepels olijfolie
8 - 10 champignons, zonder steel
1 bosuitje, fijngehakt
2 - 3 blaadjes paksoi, in
    stukjes gesneden
3 komkommers*, in reepjes
    gesneden

$^1/_2$ rode paprika, in kleine
    driehoekjes gesneden
4 eetlepels fijngehakte
    verse venkel of dille

Dressing

1 eetlepel milde mosterd
2 eetlepels olijfolie
het sap van 1 citroen

strooikruiden of plant-
    aardige soeparoma
2 bosuitjes, fijngehakt

1. Doe de olijfolie, de champignons en het bosuitje in een koekepan en laat de groenten 3 minuten zachtjes fruiten.

2. Stoom de paksoi bijtgaar en meng met de komkommer en de rode paprika. Voeg de gefruite champignons toe en bestrooi alles met de venkel of dille.

3. Klop de ingrediënten voor de dressing in een kleine kom en giet deze over de salade. Schep alles goed door elkaar.

4 - 6 personen

Variatie: U kunt deze salade extra vullen door kleingesneden 'Stedda' kip met citroen (blz. 139) toe te voegen.

SALADES VAN GEKOOKTE GROENTEN

Traditioneel gezien zijn salades van gekookte groenten eigenlijk geen salades, omdat ze weinig en soms helemaal geen bladgroenten of rauwkost bevatten. Ik heb ze toch onder het hoofdstuk Salades gedaan, omdat ze eenvoudige 'rauwe' salades kunnen aanvullen en ook omdat u er makkelijk een maaltijdsalade van kunt maken door er sla, spinazie, enzovoorts aan toe te voegen. Al deze 'gekookte' salades zien er leuk uit als onderdeel van een saladebuffet.

---

* Onbespoten komkommers hoeft u niet te schillen.

Bonte salade van gemarineerde groenten

30 minuten

Deze knapperige bonte salade van rauwe en gestoomde groenten kunt u zó opdienen of u kunt er wat groene bladgroenten aan toevoegen voor een mooi effect. Gebruik elke soort groenten die u toevallig bij de hand heeft, maar zorg wel voor een aantrekkelijke kleurencombinatie. Denk eraan dat het lichaam de eerste voeding binnenkrijgt uit wat het *ziet*.

Marinade

1 dl olijfolie
4 eetlepels citroensap
4 eetlepels fijngehakte
  peterselie
2 teentjes knoflook,
  uitgeperst
2 theelepels milde mosterd
  of sesam tahin

$^1/_2$ theelepel vruchtensuiker of honing
$^1/_2$ theelepel gedroogde
  basilicum
snufje gedroogde dragon
snufje gedroogde tijm
zout en versgemalen peper
  naar smaak

Groenten

Een ruime hoeveelheid van 4 of 5 van de volgende groenten:

Rauw
komkommers, Cherrytomaten, radijsjes, bleekselderij, wortels, rode of groene paprika's

Gestoomd of gekookt
gestoomde broccoli, bloemkool, sperziebonen, wortels, courgettes, asperges, peultjes, kekererwten, rode (nier)bonen

1. Meng de ingrediënten voor de marinade met een staafmixer.
2. Bereid de groenten en meng ze in een slakom. Giet de dressing over de groenten, schep alles voorzichtig door elkaar, dek de kom af en laat de salade minstens 2 uur in de koelkast staan.

4 - 6 personen

Doperwtensalade met dille

15 minuten

Schep de mayonaise door de warme doperwten - tijdens het afkoelen krijgen ze een mooie glans.

1 kleine rode ui
1 eetlepel olijfolie
1 - 2 eetlepels water
600 g diepvriesdoperwtjes
1/4 theelepel gedroogde salie
1/4 theelepel gedroogde tijm
1 theelepel honing

3 eetlepels mayonaise
  zonder eieren of Amandel
  mayonaise met tuin-
  kruiden (blz. 120)
3 eetlepels fijngehakte verse of
  1 eetlepel gedroogde dille
evt. steen- of zeezout
versgemalen peper

1. Hak de ui in stukjes die even groot zijn als de doperwtjes. Doe de olijfolie en de gehakte ui in een koekepan met een dikke bodem en laat de ui 2 minuten zachtjes fruiten. Blus de olijfolie met het water.

2. Schep de doperwtjes door het uimengsel, voeg de gedroogde kruiden en honing toe, dek de pan af en laat de doperwtjes 5 tot 7 minuten zachtjes gaar koken.

3. Roer de mayonaise, dille en zout en peper naar smaak door de doperwtjes en laat ze afkoelen.

6 personen

Champignon-ratatouille

7 minuten

Deze mooie ratatouille kunt u met een groene salade mengen, over Gekruide tahoe (blz. 130) scheppen, met deegwaren opdienen of in kleine hoeveelheden op crackers of plakjes komkommer smeren en als borrelhapje serveren. Champignon-ratatouille is warm of koud even lekker en heel makkelijk te bereiden.

2 eetlepels olijfolie
1 theelepel gedroogde tijm
1 theelepel gedroogde oregano
1 rode ui, fijngehakt
500 g champignons, in dunne
  plakjes gesneden

1 rijpe vleestomaat,
  ontveld en kleingesneden
steen- of zeezout
versgemalen peper

1. Doe de olijfolie, kruiden en gehakte ui in een koekepan en laat de ui en de kruiden 2 tot 3 minuten zachtjes fruiten. Voeg de champignons toe en fruit ze 3 tot 4 minuten mee, tot het vocht eruit begint te lopen.

2. Roer de kleingesneden tomaat en zout en peper naar smaak door het champignonmengsel en dien warm of koud op.

3 personen

Tahoesalade met bleekselderij

15 minuten

Een aardige vrouw, die met veel zorg maaltijden voor haar kinderen klaarmaakt, heeft ons dit recept toegestuurd om uit te proberen. We vonden het allemaal best lekker. Dien het op met een gemengde salade of gebruik het als vulling voor een opgerolde tortilla.

1/2 ui, fijngehakt	4 stengels bleekselderij,
1 eetlepel olijfolie	fijngehakt
500 g stevige tahoe, klein-	1 - 11/4 dl mayonaise
gesneden of geprakt	zonder eieren
3 eetlepels zoete relish	1 eetlepel milde mosterd

1. Doe de ui en de olijfolie in een koekepan en laat de ui 2 minuten zachtjes fruiten. Voeg de tahoe toe en laat deze 3 minuten al roerend meefruiten.

2. Meng de gefruite tahoe met de rest van de ingrediënten en dien op kamertemperatuur of gekoeld op.

4 - 6 personen

Een Leven Lang Fit maïssalade met kerrie

20 minuten

Hier is een bijgewerkte versie van een van de meest populaire recepten uit *Een Leven Lang Fit.* Deze salade is onmisbaar bij een picknick. En voor een zomerse traktatie kunt u hem met Groentelasagne (blz. 302), gestoomde wortels, Aardappelstrudel (blz. 338) en een Klassieke groene salade (blz. 160) opdienen.

1 eetlepel olijfolie	50 g gevulde olijven
1 grote ui, fijngehakt	ca. 1 dl Amandelmayonaise
1 grote rode paprika, kleingesneden	(blz. 119) of mayonaise
1 grote groene paprika, klein-	zonder eieren
gesneden	steen- of zeezout
11/2 theelepel kerriepoeder	evt. versgemalen peper
1/2 theelepel kurkuma	2 eetlepels fijngehakte
600 g gekookte maïskorrels	verse koriander of peterselie

1. Doe de olijfolie en de ui in een grote koekepan en laat de ui 2 minuten zachtjes fruiten. Voeg de rode en groene paprika toe en laat ze 2 minuten, al roerend, meefruiten. Roer de kerriepoeder en kurkuma door het paprikamengsel en laat alles nog 1 minuut fruiten.

2. Meng de maïskorrels met het paprikamengsel in een grote kom. Snijd de olijven in plakjes en voeg ze toe. Schep de Amandelmayonaise of mayonaise zonder eieren door het maïsmengsel en voeg zout en peper naar smaak en de koriander of peterselie toe. Bewaar deze salade in de koelkast.

6 personen

Linda's tabouli

1 uur (weken)
10 minuten (bereiden)

Tabouli die van bulgur wordt bereid, was een geliefd gerecht van Djenghis Khan. Geen verrassing wanneer u bedenkt dat dit ontvliesde en voorgekookte graan, gemaakt van geplette tarwekorrels, oorspronkelijk uit oud-Turkije komt. U kunt grof- of fijngemalen bulgur kopen bij de meeste reformzaken. Tabouli is de klassieke bulgursalade, het is eenvoudig te bereiden en smaakt heerlijk bij allerlei andere salades.

300 g bulgur
1 liter water
3 middelgrote tomaten, ontveld
  en kleingesneden

6 eetlepels fijngehakte
  peterselie
4 eetlepels fijngehakte munt
ca. $^1/_2$ dl extrazuivere olijfolie
het sap van 1 citroen

1. Week de bulgur 1 uur in het water en laat het zeer goed uitlekken.
2. Voeg de rest van de ingrediënten toe en schep alles goed door elkaar.

6 - 8 personen

Warme tuinbonensalade

20 minuten

Als u tuinbonen lekker vindt, zult u dol zijn op deze salade. Het is een bijzondere manier om tuinbonen te bereiden.

2 pakken diepvriestuinbonen
3 eetlepels + 2 theelepels
  olijfolie of 2 theelepels
  groentebouillon
$^1/_2$ rode ui, fijngehakt

$^1/_2$ rode paprika, kleingesneden
1 eetlepel citroensap
$^1/_2$ theelepel milde mosterd
snufje gedroogde dragon
snufje gedroogde tijm
versgemalen peper

1. Stoom de bevroren tuinbonen 12 tot 15 minuten tot ze gaar maar niet al te zacht zijn.
2. Doe 2 theelepels olijfolie (of de groentebouillon), de ui en de paprika in een koekepan met anti-aanbaklaag en laat de groenten 2 tot 3 minuten zachtjes fruiten.
3. Klop de rest van de olijfolie met de rest van de ingrediënten in een kom. Schep de warme tuinbonen en de gefruite groenten door deze dressing en dien direct op.

4 - 6 personen

Broccolisalade met rijst

20 minuten

In plaats van rijst kunt u ook 'orzo' - een kleine soort deegwaren gebruiken. Voeg enkele eetlepels pesto aan deze salade toe voor een extra pikante smaak. Voor een feestelijk buffet kunt u deze salade opdienen met een Grillschotel (blz. 136), Aardappelkoekjes (blz. 276), Franse groene salade met tahoekäse (blz. 161) en Maïskolven met pikante saus (blz. 258).

Dressing

2 eetlepels olijfolie
1 theelepel citroensap
evt. 1 theelepel balsamico-
    azijn
1 teentje knoflook, uit-
    geperst of 1 theelepel
    knoflookpoeder

versgemalen peper
2 eetlepels fijngehakte
    verse of 2 theelepels
    gedroogde basilicum

Salade

450 g gestoomde broccoli-
    roosjes
200 g rijst of 250 g
    orzo, gekookt en uitgelekt
2 vleestomaten, ontveld en
    kleingesneden

2 bosuitjes, kleingesneden
4 eetlepels fijngehakte
    peterselie
25 g zwarte olijven,
    kleingesneden

1. Klop de ingrediënten voor de dressing met een garde.
2. Doe de broccoliroosjes, rijst of orzo, tomaten, bosuitjes, peterselie en olijven in een grote slakom. Giet de dressing over de salade en schep alles goed door elkaar. Controleer de smaak en dien gekoeld of op kamertemperatuur op.

4 personen

Variatie: In plaats van de rijst of orzo kunt u ook couscous of kleingesneden spinaziedeegwaren gebruiken.

Sperziebonensalade met uien en koolrabi

30 minuten

500 g jonge sperziebonen
2 rode uien, in dunne ringen
  gesneden
5 eetlepels + 2 theelepels
  olijfolie
$^1/_2$ theelepel sesamolie
2 theelepels rijstazijn
$^1/_2$ theelepel honing

2 eetlepels natriumarme
  ketjap
2 eetlepels citroensap
$^1/_4$ theelepel gemberpoeder
1 koolrabi, geschild en in
  dunne reepjes gesneden
2 eetlepels zwart of wit
  sesamzaad
versgemalen peper

1. Maak de sperziebonen schoon en snijd ze doormidden. Blancheer ze 4 minuten in kokend water tot ze bijtgaar zijn. Laat ze goed uitlekken, spoel ze meteen af onder de koude kraan, laat ze weer uitlekken en dep ze droog met keukenpapier.

2. Doe de uienringen en 2 theelepels olijfolie in een koekepan en laat de uienringen 2 tot 3 minuten zachtjes fruiten. (U kunt de uien eventueel ook rauw laten.)

3. Doe de rest van de olijfolie, de sesamolie, de rijstazijn, de honing, de ketjap, het citroensap en de gemberpoeder in een grote kom en klop ze met een garde. Voeg de sperziebonen, uien en koolrabi toe en schep alles goed door elkaar. Bestrooi de salade met sesamzaad en peper naar smaak en laat het minstens 30 minuten in de koelkast staan.

6 personen

Rijstsalade met spinazie

15 minuten

2 theelepels + 2 eetlepels
  olijfolie
1 uitje, fijngehakt
150 g spinazie
2 theelepels citroensap

2 theelepels Umeboshi
  pruimazijn of rijstazijn
2 eetlepels natriumarme
  ketjap
400 g gekookte zilvervliesrijst
evt. 1 bosuitje, fijngehakt

1. Doe 2 theelepels olijfolie en het uitje in een koekepan en fruit tot het uitje glazig ziet. Snijd de schoongemaakte spinazie in stukken, voeg ze aan het uitje toe en laat ze 4 tot 5 minuten meefruiten.

2. Klop de rest van de olijfolie, het citroensap, de pruim- of rijstazijn en de ketjap met een garde in een grote kom en schep de rijst, de spinazie en eventueel het bosuitje erdoorheen.

4 personen

HOEVEEL MOET U EIGENLIJK ETEN?

Als u eet, dient er enige ruimte in de maag over te blijven, zodat het voedsel zich kan vermengen en in beweging kan zijn. Daarom moet u stoppen met eten *voordat* uw maag geheel gevuld is. Zo kan uw maag langzamerhand weer zijn normale vorm aannemen.

Jarenlang heeft dr. Roy Walford van de UCLA (Universiteit van Californië, Los Angeles), een van de meest eminente gerontologen ter wereld, bij proefdieren aangetoond dat een verstandige hoeveelheid voedsel hun levensverwachting *verdubbelt*. Bovendien vergroot het hun energie en neemt het voorkomen van kanker, grauwe staar, nier- en hartziekten drastisch af. Dr. Walford past deze bevindingen toe op de menselijke levensverwachting: 'Als u spreekt over het verhogen van de maximale levensduur, moet er een vermindering van calorieconsumptie aan te pas komen. Het sterkere immuunsysteem dat het gevolg zal zijn van een dergelijk beperkt dieet, zal leiden tot een belangrijke vertraging in het optreden van ziekten die de oudere mens treffen, zoals seniliteit en artritis. Men zal langer produktief blijven...'

Wij kunnen ons voordeel doen met de bevindingen van dr. Walford. We kunnen op de lange duur leren hoe we goed maar *minder* kunnen eten. Het proces wordt in gang gezet als u eraan begint te wennen uw maag niet maximaal te vullen. Als u enige ruimte voor beweging vrijlaat, zult u een lichter, energieker gevoel ervaren na het eten. U zult beter werken, slapen en met mensen omgaan als u die energie hebt opgedaan. Als u zichzelf volpropt, belast u uw lichaam zodanig dat u na het eten humeurig wordt. U kunt er ook prikkelbaar en depressief van worden, omdat mensen die te veel eten onderbewust weten dat zij hun lichaam met voedsel misbruiken.

Overmatig eten slorpt energie op uit elk ander aspect van uw leven en u wordt gedwongen veel harder uw best te doen om fit te blijven. De wilskracht die u tentoonspreidt als u bij elke maaltijd precies de juiste hoeveelheid eet, zal uw gevoel van macht over uzelf en over uw leven vergroten en dat zal weer zijn invloed hebben op andere gebieden, waarop u plotseling zult blijken uit te blinken op onverwachte wijze.

Een laatste opmerking. Elk voedingsmiddel dat u in te grote hoeveelheden eet, *zal u schaden*. Dat wil zeggen dat zelfs het meest verrukkelijke en voedzame produkt - zoals bijvoorbeeld watermeloen - energieverlies teweeg kan brengen en bovendien een maag vol bedorven voedsel, dat toch maar weggewerkt moet worden.

8

Waarmee kan ik mijn brood beleggen?

Sinds de publikatie van *Een Leven Lang Fit* is een van de meest aan ons gestelde vragen: 'Waarmee kan ik mijn brood beleggen?' Deze vraag houdt nu meer mensen bezig dan ooit. De voormalige Hoofdinspecteur voor de Volksgezondheid, Koop, heeft met zijn 'Report on Nutrition and Health' de mensen opnieuw doen beseffen dat veel van wat zij aan broodbeleg gebruiken onnodig veel verzadigde vetzuren en cholesterol bevat. Eieren, kaas, kip, rundvlees, varkensvlees, tonijn, kalkoen en dergelijke produkten staan wat dat betreft boven aan de lijst (zie blz. 26-28). Het is duidelijk dat het hoog tijd wordt voor nieuwe broodbelegideeën.

De sandwich maakt al jarenlang deel uit van de *Een Leven Lang Fit* keuken. Wie kinderen heeft, maakt beslist heel vaak sandwiches of broodjes klaar. Wij hebben ontdekt dat veel voedingsmiddelen waarvan u het niet zou verwachten, in feite uitstekend geschikt zijn om sandwiches mee te maken. Ze zijn makkelijk en voordelig. En behalve dat zij licht verteerbaar zijn en energie leveren, smaken ze ook nog heel erg lekker!

HET GOODWICH PRINCIPE

Wij hebben hier in het kort al iets over gezegd in *Een Leven Lang Fit* en juist als ik denk dat iedereen ze nu wel kent, hoor ik weer dat iemand de Goodwich *net ontdekt* heeft en er uitbundig op is gaan leven. Je kunt er zeker 'op leven'. Een Goodwich is een motor die onze levensfuncties in stand houdt.

Een Goodwich is in feite een 'eetbaar bord'. Wat u ook maar wilt, kunt u in laagjes op een zachte, warme volkorentortilla of chapati (Indiaas brood) leggen, waarna u deze oprolt op de wijze van een burrito (Mexicaans broodje). Vervolgens kunt u het makkelijk afhappen. Goodwiches kunt u heel goed bewaren en ze zijn handig om in voorraad te hebben. U kunt er snel zes tot acht maken en ze in de koelkast bewaren. Afhankelijk van de vulling blijven ze twee tot vier dagen goed; hoewel ik gemerkt heb dat ze nooit zo lang blijven liggen, tenzij ik er een stuk of tien tegelijk maak. Als u alleen bent, bestaat er waarschijnlijk geen makkelijker maaltijd. U warmt de tortilla gewoon op, legt er sla en groenten op, rolt hem op en u kunt hem al opeten - een complete maaltijd binnen enkele minuten.

Bovendien zorgen Goodwiches ervoor dat u met plezier brood kunt eten zonder dat u er te veel van eet. Tortilla's zijn licht vergeleken met twee sneetjes brood of een bolletje. Als u denkt dat ik suggereer dat tortilla's ook afslankprodukten zijn, hebt u gelijk. Verder zijn Goodwiches erg voordelig. U kunt praktisch alles verwerken in een Goodwich en dat zal u duidelijk worden als u verder leest en ziet welke produkten wij gebruiken. Als u de basisprocedure kent, kunt u eens naar de specifieke recepten kijken op zoek naar succesnummers, waarna u uw eigen Goodwiches kunt gaan bedenken.

Het bereiden van een Goodwich

U heeft het volgende keukengerei nodig:
1 middelgrote koekepan met anti-aanbaklaag
een stoommandje (voor groenten)
diverse raspen en messen
een vergiet
een pannekoekmes
huishoudfolie

Ingrediënten voor 6 Goodwiches:

6 (volkoren)tortilla's, chapati's of pannekoeken
200 - 300 gram gemengde gestoomde groenten, rauwkost, (warme) salades of 'Stedda' gerechten (Hoofdstuk 6) naar eigen keuze
Amandelmayonaise (blz. 119), mayonaise zonder eieren, barbecuesaus, mosterd, olijfolie, Thousand Island Dressing (blz. 143) of een van de sausen uit dit boek
Garnering - plakjes augurk, gefruite uien, kleingesneden olijven, kleingesneden taugé of andere spruiten, tomaat, reepjes geroosterde rode paprika

Bereid de rauwkost, gestoomde groenten, warme salades of 'Stedda' gerechten. Snijd de ingrediënten in lange dunne slierten zodat ze makkelijk in de tortilla opgerold kunnen worden. Let op, hier volgt de juiste manier om een Goodwich te maken.

1. Zorg dat u de ingrediënten voor de vulling klaar heeft liggen.
2. Verhit de koekepan op een matig hoog vuur en bak 1 tortilla circa 15 seconden aan beide kanten. Draai de tortilla met uw hand geregeld om tot hij zacht is maar *niet krokant*.
3. Leg de tortilla op een snijplank en bestrijk hem met saus of mayonaise.
4. Schik de gekozen vulling in een rij in het midden van de tortilla (van de ene naar de andere kant).
5. Rol de tortilla om de vulling heen en dien direct op. Deze Goodwich kunt u ook in huishoudfolie verpakken en in de koelkast bewaren.

HET KLAARMAKEN VAN EEN GOODWICH

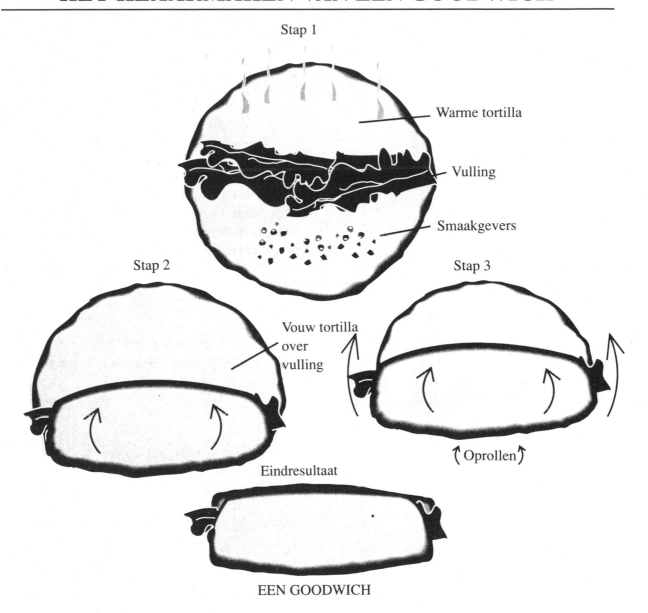

Stap 1

Warme tortilla

Vulling

Smaakgevers

Stap 2

Vouw tortilla
over
vulling

Stap 3

Oprollen

Eindresultaat

EEN GOODWICH

Wat kan er zoal in een Goodwich als vulling.

Rauwe groenten
avocado
komkommer
rode of groene kool (geschaafd)
sla of spinazie (in dunne reepjes gesneden)
taugé of andere spruiten
tomaat (alleen als u de Goodwich direct gaat opdienen. Als er tomaat in zit, kunt u de Goodwich niet
bewaren, want de tomaat gaat dan fermenteren.)

Gestoomde groenten

asperges
bloemkool
broccoli

spinazie of andere bladgroente
wortel

Gefruite groenten

aubergine
champignons
courgettes

paprika's
uien

Eenvoudige salades

Een salade waar u van kunt leven (blz. 160)
Koolsla (blz. 172)
IJsbergsalade (blz. 167)
Franse groene salade met tahoekäse (blz. 161)

IJsbergsalade met spinazie en avocado (blz. 169)
Geraspte wortelsalade (blz. 171)
Spinaziesalade met tomaten (blz. 168)

Maaltijdsalades

Provençaalse rijstsalade (blz. 180)
Maïssalade met deegwaren (blz. 181)
Aardappelsalade (blz. 178)

'Stedda' rundvleessalade (blz. 176)
'Stedda' kipsalade (blz. 178)

Warme salades

Bloemkoolsalade met kerrie (blz. 202)
Sperziebonensalade met uien en koolrabi
   (blz. 193)

Champignon-ratatouille (blz. 189)
Tahoesalade (blz. 190)

'Stedda'

'Stedda' kipfilet (blz. 136)
'Stedda' eiersalade (blz. 132)

'Stedda' gebakken vis (blz. 133)
'Stedda' tonijnsalade (blz. 131)

Smaakmakers en garneringen

Amandelmayonaise (blz. 119)
augurken (in plakjes gesneden)
barbecuesaus
geroosterde rode paprika's
ketjap (natriumarm)
mayonaise zonder eieren

mosterd
olijven (kleingesneden)
relish
tartaarsaus
tomatenketchup
zoetzure komkommers (in plakjes gesneden)

Diversen
rijst
groenten

Onze favoriete goodwiches

Vlugklaar - Plakjes tomaat, schijfjes komkommer, plakjes avocado, alfalfaspruiten, Amandelmayonaise (blz. 119) of mayonaise zonder eieren. Fris en smakelijk!

Warme broccoli - Gestoomde broccoli, Amandelmayonaise (blz. 119) of mayonaise zonder eieren en alfalfaspruiten met strooikruiden zonder zout. Eenvoudig, maar o zo lekker. Voeg eventueel wat gefruite champignons toe.

New York Goodwich - Amandelmayonaise (blz. 119) of mayonaise zonder eieren, gestoomde broccoli- en bloemkoolroosjes, geraspte wortel, geschaafde rode kool, plakjes zoetzure komkommer, gestoomde uien met barbecuesaus en reepjes sla. Zeer populair.

L.A. Goodwich - Hetzelfde als een New York Goodwich maar dan wel *zonder* uien en *met* plakjes avocado en taugé. Een kanjer!

Mexicaanse Goodwich - Rode (nier)bonen, salsa, reepjes sla, 'Stedda' zure room (blz. 127) en avocado. Een stevige Goodwich.

'Stedda' rundvlees in een Goodwich - 'Stedda' rundvlees-salade (blz. 176) met Amandelmayonaise (blz. 119) of mayonaise zonder eieren. Een overheerlijke Goodwich.

'Stedda' Chinese kip - 'Stedda' Chinese-kipsalade (blz. 139) met Amandelmayonaise (blz. 119) of mayonaise zonder eieren. Exotisch!

'Stedda' kip sandwich – Reepjes gegrilleerde 'Stedda' kipfilet (blz. 136) of 'Stedda' kip met citroen (blz. 139) en Amandelmayonaise (blz. 119), milde mosterd, plakjes tomaat, reepjes sla en spinazie en alfalfaspruiten.

Zilvervliesrijst met groenten - Gekookte zilvervliesrijst gemengd met geraspte wortel, geblancheerde peultjes, fijngehakte bosuitjes, taugé, geschaafde kool en natriumarme tamari. Een pittige Goodwich!

'Stedda' tonijn - Mayonaise zonder eieren, of Amandelmayonaise (blz. 119), 'Stedda' tonijnsalade (blz. 131), dunne plakjes komkommer, plakjes tomaat en taugé of alfalfaspruiten. Mmmmm!

Iets over tomaten als broodbeleg

Veel mensen zijn dol op tomaten als broodbeleg of in een Goodwich. Als ze direct opgegeten worden is het ook heerlijk en gezond, tenzij u last heeft van uw spijsvertering, dan kunt u dit soort combinaties het beste niet maken. Het zetmeel uit het brood in combinatie met de zuren uit de tomaten kunnen nogal wat spijsverteringsproblemen oproepen. Tomaten die meer dan enkele uren op een sandwich (of Goodwich) liggen, of die in de koelkast bewaard worden, kunnen problemen opleveren. Als tomaten in contact komen met brood of andere zetmeelprodukten, beginnen ze te fermenteren. De tomaat en het brood bederven elkaar in feite. Als u een sandwich of Goodwich niet direct opeet, dan raad ik u aan om er geen tomaat op te doen - u kunt dat altijd later nog doen, vlak voor het opdienen.

ANDERE BROODJES EN BROODBELEG

Wij hebben u in Hoofdstuk 6 enkele heerlijke 'Stedda' burgers, belegde broodjes en sandwiches voorgesteld. Ze horen ongetwijfeld bij de gezondste snacks die er maar mogelijk zijn. Ze smaken net zo lekker als 'gewone' burgers en broodjes, maar ze geven u een extra gezond en energiek gevoel. Voor het geval u ze alweer vergeten bent, geven we hier nogmaals een lijstje.

'Stedda' eiersalade op een broodje of muffin - met mayonaise zonder eieren of Amandelmayonaise (blz. 119), plakjes tomaat en alfalfaspruiten.

'Stedda' tonijnsalade op geroosterd brood - met mayonaise zonder eieren of Amandelmayonaise (blz. 119), plakjes komkommer, strooikruiden, citroensap, plakjes tomaat en alfalfaspruiten.

'Stedda' kip op een geroosterd volkorenbroodje - met mayonaise zonder eieren, Amandelmayonaise (blz. 119), milde mosterd, plakjes zoetzure komkommer, plakjes tomaat, geraspte wortel en alfalfaspruiten.

'Stedda' vis op een broodje - met tartaarsaus, plakjes tomaat en alfalfaspruiten.

Vroeger was ik dol op spiegeleieren met ketchup en alfalfaspruiten of sla op geroosterd brood. Vooral als ik een spiegelei *met* alfalfaspruiten *op* geroosterd volkorenbrood at, had ik de illusie dat ik iets 'goeds' voor mijn lichaam deed. Vroeger dacht men dat eieren goede bronnen van eiwitten en calcium waren - het 'Perfecte Voedsel' - weet u nog?

Hier is de waarheid over eieren:

- In de Verenigde Staten zijn eieren een van de belangrijkste bronnen van verzadigde vetzuren en cholesterol.
- In een zorgvuldig uitgevoerde dubbel-blinde test, is aangetoond dat met 1 ei per dag, over een periode van 3 weken, het serumcholesterolgehalte met 12 procent toeneemt![1]
- Als uw serumcholesterol met 12 procent stijgt, wordt de kans op een hartaanval met 24 procent verhoogd.
- Zelfs als uw serumcholesterol 'normaal' is, is het risico dat u aan een vaatziekte zal overlijden meer dan 50 procent.
- Als u geen verzadigde vetzuren en cholesterol inneemt, is het overlijdensrisico ten gevolge van verstopte aderen slechts 5 procent.

Probeer nu eens mijn recept voor een 'Stedda' broodje gebakken ei.

---

1. F. Sacks: 'Ingestion of Egg Raises Plasma Low Density Lypoproteins in Free-Living Subjects', *Lancet*, 1 (1984), blz. 647.

'Stedda' broodje gebakken ei

8 minuten

2 plakjes stevige tahoe
 ($^1/_2$ cm dik)
ca. 1 eetlepel strooigist
evt. zout en peper
1 theelepel olijfolie
1 volkorenbroodje, geroosterd

mayonaise zonder eieren, of
 Amandelmayonaise (blz. 119),
tomatenketchup of mosterd
alfalfaspruiten of sla
evt. plakjes tomaat

1. Wentel de plakjes tahoe door de strooigist of bestrijk ze met mosterd en bestrooi ze met zout en peper naar smaak.

2. Doe de olie en de plakjes tahoe in een koekepan en laat de plakjes tahoe 3 minuten aan beide kanten bakken.

3. Bestrijk het broodje met mayonaise, ketchup of mosterd en beleg het met de gebakken tahoe, alfalfaspruiten en plakjes tomaat.

1 broodje

Sandwich de luxe

5 minuten

Ik ken een levenslustige vegetarische jongen met een gezonde uitstraling. Volgens hem hangt zijn leven van deze sandwich af als hij 'van de honger sterft!'. Niemand kan deze sandwich beter maken dan hij (zegt hij zelf) maar probeert u het ook maar eens met een kom soep en tortillachips. Wat een lunch!

2 sneetjes volkorenbrood,
 geroosterd
Amandelmayonaise (blz. 119) of
 mayonaise zonder eieren

$^1/_4$ - $^1/_2$ avocado,
 geprakt of in plakjes
4 dunne plakjes tomaat
zonnebloempit- of alfalfaspruiten

1. Bestrijk de geroosterde boterhammen met Amandelmayonaise. Prak de avocado op een van de boterhammen.

2. Bedek de avocado met plakjes tomaat, spruiten en het tweede sneetje geroosterd brood. Snijd de sandwich schuin door.

1 persoon

Broodje komkommer

5 minuten

Een heerlijk, smakelijk broodje komkommer. Om de komkommer beter verteerbaar te maken, moet u hem in flinterdunne plakjes snijden. Koop het liefst, kleine, stevige komkommers, met niet te veel pitten. Onbespoten komkommers hoeft u niet te schillen.

1 volkorenbroodje of 2 sneetjes
volkorenbrood, geroosterd
mayonaise zonder eieren,
Amandelmayonaise (blz. 119) of
mosterd naar smaak
$^{1}/_{4}$ - $^{1}/_{2}$ kleine komkommer,
in flinterdunne plakjes gesneden

alfalfa- of zonnebloempitspruiten of enkele
blaadjes sla
evt. wat dunne plakjes
tomaat

1. Bestrijk het broodje of het geroosterde brood met mayonaise of mosterd en beleg met de komkommer, spruiten of sla en tomaat.

1 persoon

Sneetje bloemkoolsalade met kerrie

15 minuten

Veel mensen kunnen niet geloven dat het hoofdingrediënt van het broodbeleg bloemkool is. Deze salade kunt u op crackers smeren en als borrelhapje opdienen of u kunt het gewoon als onderdeel van een saladebuffet geven. In dit recept wordt de bloemkoolsalade als broodbeleg gebruikt. Dien op met Traditionele koolsoep uit de Oekraïne (blz. 223) of Opkikker groentesoep (blz. 216) en Geroosterde yamchips (blz. 287).

1 kleine bloemkool, gaar gestoomd
2 theelepels citroensap
plantaardig soeparoma
of kruidenzout
$^{1}/_{2}$ theelepel kerriepoeder
$^{1}/_{4}$ theelepel gedroogde
oregano
$^{1}/_{4}$ theelepel gemalen
koriander
$^{1}/_{8}$ - $^{1}/_{4}$ theelepel mosterdpoeder

ca. 1 dl Amandelmayonaise
(blz. 119), of mayonaise
zonder eieren
4 sneetjes volkorenbrood,
geroosterd
4 dunne plakjes vlees-
tomaat
enkele takjes waterkers
zwart sesamzaad

1. Prak de bloemkool, voeg het citroensap, het soeparoma, het kerriepoeder, de oregano, de koriander, de mosterdpoeder en de Amandelmayonaise toe en meng alles goed door elkaar.

2. Beleg de sneetjes geroosterd brood met de bloemkoolsalade en garneer ze elk met een plakje tomaat, wat waterkers en zwart sesamzaad.

2 - 3 personen

Variatie: Hak ¹/₂ bosje waterkers klein en meng het door de bloemkoolsalade. Vul warme shoarmabroodjes met bloemkoolsalade, geraspte wortel, reepjes sla en kleingesneden tomaat of gebruik het bloemkool/waterkersmengsel als een vulling voor gestoomde artisjokken.

Sushi met groenten

25 minuten

Dit is een kanjer. De eerste keer dat ik dit recept maakte, heb ik het op een achtjarig Amerikaans jongetje, een dertigjarige Fransman en een tweeënveertigjarige vrouw uit Nicaragua uitgeprobeerd. Ze vonden het alle drie heerlijk!

80 g sesamzaad
100 g ongebrande cashewnoten
40 g linzespruiten
1 middelgrote wortel
¹/₂ kleine groene paprika
1 kleine stengel bleekselderij

2 eetlepels olijfolie
1 blad Chinese kool
2 theelepels tamari
8 velletjes geroosterde nori
1 vleestomaat, gehalveerd
   en in dunne plakjes
   gesneden
alfalfa- en zonnebloempitspruiten

1. Meng het sesamzaad, de cashewnoten en linzespruiten in een food processor tot er een dikke pâté ontstaat. Voeg de wortel, paprika en bleekselderij toe en meng alles 2 minuten op de hoogste stand. Doe de olijfolie, de Chinese kool en tamari erbij en schakel de food processor enkele malen aan en uit tot de kool fijngehakt is. (De gehakte kool geeft de pâté een knapperige samenstelling.)

2. Bestrijk 2 eetlepels van de sesampâté over een velletje nori en bedek het met plakjes tomaat en alfalfaspruiten. Rol de nori op en bereid de andere sushi op dezelfde wijze. Dien de sushi direct op of verpak ze in huishoudfolie en bewaar ze in de koelkast. (Hoe langer u de sushi bewaart, hoe minder knapperig de nori.)

8 personen

Champignonburgers à la Genevieve

10 minuten

Een lezeres die Genevieve heet, heeft mij dit recept in 1987 toegestuurd. Bedankt, Genevieve!

2 theelepels olijfolie
2 grote champignons, in plakjes
   gesneden
het sap van 1 citroen
2 theelepels mayonaise zonder
   eieren, Amandelmayonaise
   (blz. 119) of milde mosterd
sla

plakjes tomaat
evt. wat uieringen
1 eetlepel alfalfaspruiten
3 dunne plakjes komkommer
1 schijfje groene paprika
1 flink volkorenbroodje,
   geroosterd

1. Doe de olijfolie en de plakjes champignon in een koekepan en laat de champignons 3 minuten zachtjes fruiten. Bedruppel ze met citroensap.

2. Bestrijk het volkorenbroodje met mayonaise, beleg het met de rest van de ingrediënten en smullen maar!

1 persoon

Broodje pindakaas met wortel

5 minuten

Een gezonde versie van een oude bekende van de kinderen. De geraspte wortel en sla of alfalfaspruiten bevorderen het verteren van het brood en de pindakaas. Dit broodje is ideaal om in een lunchpakket te doen.

1 volkorenbroodje of 2 sneetjes
   volkorenbrood, geroosterd
ongezouten pindakaas (het liefst
   van een reformwinkel)

25 - 40 g geraspte
   worteltjes
sla of alfalfaspruiten

1. Bestrijk het broodje of het geroosterde brood met pindakaas en beleg het met geraspte worteltjes en sla of alfalfaspruiten.

1 persoon

Geroosterde rode paprika's

4 grote rode paprika's

Doe de paprika's op een bakplaat en rooster ze in een voorverwarmde oven (200°C) tot het vel rondom verbrande plekken vertoont. Doe de paprika's in een papieren zak, sluit de zak en laat de paprika's 20 minuten staan. Pel de paprika's, verwijder de zaadjes en de zaadlijsten en snijd de paprika in reepjes. U kunt de reepjes paprika eventueel in de volgende saus marineren.

DE ONGELOFELIJKE RODE PAPRIKA
(En enkele manieren om hem op een sandwich te gebruiken)

Geroosterde rode paprika's smaken heerlijk op brood. Paprika's zijn makkelijk te roosteren en hoe ik ze dan ook opdien, de mensen zijn er dol op. Sommige mensen zeggen: 'Ik heb nog nooit van mijn leven een rode paprika gegeten!' Anderen zeggen: 'En ik *hou* niet eens van rode paprika's!' Deze opmerkingen worden vaak pas gemaakt als de mensen twee, drie of zelfs vier maal hebben opgeschept. Rode paprika's kunt u in de oven of onder de grill roosteren, maar in de oven gaat het makkelijker. Na het roosteren kunt u de paprika's direct gebruiken of in een marinade leggen en tot 4 weken in de koelkast bewaren. Omdat ze zo goed houdbaar zijn, is het de moeite waard om er een paar tegelijk te roosteren.

Marinade voor geroosterde rode paprika's

2 teentjes knoflook, in dunne
  plakjes gesneden
Enkele druppels plantaardig
  soeparoma

4 eetlepels extra-zuivere
  olijfolie
4 grote rode paprika's,
  geroosterd

Meng alle ingrediënten voor de marinade in een kom. Leg de reepjes geroosterde paprika 1 uur in de marinade en gebruik ze meteen of sluit ze in een pot en bewaar ze in de koelkast.

Linda's sneetje gemarineerde paprika

5 minuten

2 sneetjes volkorenbrood,
  geroosterd
mayonaise zonder eieren of
  Amandelmayonaise (blz. 119)
  en/of milde mosterd
gemarineerde, geroosterde rode
  paprika's

geraspte wortel
dunne plakjes komkommer

1. Bestrijk de sneetjes geroosterd brood met mayonaise en/of mosterd en beleg ze met de rest van de ingrediënten.

1 persoon

Paprikabroodje

15 minuten

Hier is nog een andere manier om geroosterde rode paprika's toe te passen. Makkelijk en succes verzekerd! Ik vind het leuk om deze broodjes bij een feestje op te dienen. Iedereen vindt ze heerlijk.

12 minibroodjes, het liefst volkoren
dikke Amandelmayonaise (blz. 119)

2-3 grote geroosterde rode paprika's
takjes waterkers

1. Snijd de broodjes voorzichtig doormidden en rooster ze onder een hete grill of in een voorverwarmde oven (225°C). Let op dat ze niet verbranden.
2. Bestrijk beide helften van de geroosterde broodjes met Amandelmayonaise. Snijd de geroosterde paprika's in stukken die precies op de broodjes passen, beleg de broodjes hiermee en garneer ze met takjes waterkers.

5 - 6 personen

Variatie: In plaats van de geroosterde paprika's kunt u de broodjes met plakjes komkommer beleggen.

Broodje paprika met Amandelmayonaise

10 minuten

Al eerder in dit boek heb ik Amandelmayonaise besproken als een soort kruising tussen mayonaise en kaas. Bij dit broodje komt de heerlijke crèmeachtige samenstelling echt goed tot zijn recht.

4 volkorenbroodjes, gehalveerd
  en geroosterd

dikke Amandelmayonaise
  (blz. 119)
geroosterde rode paprika's
  (eventueel gemarineerd)

1. Bestrijk de geroosterde broodjes met Amandelmayonaise en beleg ze met reepjes rode paprika.

4 - 6 personen

Pikante tahoe taco's

15 minuten

Schep deze heerlijke vulling op zachte maïstortilla's of in knapperige tacoschelpen en garneer met avocado, spruiten, reepjes sla en salsa (Mexicaanse pepersaus). Goed voor een fantastische weekendlunch.

1 uitje, fijngehakt
1 kleine rode paprika, in
  dobbelsteentjes gesneden
1 eetlepel olijfolie
1 theelepel paprikapoeder
1 eetlepel gemalen komijn
1 theelepel chilipoeder
4 - 6 eetlepels water

500 g stevige tahoe
2 eetlepels tomatenketchup
2 eetlepels barbecuesaus
steen- of zeezout
6 - 8 maïstortilla's of
  tacoschelpen

1. Fruit het uitje en de paprika in de olijfolie in een grote koekepan tot ze net zacht zijn. Voeg de paprikapoeder, komijn en chilipoeder toe en laat ze 1 minuut meefruiten. Roer het water door het groentemengsel en laat de groenten zachtjes doorkoken.

2. Breek de tahoe in stukjes en doe ze in de koekepan. Voeg de tomatenketchup en barbecuesaus toe en roer alles goed door elkaar. Laat het tahoemengsel 5 minuten, onder af en toe roeren, zachtjes doorkoken en breng het op smaak met zout.

3 - 4 personen

Tomateburgers

20 minuten

Dit recept voor tomateburgers kunt u ook in onze andere boeken vinden, maar ik wil het juist hier bij-doen omdat ik het jammer zou vinden als u dit recept niet zou hebben. Deze tomateburgers nemen wij altijd mee op een picknick op 4 juli (de dag waarop de Verenigde Staten onafhankelijk werden van Engeland) en wij maken gebruik van de sappige vleestomaten die in juli volop verkrijgbaar zijn. Omdat het in juli in Californië heel erg warm is, wil niemand iets zwaars eten. Tomateburgers bevatten alles wat we op dat moment willen eten en ze zijn heerlijk fris en sappig. Het is wel belangrijk om verse volkorenbroodjes te gebruiken. Dien op met Provençaalse rijstsalade (blz. 180), Aardappelschijfjes (blz. 270), Gegrilleerde asperges (blz. 244) en Maïskolven met 'Stedda' botersaus (blz. 258).

6 volkorenbroodjes, geroosterd
Amandelmayonaise (blz. 119) of
  mayonaise zonder eieren
Guacamole (blz. 151) of Guacamole
  à la minute (blz. 152)

6 dikke plakken vleestomaat
gebarbecuede uien (zie Tip)
alfalfaspruiten
schijfjes zoetzure komkommer

1. Bestrijk de geroosterde broodjes met Amandelmayonaise en schep 1 eetlepel Guacamole op de onderste helft van elk broodje.

2. Beleg de broodjes met tomaten, gebarbecuede uien, alfalfaspruiten en zure komkommer.

6 personen

Tip: Het is heel makkelijk om gebarbecuede uien te bereiden.

2 grote rode uien, gehalveerd
  en in dunne plakjes gesneden

1 - 2 dl barbecuesaus

Doe de uien en de barbecuesaus in een grote koekepan met anti-aanbaklaag en laat het geheel koken op een matig hoog vuur tot de uien zacht en met saus bedekt zijn. Voeg eventueel wat water toe om aan-branden te voorkomen.

ca. 12 Tomateburgers

Broodje hummus

10 minuten

3 (volkoren)shoarmabroodjes
de helft van het recept voor
  Linda's hummus (blz. 151)
kleingesneden tomaat
reepjes sla

alfalfaspruiten
schijfjes zoet-zure
  komkommer
Tahina (blz. 155)

1. Verwarm de shoarmabroodjes en snijd van elk broodje een plak van ongeveer $2^1/_2$ centimeter dik van de bovenkant af.

2. Vul elk shoarmabroodje met een derde van de hummus en garneer met tomaat, sla, alfalfaspruiten, zoetzure komkommer en Tahina. Ze zijn sappig en lekker.

3 personen

Variatie: Voeg enkele eetlepels Libanese sperziebonen (blz. 263) aan de garnering toe.

9

Soep is waar 't om gaat!

Soep is, net als koekjes of cake, een gezellig gerecht. In de huidige drukke levensstijl heeft de zelfgemaakte soep misschien wat terrein verloren, maar met een paar nieuwe tips om *een snelle*, maar heerlijke soep te maken, kunnen we deze misschien de plaats teruggeven die zij verdient.

Soep kost slechts weinig, maar vult wel. Soep kan licht of stevig zijn; het kan een bouillon of een crèmesoep zijn, afhankelijk van het weer of de tijd die u eraan kunt besteden. Soep wordt meestal gemaakt van elementaire, makkelijk verkrijgbare ingrediënten. Bijna elke cultuur heeft haar basissoepen, waaraan we ideeën, ingrediënten en technieken kunnen ontlenen. Onze soepen worden uiteraard zonder vlees of zuivelprodukten bereid. In dit hoofdstuk zult u diverse bouillons vinden die groenten als basis hebben en prachtige crèmesoepen zonder een druppel room. En binnen dertig minuten kunt u, met behulp van een eenvoudige techniek, zeker tien verschillende soepen maken!

SMAAKMAKERS VOOR SOEPEN

De meeste mensen letten er tegenwoordig op om niet automatisch zout als smaakmaker aan gerechten toe te voegen. Ze zoeken alternatieven die hetzelfde resultaat hebben maar waaraan het zout geheel of gedeeltelijk ontbreekt. Er zijn veel zoutvervangende produkten te krijgen in supermarkt of reformwinkel om u daarbij te helpen; er zijn kruidenmengsels die minder zout bevatten en toch effectief zijn. Voor het maken van soep heb ik een bijzonder interessante smaakmaker ontdekt: miso.

Miso is een machtige, dikke pasta die in Japan wordt gebruikt als smaakmaker in een breed scala van gerechten. Het wordt in Japan al sinds de zeventiende eeuw traditioneel gemaakt, door middel van een proces van natuurlijke gisting dat sojabonen, zilvervliesrijst of gerst omzet in diverse soorten miso; elke streek in Japan kent haar eigen variëteit.

Miso is een belangrijk ingrediënt in de Japanse en de macrobiotische keuken. Door de natuurlijke zoute smaak kan het in elk gerecht zout vervangen; ondanks het zoutgehalte wordt het algemeen beschouwd als zeer rijk aan bouwstoffen en er worden ongewoon gezondheidsbevorderende eigenschappen aan toegeschreven. Het levert essentiële aminozuren en naar men zegt vitamine B12. Het bevat andere vitaminen uit de B-groep, calcium en ijzer. Miso is zeer alkalisch, waardoor het meehelpt aan de neutralisatie van zuren in het bloed. Het bevat ook *lactobacillaire micro-organismen* die de flora in de darmen, die haar bijdrage levert aan onze mogelijkheid ziekten het hoofd te bieden, helpt op peil te houden.[1]

Wat ik echter het meest interessante aan miso vind - en de reden dat ik positief tegenover het gebruik ervan sta – is de informatie over de beschermende werking tegen stralingseffecten. Voedingsmiddelen die ons beschermen tegen stralingseffecten kunnen radioactieve elementen in het lichaam teniet doen en het beschermen tegen de effecten ervan. Gegeven het feit dat de gemiddelde leefomgeving in mindere of meerdere mate is doordrongen van radioactieve elementen, afkomstig van televisieschermen, computers, magnetrons, radar, radio- en televisiezenders, beveiligingssystemen, automatische deursystemen en zelfs digitale klokken, zijn voedingsmiddelen die als beschermend beschouwd worden onze belangstelling waard. Miso bevat zybicoline, een bindende factor die in 1972 is ontdekt. Dit zybicoline bindt radioactieve en andere toxische elementen in het lichaam en zorgt dat ze verwijderd worden. Onderzoek dat in Japan is gedaan over de effecten van miso op het lichaam, ondersteunt deze theorie.[2] De Japanners, die een atoomaanval hebben overleefd, zijn zo enthousiast over miso en de gunstige effecten ervan, dat men miso, behalve als toevoeging aan vele gerechten, ook gebruikt om er bouillon van te maken en deze te drinken in plaats van koffie of thee bij het ontbijt. Misobouillon alkaliseert het bloed in tegenstelling tot koffie en thee, die eerder een verzurende werking hebben op het bloed, en het geeft hen de hele dag door energie. (Zie Hoofdstuk 3.)

Ik heb dit nu wel gezegd, maar u wilt natuurlijk geen ingrediënt gebruiken, ook al is het nog zo goed voor u, als de smaak van uw voedsel er niet door zou verbeteren. Ik vind de smaak van miso bij spaarzaam gebruik lekkerder dan de smaak die ik door toevoeging van kruidenzout verkrijg. Het is zachter en fijn van smaak en het is rustgevend en van zeer goede kwaliteit.

Al deze positieve eigenschappen gelden echter uitsluitend voor miso die niet gepasteuriseerd is, omdat door verhitting de kwetsbare bouwstoffen die het bevat, vernietigd worden. Helaas is veel van de miso die in ons land geïmporteerd wordt wel gepasteuriseerd. Toch kunt u in veel reformwinkels en Japanse toko's de gerijpte, ongepasteuriseerde miso van goede kwaliteit kopen in bakjes of plastic zakjes.[3] Ongepasteuriseerde miso is licht van kleur (geel of wit) of donker (rood). De lichtgekleurde soort bevat minder sojabonen en meer gerst of zilvervliesrijst. Hij smaakt ook minder zout en zoeter doordat hij meer enkelvoudige suikers, vitaminen uit de B-groep en melkzuur bevat. Deze miso zal een enigszins romig effect hebben als u hem toevoegt aan soepen of andere gerechten, zoals aardappelpuree. Donkere miso bevat veel sojabonen en is zouter van smaak. Het bevat veel aminozuren en vetzuren. Het is een uitstekende smaakmaker voor peulvruchtensoepen, eenpansgerechten of brood. U dient miso pas na bereiding aan de gerechten die u kookt toe te voegen, om de bouwstoffen die het bevat te behouden.

Miso is een heerlijke, maar *zeer geconcentreerde* smaakmaker, die in bescheiden hoeveelheden moet worden gebruikt. De aanbevolen dagelijkse consumptie ligt tussen de $1/2$ en 1 theelepel per persoon. Als u het als smaakmaker in de hoeveelheden gebruikt, zoals in de recepten is aangegeven, consumeert u het op de juiste wijze.

---

1. Sara Shannon, *Diet for the Atomic Age* (Wayne, N.J.: Avery Press, 1987), blz. 147.
2. Shannon, *Diet,* blz. 146-48.
3. De pakjes dienen in de koelkast bewaard te worden en moeten na opening in een luchtdicht bakje in de koelkast worden gezet.

CREMESOEPEN ZONDER ZUIVEL

U kunt binnen dertig minuten perfecte crèmesoepen maken van bijna elke groente die u bij de hand hebt. Deze soepen zijn volmaakt in hun eenvoud. De smaak is altijd ongecompliceerd en echt, omdat de smaak van de groente zelf het basisingrediënt is. Natuurlijk hebben de versheid en de kwaliteit van de groente die u gebruikt invloed op de kwaliteit van de soep, maar zelfs van groenten die niet meer helemaal vers zijn maakt u een zeer goede crèmesoep.

Zorg dat u de eenvoudige procedure beheerst en de mogelijkheden tot variatie zullen bijna onbegrensd zijn. U zult in staat zijn uitstekende crèmesoepen te maken van broccoli, asperges, aardappelen, zomerpompoen, winterpompoen, zoete aardappelen, uien, prei, kool, bloemkool, spinazie, wortelen, selderij - en vele, vele andere groenten! En geen enkele soep hoeft meer dan 8 basisingrediënten te bevatten; er zijn slechts 6 basishandelingen te verrichten en het geheel kost u niet meer dan 30 minuten.

U hebt de volgende basisuitrusting nodig:

fluitketel
1 soeppan met deksel met een inhoud van 2 tot 4 liter
1 keukenmes
maatbekers en -lepels
1 grote, roestvrij stalen, melamine of glazen kom die tegen hitte kan
1 mixer (een handmixer bespaart u tijd en is makkelijk te reinigen)

Basis crèmesoep

Gebruik bloemkool, broccoli, asperges of welke groente dan ook voor deze soep. Het resultaat is ongelooflijk goed en eist een minimum aan tijd en moeite.

1 middelgrote ui
1 stengel bleekselderij
1 teentje knoflook
1 eetlepel olijfolie
ca. 500 g groente naar keuze,
  in stukjes gesneden

$1^1/_4$ l water
2 eetlepels lichte miso
$1^1/_2$ eetlepel sesam tahin
evt. versgemalen peper

1. Breng het water aan de kook in een ketel. Hak intussen de ui en de bleekselderij in grove stukken en snijd de knoflook in dunne plakjes.

2. Doe de olie, de ui, bleekselderij en knoflook in een grote pan en laat de groenten 2 minuten zachtjes fruiten. Voeg de gekozen groente toe, roer het geheel goed door en laat alles nog 1 minuut fruiten.

3. Giet het kokende water in de pan, breng het geheel aan de kook en zet het vuur wat lager. Dek de pan af en laat de soep 8 minuten koken. Roer de miso door de soep en blijf roeren tot de miso opgelost is. Controleer of de groenten zacht zijn. (U kunt de soep nu eventueel met tahin en peper op smaak brengen en met een staafmixer pureren, of u kunt als volgt verder gaan.)

4. Giet de soep in een kom en laat ze afkoelen. Meng 1 deciliter van de soep met de tahin en bewaar deze voor later.

5. Pureer driekwart van de rest van de soep en giet het terug in de pan. Meng de rest van de soep met een staafmixer - schakel deze een paar keer in en uit om de groenten fijn te hakken. Roer deze portie door de crèmesoep in de pan en zet de pan terug op het vuur.

6. Voeg het tahinmengsel aan de soep toe en laat alles langzaam en onder af en toe roeren, doorwarmen. De soep mag echter *niet* meer aan de kook komen. Voeg eventueel nog wat peper toe.

4 - 5 personen

Variaties:

(1) vervang de miso eventueel door 2 groentebouillontabletten of 2 eetlepels groentebouillonkorrels of gebruik 2$^1/_2$ liter zelfgemaakte groentebouillon in plaats van water en miso;

(2) crèmesoepen kunt u warm of gekoeld opdienen. Als u de soep gekoeld wilt opdienen, hoeft u hem na het pureren, niet meer op te warmen;

(3) fruit $^1/_2$ theelepel gedroogde tijm, basilicum of marjolein met de ui mee voor een betere smaak;

(4) voeg 1 eetlepel strooigist tegelijk met het kokende water toe.

Tip: Als u eenmaal het tahinmengsel aan de soep toegevoegd heeft moet u de soep niet meer laten koken: gekookte tahin werkt als een zeer sterk bindmiddel en de soep wordt daardoor te dik. Let op dat u de soep maar zachtjes opwarmt, *breng hem niet aan de kook*!

ANDERE SOEPEN

Er is een heel scala van andere soepen om eens uit te proberen. Traditionele Japanse misosoepen die binnen 10 minuten klaar zijn, snelle en makkelijke groentesoepen (vol met levenskracht!), gekoelde gazpacho en nog veel meer.

Gekruide groentebouillon

1 uur

Als u het liefst een zelfgetrokken groentebouillon als basis voor een soep gebruikt, kunt u dit recept praktisch overal bij toepassen. Bedenk wel, dat de bouillon zo goed is als de groenten die u gebruikt.

1 ui	champignonstelen
2 courgettes	1 bosje peterselie
4 teentjes knoflook	1 takje verse of $^1/_2$
2 wortels	theelepel gedroogde tijm
3 stengels bleekselderij	1 laurierblad
1 aardappel	1 takje verse of
het groene gedeelte van wat	$^1/_2$ theelepel gedroogd
prei	bonekruid
	4 peperkorrels
	ca. 1 l koud water

1. Hak de groenten in stukken en doe ze, samen met de kruiden en peperkorrels in een grote pan.

2. Giet voldoende water over de groenten zodat ze net onderstaan, breng het geheel aan de kook, dek de pan af en laat de bouillon 45 minuten trekken.

3. Giet de bouillon door een fijne zeef.

ca. 2 liter

Variatie: U kunt een krachtiger bouillon maken door de groenten voor het koken in 2 eetlepels olijfolie te fruiten.

Misosoep met gember en groene groenten

10 minuten

Een heerlijke misosoep, gevuld met verschillende soorten groenten en met een lichte gembersmaak. Deze soep stilt de honger en geeft een rustig gevoel. Deze soep is zo goed omdat miso alkalisch is. Alkalische voedingsmiddelen neutraliseren de zuren die men in het dagelijks leven binnenkrijgt.

$1^1/_2$ l water
150 g broccoliroosjes
250 g tahoe, in blokjes gesneden
100 g peultjes

1 bosje waterkers, klein-
   gesneden
1 theelepel geraspte
   gemberwortel
3 eetlepels sojamiso

1. Breng het water aan de kook. Voeg de broccoli en tahoe toe en breng het geheel weer aan de kook. Laat de broccoli en tahoe 2 minuten zachtjes koken en doe de peultjes, waterkers en gemberwortel erbij.

2. Neem $^1/_2$ deciliter van het vocht uit de pan. Los de miso hierin op en roer de miso-oplossing door de soep. Laat de soep 2 minuten zachtjes doorwarmen (niet meer aan de kook brengen) en neem de pan van het vuur. De groenten moet felgroen van kleur en bijtgaar zijn.

3 - 4 personen

Als u zich eens een dag niet helemaal fit voelt, is hier een goed menu:
   ontbijt - Eenvoudige vruchtensalade en vers vruchtesap
   lunch - Vloeibare Salade (blz. 162)
   16 uur - Handje gedroogde vijgen en pepermuntthee of vruchtesap
   diner - DEZE SOEP
   voor het naar bed gaan - Partjes sinaasappel of een banaan

Eenvoudige misosoep met groenten en tahoe

10 minuten

Deze soep is een zeer geschikt lunchgerecht of kan bij een salade worden opgediend op een dag dat u vrij licht wilt eten. Laat de miso niet meekoken, maar voeg het tegen het einde van de kooktijd aan de soep toe en laat het 1 tot 2 minuten meewarmen.

1 l water	100 g stevige tahoe,
2 bosuitjes, kleingesneden	in blokjes gesneden
3 bladeren paksoi, kleingesneden	2 eetlepels sojamiso
150 g maïskorrels	

1. Breng het water aan de kook, voeg de groenten en tahoe toe en laat ze 5 minuten koken.

2. Neem $^1/_2$ deciliter van het vocht uit de pan en los de miso hierin op. Roer de miso-oplossing door de soep, zet het vuur iets lager en laat alles 1 tot 2 minuten doorwarmen. Roer de soep voor het opdienen goed door - miso kan wel eens enigszins gaan schiften.

3 - 4 personen

Gekoelde bisque

25 minuten

Een pikante groentebisque met bloemkool en rode sla.

2 eetlepels olijfolie	1$^1/_2$ l kokend water
350 g bloemkoolroosjes	2 eetlepels lichte miso of
1 grote ui, fijngehakt	groentebouillonkorrels
2 stengels bleekselderij,	1 eetlepel sesam tahin
fijngehakt	1 dl water
2 teentjes knoflook, uitgeperst	versgemalen peper
250 g rode sla, fijngehakt	1 eetlepel citroensap

1. Doe de olijfolie, bloemkoolroosjes, ui, bleekselderij en knoflook in een grote pan en laat de groenten 2 minuten zachtjes fruiten. Voeg de rode sla toe en blijf roeren tot de sla zacht begint te worden.

2. Giet het kokende water in de pan, breng het geheel terug aan de kook, dek de pan af en laat de soep 15 minuten zachtjes koken. Neem de pan van het vuur en roer de miso door de soep. Leng de tahin aan met 1 deciliter water en voeg het mengsel aan de soep toe.

3. Meng de soep met een staafmixer - schakel hem een paar keer aan en uit om de groenten fijn te hakken. Breng de misosoep op smaak met peper en citroensap en dien gekoeld op.

6 personen

Variatie: U kunt de rode sla eventueel door spinazie of zuring vervangen.

Opkikker groentesoep

15 minuten

Deze soep smaakt op elk tijdstip lekker, maar vooral wanneer iemand zich niet echt lekker goed voelt en iets warms en kalmerends wil eten.

1 uitje	250 g broccoliroosjes
2 bosuitjes	1 eetlepel olijfolie
2 stengels bleekselderij	1½ l water
2 wortels	2 groentebouillontabletten
1 courgette	of 2 eetlepels groente-
1 teentje knoflook, uitgeperst	bouillonkorrels
2 blaadjes paksoi	4 eetlepels fijngehakte
	peterselie

1. Snijd alle groenten, behalve de paksoi en de broccoli in blokjes. Snijd de paksoi in reepjes en verdeel de broccoli in kleine roosjes.

2. Fruit het uitje, de bosuitjes, bleekselderij, wortels, courgette en knoflook in de olijfolie, voeg het water en de bouillontabletten toe en breng het geheel aan de kook. Dek de pan af en laat de soep 5 minuten zachtjes koken.

3. Doe de paksoi en de broccoli erbij en laat ze 5 minuten zachtjes meekoken.

4. Roer de peterselie door de soep, dek de pan weer af en neem de pan van het vuur. Laat de soep 2 minuten nagaren en dien direct op.

3 - 4 personen

Caraïbische zoete aardappelsoep

35 minuten

De kinderen zijn er dol op. Deze zoete aardappelsoep heeft een aantrekkelijke samenstelling, met een echte 'eiland' smaak. Een goed gebonden soep die u lekker uit een mok kunt drinken. Zeer geschikt om in te vriezen.

2 l water	3 - 4 teentjes knoflook,
1 groentebouillontablet	uitgeperst
2 middelgrote wortels, geschild	3 stengels bleekselderij,
en in dobbelsteentjes gesneden	fijngehakt
1 middelgrote ui, fijngehakt	2 eetlepels donkere miso of
2 grote zoete aardappelen,	2 groentebouillon-
geschild en in dobbelsteentjes	tabletten
gesneden	versgemalen peper

1. Breng het water met 1 groentebouillontablet aan de kook in een grote pan. Voeg de wortels, ui, zoete aardappelen, knoflook en bleekselderij toe en laat alles 15 tot 20 minuten zachtjes koken tot de groenten zacht zijn.

2. Neem een kwart van de soep uit de pan en pureer de rest met een staafmixer of food processor. Giet de gepureerde soep terug in de pan en meng de achtergehouden soep met een staafmixer. Schakel de staafmixer een paar keer in en uit om alle groenten fijn te hakken en roer deze portie door de soep in de pan. Voeg de miso en wat versgemalen peper toe en warm de soep, onder af en toe roeren, weer op.

8 personen

Eenvoudige gebonden maïssoep

40 minuten

Dit is een voorbeeld van een romige soep die absoluut geen zuivelprodukten - zelfs geen zuivelvervangers bevat. Het geheim ligt in het roeren!

1 eetlepel olijfolie
2 uien, fijngehakt
5 stengels bleekselderij,
  kleingesneden
1 wortel, kleingesneden
1 rode, groene of gele paprika,
  kleingesneden
500 g aardappelen, geschild en
  in blokjes gesneden

$^1/_4$ theelepel gemalen salie
ca. 4 l water
2 eetlepels lichte miso of
  groentebouillonkorrels
500 g diepvriesmaïskorrels
1 bosuitje, fijngehakt

1. Doe de olijfolie in een grote pan. Voeg uien, bleekselderij, wortel en paprika toe en laat de groenten 3 tot 4 minuten zachtjes fruiten. Doe de aardappelen en salie erbij, schep alles goed door elkaar en laat ze 3 minuten meefruiten.

2. Giet het water over de groenten, breng het geheel aan de kook, dek de pan af en laat de soep 10 tot 15 minuten zachtjes koken tot de aardappelen zacht maar niet papperig zijn.

3. Neem 1 deciliter bouillon uit de pan en los de miso hierin op. Roer de miso-oplossing door de soep en laat alles nog 1 minuut al roerend doorwarmen.

4. Schep een derde van de soep uit de pan en bewaar deze voor later. Pureer de rest van de soep met een staafmixer of food processor, giet het terug in de pan en roer de achtergehouden portie, de maïskorrels en het bosuitje erdoor.

5. Breng de soep langzaam en steeds roerend aan de kook en laat hem 10 minuten zachtjes doorwarmen op een zeer laag vuur. Roer af en toe in de pan om aanbranden te voorkomen.

8 personen

Doperwtensoep met cashewroom

35 minuten

4 stengels bleekselderij,
  kleingesneden
2 uien, fijngehakt
1 eetlepel olijfolie
$^1/_2$ ijsbergsla, in reepjes gesneden
1 eetlepel honing of vruchtensuiker
$1^1/_2$ l water
$^1/_2$ theelepel gedroogde tijm

$^1/_2$ theelepel gedroogde basilicum
1 eetlepel lichte miso of 1
  groentebouillontablet
600 g diepvriesdoperwtjes
2 eetlepels ongebrande
  cashewnoten
evt. steen- of zeezout
versgemalen peper

1. Fruit de bleekselderij en de uien 3 minuten in de olijfolie in een grote pan. Voeg de reepjes sla toe en laat ze 2 minuten al roerend meefruiten. Doe de honing, het water, de gedroogde kruiden en het bouillontablet erbij (als u miso wilt gebruiken, moet u het later toevoegen) en breng het geheel aan de kook.

2. Voeg de doperwtjes toe, breng het geheel weer aan de kook, dek de pan af en laat de soep 10 minuten zachtjes koken, tot de doperwtjes zacht zijn. Roer de miso erdoor en blijf 1 minuut roeren tot de miso opgelost is. Neem de pan van het vuur en laat de soep iets afkoelen.

3. Neem $2^1/_2$ deciliter soep uit de pan en meng het, samen met de cashewnoten, met een staafmixer.

4. Giet de rest van de soep door een zeef en houd circa 200 gram van de groenten achter. Pureer de rest van de soep met een staafmixer of food processor, voeg de achtergehouden groenten toe en schakel de food processor of staafmixer een paar keer in en uit om de groenten fijn te hakken.

5. Meng de soep met het cashewmengsel en breng het op smaak met zout en peper. Warm de soep weer op, maar laat ze niet meer aan de kook komen. Dien warm of gekoeld op.

6 personen

Romige aspergesoep met venkel

40 minuten

Een heerlijke gekoelde soep voor de zomermaanden. 's Winters kunt u deze soep ook warm opdienen.

1 eetlepel olijfolie
1 middelgrote ui, fijngehakt
3 bosuitjes, kleingesneden
evt. 1 kleine aardappel, geschild
  en in dobbelsteentjes gesneden
1 kg asperges, schoongemaakt
  en in stukjes gesneden
1 venkelknol, schoongemaakt en
  in partjes gesneden
$1^3/_4$ l water

1 eetlepel groentebouillonkorrels
  of 1 groentebouillontablet
1 eetlepel verse of $^1/_4$
  theelepel gedroogde dragon
$1^1/_2$ eetlepel fijngehakte
  verse of 1/2 theelepel
  gedroogde basilicum
Cashewroom (1 volle eetlepel
  ongebrande cashewnoten
  gepureerd met $1^1/_4$ dl water)
evt. 1 eetlepel lichte miso

1. Doe de olijfolie, ui en bosuitjes in een grote pan en laat de groenten 2 minuten zachtjes fruiten. Voeg de aardappel, asperges en venkel toe en laat ze 2 minuten al roerend meefruiten. Giet het water over de gefruite groenten en voeg de bouillon, en kruiden toe. Breng het geheel aan de kook, dek de pan af en laat de soep 20 minuten zachtjes koken, tot alle groenten zacht zijn.

2. Laat de soep iets afkoelen en pureer ze met een staafmixer of food processor. Roer de Cashewroom en de miso door de soep en controleer de smaak. Warm de soep weer op, maar laat ze niet meer aan de kook komen.

6 personen

Ouderwetse bleekselderij-crèmesoep

30 minuten

In de Verenigde Staten eten ze al zo lang bleekselderij-crèmesoep uit blik dat praktisch niemand meer weet hoe *verse* bleekselderijcrèmesoep smaakt. Maar als u eenmaal dit recept heeft gemaakt dan zult u het verschil wel merken. Een zeer populaire soep omdat zoveel mensen bleekselderij lekker vinden.

2 uien, fijngehakt
2 eetlepels olijfolie
2 eetlepels volkorenmeel
$1^1/_2$ l water
1 dl ongezoet sojamelk
$^1/_2$ struik bleekselderij, schoongemaakt en in stukjes gesneden

250 g aardappelen, geschild en in blokjes gesneden
3 eetlepels lichte miso of groentebouillonkorrels
$^1/_2$ theelepel knoflookpoeder
versgemalen peper

1. Fruit de uien 2 minuten in de olijfolie, roer het volkorenmeel erdoor en laat het 1 minuut meewarmen. Voeg $^1/_2$ liter water, roerend met een garde, met grote scheuten tegelijk toe en blijf roeren tot er een gladde, gebonden saus ontstaat. Laat de saus 2 of 3 minuten onder af en toe roeren zachtjes doorkoken.

2. Meng de sojamelk met de rest van het water. Giet het mengsel in de pan en breng het geheel aan de kook. Voeg de bleekselderij en aardappelen toe, breng de soep weer aan de kook en laat het 15 minuten zachtjes koken, tot de bleekselderij zacht is.

3. Neem 1 deciliter bouillon uit de pan, los de miso hierin op en roer de miso-oplossing door de rest van de soep in de pan. Neem de pan van het vuur en laat de soep iets afkoelen.

4. Pureer de helft van de groenten uit de soep met een staafmixer of food processor - probeer er zoveel mogelijk van de aardappelen bij te doen. Doe de groentepuree terug in de pan, roer alles goed door en breng de soep op smaak met peper.

6 personen

Vermicellisoep met groenten

10 minuten

Praktisch iedereen is dol op vermicellisoep. Dien deze op direct uit de wok en geef er geroosterd volkorenbrood en een grote portie Klassieke groene salade (blz. 160) bij.

1 theelepel plantaardige olie
$^1/_2$ theelepel sesamolie
150 g champignons of shi-itake
   paddestoelen, in plakjes
   gesneden
225 g gekookte vermicelli,
   fettucine of linguine
1 l kokende groentebouillon

125 g tahoe, in blokjes
   gesneden
250 g spinazie, grofgehakt
2 eetlepels natriumarme
   ketjap

1. Doe beide soorten olie en de champignons of shi-itake in een wok en laat de champignons 2 minuten zachtjes fruiten. Voeg de vermicelli of noedels toe en laat ze 1 minuut al roerend meefruiten.
2. Giet de kokende bouillon over het vermicellimengsel en voeg de tahoe en spinazie toe. Breng het geheel aan de kook en laat de soep 2 minuten zachtjes doorkoken. Roer de ketjap door de soep en dien direct op.

4 - 6 personen

Kerriesoep met doperwtjes en sla

30 minuten

Deze soep, die iets afwijkt van een crèmesoep, heeft zijn smaak niet alleen maar aan de doperwtjes te danken, maar ook aan de pittige smaak van de specerijen. Deze smakelijke, pikante soep kunt u warm of koud opdienen. De garnering van citroenschilletjes en muntblaadjes geven de soep een elegant tintje.

3 eetlepels olijfolie
1 grote ui, fijngehakt
1 teentje knoflook, uitgeperst
2 theelepels kerriepoeder
$^3/_4$ theelepel kurkuma
$^1/_2$ theelepel gemalen koriander
$^1/_4$ theelepel gemalen komijn
1 eetlepel volkorenmeel
1 kropsla, in reepjes gesneden

2 eetlepels citroensap
   (bewaar de schil van de citroen
   voor de garnering)
2 theelepels vruchtensuiker
   of honing
400 g diepvriesdoperwtjes
$1^1/_4$ l groentebouillon
$1^1/_2$ eetlepel sesam tahin
versgemalen peper
garnering: muntblaadjes en
   citroenschil

1. Doe de olijfolie, ui en knoflook in een grote pan en laat het uimengsel 2 minuten zachtjes fruiten. Roer de kerriepoeder, kurkuma, koriander, komijn en meel door het uimengsel en laat ze 15 seconden al roerend meefruiten.

2. Voeg de sla, het citroensap, vruchtensuiker of honing en doperwtjes toe en roer alles goed door elkaar. Neem de pan van het vuur en roer de bouillon er langzaam door. Zet de pan weer op het vuur en breng de soep snel en al roerend aan de kook. Dek de pan af, zet het vuur wat lager en laat de soep 8 tot 10 minuten zachtjes doorkoken tot de doperwtjes zacht zijn. Laat de soep iets afkoelen.

3. Neem 1 deciliter bouillon uit de pan en roer de tahin erdoor. Pureer de rest van de soep met een staafmixer of food processor en doe het terug in de pan. Roer de tahinoplossing door de soep en laat alles weer zachtjes doorwarmen. Roer de soep regelmatig door, maar laat hem niet meer aan de kook komen. Voeg peper naar smaak toe.

4. Schil de citroen zo dun mogelijk met een citroenschiller en snijd de schilletjes in reepjes. Dien de soep warm of gekoeld op, gegarneerd met citroenschilletjes en kleine muntblaadjes.

4 - 5 personen

Groentesoep met rijst

5 minuten

Met verse groenten en wat restjes rijst kunt u deze heerlijke soep snel op tafel hebben. Een ideaal lunchgerecht voor huisvrouwen die zelden tijd overhouden om uitgebreid te lunchen.

$7^1/_2$ dl water
2 theelepels groentebouillonkorrels
1 wortel, geschild en in
   schuine plakjes gesneden
150 g maïskorrels

100 g paksoi of groene
   kool, kleingesneden
2 theelepels sojamiso of 1
   groentebouillontablet
120 g gekookte basmati-
   of zilvervliesrijst

1. Breng het water, met de bouillonkorrels aan de kook. Voeg de wortel en maïs toe en laat ze 3 minuten zachtjes koken.

2. Roer de paksoi of kool en de miso of het bouillontablet door de soep en blijf roeren tot de miso is opgelost. Laat de soep nog 2 minuten zachtjes doorwarmen (het mag echter niet meer koken).

3. Voeg de rijst aan de soep toe, roer alles goed door en dien direct op.

2 personen

Winterse groentesoep

50 minuten

De gekarameliseerde uien zorgen voor een heerlijke, hartige smaak.

1 eetlepel olijfolie

2 teentjes knoflook, uitgeperst

1 grote ui, in vieren gesneden en in water geweekt

1 grote prei, schoongemaakt en in ringen gesneden

200 g wortels, in dobbelsteentjes gesneden

200 g selderij, in dobbelsteentjes gesneden

200 g yam of pompoen, in dobbelsteentjes gesneden

200 g courgettes, in plakjes gesneden

200 g diepvriesmaïskorrels

200 g kool, grofgehakt

$^1/_2$ theelepel gedroogde tijm

$^1/_4$ theelepel gedroogde salie

$^1/_2$ theelepel gedroogde oregano

2 l groentebouillon of 2 l water en 3 groentebouillontabletten

evt. steen- of zeezout

versgemalen peper

1 eetlepel citroensap

1. Doe de olijfolie, knoflook, ui en prei in een grote pan en laat de groenten 3 minuten roerbakken op een matig hoog vuur, tot ze bruin zijn. Let echter op dat ze niet aanbranden.

2. Voeg de wortels, selderij, yam, courgettes, maïskorrels en kool toe en roer het groentemengsel na elke toevoeging goed door.

3. Bestrooi het groentenmengsel met de kruiden en giet er de bouillon over. Breng het geheel aan de kook, dek de pan af en laat de soep 25 minuten zachtjes koken.

4. Breng de soep op smaak met zout en peper en voeg het citroensap, vlak voor het opdienen, toe.

6 personen

Traditionele koolsoep uit de Oekraïne

30 minuten

De zoetzure smaak van deze koolsoep kunt u aanvullen door er de Aardappel-courgette salade op blz. 281 en een eenvoudige groene salade bij te geven. Er hoeft geen zout bij; de miso is zout genoeg van zichzelf. De kleingesneden verse tomaten worden pas aan het einde van de kooktijd toegevoegd.

2 eetlepels olijfolie
2 dunne preien, schoongemaakt
  en in dunne ringen gesneden
1 middelgrote rode ui, in
  plakjes gesneden
1 middelgrote groene kool,
  grofgehakt
2 wortels, in plakjes gesneden
1 theelepel gedroogde tijm
1³/₄ l kokend water
evt. 1 eetlepel groente-
  bouillonkorrels

1 volle eetlepel lichte
  miso of 1 groente-
  bouillontablet
3 eetlepels citroensap
1 eetlepel honing
2 tomaten, ontveld en
  kleingesneden
versgemalen zwarte peper

1. Doe de olijfolie, prei en ui in een grote pan en laat de groenten 2 minuten zachtjes fruiten. Voeg de kool en wortels toe en laat ze enkele minuten al roerend meefruiten, tot de kool zacht begint te worden. Roer de tijm door de gefruite groenten.

2. Giet het kokende water over de groenten, voeg eventueel de bouillonkorrels toe en roer alles goed door. Dek de pan af, breng het geheel aan de kook en laat de soep 10 minuten koken op een matig hoog vuur. Roer de miso of het bouillontablet, het citroensap en de honing door de soep en laat de soep nog 2 tot 4 minuten doorwarmen (het mag echter niet meer koken). Voeg tenslotte de kleingesneden tomaten toe en breng de soep op smaak met zwarte peper.

6 personen

Amerikaanse groentesoep

1 uur, 10 minuten

Groentesoep uit blik is al lang zeer populair in de Verenigde Staten. Hier is mijn 'gezond' recept voor onze nationale soep. Snijd alle groenten in dobbelsteentjes van gelijke grootte.

1 eetlepel olijfolie
1 teentje knoflook, uitgeperst
2 uien, kleingesneden
1/2 theelepel gedroogde tijm
200 g wortels, in dobbel-
   steentjes gesneden
200 g selderij, in dobbelsteentjes gesneden
200 g diepvriesmaïskorrels
200 g aardappelen, in dobbelsteentjes gesneden
150 g sperziebonen, kleingesneden

240 g diepvriesdoperwtjes
150 g groene kool, klein-
   gesneden
2 l water
2 eetlepels groentebouillon
   -korrels
1 volle eetlepel sojamiso
1 eetlepel tomatenpuree
versgemalen peper

1. Verhit de olijfolie in een grote pan en fruit de knoflook, uien en tijm tot de uien zacht beginnen te worden.

2. Voeg de wortels, selderij, maïskorrels, aardappelen, sperziebonen, doperwtjes en kool toe en laat ze 2 minuten al roerend meefruiten.

3. Giet het water over de gefruite groenten en breng het geheel aan de kook. Roer de groentebouillonkorrels en tomatenpuree erdoor, dek de pan af en laat de soep 35 tot 40 minuten zachtjes koken. Roer de miso door de soep en breng deze op smaak met peper.

6 personen

Indiase spinaziesoep met sjalotjes

45 minuten

Een elegante soep met een fijne smaak die u rustig voor een speciale gelegenheid kunt opdienen.

5 eetlepels extra-zuivere olijfolie
6 sjalotjes, fijngehakt
1 teentje knoflook, fijngehakt
3 eetlepels basmati- of zilvervliesrijst
1 theelepel komijnzaad of
   1 1/2 theelepel gemalen komijn
1/4 theelepel geraspte nootmuskaat
1 1/2 - 1 3/4 l Indiase groentebouillon (zie het volgende
   recept) of groentebouillon

250 g spinazie, klein gesneden
1 eetlepel lichte miso
Cashewroom (1 volle eet-
   lepel cashewnoten
   gepureerd met 1 dl water)
1 - 2 eetlepels citroensap
versgemalen peper
1 sneetje volkorenbrood,
   zonder korst en in
   dobbelsteentjes gesneden

1. Doe 3 eetlepels olijfolie, de sjalotjes, knoflook en rijst in een grote pan en laat het mengsel 2 minuten zachtjes fruiten. Stamp het komijnzaad in een vijzel, roer het, samen met de nootmuskaat, door de gefruite sjalotjes en laat de specerijen 5 minuten al roerend meefruiten. Giet 3 deciliter van de bouillon over het sjalotmengsel, dek de pan af en breng het geheel aan de kook. Zet het vuur iets lager en laat de soep 10 minuten zachtjes doorkoken.

2. Voeg de spinazie aan het sjalotmengsel toe en laat het 3 minuten zachtjes meekoken tot de spinazie net zacht is. Giet de rest van de bouillon in de pan, breng het geheel aan de kook, dek de pan af en laat de soep 5 minuten zachtjes doorkoken.

3. Neem 1 deciliter van de soep uit de pan en los de miso hierin op. Roer de miso-oplossing door de soep in de pan en laat deze 1 minuut, al roerend, zachtjes doorwarmen (de soep mag echter niet meer koken).

4. Laat de spinaziesoep iets afkoelen en bereid intussen de Cashewroom. Pureer de soep met een staafmixer of food processor, voeg de Cashewroom, het citroensap en wat peper toe en warm de soep weer op, maar laat het niet aan de kook komen.

5. Bak de dobbelsteentjes volkorenbrood goudbruin en knapperig in de rest van de olijfolie en garneer elke portie soep met wat volkorencroûtons. *6 personen*

Indiase groentebouillon

50 minuten

Gebruik deze exotische bouillon in een kerriesoep of kerriegerecht. De heerlijke smaak van deze bouillon kan de smaak van alle Indiase schotels verhogen. De specerijen die u bij een toko of bij een reformzaak kunt kopen, nemen een belangrijke plaats bij uw verzameling kruiden en specerijen in.

2 wortels, geschild	2 theelepels koriander-
1 grote of 2 middelgrote	korrels
courgettes	1 theelepel komijnzaad
1 stengel bleekselderij	$1/4$ theelepel kardamom-
1 ui, gepeld	pitten
1 middelgrote tomaat	2 l water
enkele takjes peterselie	3 hele kruidnagels
2 teentjes knoflook	stukje pijpkaneel of een
2 eetlepels sesam- of olijfolie	mespuntje gemalen kaneel

1. Snijd alle groenten in stukjes van gelijke grootte en hak de knoflook fijn. Doe de sesam- of olijfolie en knoflook in een grote pan en laat de knoflook 1 minuut zachtjes fruiten. Voeg de koriander, komijn en kardamom toe en laat ze 1 minuut, al roerend, meefruiten.

2. Voeg de in stukjes gesneden groenten, peterselie, kruidnagels en kaneel toe en fruit ze 10 minuten, al roerend, op een matig hoog vuur. Giet het water over de gefruite groenten, breng het geheel aan de kook en laat de bouillon 25 tot 30 minuten trekken op een laag vuur. Giet de bouillon door een zeef en gebruik hem als basis voor een soep. Als u een wat krachtiger bouillon voor bijvoorbeeld een kerrieschotel nodig heeft, laat de bouillon dan nog 30 minuten zachtjes inkoken in de onafgedekte pan.

$1^1/_2$ - $1^3/_4$ liter

Gazpacho

15 minuten

Gazpacho is echt een soep voor de warme zomermaanden, als verse, sappige tomaten volop verkrijgbaar zijn. Laat de soep het liefst een nacht gekoeld staan om een goede smaak te laten ontwikkelen. Voor een lichte lunch dient u de Gazpacho op met 'Stedda' tonijnsalade (blz. 131) en Doperwtensalade met dille (blz. 189).

750 g rijpe (Italiaanse) tomaten
$^1/_2$ groene paprika, van de
   zaadjes en zaadlijsten ontdaan
1 rode paprika, van de zaadjes
   en zaadlijsten ontdaan
3 bosuitjes

1 grote of 2 kleine komkommers
2 eetlepels extrazuivere
   olijfolie
1 - 3 eetlepels citroensap
plantaardige soeparoma of
   strooikruiden zonder zout

1. Pureer een derde van de tomaten met een staafmixer of food processor. Voeg de groene paprika en de helft van de rode paprika toe en meng ze tot er een dikke puree ontstaat. Doe de bosuitjes en driekwart van de komkommer erbij en meng het geheel weer met een staafmixer. Giet de gazpacho in een kom.
2. Hak de rest van de groenten klein in een food processor en roer ze door de gazpacho. Roer de olijfolie erdoor en breng de soep op smaak met het citroensap en soeparoma of strooikruiden. Dien gekoeld op.

4 - 6 personen

Indiase dal

60 minuten

Gespleten mungbonen of mungdal kunt u bij een toko of Indiase winkel kopen - soms ook bij een goede reformzaak. Asafoetida is een poeder dat gemaakt wordt van de hars van een struik die voornamelijk in Iran en Afghanistan groeit en in de keuken als vervanger voor uien en knoflook wordt gebruikt. Asafoetida laat geen nare smaak achter in uw mond. Kari is een van de bekende Indiase kruiden en is in bladvorm verkrijgbaar.

180 g mungdal, afgespoeld
$1^3/_4$ - 2 l water
evt. steen- of zeezout
1 theelepel gemalen koriander
$1^1/_2$ theelepel kurkuma
1 theelepel geraspte gemberwortel
1 theelepel saffloer- of
   zonnebloemolie
$^1/_2$ - 1 theelepel gemalen komijn
   of $^1/_2$ theelepel komijnzaad

snufje asafoetida (heel
   weinig, want de smaak is sterk!)
1 groene chilipeper, fijngehakt (zonder zaadjes)
evt. wat kariblaadjes, verkruimeld
1 eetlepel fijngehakte
   verse koriander
2 - 3 eetlepels vers
   citroen- of limoensap
1 tomaat, kleingesneden

1. Zet de mungdal op met het water en laat het 20 tot 25 minuten zachtjes koken in de afgedekte pan. Voeg zout naar smaak, de koriander, kurkuma en gemberwortel toe en laat de dal nog even doorkoken.

2. Doe de olie, komijn, asafoetida, chilipeper en kari in een kleine koekepan en laat het mengsel 2 minuten zachtjes fruiten tot de chilipeper zacht is - voeg het specerijmengsel aan de dal toe.

3. Laat de dal nog 20 minuten doorkoken, voeg de koriander en het citroensap toe en roer de kleingesneden tomaat, vlak voor het opdienen, erdoor.

8 personen

Linzensoep met elleboogmacaroni

1 uur, 30 minuten

4 eetlepels olijfolie
2 teentjes knoflook, fijngehakt
1 grote rode ui, fijngehakt
1 laurierblad
1 grote stengel bleekselderij, kleingesneden
1 wortel, kleingesneden
200 g bruine of grauwe linzen
3 takjes verse of ¼ theelepel gedroogde tijm
6 eetlepels fijngehakte peterselie
3½ l water

6 verse (Italiaanse) tomaten, ontveld, kleingesneden en uitgelekt*
50 g (volkoren)elleboogmacaroni of andere deegwaren
evt. 2 eetlepels sojamiso
steen- of zeezout
versgemalen peper

1. Doe de olijfolie, knoflook en ui in een grote pan en laat het mengsel 2 minuten zachtjes fruiten. Voeg het laurierblad, de bleekselderij en de wortel toe en laat ze 1 minuut meefruiten. Schep de linzen, tijm en peterselie door het uimengsel, voeg het water, het sap van de uitgelekte tomaten en de tomaten toe en breng het geheel aan de kook. Dek de pan af en laat de soep 45 minuten zachtjes doorkoken.

2. Roer de macaroni door de soep, breng het geheel weer aan de kook en laat het nog 30 minuten zachtjes koken in de onafgedekte pan tot de macaroni gaar is. Verdun de soep eventueel met wat water en breng ze op smaak met de miso en wat zout en peper.

6 personen

---

* U kunt de verse tomaten vervangen door een half blik tomaten. Laat de tomaten uitlekken, verwijder de pitten, snijd de tomaten in stukjes en bewaar het sap voor een andere keer.

SUCCES MET SOEPEN DIE VAN BONEN EN ANDERE PEULVRUCHTEN GEMAAKT ZIJN

1. Bonensoep heeft een vrij lange kooktijd nodig, maar eist maar weinig van *uw* kostbare tijd. U kunt een stevige bonensoep meestal binnen 30 minuten voorbereiden en behalve dat u de soep af en toe moet doorroeren, zorgt ze voor zichzelf. Als u een dag thuis bent kunt u een flinke portie bonensoep bereiden en voor een andere keer invriezen.

2. Kook bonensoep in een geëmailleerde pan met een dikke bodem. Als de soep te dun is, blijven de bonen aan de bodem van de pan vastplakken. Terwijl u de soep aan de kook brengt moet u voortdurend roeren, laat ze daarna op een zeer laag vuur zachtjes doorkoken.

3. Peulvruchten, zoals linzen, spliterwten en kleine boonsoorten (aduki- en limaboontjes), hoeft u meestal niet te weken. Ze worden tijdens de kooktijd (2 tot 4 uur) meestal wel zacht genoeg. (Linzen hebben een vrij korte kooktijd nodig.) Week grote boonsoorten (en ook kleine soorten als dit in het recept wordt aangegeven) een nacht in koud water. Als u toch vergeet de bonen bijtijds in de week te zetten, kunt u de snelle methode die op bladzijde 316 is beschreven gebruiken.

4. Bonensoep kunt u in grote hoeveelheden maken, omdat hij geschikt is om een paar dagen in de koelkast te bewaren of om in te vriezen (alleen soepen bereid met linzen zijn hier niet zo geschikt voor). Als u een drukke dag heeft gehad is het heel makkelijk om een portie bonensoep uit de diepvries te halen en op te warmen. Tijdens het opwarmen kunt u een salade klaarmaken en in heel weinig tijd heeft u een complete, voedzame maaltijd op tafel. Ingevroren bonensoep kunt u het beste de dag voor u deze gebruikt in de koelkast laten ontdooien.

5. Bonensoep kan wel eens moeilijk te verteren zijn. Kook een stukje kombu (zeewier) mee en zorg dat de bonen of erwten helemaal gaar en zacht zijn.

6. Peulvruchtensoep is zeer voedzaam en ook vrij voordelig in prijs. Hij smaakt ook lekker en geeft tijdens en na het eten een verzadigd (tevreden) gevoel. Peulvruchtensoep bevat veel belangrijke nutriënten. Kijk maar naar de Voedingslijsten in de Appendix en u zult zien hoe vaak peulvruchten op de diverse lijsten staan.

Erwtensoep met bonen en gort

3 uur

Een makkelijk, ouderwets recept voor een maaltijdsoep die we vroeger bij oma allemaal lekker vonden als het koud weer was. U kunt deze soep binnen 30 minuten voorbereiden - daarna hoeft u alleen maar af en toe te roeren. Wees maar niet bang om te veel van deze soep te maken; ze is ideaal om in te vriezen!

$3^1/_2$ l water

2 uien, fijngehakt

250 g wortels, kleingesneden

250 g selderij, kleingesneden

250 g sla of kool, kleingesneden

$^1/_2$ bosje peterselie, fijngehakt

4 dunne preien, schoongemaakt en kleingesneden

2 teentjes knoflook, uitgeperst

evt. 1 courgette, kleingesneden

versgemalen peper

75 g groene spliterwten

75 g gele spliterwten

$2^1/_2$ eetlepel gort

2 eetlepels kleine witte bonen

3 eetlepels adukibonen

1 eetlepel groente-bouillonkorrels

kruidenzout of strooi-kruiden

1. Breng het water aan de kook in een grote pan en voeg alle ingrediënten, behalve het zout en de peper, in de bovengenoemde volgorde toe.

2. Breng het water weer aan de kook, verwijder het schuim, dek de pan af en zet het vuur vrij laag. (Schuim de soep gedurende de eerste 30 minuten van de kooktijd regelmatig af.)

3. Laat de soep $2^1/_2$ uur zachtjes koken en roer af en toe door om aanbranden te voorkomen. Controleer of de erwten en bonen goed gaar zijn en breng de soep op smaak met zout, strooikruiden en peper.

6 - 8 personen

Zwarte-bonensoep

3 uur, 30 minuten

Een klassiek recept. Bereid deze soep op een koele dag en laat de bonen zeer zacht worden. Hoewel de snelle methode om de bonen te weken die op bladzijde 316 is beschreven wel geschikt is, is het toch beter om de bonen een nacht in koud water te weken - dit spaart minstens een uur op de kooktijd.

320 g zwarte bonen
3 l water
2 theelepels olijfolie
2 uien, kleingesneden
2 teentjes knoflook, uit-
 geperst
2 preien, schoongemaakt en kleingesneden
100 g wortel, kleingesneden
versgemalen peper

1 rode paprika, klein-
 gesneden
2 theelepels gemalen salie
1 laurierblad
1 theelepel steen- of
 zeezout of strooikruiden
2 theelepels groente-
 bouillonkorrels of 1
 groentebouillontablet

1. Week de bonen een nacht in koud water en laat ze de volgende dag uitlekken.

2. Breng het water aan de kook in een ketel. Doe de olijfolie, uien, knoflook, preien, wortel en papri- ka in een grote pan met een dikke bodem en laat de groenten 3 minuten zachtjes fruiten tot ze zacht beginnen te worden. Voeg de salie en het laurierblad toe en laat ze 1 minuut meefruiten. Doe de geweekte bonen erbij en giet het kokende water in de pan. Breng het geheel weer aan de kook en ver- wijder het eventuele schuim.

3. Zet het vuur zo laag mogelijk, dek de pan af en laat de soep 3 uur zachtjes koken - roer regelmatig door om aanbranden te voorkomen.

4. Verwijder het deksel tegen het einde van de kooktijd en roer het zout of de strooikruiden, de groen- tebouillonkorrels en wat peper door de soep. Pureer de helft van de soep met een staafmixer of food processor, doe het terug in de pan en controleer de smaak.

6 - 8 personen

10

Eet uw groenten met plezier!

Door de hele geschiedenis heen, tot aan de beginjaren van deze eeuw, waren de mensen gewend grote hoeveelheden zwaar voedsel te eten - soms wel meer dan 7.000 calorieën per dag - om te zorgen dat ze op krachten bleven en in sommige gevallen gewoon om warm te blijven. Men consumeerde geregeld vette vleessoorten, machtige sausen, grote hoeveelheden boter, stevige stoofschotels, granen en zoete gerechten. Een twaalfurige werkdag op de boerderij, waarbij men grotendeels met de hand moest melken, oogsten en sjouwen, de vloeren moest schrobben en de was doen, wegen moest aanleggen en gebouwen optrekken - allemaal activiteiten die, gecombineerd met de afwezigheid van centrale verwarming, airconditioning, liften, auto's, televisie en andere moderne gemakken, ervoor zorgden dat men makkelijk de energie verbruikte die men door de zware maaltijden binnenkreeg.

Nu, tegen het einde van de twintigste eeuw, is het duidelijk dat de menselijke behoeften wat betreft de voeding enorm zijn veranderd. De gemiddelde kantoormedewerker verbruikt minder dan 85 calorieën per uur, minder dan 2.000 calorieën per dag, tenzij hij dagelijks intensief lichaamsbeweging neemt. De machtige en vette voedingsmiddelen die we ooit nodig hadden om warmte te verschaffen, maken ons nu alleen maar dik en lusteloos. Er zijn maar weinig dagelijkse activiteiten die lichaamskracht van ons vergen. Het grootste deel van onze bevolking leidt een zittend leven.

Het is duidelijk dat het tijdvak dat wij tegemoet gaan een totaal ander eetpatroon noodzakelijk maakt. Men is fundamenteel bezig onze nationale eetgewoonten zodanig te beïnvloeden dat een totale ommekeer spoedig zal plaatsvinden. Voor velen van ons geldt dat die ommekeer al heeft plaatsgevonden en dat onze huidige eetgewoonten totaal verschillen van die van vroeger.

Een nieuw voedingspatroon vereist nieuwe basisprodukten. Vlees en zuivel, zware zetmeelprodukten en geraffineerde zoetstoffen mogen niet langer een belangrijke rol spelen; het zijn ongeschikte voedingsprodukten voor een maatschappij waarin een zittend leven gebruikelijk is. Anderzijds kunnen voedingsmiddelen die we ooit terzijde hebben geschoven of die we slechts als bijgerecht bij een zware maaltijd gebruikten, een hoofdrol gaan spelen. Niets past zo goed in deze categorie als groenten!

DE EERBIEDWAARDIGE GROENTE

In de Aziatische keuken en die van het Midden-Oosten werden groenten altijd al even hoog gewaardeerd als vlees. In de Amerikaanse keuken en ook in veel Westeuropese keukens werden zij traditioneel verwezen naar een ondergeschikte positie: waterige, te lang gekookte bijgerechten, die men eerder plichtmatig dan met smaak at. Pas toen de grote ommekeer kwam in ons denken over gezondheid, die veel aandacht voor de voedingsleer met zich meebracht, en met de opkomst van de *nouvelle cuisine* die de nadruk legde op eenvoud, begon men in het hele land belangstelling te krijgen voor groenten als gezond voedingsmiddel. Recentelijk kwam daar nog de belangstelling voor de Oosterse keuken bij, die vaak veel meer gericht is op verse knapperige groenten. Groenten zijn op weg een centrale plaats te veroveren als hoofdingrediënt of als bijgerecht, zowel thuis als in restaurants.

Het is een feit dat groenten, net als vruchten, tot de beste voedingsmiddelen van deze tijd behoren. Zij leveren ons alle noodzakelijke voedingsstoffen: licht verteerbare aminozuren, essentiële vetzuren, complexe koolhydraten, voedingsvezels, calcium, ijzer, magnesium, fosfor, kalium, natrium, spoormineralen en de vitaminen A, B, B-complex, C, E en foliumzuur. Bovendien doen zij dit zonder dat zij ons opschepen met ongewenst cholesterol of verzadigde vetzuren! Groenten verschaffen ons in feite bijna alles wat we nodig hebben om in blakende gezondheid te verkeren, maar zullen er nooit oorzaak van zijn dat we ons dik of futloos voelen. Er bestaat geen ander voedingsmiddel dat u enerzijds meer bouwstoffen kan leveren en anderzijds zo makkelijk verkrijgbaar, zo veelzijdig en goedkoop is. Doordat groenten zulke goede en complete bronnen van voedingsstoffen zijn, zijn ze het voedingsmiddel bij uitstek in het tijdperk waarin we leven.

Versheid

We kunnen, als we het over groenten hebben, het belang van de versheid niet genoeg benadrukken. Ze zijn zachter, sappiger en zeer smakelijk als ze pas geoogst zijn.

Een groente blijft gedurende enige tijd na de oogst leven. Bladgroenten blijven enkele dagen in leven en aardappelen enkele maanden. In meer algemene termen kunnen we zeggen dat groenten drie dagen tot een week vers blijven, terwijl wortelgewassen langer kunnen worden bewaard. Bedenk echter dat alle plantesoorten *wat betreft bouwstoffen en smaak achteruitgaan* vanaf het moment dat ze uit de grond worden gehaald. Daarom wordt de kwaliteit van uw groenten bepaald door de afstand tussen uw woonplaats en de plaats waar ze geteeld worden en door de distributiemogelijkheden in uw omgeving.

'Alles heeft zijn tijd.' Deze spreuk uit Prediker is zeker waar als we het over groenten hebben. Het is het verstandigst om groenten van het seizoen te kiezen. Deze groenten zijn het meest vers en ideaal voor ons lichaam in die tijd van het jaar. U zult dan ook in de warme zomermaanden een grote verscheidenheid aan lichte, waterhoudende groenten kunnen krijgen - courgettes, tomaten, aubergines, paprika's, komkommer en maïs. Aardappelen, winterpompoen, artisjokken, wortelen, broccoli en bloemkool zijn gewassen die bij koeler weer gedijen en die beter voldoen aan onze behoeften in de koudere maanden. Alle groenten verschijnen in de tijd waarin ze het meest harmonieus kunnen voldoen aan de eisen van ons lichaam.

Nu we beschikken over moderne distributiemethoden en de commerciële landbouw is gaan overheersen, zien we landbouwtechnieken die de wetten der seizoenen niet meer in acht nemen. De produktie op grote schaal zorgt ervoor dat we het hele jaar door groenten kunnen kopen, maar er kleven toch bepaalde nadelen aan. De meeste groenten worden meer gekweekt op grootte en stevigheid - om ze de gemechaniseerde oogst en de lange transporttijden te laten overleven - dan op smaak. Het land wordt het hele jaar door intensief bewerkt om een maximale opbrengst en winst te bewerkstelligen - een gang van zaken die het gebruik van ongewenste chemische bestrijdingsmiddelen, meststoffen en groeimiddelen noodzakelijk maakt. Ook al zijn er nog zo veel landbouwprodukten verkrijgbaar, het is toch beter om de groenten van het seizoen te kopen. Zij zijn goedkoper en beter van smaak en kwaliteit. U zult bijvoorbeeld het hele jaar door tomaten kunnen krijgen, maar die zijn het grootste deel van het jaar aanmerkelijk duurder dan in de zomer. Ook zal de smaak en de consistentie in de zomer veel en veel beter zijn.

Tweede keus

Zo zie ik de meeste diepvriesgroenten of blikgroenten: als tweede keus. Soms hebt u ze nodig of bent u er afhankelijk van, maar u weet dat ze op zijn best tweede keus zijn. De meeste groenten worden voor het invriezen geblancheerd (kort gekookt) om alle enzymactiviteit te stoppen, zodat de smaak en de kleur constant blijft. Door dit proces wordt in feite het leven van de groente beëindigd. De structuur wordt beschadigd, de smaak wordt erdoor veranderd en de meeste bouwstoffen worden vernietigd. Het gemak weegt niet tegen deze nadelen op; u mag ze alleen op de koop toe nemen als er geen alternatief is. Onthoud dat vers *altijd* beter is.

U kunt blikgroenten het beste beschouwen als reeds klaargemaakte produkten, die geen enkele overeenkomst hebben met de verse variant. Blikgroenten worden gekookt - vaak te lang gekookt - in hun verpakking. Wat betreft smaak, structuur en voedingswaarde kunnen ze de vergelijking met verse produkten niet doorstaan. Zij passen niet in deze actieve tijd waarin men zich bezighoudt met een gezonde levensstijl, maar horen bij de tijd van waterige, te lang gekookte groenten die we achter de rug hebben.

Zuurvormende voedingsmiddelen

In eerdere boeken heb ik gewaarschuwd tegen de zuurvorming die het resultaat kan zijn van het koken van tomaten, spinazie en fruit en ik deed dat steeds in de context van een uitgebreider dieet waarin tenminste enige dierlijke produkten voorkomen. Ik wijs erop dat de meeste zuren in ons lichaam veroorzaakt worden door dierlijke produkten. In de context van een puur vegetarisch dieet geef ik af en toe suggesties voor gerechten die gekookte tomaten, spinazie of gekookt fruit bevatten, omwille van de variatie en voor diegenen die deze produkten graag op deze wijze eten. Ik heb zelf gemerkt dat deze kleine hoeveelheden zuur van plantaardige oorsprong zonder de aanwezigheid van grote concentraties zuur uit dierlijke produkten, door de meeste mensen goed verdragen worden.

Bedenk dat de principes van een goede voeding eerder als richtlijnen beschouwd moeten worden dan als strenge regels. Als uw ervaring is dat uw stofwisseling ontregeld wordt door zuurvormende produkten, kunt u beter recepten mijden die gekookte tomaten, spinazie en vruchten bevatten.

Op de volgende pagina's treft u een minicursus aan met technieken om groenten te bereiden. Ik zou ze willen omschrijven als allemaal even eenvoudig. In het eerste deel worden de volgende technieken beschreven: stomen, koken, blancheren, fruiten, roerbakken, smoren, stoven, bakken in de oven en grilleren. De werkwijze bestaat steeds uit één, twee of drie stappen die met opzet eenvoudig gehouden zijn, zodat u kunt beschikken over vele praktische tips, die u kunt gebruiken bij de bereiding van groenten. Na deze minicursus volgt een groot aantal groenterecepten. Sommige daarvan zijn basisrecepten, opgenomen met de bedoeling om u de gelegenheid te geven de creativiteit te ontwikkelen die het bereiden van groentegerechten mogelijk maakt. U kunt ook uw voordeel doen met de eenvoudige, zuivere smaken en eigenschappen van de makkelijkste en snelste groenterecepten.

BASISTECHNIEKEN

Stomen

Dit is misschien wel de beste manier om de bouwstoffen in groenten te behouden. Er is echter een regel waaraan u zich altijd dient te houden: Houd de bereidingstijd kort. U kunt de kooktijd bekorten door stevige groenten, zoals wortelen, in dunne plakjes te snijden. (Zachte groenten, zoals courgettes, worden waterig door stomen en daarom kunt u deze beter fruiten.)

U kunt aan de kleur zien wanneer gestoomde groenten, in het bijzonder de groene soorten, gaar zijn. Als ze een heldere kleur hebben gekregen, prikt u er even in met een scherp mesje. Als ze gaar zijn, kunt u er makkelijk doorheen prikken.

Als de groenten gaar zijn, haalt u onmiddellijk de deksel van de pan en u neemt ze uit de pan, zodat het kookproces stopt. Laat ze nooit afgedekt in de stoompan staan, ook al hebt u de warmtebron uitgeschakeld, omdat het kookproces in dat geval doorgaat. Omdat elke groente zijn eigen stoomtijd heeft, kunt u ze het beste apart stomen of u voegt groenten met een kortere stoomtijd pas aan de andere groenten toe als deze al gedeeltelijk gaar zijn. U kunt groenten van tevoren stomen en koud bewaren tot vlak voor de uiteindelijke bereiding. U fruit ze dan bijvoorbeeld met smaakmakers in een klein beetje olie, waarna u ze direct opdient.

Keukengereedschap
pan met deksel - groot genoeg om een stoommandje te bevatten
stoommandje voor groenten

---

1. Snijd de groente in plakjes van ca. 3 mm. Langwerpige groenten, zoals wortels, snijdt u in diagonale plakjes.

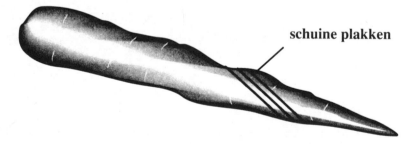

schuine plakken

2. Leg de diagonale plakjes of de dunne ronde plakjes in kleine stapeltjes op een snijplank. Snijd ze vervolgens in reepjes ter dikte van lucifers.

Dit is een uitstekende techniek voor het snijden van rauwe wortelen, komkommer, knolselderij en courgettes.

Ingrediënten

groente of groenten naar keuze, stevige groenten in kleine stukjes, zachte groenten in grotere stukken

Werkwijze

1. Plaats het stoommandje op de bodem van de pan. Voeg zoveel water toe dat het ca. 1 cm onder het stoommandje staat. Zorg er altijd voor dat het waterniveau ruim onder het stoommandje blijft. Anders zal het water, als het kookt, boven het stoommandje uitkomen en in contact komen met de groenten, met als resultaat slappe en waterige groenten. Breng het water aan de kook, voeg de groenten toe en laat het geheel zachtjes stomen tot de kleur helder is en de groenten makkelijk in te prikken zijn.

2. Haal de groenten direct uit de stoompan. Spreid ze uit op een schaal om ze te laten afkoelen.

Tip: Als u de groenten te lang hebt laten stomen, legt u ze onmiddellijk op een bakplaat, waarna u ze gedurende 3 tot 4 minuten in de vriezer zet. Zo blijft de schade zoveel mogelijk beperkt.

Koken en blancheren

Het enige verschil tussen koken en blancheren is de bereidingstijd. Bij het koken laat u de groente helemaal gaar worden. Bij het blancheren laat u de groente zo lang koken tot hij enigszins zacht wordt en klaar is voor verdere bereiding op een andere wijze. Blancheren duurt meestal maar 1 tot 3 minuten. U kunt de volgende groenten blancheren als eerste stap van het bereidingsproces:

asperges   peultjes
bleekselderij   sperziebonen
knolselderij   venkel
                            wortels

Bepaalde groenten, zoals bietjes en sperziebonen, kunnen beter gekookt dan gestoomd worden, omdat zij pas zacht worden als zij water absorberen. Maar omdat door koken de in water oplosbare bouwstoffen in het kookvocht terechtkomen, en bovendien zowel kleur als smaak achteruitgaan, dient u deze methode zo min mogelijk toe te passen. U kunt het beste de groenten zoveel mogelijk stomen en eventueel voorstomen. Bepaalde groenten, zoals artisjokken en broccoli, mogen nooit gekookt worden, omdat er dan zoveel smaak verloren gaat.

De kooktijd van een groente bepaalt u als volgt: u brengt water aan de kook, u voegt de groente toe en u wacht tot het water weer aan de kook is. Dan pas gaat de kooktijd in. Gebruik ruim water, zodat de groente geheel onderstaat en zo snel mogelijk gaar kan worden. Sluit de pan niet af; als de groenten onafgedekt blijven, behouden ze hun natuurlijke kleur beter. Zorg er net als bij het stomen van groenten voor dat u de groenten bij het koken goed in de gaten houdt, zodat ze niet langer koken dan nodig is.

Keukengereedschap

een grote pan die ruim water kan bevatten

Ingrediënten

groente naar keuze, in zijn geheel als u ze gaat koken,
in plakjes of lucifertjes gesneden als u ze gaat blancheren

Werkwijze

1. Breng ruim water aan de kook in een grote pan.

2. Voeg de groente toe en kook deze, zonder deksel op de pan, tot hij gaar aanvoelt als u er met de punt van een scherp mes in prikt. Giet af en dep droog.

Fruiten

Deze techniek lijkt veel op bakken, maar kost minder tijd en er is minder olie voor nodig. Het belangrijkste keukengereedschap is een koekepan, liefst met anti-aanbaklaag. De groenten worden in korte tijd en door voortdurend omscheppen in weinig olie gaar gemaakt. In veel gevallen kunt u in plaats van olie ook bouillon of water gebruiken. De groenten worden in kleine stukjes gesneden, zodat ze snel gaar zijn en knapperig blijven. U beweegt de pan snel over de warmtebron heen en weer. Groenten die pas na langere tijd gaar zijn, zoals wortelen of sperziebonen, moeten eerst geblancheerd worden. Droog de groenten altijd af voordat u ze gaat fruiten, om spetteren te voorkomen. Een gepaneerde groente hoeft niet zo vaak omgeschept te worden als een ongepaneerde groente, die wel voortdurend in beweging moet blijven (door roeren of door de pan heen en weer te bewegen). Groenten kunnen zowel apart als in combinatie gefruit worden. Begin met de groenten die meer tijd nodig hebben en voeg later de groenten die sneller gaar worden toe. Verhit de olie niet van tevoren, maar doe liever eerst de groenten in de pan en dan pas de olie, zodat de olie niet te heet wordt.

Keukengereedschap

koekepan of wok met anti-aanbaklaag
houten of plastic spatel

Ingrediënten

groenten naar keuze, in plakjes of
   lucifertjes gesneden of grof gesneden
1 tot 2 eetlepels olijfolie, water of
   groentebouillon
smaakmakers naar keuze, bijvoorbeeld:
   citroensap
gehakte verse peterselie
gehakte ui

fijngesneden knoflook
gedroogde of verse kruiden
versgemalen peper
stukjes tomaat
witte of bruine sesamzaadjes
krachtige groentebouillon of
natriumarme tamari

Werkwijze

1. Snijd de groenten in plakjes van ca. 3 mm. Leg deze in een hete koekepan met een kleine hoeveelheid olie of groentebouillon.

2. Fruit boven een middelmatige warmtebron, waarbij u de groenten voortdurend blijft omscheppen. Als ze helder van kleur zijn en beetgaar, kunt u eventueel enkele smaakmakers toevoegen. Fruit het geheel nog 1 minuut en dien het gerecht op.

Tip: Om aanbakken te voorkomen, kunt u tijdens het omscheppen enkele eetlepels water of groentebouillon toevoegen.

Roerbakken

In het oude China was het gebruikelijk dat boeren vele maanden ver van hun dorp, in afzondering doorbrachten gedurende het plant-, groei- en oogstseizoen. Zij woonden in hutten tussen de uitgestrekte velden, waar brandstof schaars was en van verre moest worden aangevoerd. Om zo zuinig mogelijk met hun kleine brandstofvoorraad om te gaan, ontwikkelden zij een kooktechniek die een maximum aan voorbereidingstijd vergde en een zo kort mogelijke bereidingstijd. Het roerbakken, het bereiden van dunne stukjes voedsel binnen enkele minuten, is dus ontwikkeld als bereidingswijze om energie te sparen.[1]

Het gaat hier om een Aziatische vorm van fruiten, waar altijd een wok aan te pas kómt. De belangrijkste elementen van deze techniek zijn de hoge temperatuur en de korte bereidingstijd en het resultaat is een gerecht met beetgare groenten in heldere kleuren. U kunt praktisch elke groente roerbakken. Veel groentesoorten kunt u rauw roerbakken, zoals uien, bosuitjes, zeer dun gesneden broccoli, courgette, snijbiet, spinazie, erwten, paprika's, kool, paksoi, taugé en paddestoelen. Andere groenten geven een beter resultaat als u ze eerst blancheert of kort stoomt, zoals sperziebonen, dikke asperges, wortelen, peultjes, venkel en dikkere stukjes broccoli. Bij het roerbakken zijn vele variaties mogelijk wat betreft hoofdingrediënten en sausjes. U zult diverse voorbeelden aantreffen in de recepten.

Als u de groenten 'draaiend' snijdt, zult u een beter resultaat krijgen. Het voordeel is dat het snijvlak van de groente groter wordt als u draaiend snijdt, waardoor deze sneller en gelijkmatiger gaar wordt. Draaiend snijden is vooral geschikt bij lange, dunne groenten en maakt dat het gerecht er aantrekkelijk uitziet. Draaiend snijden gaat als volgt in zijn werk: leg de groente op een snijplank en houd hem met een hand vast. Snijd de groente diagonaal in en draai de groente een derde slag rond. Vervolgens snijdt u de groente nogmaals diagonaal in. Draai de groente weer een derde slag en snijd hem weer diagonaal in; herhaal deze procedure totdat de hele groente in diamantvormige stukjes is gesneden (zie tekening). Deze methode is vooral geschikt voor wortelen, asperges, courgettes, bosuitjes en sperziebonen.

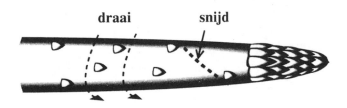

Keukengereedschap
  wok, liefst van gietijzer of met anti-aanbaklaag
  platte, smalle houten spatel voor het omscheppen
  knoflookpers
  maatlepels en maatbeker
  enkele kommetjes om de diverse ingrediënten in klaar
  te zetten

1. Reay Tannahill, *Food in History* (New York: Stein and Day, 1981), blz. 145.

Ingrediënten

Groenten

1 eetlepel saffloer- of
  zonnebloemolie
1 teentje knoflook, uit-
  geperst, en gemengd met
  $1/_2$ eetlepel extra olie

ca. 400 g van een of meer
  soorten groenten, in even
  grote stukken gesneden,
  zodat ze snel gaar worden

Basissaus

$1^1/_2$ dl krachtige groentebouillon
1 - 2 theelepels natriumarme
  ketjap of tamari

2 theelepels arrowroot
  opgelost in $1/_2$ dl koud
  water plus 1 theelepel
  saffloerolie

Werkwijze

1. Zet alles klaar naast de wok. Verwarm de wok voor.

2. Giet een eetlepel olie in de verwarmde wok en draai de wok even rond, zodat de zijkanten ook met olie bedekt zijn. Voeg de knoflook met de overige olie toe en meteen daarna de groenten. Roerbak het geheel gedurende 3 tot 5 minuten of totdat de groenten bijna gaar en helder van kleur zijn.

3. Om de groenten van een glanzend sausje te voorzien, voegt u de bouillon en de tamari toe. Roerbak het geheel nog even en voeg vervolgens het arrowrootmengsel toe. Breng het geheel aan de kook en laat het even sudderen, zodat de saus bindt en doe de groenten met saus dan direct over in de dekschaal.

Tip: Saffloer- of zonnebloemolie worden veel gebruikt bij het roerbakken, omdat deze oliesoorten redelijk stabiel blijven bij een hoge temperatuur. Door toevoeging van een kleine hoeveelheid olie aan het bindmiddel voorkomt u klontjes in de saus.

Smoren en stoven

Deze methoden lijken misschien ingewikkeld, maar zijn dat niet. U bereidt de groenten in een middelmatig hete oven, in water of bouillon, zodat ze langzaam gaar worden, waardoor de diverse smaken in elkaar overgaan. Het vocht wordt de saus en de gesmoorde en gestoofde groenten zijn meestal niet beetgaar, maar zacht van consistentie en geheel gaar.

Het verschil tussen smoren en stoven wordt meer bepaald door de ingrediënten en de bereidingstijd dan door de bereidingswijze. Bij smoren denken we gewoonlijk aan een enkele groente, terwijl een stoofschotel verschillende groenten bevat. In beide gevallen bevatten de gerechten vocht, hoewel sommige stoofschotels voldoende eigen vocht bevatten en toevoeging daarvan niet nodig is. Dergelijke stoofschotels dienen dan wel een waterhoudende groente te bevatten.

Aan zowel gesmoorde gerechten als stoofschotels worden in het algemeen smaakmakers toegevoegd, zoals knoflook en kruiden. U kunt ze echter ook bereiden op een bedje van fijngehakte groenten, zoals wortelen, ui en bleekselderij, dat we ook wel een *mirepoix* noemen. U kunt een gesmoord gerecht opdienen als hoofdgerecht of als onderdeel van een vegetarisch hoofdgerecht, maar over het algemeen wordt het als bijgerecht geserveerd. Stoofschotels zijn voedzaam genoeg om zelfstandig als hoofdgerecht te dienen. Als u een dikke saus wenst, kunt u in een vroeg stadium wat bloem toevoegen. U kunt bij de bereiding van een gesmoord gerecht ook de groenten even uit het vocht halen en het vocht laten inkoken tot een dikke saus. Als u groenten met een lange kooktijd wilt combineren met groenten met een korte kooktijd, voegt u deze laatste pas toe als de andere al enigszins gaar geworden zijn. Wilt u een harde of vezelige groente, zoals bleekselderij, smoren, dan kunt u deze het beste eerst blancheren. In geval van een stoofschotel vindt het garingsproces echter geheel in de oven plaats en blijft de schotel zo lang in de oven tot alle groenten gaar zijn.

Keukengereedschap
    een zware, ondiepe pan
    maatbeker en maatlepels
    houten pollepel
    schuimspaan of keukentang

Ingrediënten

olijfolie
smaakmakers, bijvoorbeeld:
    uitgeperste knoflook
    gehakte uitjes
    gehakte bleekselderij
    gehakte wortelen
de te smoren groente naar keuze, in zijn
    geheel als het een kleine groente betreft
    of in plakjes of stukjes als het om een
    grote groente gaat

bouillon of water, zoveel dat de groenten
    half onderstaan
verse of gedroogde kruiden
volkorenbloem (indien gewenst)
citroensap
zoetstof, bijvoorbeeld: vruchtensuiker,
    rijstsiroop of honing
fijngehakte verse peterselie of bieslook (indien
    gewenst)

Werkwijze bij smoren
1. Doe de olie in de pan. Voeg de smaakmakers toe en fruit deze gedurende 3 minuten op een middelmatig vuur.
2. Voeg de groenten en kruiden toe en fruit het geheel onder voortdurend roeren gedurende 1 tot 2 minuten. Voeg bouillon of water toe, breng het geheel aan de kook en laat de groenten circa 30 minuten smoren in de afgedekte pan. U kunt desgewenst de saus binden door de groenten over te doen in de dekschaal, het vocht aan de kook te brengen en dit snel te laten inkoken. Roer er een klein beetje citroensap doorheen en giet de saus over de groenten of leg de groenten nog even in de saus en roer tot de groenten geheel met de saus bedekt zijn. Strooi wat peterselie of bieslook over het gerecht.

Werkwijze bij het stoven
Gebruik bij het stoven van groenten dezelfde werkwijze als bij het smoren, echter met de volgende wijzigingen:

1. Begin met het fruiten van de stevige groenten, zoals wortelen, aardappelen, bleekselderij, artisjokbodems, koolraap, paddestoelen en uien. Doe de smaakmakers, kruiden en wat bloem erbij en laat ze even meefruiten om de saus later mee te binden.

2. Voeg de lichtere, meer waterhoudende groenten pas toe als de eerste groenten al enigszins gaar zijn.

3. Laat de groenten in hun eigen vocht stoven of voeg 1 tot $1^1/_4$ deciliter vocht toe per 200 gram groenten. (**Tip:** Als u geen kookvocht wilt toevoegen, dient uw stoofpot enkele waterhoudende groenten te bevatten.)

4. Laat de stoofschotel afgedekt gaar worden op een zeer laag pitje.

Bakken in de oven

Bakken in de oven is een ideale techniek voor vele soorten groenten, zoals aardappelen, winterpompoen, aubergine, uien, knoflook en bieten. De makkelijkste manier is de groente in zijn geheel te bereiden met schil en al. Soms moet een kleine hoeveelheid water worden toegevoegd, zoals bij uien, om te zorgen dat het niet aanbakt. De baktijd varieert van 1 uur voor kleine pompoenen en aubergines tot meerdere uren voor bieten. De baktemperaturen liggen tussen 180° C en 220° C.

Veel groentesoorten die een te dikke schil hebben om in hun geheel bereid te worden, kunt u in plakjes snijden; besprenkelen met olijfolie; kruiden met ui, knoflook of gedroogde kruiden; bedekken met ingevet bakpapier (in plaats van folie) en bakken tot ze gaar zijn. Om gegratineerde schotels te maken snijdt u de groenten in blokjes of plakjes. Vervolgens strooit u er wat bloem of paneermeel overheen of bedekt u ze met Cashewmelk, waarna u er wat olie en kruiderij overheen doet. Bak ze dan onafgedekt in de oven tot ze gaar zijn. Als u bloem of paneermeel gebruikt, is het resultaat een smakelijk gerecht van zachte groenten met bovenop een lekker korstje. Als u Cashewmelk gebruikt zullen uw groenten zacht en in een romige saus uit de oven komen.

Artisjokken, aubergines en kool of andere bladgroenten kunnen gevuld worden voordat ze de oven ingaan. Het bakken gebeurt in een zware ovenschaal met deksel of een braadslee die afgedekt wordt met ingevet bakpapier. We voegen gewoonlijk een vloeistof toe, bouillon of water, om te zorgen dat de groenten niet uitdrogen. Er zijn diverse manieren om groenten in de oven te bereiden en daarom raad ik u aan de specifieke procedures te volgen die in elk recept in dit hoofdstuk worden aangegeven.

Grilleren en barbecuen

Zowel bij grilleren als barbecuen dient u eerst de groenten met behulp van een kwastje in te vetten met olie. Een alternatief is de groenten voor het grilleren te marineren. Om ze goed te kunnen bereiden onder de grill of op de barbecue moeten groenten nogal dun gesneden worden, zodat ze een zo groot mogelijk oppervlak krijgen en dus snel gaar kunnen worden. Vezelige groenten zoals prei of bleekselderij of stevige groenten zoals wortelen of asperges, kunt u beter blancheren en inkwasten met olie voordat u ze grilleert. Ook tijdens het grilleren dient u de groenten in te kwasten met olie. Zachte, waterhoudende groenten zoals aubergines of courgettes hoeven maar eenmaal aan elke kant met olie te worden ingekwast.

U zult soms groenten in stukjes willen grilleren in een ovenschaal. Dit lukt prima als u de groenten eerst goed met olie bedekt en ze geregeld omschudt. Verwarm de grill voor op de hoogste stand. Als de groenten zwarte randjes dreigen te krijgen, plaatst u de schaal verder van de grill. Verlaag de temperatuur niet.

U kunt bij het barbecuen het beste een matige temperatuur aanhouden. In het ideale geval zijn de groenten uiteindelijk gaar en lichtbruin van kleur. Als u geen tijd hebt om een marinade te maken, kwast u de groenten in met een mengsel van olijfolie en een uitgeperst teentje knoflook. Kook wortelen, winterpompoen, venkel en andere stevige groentesoorten eerst voor. Asperges kunt u al dan niet voorkoken, maar als de stelen erg dik zijn, is het beter ze kort voor te koken. Als u dat niet doet is het mogelijk dat ze aan de buitenkant te gaar worden terwijl de binnenkant nog niet geheel gaar is. Wintercourgettes, aubergines, paddestoelen, uien en paprika's kunnen rauw gegrilleerd worden. Een verrukkelijke variatie is kleine stukjes gemarineerde groenten aan pennen te rijgen en te grilleren.

Keukengereedschap
grill of grillpan met rooster
schaaltje of maatbeker
kwastje
spatel of keukentang

Ingrediënten
olijfolie
uitgeperste knoflook
groenten naar keuze, in 3 mm dikke plakjes gesneden

Werkwijze
1. Verwarm de grillpan 10 minuten voor of steek de barbecue aan en laat de houtskool branden tot een matige hitte bereikt is. Vermeng de knoflook in een schaaltje met de olie.
2. Leg de groenten op het rooster, kwast ze in met olie, draai ze om en kwast de andere kant ook in met olie. Grilleer ze, terwijl u ze steeds keert en inkwast, tot ze lichtbruin van kleur en gaar zijn.

SAUSEN BIJ GROENTEN

Voordat we met de echte groenterecepten beginnen, eerst een paar sausen die op veel manieren goed te gebruiken zijn.

Avocadoboter

Gebruik de avocadoboter als dipsaus of gewone saus bij gestoomde artisjokken, broccoli, spruitjes, wortels en andere groenten.

1 rijpe avocado, kleingesneden
1 - 2 dl water, afhankelijk van
  hoe sappig de avocado is

1 - 2 eetlepels citroensap

Pureer de ingrediënten met een staafmixer of food processor en dien gekoeld op.

3 - 5 dl saus

Variatie: Gebruik limoensap in plaats van citroensap en voeg wat verse basilicum toe.

Uiensaus

Een voortreffelijke zuivelvrije saus of dipsaus bij andere groenten, bijvoorbeeld broccoli. De uiensaus vult de smaak van eenvoudige groenten zodanig aan dat iedereen zal denken dat u de hele dag in de keuken heeft gestaan terwijl de saus in werkelijkheid een bereidingstijd van maar 10 minuten nodig heeft.

2 theelepels olijfolie
1 middelgrote ui, in dunne
    ringen gesneden
$^1/_4$ theelepel gemalen tijm

$2^1/_2$ dl water
4 eetlepels groente-
    bouillonkorrels of soja-
    miso of 1 groente-
    bouillontablet
2 eetlepels olijfolie

Doe 2 theelepels olijfolie en de uieringen in een koekepan en laat de ui 3 minuten zachtjes fruiten. Voeg de tijm toe en laat deze 3 tot 4 minuten meefruiten tot de ui bruin begint te worden. Voeg het water, de groentebouillonkorrels, of bouillontablet toe. Breng het geheel aan de kook en laat de saus 3 tot 4 minuten op een hoog vuur inkoken. Pureer de saus met een staafmixer of food processor, voeg de miso en 2 eetlepels olijfolie toe en meng de saus nog even.

3 dl

Kruidensaus zonder olie

Gebruik deze saus bij gestoomde groenten in plaats van boter of olie.

$3^1/_2$ dl groentebouillon
1 takje verse of $^1/_4$ theelepel
    gedroogde tijm
1 stukje laurierblad

1 teentje knoflook
$^1/_2$ theelepel citroensap

Doe de bouillon, de tijm, het laurierblad en de knoflook in een pan en kook de bouillon tot de helft in. Voeg het citroensap toe en giet de saus over gestoomde groenten of gebruik hem als een dipsaus bij artisjokken.

2 dl

Tip: Warm koude, gestoomde artisjokken als volgt op. Doe ze in een ovenvaste schaal, begiet ze met deze saus, dek de schaal losjes af met aluminiumfolie en bak de artisjokken 20 minuten in een voorverwarmde oven (190° C).

Tomatemayonaise

Dien deze saus op bij gestoomde groenten of gebruik hem als dressing voor een gemengde groente-salade.

1¹/₄ dl mayonaise zonder
   eieren of Amandelmayonaise
   (blz. 119)
1 rijpe vleestomaat, ontveld
   en kleingesneden

4 eetlepels milde mosterd
2 eetlepels fijngehakte ui

Meng alle ingrediënten met een staafmixer of food processor, tot er een gladde saus ontstaat. Dien deze saus gekoeld op.

2¹/₂ dl

GROENTEN VAN A TOT Z

Gestoomde artisjokken

50 minuten

Artisjokken zijn ideaal wanneer u naar iets stevigs verlangt maar toch de voorkeur aan een groente-gerecht geeft. Als er een schaal gestoomde artisjokken op tafel staat, is iedereen voor een tijdje gezellig bezig en ze smaken heerlijk bij een salade. Kinderen vinden artisjokken eten ook best wel leuk. Laatst maakte ik ze voor een feestje voor zeven acht- tot elfjarige jongens. Op het menu stonden ook IJsbergsalade (blz. 167), Maïskolven met 'Stedda' botersaus (blz. 258) en *Een Leven Lang Fit* Shepherd's Pie (blz. 336). De artisjokken waren het hoogtepunt van het maal.

4 artisjokken
1 laurierblad
enkele schijfjes citroen

6 peperkorrels
1 teentje knoflook

1. Trek de bladeren van de artisjokken iets open en spoel ze grondig af onder de koude kraan. (Hoewel het gebruikelijk is om de punten van de bladeren af te knippen, kunnen de artisjokken hierdoor wel wat smaak verliezen.)

2. Doe een bodem water in een grote pan en voeg het laurierblad, de schijfjes citroen, de peperkorrels en het teentje knoflook toe. Stoom de artisjokken 30 tot 45 minuten, *onderste boven* in een stoommandje om te voorkomen dat de artisjokkenbodems te zacht worden. De artisjokken zijn gaar wanneer u een blaadje er makkelijk af kunt trekken.

4 personen

Gegrilleerde asperges

7 - 10 minuten

Of u nu gegrilleerde asperges nou als een bijgerecht opdient of in stukjes snijdt en in een maaltijd-salade verwerkt, ze zijn een ware lekkernij. De asperges krijgen wat extra smaak als u ze onder de grill iets knapperig laat worden.

2 eetlepels olijfolie
1 teentje knoflook, uitgeperst

500 g dunne asperges,
   schoongemaakt

1. Verwarm de grill voor.

2. Meng de olijfolie en de knoflook in een kleine kom.

3. Leg de asperges op het grillrooster, bestrijk ze met de knoflookolie en laat ze 4 tot 5 minuten roosteren onder een niet al te hete grill. Keer de asperges regelmatig om en bestrijk ze iedere keer opnieuw met de knoflookolie. De asperges zijn gaar wanneer de buitenkant iets knapperig begint te worden.

3 - 4 personen

Variatie: Voeg 2 eetlepels barbecuesaus aan de knoflookolie toe.

Asperges met Bolognesedressing

25 minuten

Voor een snel-klaar-menu kunt u dit gerecht met Eenvoudige Lo Mein (blz. 296) en Klassieke groene salade (blz. 160) opdienen.

1 kg asperges, schoongemaakt
1 uitje, fijngehakt
3 eetlepels fijngehakte verse
   basilicum
3 eetlepels vers citroensap
$\frac{1}{2}$ dl extrazuivere olijfolie

3 middelgrote tomaten,
   ontveld, van de zaadjes
   ontdaan en kleingesneden
zout en versgemalen peper
1 eetlepel fijngehakt
   bieslook

1. Breng een grote pan water met zout aan de kook en blancheer de asperges 3 minuten. Neem ze met een tang uit de pan en dompel ze direct in ijskoud water. Laat de asperges uitlekken, dep ze droog en schik ze op een platte schaal (de punten moeten allemaal naar dezelfde kant wijzen).

2. Doe het uitje, de basilicum, het citroensap en de olijfolie in een kleine kom en klop alles goed door. Roer de tomaten door de dressing en breng het op smaak met zout en peper. Schep de dressing over de asperges en garneer met fijngehakt bieslook. Dien op kamertemperatuur op.

5 personen

Asperges met tahoe

45 minuten

Dit is een heerlijk gerecht uit de Chinese keuken, vooral wanneer asperges volop verkrijgbaar zijn. Dien het op met Chinese komkommersalade met deegwaren (blz. 298), Klassieke groene salade (blz. 160) of Koolsla (blz. 172)

2 theelepels geraspte gemberwortel
1 eetlepel mirin
3 eetlepels donkere sojasaus
of tamari
$1/2$ theelepel sesamolie
250 g stevige tahoe, in reepjes
gesneden
1 theelepel arrowroot, of $1^1/_2$
theelepel maïzena

2 eetlepels saffloerolie
1 teentje knoflook, uit-
geperst
500 g asperges, in stukjes
van 5 cm gesneden

1. Meng de gemberwortel, mirin, sojasaus en sesamolie in een kleine kom. Schep de reepjes tahoe door de saus en laat ze minstens 30 minuten marineren.

2. Laat de tahoe uitlekken en bewaar de marinade. Vul deze met koud water bij, tot 1 deciliter en los de arrowroot hierin op.

3. Verhit een wok boven een hoog vuur, bestrijk de binnenkant met 1 eetlepel saffloerolie, roer de knoflook door de rest van de olie en giet het in de wok. Roerbak de reepjes tahoe 45 seconden in de hete knoflookolie en schep ze uit de wok.

4. Zet het vuur iets lager en roerbak de asperges tot ze beetgaar zijn. Doe de tahoe terug in de wok, voeg de marinade toe, zet het vuur iets hoger en laat de saus al roerend binden. Dien direct op.

4 - 6 personen

Variatie: Vervang de asperges door geblancheerde broccoliroosjes.

Zoetzure aubergine

ca. 35 minuten

Het is wel verstandig om de stukjes aubergine met zout te bestrooien en in een vergiet te laten uitlekken. Dit kost wel wat extra voorbereiding, maar zo bent u de bittere smaak van de aubergines kwijt. Verder is de bereidingstijd heel kort.

1 middelgrote aubergine
1 eetlepel saffloerolie
1 teentje knoflook, uitgeperst
1 bos jonge uitjes, in stukken
  van 2 cm gesneden
1¼ dl groentebouillon
2 eetlepels tomatenketchup of tomatensaus
½ dl water

1 eetlepel natriumarme
  ketjap
1 eetlepel vruchtensuiker
1 eetlepel rijstazijn
2 theelepels arrowroot,
  gemengd met 4 eetlepels water
4 eetlepels fijngehakte
  verse koriander of peterselie

1. Snijd de ongeschilde aubergine in blokjes van 1 centimeter, bestrooi ze met zout, doe ze in een vergiet en laat ze 10 minuten uitlekken. Spoel de stukjes aubergine af met koud water en dep ze droog met keukenpapier. Zet de rest van de ingrediënten naast de wok.

2. Doe de saffloerolie, knoflook en bosuitjes in een wok en laat de groenten 1 minuut roerbakken. Voeg de aubergines toe en laat ze 2 minuten al roerend meebakken.

3. Giet de bouillon over de gebakken groenten, zet het vuur iets lager, dek de wok af en laat de groenten 4 minuten stomen. Meng intussen de tomatenketchup, het water, de ketjap, de vruchtensuiker en de azijn in een kleine kom.

4. Zet het vuur iets hoger en laat de groenten, onder af en toe omscheppen, 1 tot 2 minuten doorbakken in de onafgedekte wok. Giet het zoetzure mengsel over de groenten en schep alles om. Bind de saus met de arrowroot-oplossing en garneer met koriander of peterselie.

4 personen

Gevulde aubergine

45 minuten

1 middelgrote aubergine
1 eetlepel olijfolie
1 uitje, fijngehakt
6 eetlepels fijngehakte
  bladpeterselie

1 teentje knoflook, uitgeperst
250 g champignons, kleingesneden
25 g volkorenbroodkruimels
strooikruiden zonder zout
  en versgemalen peper

1. Snijd de aubergine in de lengte doormidden, schep het vruchtvlees eruit en hak het fijn.

2. Fruit de fijngehakte aubergine, het uitje, de peterselie, de knoflook en de champignons in de olie, tot ze zacht zijn en voeg de broodkruimels en wat strooikruiden en peper toe.

3. Vul de aubergineschillen met het mengsel, doe ze in een ovenvaste schaal en bak ze 30 minuten in een voorverwarmde oven (170° C).

2 personen

Aubergine met sesamzaad

1 uur, 20 minuten

Een lichte, smakelijke schotel met een interessant accent voor liefhebbers van aubergines.

1 aubergine, geschild
2 eetlepels natriumarme ketjap of tamari
1 eetlepel geraspte gemberwortel
  of $^1/_4$ theelepel gemberpoeder

1 eetlepel olijfolie
2 eetlepels fijngehakte verse peterselie
2 theelepels citroensap
2 theelepels sesamzaad

1. Snijd de aubergine in plakken van 1 centimeter dik en marineer ze 1 uur in de ketjap of tamari.

2. Doe de gemberwortel, olijfolie en plakken aubergine in een koekepan met een dikke bodem, en bak de aubergine onder regelmatig omscheppen goudbruin. Voeg eventueel wat water toe om de aubergine vochtig te houden.

3. Bestrooi de aubergine met peterselie, citroensap en sesamzaad en dien direct op.

4 personen

Linda's ratatouille Santa Fe

2 uur

Omdat mijn zusje Linda een geïnspireerde vegetarische kokkin is, vind ik het altijd leuk om haar recepten met mijn lezers te delen. Wij zijn allebei natuurlijk sterk beïnvloed door onze moeder, om de tijd die we in de keuken doorbrengen als kritisch te beschouwen voor de gezondheid en het geluk van onze gezinnen. Sinds onze tienerjaren, komen we elkaar altijd weer tegen in de keuken, als we bij elkaar zijn, om ideetjes uit te wisselen en nieuwe dingen te bedenken.

500 g courgettes
500 g aubergines
zout
$^1/_2$ - 1 dl olijfolie
3 uien, in ringen gesneden
3 teentjes knoflook, uitgeperst en
  gemengd met 2 theelepels olijfolie

2 groene paprika's, kleingesneden
500 g tomaten, ontveld,
  van de pitjes ontdaan en
  kleingesneden
versgemalen peper
$^1/_4$ - 1 theelepel gedroogde tijm

1. Snijd de courgettes in dunne plakken. Snijd de aubergines in dunne plakken, bestrooi ze met zout en laat ze 20 minuten uitlekken in een vergiet. Spoel de aubergines af en dep ze droog met keukenpapier.

2. Doe een derde van de olijfolie en de courgettes in een koekepan en laat de courgettes lichtbruin bakken. Laat de courgettes daarna op keukenpapier goed uitlekken. Fruit de aubergines op dezelfde wijze en ook in een derde van de olijfolie en laat ze op keukenpapier uitlekken. Fruit de uien, knoflook en paprika in de rest van de olijfolie, maar laat deze groenten niet uitlekken.

3. Doe het uienmengsel, de courgettes en de aubergines in een grote ovenvaste schaal. Schep de tomaten erdoor, dek de schaal af en bak de ratatouille 30 tot 45 minuten in een voorverwarmde oven (170° C): roer de ratatouille tijdens het bakken af en toe door. Dien warm, op kamertemperatuur of gekoeld op.

6 - 8 personen

Bietjes met raapjes

30 minuten

Een heerlijk recept voor lezers die jonge bietjes en meiknolletjes in de moestuin hebben.

1 bos jonge bietjes, met loof   1 eetlepel citroensap
1 bos meiknolletjes, met loof   1 eetlepel olijfolie

1. Maak de bietjes en het loof voorzichtig schoon - let vooral op dat u het vel van de bietjes niet beschadigt. Snijd het loof van de bietjes af, maar laat er nog een stukje van de steeltjes en ook van de wortel aan zitten. Kook de bietjes 20 tot 30 minuten tot ze zacht zijn.
2. Maak intussen de meiknolletjes schoon en snijd het loof eraf. Kook de meiknolletjes 10 tot 20 minuten in een aparte pan.
3. Snijd het loof van de bietjes en van de meiknolletjes in grove stukken en stoom ze 3 minuten boven een pan heet water. Doe ze op een warme schaal.
4. Spoel de bietjes en de meiknolletjes onder de koude kraan, pel de bietjes en schil de meiknolletjes. Snijd de bietjes in reepjes, maar laat de meiknolletjes heel. Schik beide groenten op het gestoomde loof maar vermijd citroensap en olijfolie.

2 personen

Variatie: Marineer de meiknolletjes en de bietjes enkele minuten in Echte Franse dressing (blz. 144) voordat u ze op het loof schikt. Laat het eiwitsap en de olijfolie vervallen van het recept.

Bieten met citroensap

25 - 30 minuten

Een smakelijk gerecht bij een maaltijdsalade.

1 kg bieten, zonder loof   1 eetlepel citroensap
  (ca. 6 middelgrote bieten -
  laat een stukje van het loof
  en de wortels er nog aan zitten)

1. Boen de bieten goed af onder de koude kraan en kook ze 30 minuten in ruim kokend water, tot ze zacht zijn.
2. Spoel de bieten direct onder de koude kraan en laat ze iets afkoelen. Pel ze en snijd ze in reepjes (dit kan ook met een food processor). Schep het citroensap door de bieten.

4 - 6 personen (als bijgerecht)

Variatie: Voor een extra pikante smaak kunt u 2 theelepels rijstazijn aan het citroensap toevoegen.

Gestoomd bietenloof met paksoi

12 minuten

Bietenloof en paksoi bevatten allebei veel ijzer en zijn snel gaar. U hoeft er geen extra water aan toe te voegen.

1 - 2 struikjes paksoi
1 bosje bietenloof

1 eetlepel citroensap

1. Was de paksoi en het bietenloof zeer grondig, snijd ze in stukjes en laat ze 10 minuten zachtjes smoren in een afgedekte pan. Roer ze af en toe door om aanbranden te voorkomen.
2. Schep het citroensap door de groenten en dien direct op.

2 - 4 personen

Groentemozaïek

2 uur

U kunt een heel mooi voorgerecht maken door verschillende soorten groentepuree naast elkaar op een schaal te doen. Elke groentepuree kunt u natuurlijk ook afzonderlijk als bijgerecht opdienen.

1 struik bleekselderij, schoongemaakt en in stukjes gesneden
4 grote bieten, schoongemaakt

2 winterpenen, in stukjes
gesneden
1 kleine bloemkool, in
roosjes verdeeld
witte peper en zout

1. Doe de bleekselderij met een bodem water in een grote pan, breng het water aan de kook en kook de bleekselderij 15 tot 20 minuten op een matig vuur in de gedeeltelijk afgedekte pan. Laat de bleekselderij uitlekken en pureer deze in een food processor. Breng de bleekselderijpuree op smaak met zout en peper en laat hem minstens 1 uur afgedekt in de koelkast staan.
2. Doe de bieten met een bodem water in een grote pan, breng het water aan de kook en kook de bieten 45 tot 55 minuten op een matig vuur in de afgedekte pan. Laat de bieten uitlekken, schil ze en pureer ze in een food processor. Breng de bietenpuree op smaak met zout en peper en laat het minstens 1 uur afgedekt in de koelkast staan.
3. Doe de winterpeen met een bodem water in een grote pan, breng het water aan de kook en kook de peen 15 minuten op een matig vuur in de gedeeltelijk afgedekte pan. Laat de winterpeen uitlekken en pureer ze in een food processor. Breng de winterpeenpuree op smaak met zout en peper en laat het minstens 1 uur afgedekt in de koelkast staan.
4. Doe de bloemkool met een bodem water in een grote pan, breng het water aan de kook en stoom de bloemkool 10 minuten in de gedeeltelijk afgedekte pan. Laat de bloemkool uitlekken en pureer ze in een food processor. Breng de bloemkoolpuree op smaak met zout en peper en laat het minstens 1 uur afgedekt in de koelkast staan.

5. Verdun de groentepurees eventueel met wat water, zodat ze allemaal een gelijke samenstelling krijgen. Schep een deel van elke groentepuree op grote gekoelde borden. Begin met de bleekselderijpuree, daarna de bloemkoolpuree, bietenpuree en tenslotte de winterpeen en werk met de klok mee. Tik de borden heel lichtjes met uw hand aan zodat de groentepurees iets uitlopen.

6 - 8 personen

Bleekselderij met knoflookkruimels

1 uur, 20 minuten

Deze kooktechniek kunt u ook bij andere groenten toepassen. Omdat bleekselderij veel vezels bevat, moet u het eerst koken, maar daarna 'bereidt' het gerecht zichzelf in de oven. Het eindresultaat ziet eruit of u er heel wat tijd en moeite aan besteed heeft, maar u weet wel beter!

Bleekselderij

1¼ l water

½ struik bleekselderij,
    in stukjes van 2 cm gesneden

Kruidensaus

½ l water
1 teentje knoflook

diverse gedroogde tuinkruiden –
    takjes tijm, kervel, rozemarijn,
    oregano en 1 laurierblad
    of ¼ theelepel van elke kruid
2 theelepels lichte miso

Knoflookkruimels

80 g volkorenbroodkruimels
1 teentje knoflook, uitgeperst

2 eetlepels fijngehakte
    verse peterselie
2 eetlepels olijfolie

1. Breng het water aan de kook, voeg de stukjes bleekselderij toe en laat ze 15 minuten koken.

2. Bereid intussen de kruidensaus. Breng het water aan de kook in een kleine pan en voeg de knoflook en wat kruiden toe. Dek de pan af en laat het kruidenmengsel 10 minuten zachtjes koken. Roer de miso door de kruidensaus en blijf roeren tot de miso is opgelost.

3. Meng de broodkruimels, knoflook en peterselie door elkaar. Bestrijk een ovenvaste schaal met olie, laat de bleekselderij uitlekken en doe het in de schaal. Giet de kruidensaus over de bleekselderij, bestrooi de saus met de knoflookkruimels en bak het gerecht 1 uur tot de bovenkant knapperig en het vocht verdampt is.

4 personen

Bloemkool met kerrie en spinazie

20 minuten

Dien op met Indiase dal (blz. 226), gekookte rijst en Klassieke groene salade (blz. 160).

2 theelepels sesamolie
2 theelepels zwart mosterdzaad
$1^1/_2$ theelepel kerriepoeder
$^1/_2$ theelepel kurkuma
$^1/_2$ theelepel gemalen koriander
$^1/_4$ theelepel gemalen komijn
$^1/_4$ theelepel gemberpoeder
2 preien, in dunne ringen gesneden

1 middelgrote bloemkool
  in roosjes verdeeld
$^1/_2$ dl water
20 g geraspte kokos
  vermengd met $2^1/_2$ dl water
100 g spinazie, klein-
  gesneden
$1^1/_2$ eetlepel citroensap

1. Doe de sesamolie, het mosterdzaad en de rest van de specerijen in een grote koekepan met een deksel en laat de specerijen zachtjes fruiten tot het mosterdzaad begint te spetteren. Voeg de preien meteen toe en laat ze 1 minuut roerbakken.

2. Schep de bloemkoolroosjes door het preimengsel, laat ze 1 minuut meefruiten en roer het water en het kokosmengsel erdoor. Dek de pan af en laat de bloemkool 7 minuten zachtjes koken.

3. Voeg de spinazie en het citroensap toe, dek de pan weer af en laat de groenten nog 3 minuten zachtjes doorkoken.

4 personen

Broccoli met citroenvinaigrette

8 minuten

Dit recept is zo eenvoudig en zo veelzijdig: het vult veel wat ingewikkelder gerechten goed aan.

500 g broccoli, in roosjes
  verdeeld
1 eetlepel vers citroensap

2 theelepels olijfolie

1. Stoom de broccoli 5 minuten boven een pan heet water.

2. Doe de broccoli in een schaal en bedruppel het met het citroensap en de olijfolie. Warm of koud opdienen.

3 - 4 personen

Broccoli met vlindermacaroni

20 minuten

Heel makkelijk en heel lekker.

250 g vlindermacaroni
500 g broccoli, zonder stronk en
  in stukjes gesneden

1-2 eetlepels extra-zuivere
  olijfolie
evt. steen- of zeezout

1. Bereid de macaroni volgens de aanwijzing op de verpakking.
2. Stoom de broccoli 5 minuten boven een pan heet water.
3. Meng de warme macaroni met de broccoli, olijfolie en wat zout en schep alles goed door elkaar.

4 personen

Broccoli d'Italia

10 minuten

1 eetlepel olijfolie
1 teentje knoflook, uitgeperst
400 g broccoli, in roosjes
  verdeeld

2 dl groentebouillon
3 eetlepels citroensap
zout en peper

1. Doe de olijfolie en de knoflook in een wok en laat de knoflook heel even fruiten. Doe de broccoli erbij en roerbak deze 2 minuten in de knoflookolie.
2. Giet 1 deciliter groentebouillon over de broccoli, schep alles goed door, dek de wok af en laat de broccoli 2 minuten stomen.
3. Verwijder het deksel, schep de broccoli weer goed om en voeg de rest van de groentebouillon toe. Dek de pan weer af en laat de broccoli nog 1 minuut stomen.
4. Bedruppel de broccoli met citroensap en breng het op smaak met zout en peper. Schep alles weer goed door, controleer of de broccoli gaar is en doe het direct in een schaal om nagaren van de broccoli te voorkomen.

4 personen

Broccoli alla Romana

10 minuten

In Italië kent men een broccolisoort (rapini) die veel bladeren en kleine roosjes heeft. Rapini is sterker van smaak dan gewone broccoli en kan veel knoflook verdragen zonder dat zijn eigen smaak overschaduwd wordt. Als u gewone broccoli gebruikt, heeft u aan 1 teentje knoflook voldoende.

ca. 1 kg rapini of broccoli
2 eetlepels olijfolie
1 - 2 teentjes knoflook, uitgeperst

3 eetlepels vers citroensap
zout en versgemalen peper

1. Was de rapini grondig, verwijder eventuele harde stronken en verdeel gewone broccoli in roosjes.
2. Stoom de rapini 2 minuten boven een pan heet water en dompel ze meteen in ijskoud water. Dep de groente droog met keukenpapier.
3. Doe de olijfolie en de knoflook in een koekepan met een dikke bodem en laat de knoflook 1 minuut zachtjes fruiten. Schep de rapini daarna door de hete knoflookolie en laat ze 3 minuten meefruiten tot de steeltjes zacht zijn.
4. Bedruppel de rapini met het citroensap en breng ze op smaak met zout en peper.

6 personen

Gesmoorde champignons

25 minuten

Heerlijk op gepofte aardappelen.

500 g champignons, in plakjes
  gesneden
2 eetlepels olijfolie
1-3 teentjes knoflook, uitgeperst

versgemalen peper
4 eetlepels fijngehakte
  peterselie

1. Fruit de champignons in de olijfolie. Voeg de knoflook en wat peper toe, dek de pan af en laat ze 10 tot 15 minuten in hun eigen sap smoren. Bestrooi de champignons met peterselie.

3 - 4 personen

Gevulde champignons

25 minuten

16 grote weidechampignons
2 eetlepels olijfolie
1 teentje knoflook, uitgeperst

3 eetlepels verse
   volkorenbroodkruimels
$1/4$ theelepel gedroogde
   basilicum
1 theelepel citroensap
versgemalen peper

1. Breek de stelen voorzichtig van de champignonhoeden af en snijd ze zeer klein. Fruit de kleinge-sneden champignonstelen 1 minuut in de olijfolie, voeg de knoflook, broodkruimels en basilicum toe en laat ze 1 minuut even meefruiten.

2. Vul de champignonhoeden met de vulling, dek ze af met een vel bakpapier en bak ze 20 minuten in een voorverwarmde oven (180° C) tot ze gaar zijn. Bedruppel de gevulde champignons met het citroensap en bestrooi ze met wat peper.

4 personen

Courgettes op z'n Italiaans

25 minuten

2 grote of 4 kleine courgettes
1-2 teentjes knoflook, uitgeperst
2 eetlepels olijfolie
2 theelepels gedroogde basilicum

2 theelepels gedroogde
   oregano
1 theelepel paprikapoeder
versgemalen peper

1. Snijd de courgettes met een food processor in lange dunne reepjes.

2. Meng de knoflook met de olijfolie in een kleine kom en verhit de helft hiervan in een grote koekepan met anti-aanbaklaag. Doe de helft van de courgettes in de pan, bestrooi ze met de helft van de kruiden en de helft van de paprikapoeder en fruit ze 2 tot 3 minuten op een matig hoog vuur tot ze beetgaar zijn. Schep de gebakken courgettes uit de pan en houd ze warm.

3. Bak de rest van de courgettes op dezelfde wijze en breng ze op smaak met wat peper.

4 personen

Gestoomde courgettes met tahin-umeboshisaus

Hoewel u de groenten gewoon met de hand kunt snijden gaat het natuurlijk razendsnel met een food processor. Schep dit gerecht warm of koud over spinaziedeegwaren of dien het op kamertemperatuur op met sla en plakjes tomaat.

1 kleine ui, gepeld
1 theelepel olijfolie
1 grote of 4 kleine courgettes
2 grote wortels
ca. 1¹/₂ dl water

4 bladeren paksoi
2 eetlepels sesam tahin
1 theelepel umeboshi
   pruimpasta
2 eetlepels citroensap

1. Snijd de ui in zeer dunne ringen en fruit ze in de olijfolie tot ze zacht zijn. Voeg eventueel enkele eetlepels water toe om aanbranden te voorkomen.

2. Snijd de courgettes en de wortels in dunne reepjes, voeg ze aan de gefruite uiringen toe en laat ze 3 tot 4 minuten meefruiten, tot ze zacht zijn.

3. Snijd de paksoi in grove stukken, voeg ze aan het courgettemengsel toe en schep alles goed door.

4. Meng de tahin met de pruimenpuree, het citroensap en ¹/₂ deciliter water met een staafmixer. Giet deze saus over de gefruite groenten en laat alles 5 minuten zachtjes doorkoken. Schep de groenten regelmatig om.

3 personen

Roergebakken courgettes met broccoli en bloemkool

25 minuten

Een prima methode om allerlei combinaties groenten te bereiden. De smaken van deze groenten passen uitstekend bij elkaar en het gerecht ziet er nog mooi uit ook.

2 - 3 eetlepels olijfolie
1 middelgrote ui, in ringen
   gesneden
1 teentje knoflook, uitgeperst
1 theelepel oregano
2 - 3 dl water of groentebouillon
150 g broccoliroosjes

150 g bloemkoolroosjes
150 g kool, in stukjes gesneden
400 g courgettes, in
   dunne plakjes gesneden
1 vleestomaat, ontveld en
   in stukjes gesneden
evt. 2 eetlepels
   fijngehakte basilicum
versgemalen peper

1. Doe de helft van de olijfolie, de ui, knoflook en oregano in een grote koekepan en laat het uimengsel 2 minuten zachtjes fruiten. Voeg eventueel enkele eetlepels water of groentebouillon toe om aanbranden te voorkomen en schep de uiringen regelmatig om.

2. Doe de broccoli- en bloemkoolroosjes erbij en fruit ze, terwijl u af en toe een scheutje water of bouillon toevoegt om de groenten te bevochtigen, 3 minuten, tot ze beetgaar zijn.

3. Schep de kool, de courgettes, de tomaat en de rest van de olijfolie door het groentemengsel en laat de groenten 5 minuten meefruiten. Voeg de basilicum en eventueel wat extra water of bouillon toe en breng het gerecht op smaak met wat peper.

4 - 6 personen

Doperwtjes met tijm en knoflook

10 minuten

Een snelle, maar toch elegante wijze om diepvriesdoperwtjes op te dienen.

1 eetlepel olijfolie
1 teentje knoflook, uitgeperst
ca. 400 g diepvriesdoperwtjes
$^1/_2$ theelepel gedroogde tijm

$^1/_2$ kropsla, in reepjes
   gesneden
kruidenzout
versgemalen peper

1. Doe de olijfolie, knoflook en doperwtjes in een koekepan en zet deze op een laag vuur.
2. Schep de tijm en de reepjes sla door de doperwtjes, dek de pan af en laat de doperwtjes 5 minuten zachtjes stoven. Breng ze op smaak met kruidenzout en peper.

6 personen

Doperwtjes met rozemarijn

20 minuten

$^1/_2$ uitje, fijngehakt
1 eetlepel olijfolie
100 g spinazie, kleingesneden
ca. 400 g diepvriesdoperwtjes

2 tomaten, kleingesneden
$^1/_2$ theelepel rozemarijn,
   in een stuk kaasdoek gebonden
steen- of zeezout
versgemalen peper

1. Fruit het uitje in de olijfolie, voeg de spinazie en doperwtjes toe en laat ze 1 minuut meefruiten.
2. Doe de tomaten en rozemarijn erbij en laat alles nog 3 minuten fruiten, tot de doperwtjes gaar zijn. Breng de doperwtjes op smaak met zout en peper en verwijder het kaasdoekje gevuld met rozemarijn.

4 personen

Gestoomde groene kool

5 minuten

Gestoomde kool heeft een prettige, frisse smaak. Als u de kool in parten snijdt is die beter hanteerbaar en het ziet er dan ook aantrekkelijker uit. Eenvoudiger kan niet: u hoeft de partjes kool alleen maar te stomen en met vers citroen- of grapefruitsap te bedruppelen. Kruidensaus zonder olie (blz. 242) smaakt er ook lekker bij.

1 middelgrote groene kool, in partjes gesneden   citroensap, olijfolie of een saus naar eigen smaak

1. Stoom de partjes kool 4 tot 5 minuten boven een pan kokend water tot ze mooi groen van kleur zijn.
2. Doe de kool in een schaal, bedruppel ze met citroensap, olijfolie of saus en dien direct op.

4 - 6 personen

Groene kool met tuinbonen en knoflook

30 minuten

2 eetlepels olijfolie
1 teentje knoflook, uitgeperst
evt. 1 theelepel kerriepoeder
evt. ¹/₂ theelepel geraspte
   gemberwortel
¹/₂ kleine groene kool, in reepjes
   gesneden

1 pak diepvriestuinbonen
4 - 5 dl water
evt. 1 theelepel lichte
   miso

1. Doe de olijfolie en knoflook in een grote pan en laat de knoflook 1 minuut zachtjes fruiten. Roer de kerriepoeder erdoor en laat deze 1 minuut al roerend meefruiten. Voeg de gemberwortel, kool en tuinbonen toe en schep alles goed om.

2. Breng het water in een aparte pan aan de kook, roer de miso erdoor en blijf roeren tot de miso opgelost is. Giet de miso-oplossing over het koolmengsel, breng alles weer aan de kook, dek de pan af en laat de groenten 20 minuten zachtjes koken, tot de tuinbonen gaar zijn. Schep de groenten regelmatig om.

3. Schep de groenten met een schuimspaan uit de pan en doe ze in een schaal. Breng het kookvocht aan de kook, laat het tot de helft inkoken en giet het over de groenten.

4 personen

Chinese kool met karwij en tijm

4 minuten

2 theelepels saffloerolie
¹/₂ theelepel karwijzaad
1 kleine Chinese kool, in repen
   gesneden

¹/₂ theelepel gedroogde tijm
1 eetlepel citroensap
plantaardige soeparoma of
   steen- of zeezout

1. Doe de saffloerolie en het karwijzaad in een grote koekepan of wok en laat het zaad heel even fruiten.

2. Voeg de Chinese kool en tijm toe en roerbak ze 2 tot 3 minuten tot de kool slap begint te worden. Breng de kool op smaak met het citroensap en soeparoma of zout.

2 - 3 personen

Savooiekool met doperwtjes, tomaten en basilicum

15 minuten

De savooiekool geeft een mooi effect, maar u kunt deze schotel ook met witte kool bereiden.

1 eetlepel olijfolie
1 middelgrote savooiekool,
 in stukjes gesneden
1 teentje knoflook, uitgeperst
75 g spinazie, kleingesneden
1 middelgrote tomaat, ontveld
 en kleingesneden

1 pak diepvriesdoperwtjes
2 theelepels fijngehakte
 verse of $1/_2$ theelepel
 gedroogde basilicum
evt. versgemalen peper
steen- of zeezout

1. Doe de olijfolie, kool en knoflook in een grote koekepan of wok. Roerbak de kool en de knoflook 3 tot 4 minuten op een matig hoog vuur tot de kool net zacht begint te worden.

2. Voeg de spinazie, de tomaat (met sap) en de doperwtjes aan de roergebakken kool toe en roer de basilicum erdoor. Laat alles nog 2 minuten al roerend fruiten, dek de pan af en laat het groentemengsel nog 2 minuten zachtjes koken, tot de doperwtjes gaar zijn. Breng het gerecht op smaak met peper en zout.

4 - 6 personen

Maïskolven met 'Stedda' botersaus

7 minuten

Sommige mensen denken dat als ze geen boter op hun maïskolven kunnen krijgen, het niet de moeite waard is om ze te nemen. U kunt ze met deze pikante, iets gekruide saus verrassen. Ze zullen na deze maaltijd met heel andere ogen naar maïskolven kijken.

1 teentje knoflook, uitgeperst
 of $1/_2$ theelepel knoflookpoeder
$1/_4$ theelepel gemalen komijn
$1/_4$ theelepel paprikapoeder

snufje cayennepeper
snufje chilipeper
2 eetlepels extrazuivere
 olijfolie
6 verse of diepvriesmaïskolven

1. Meng de knoflook en de specerijen met de olijfolie.

2. Breng een grote pan water aan de kook, doe de maïskolven erbij en breng het water weer aan de kook. Kook of stoom de maïskolven 5 tot 7 minuten, laat ze uitlekken en bestrijk ze met het oliemengsel.

3 - 6 personen

Mexicaanse maïsschotel

20 minuten

Voor een snelle maaltijd kunt u deze Mexicaanse maïsschotel opdienen met 'Stedda' kipsalade (blz. 178) en Gestoofde paksoi (blz. 260).

2 pakjes diepvriesmaïskorrels
2 theelepels saffloerolie
$^1/_2$ rode ui, kleingesneden
$^1/_2$ groene paprika, kleingesneden

$^1/_2$ rode paprika, kleingesneden
4 groene olijven, in
   plakjes gesneden
$^1/_4$ - $^1/_2$ theelepel gemalen
   komijn
$^1/_4$ theelepel gedroogde
   oregano

1. Kook de maïskorrels volgens de aanwijzing op de verpakking.

2. Doe de saffloerolie en ui in een koekepan en laat de ui 1 minuut zachtjes fruiten. Voeg de paprika's en olijven toe en laat ze 3 minuten meefruiten, tot de groenten net zacht zijn. Roer de komijn en de oregano door het paprikamengsel en laat alles nog 1 minuut fruiten op een laag vuur.

3. Roer de gekookte en goed uitgelekte maïskorrels door het paprikamengsel en dien direct op.

4 personen

Hartige maïsschotel

40 minuten

Op een vrijdagavond maak ik wel eens een grote hoeveelheid van deze heerlijke pikante maïsschotel, met het idee dat er misschien wat restjes zullen overblijven voor de lunch op zaterdag of zondag. Mijn gezin is echter zo dol op dit gerecht dat er niet vaak restjes overblijven. Dit is een voedzaam eenpansgerecht en alles wat u hierbij in feite nodig heeft zijn groene groenten en een salade. Voor een wat uitgebreidere maar toch vlug-klare maaltijd kunt u Caraïbische zoete aardappelsoep (blz. 216), Klassieke groene salade (blz. 160) of Pikant courgettebrood (blz. 373) erbij serveren.

$^1/_2$ eetlepel olijfolie
$^1/_2$ eetlepel saffloerolie
1 ui, fijngehakt
2 stengels bleekselderij,
   kleingesneden
3 eetlepels volkorenmeel
350 g wortels, in plakjes
   gesneden
2 pakjes diepvriestuinbonen

$7^1/_2$ dl kokende groentebouillon
2 theelepels gedroogde tijm
1 theelepel gedroogde salie
1 pak diepvriesmaïskorrels
1500 g diepvriesdoperwtjes
$^1/_4$ theelepel knoflookpoeder
steen- of zeezout
versgemalen peper

1. Doe beide soorten olie, de ui en de bleekselderij in een grote pan en laat de groenten 3 minuten zachtjes fruiten. Roer het volkorenmeel en de wortels door het uimengsel, voeg de tuinbonen, kokende bouillon, tijm en salie toe en schep alles goed door elkaar.

2. Breng het mengsel aan de kook, dek de pan af en laat het 20 minuten, onder af en toe roeren, zachtjes koken op een zeer laag vuur.

3. Voeg de maïskorrels, doperwtjes, knoflookpoeder en wat zout en peper toe, breng het geheel weer aan de kook, dek de pan af en laat het gerecht 10 minuten zachtjes doorkoken. Controleer de smaak en dien direct op.

8 personen

Gestoofde paksoi

15 minuten

1 eetlepel saffloerolie
2 teentjes knoflook, uitgeperst
evt. 1 winterpeen, in schuine,
  dunne plakjes gesneden
1 theelepel geraspte gemberwortel
1 prei, in schuine ringen gesneden

1 struik paksoi, in stukjes
  gesneden
2¹/₂ dl krachtige
  groentebouillon
1 eetlepel tamari

1. Doe de saffloerolie, knoflook en peen in een wok of grote koekepan en roerbak de knoflook en peen 1 minuut op een hoog vuur tot ze net bruin beginnen te worden.

2. Voeg de gemberwortel en prei toe en laat ze 1 minuut al roerend meefruiten.

3. Schep de paksoi door de gefruite groenten, giet de bouillon en de tamari erover, dek de wok of de koekepan af en laat de groenten 15 minuten zachtjes koken. Verwijder het deksel, laat het kookvocht iets inkoken en dien direct op.

4 personen

Roergebakken paksoi

15 minuten

2 struiken paksoi
1 eetlepel saffloerolie
1 teentje knoflook, uit-
  geperst
stukje verse gemberwortel
2¹/₂ dl groentebouillon
1 eetlepel natriumarme ketjap

1 eetlepel mirin of 1
  theelepel honing
1 eetlepel rijstazijn
¹/₂ theelepel sesamolie
2 theelepels arrowroot,
  gemengd met ¹/₂ dl water
  en 1 theelepel saffloerolie
evt. wat sesamzaad

1. Maak de paksoi schoon en snijd de bladeren en de stelen in stukken.

2. Doe de saffloerolie in een kleine kom. Pers de knoflook en de gemberwortel uit met een knoflookpers en roer ze door de saffloerolie.

3. Meng de groentebouillon, ketjap, mirin, honing en rijstazijn met de sesamolie en zet beide mengsels naast de wok.

4. Verhit de wok, giet het saffloeroliemengsel in de wok en voeg de paksoi er meteen aan toe. Roerbak de paksoi 1 minuut op een matig hoog vuur, voeg het bouillonmengsel toe en breng alles aan de kook. Blijf roeren tot de paksoi gaar maar nog heldergroen van kleur is.

5. Bind de saus met de arrowroot-oplossing, doe de paksoi, met saus, in een schaal en bestrooi het gerecht met wat sesamzaad.

4 personen

Paksoi met tomaten

20 minuten

1 eetlepel olijfolie
2 eetlepels fijngehakt bieslook
   of 1 teentje knoflook, uitgeperst
1 middelgrote ui, fijngehakt

2 struikjes paksoi,
   gewassen en in stukjes gesneden
2 middelgrote tomaten,
   ontveld en kleingesneden

1. Doe de olijfolie en knoflook in een wok en laat de knoflook heel even fruiten. Als u bieslook wilt gebruiken, moet u het pas tegen het einde van de bereidingstijd toevoegen. Doe de ui erbij en laat deze 2 minuten al roerend meefruiten. Zet het vuur iets hoger, voeg de paksoi toe en laat het 2 minuten al roerend meebakken.

2. Dek de wok af en stoom de paksoi beetgaar. Roer het bieslook door de paksoi en neem de pan van het vuur. Schep de verse tomaten door de paksoi en dien direct op.

3 - 4 personen

Gebakken pompoen

1 uur

1 pompoen (ca. 1 kg)
1 eetlepel vruchtensuiker of ahornsiroop

1 dl vers sinaasappelsap
kaneelpoeder en geraspte nootmuskaat

1. Was de pompoen en snijd het doormidden. Verwijder de zaadjes en leg de twee helften naast elkaar in een ovenvaste schaal.

2. Doe in elke helft $1/2$ eetlepel vruchtensuiker of ahornsiroop en de helft van het sinaasappelsap en bestrooi de pompoen met kaneel en nootmuskaat.

3. Giet een bodem water in de schaal, dek de schaal af en bak de pompoen 45 minuten tot 1 uur, tot u het vruchtvlees van de pompoen makkelijk in de schil kunt prakken.

4 personen

Gegratineerde pompoen

2 uur, 40 minuten

U kunt alle soorten winterpompoen op deze manier bereiden. Hoewel dit gerecht heel verfijnd lijkt, is het in feite erg makkelijk te bereiden.

500 g geschilde winterpompoen
   in blokken gesneden
1 teentje knoflook, uitgeperst
4 eetlepels fijngehakte peterselie

3 eetlepels volkorenmeel
2 eetlepels olijfolie
evt. versgemalen peper

1. Doe de pompoen in een kom en schep de knoflook, de peterselie en het meel erdoor.
2. Bestrijk een ondiepe ovenvaste schaal met olijfolie. Doe het pompoenmengsel in de schaal, bedruppel het met de rest van de olijfolie en bak het gerecht circa 2 uur in een voorverwarmde oven (150° C) tot de bovenkant knapperig is.

3 - 4 personen

Gesmoorde sla

5 minuten

Gebruik de buitenste bladeren van kropsla, krulsla of ijsbergsla. Dit is een heerlijk bijgerecht bijvoorbeeld bij Zevenschaft (blz. 282) en koolsla.

3 eetlepels water
350 g slabladeren, in stukjes
   gesneden
2 theelepels olijfolie

$^1/_2$ theelepel zout
evt. citroensap

1. Breng het water aan de kook in een pan, doe de slabladeren erbij en schep ze om tot ze zacht beginnen te worden.
2. Voeg de olijfolie, zout en eventueel een scheutje citroensap toe en schep alles weer om.

3 personen

Sperziebonen op Italiaanse wijze

10 minuten

Dit is een van de beste en ook een van de makkelijkste manieren om 'eersteklas' sperziebonen op te dienen.

500 g jonge, malse sperziebonen	2 theelepels citroensap
steen- of zeezout	2 eetlepels extra-zuivere olijfolie

1. Breng een grote pan water aan de kook. Snijd beide einden van de bonen af en snijd of breek ze doormidden.

2. Doe de sperziebonen met een mespuntje steen- of zeezout in het kokende water en kook ze 3 minuten tot ze beetgaar zijn. Laat de sperziebonen uitlekken en dompel ze meteen in een kom ijskoud water: laat ze weer uitlekken en dep ze droog met keukenpapier.

4. Doe de sperziebonen in een kom, bedruppel ze met het citroensap en de olijfolie en schep alles goed door elkaar. Dien gekoeld of op kamertemperatuur op.

4 - 6 personen

Libanese sperziebonen

1 uur, 10 minuten

Een goede manier om minder malse sperziebonen op te dienen.

$^1/_2$ - 1 eetlepel olijfolie	versgemalen peper
1 kleine ui, fijngehakt	1 groentebouillontablet
1 kg sperziebonen	2 theelepels sesamzaad
$^1/_2$ theelepel gemalen komijn	het sap van 1 citroen

1. Doe de olijfolie en de ui in een koekepan met een dikke bodem en laat de ui 2 minuten zachtjes fruiten. Snijd intussen de punten van de sperziebonen af en snijd de bonen in stukken van 5 centimeter. Doe de sperziebonen in de koekepan, giet er voldoende water over zodat ze net onderstaan en voeg de komijn, wat peper en de bouillontablet toe. Roer alles goed door, dek de pan af en laat de sperziebonen 1 uur, onder regelmatig roeren, zachtjes gaar koken.

2. Laat het kookvocht eventueel iets inkoken in de onafgedekte pan, bestrooi de bonen met sesamzaad en dien warm of koud op met citroensap naar smaak.

4 personen

Spruitjes à la Ritz

25 minuten

250 g spruitjes
1 eetlepel olijfolie

1 eetlepel citroensap
1 theelepel Worcestershire Sauce

1. Maak de spruitjes schoon en stoom ze 15 minuten boven een pan heet water tot ze net zacht zijn. Neem ze uit de pan.

2. Verhit de olijfolie in een koekepan. Schep de spruitjes door de hete olijfolie en bedruppel ze met het citroensap en de Worcestershire Sauce. Schep alles nog een keer goed door.

2 - 3 personen

Gestoofde venkel

35 minuten

De zoete smaak van de venkel wordt door de hartige smaak van de knoflook aangevuld. Gestoofde venkel kan een zeer geschikt onderdeel zijn van een schaal gestoofde, gegrilleerde en gestoomde groenten.

2 grote venkelknollen
2 teentjes knoflook, uitgeperst
1 eetlepel olijfolie

$2^{1}/_{2}$ dl groentebouillon
versgemalen peper

1. Snijd de zachte bladeren en het onderste gedeelte van de venkelknollen af, halveer ze en snijd ze vervolgens in plakjes.

2. Doe de knoflook en de olijfolie in een koekepan en fruit de knoflook 1 minuut. Voeg de plakjes venkel toe en laat ze 3 minuten onder regelmatig omscheppen meefruiten tot ze iets bruin beginnen te worden.

3. Giet de bouillon over de venkel, breng het geheel aan de kook en laat de venkel 25 tot 30 minuten stoven in de afgedekte pan. Schep de venkel met een schuimspaan uit de pan en doe het in een warme schaal. Kook het stoofvocht iets in, breng het op smaak met peper en giet het over de venkel.

4 personen

Gestoofd witlof

25 minuten

Witlof wordt in zand, in het donker gekweekt zodat de struiken mooi wit blijven. Zonlicht activeert het chlorofyl waardoor de struiken groen worden. Als u witlof koopt, kies dan het lof dat geelwit van kleur is. Dit is een pikant groentegerecht dat heel fris smaakt bij een machtig hoofdgerecht.

2 - 3 eetlepels olijfolie
6 struikjes witlof, in de lengte
  doorgesneden

5 - 7 dl water of groentebouillon
3 eetlepels citroensap

1. Doe de olijfolie en het witlof in een koekepan en laat het witlof aan beide kanten licht-goudbruin bakken.

2. Giet voldoende water of groentebouillon in de pan tot het witlof voor de helft bedekt wordt, voeg het citroensap toe en laat de witlof 20 minuten in de afgedekte pan zachtjes gaar stoven. Tegen de tijd dat het witlof klaar is, zal het vocht praktisch verdampt zijn.

6 personen

Gekarameliseerde wortels

25 - 30 minuten

Dit wortelgerecht smaakt heerlijk bij Gebakken rijst uit de oven (blz. 321), Courgettes op z'n Italiaans (blz. 254), en Klassieke groene salade (blz. 160).

4 grote wortels, geschild
1 eetlepel olijfolie
1 volle eetlepel vruchtensuiker

steen- of zeezout
evt. versgemalen peper

1. Snijd de wortels in schuine plakjes van $\frac{1}{4}$ centimeter dik.

2. Roerbak de plakjes wortel 3 minuten in de olijfolie in een grote koekepan. Voeg de vruchtensuiker en voldoende water toe, zodat de wortels er net onderstaan en breng het geheel snel aan de kook. Laat de wortels onder af en toe roeren flink doorkoken in de afgedekte pan tot het water verdampt is en de wortels iets gekarameliseerd zijn.

3. Breng de wortels vlak voor het einde van de kooktijd op smaak met zout en peper.

3 personen

***Variaties*:**
1 - voeg $\frac{1}{2}$ theelepel geraspte gemberwortel aan de wortels toe als het water bijna verdampt is.
2 - voeg $\frac{1}{2}$ theelepel gedroogde tijm toe, tegelijk met de vruchtensuiker.

Worteltjes au naturelle

1 uur, 30 minuten

Dit recept lijkt enigszins op het recept voor Gekarameliseerde wortels maar is toch wel anders. Dit is een nieuwe en verbeterde versie van een oude favoriet, met olijfolie in plaats van roomboter. Als ik dit gerecht opdien voor gasten, is er altijd wel iemand die opmerkt: 'Ik had nooit gedacht dat worteltjes *zo* lekker konden smaken!'

500 g worteltjes, geschrapt
1 - 2 eetlepels olijfolie
3 eetlepels fijngehakte verse of
  1 eetlepel gedroogde basilicum

zeezout
versgemalen peper
2 eetlepels ahornsiroop

1. Doe de worteltjes in een grote pan met een dikke bodem met de olijfolie, basilicum, zout en peper naar smaak en de ahornsiroop en schud de pan even heen en weer. Dek de pan af en laat de wortels op een *zeer* laag vuur zachtjes smoren. Schep de worteltjes af en toe door om aanbranden te voorkomen.

6 - 8 personen

Variatie: Doe de worteltjes met de rest van de ingrediënten in een ovenvaste schaal met deksel, schud alles door elkaar en bak de worteltjes circa 1 uur in een voorverwarmde oven (180° C).

Gegratineerde wortelschotel

1 uur, 15 minuten

Wortels, gestoofd in een romige saus, maar toch zonder cholesterol. Het is bij ons een geliefd gerecht.

400 g wortels, in plakjes
  gesneden
75 g cashewnoten
3 dl water

$1\frac{1}{2}$ eetlepel olijfolie
$\frac{1}{2}$ - 1 theelepel zoete
  paprikapoeder

1. Doe de wortels in een kleine ovenvaste schaal.
2. Meng de cashewnoten met het water met een staafmixer, giet de 'cashewmelk' over de wortels, bedruppel ze met de olijfolie en bestrooi ze met paprikapoeder.
3. Bak de wortels 1 uur in een voorverwarmde oven (180° C) in de onafgedekte schaal. Roer de wortels tijdens het bakken een paar keer door en voeg desgewenst wat extra paprikapoeder toe.

4 personen

Wortel-aardappelpuree

20 minuten

Heerlijk bij een salade!

2 middelgrote aardappelen,
  geschild
300 g wortels, geschild

1 theelepel groente-
  bouillonkorrels,
  gemengd met $3^1/_2$ dl water

1. Snijd de aardappelen en de wortels in stukken en kook ze gaar in de groentebouillon.

2. Laat de groenten uitlekken, en pureer ze met een staafmixer of food processor en voeg voldoende groentebouillon toe om er een smeuïg mengsel van te maken.

3 personen

11

Die ouwe getrouwe aardappel

De aardappel is een van de meest gegeten voedingsmiddelen in de Verenigde Staten en ook in Nederland en andere Westeuropese landen. Er zijn maar weinig landen elders in de wereld waar de aardappel zo'n belangrijke plaats inneemt en praktisch alles wat we verder nog eten wordt begeleid door een aardappelgerecht.

Wat voedingswaarde betreft leveren aardappelen 'waar voor uw geld', zoals Harvey dat noemt. Dit produkt is een perfect voorbeeld van de complexe koolhydraten die we volgens alle prominente wetenschappers moeten eten. Aardappelen zijn brandstof voor ons lichaam en precies dat voedsel dat ons lichaam hard nodig heeft bij het verbrandingsproces, omdat de suikers die zij bevatten geleidelijk worden afgebroken en in onze bloedbaan worden opgenomen. Dit zorgt ervoor dat wij de constante energie tot onze beschikking hebben die wij nodig hebben om tegemoet te komen aan de eisen die het dagelijks leven aan ons stelt. Zij leveren ons vitaminen (B1, B2, B3 en C), ijzer, foliumzuur, calcium, kalium en fosfor. De wetenschappers zijn het erover eens dat wij 2 tot 11 procent eiwit nodig hebben. En aardappelen bevatten 11 procent eiwit!

Enkele Nederlandse aardappelrassen

Hieronder treft u een rassenlijst aan met vermelding van de naam van het ras, een beschrijving van het uiterlijk en een karakteristiek van de kookeigenschappen met een typeaanduiding in A, B, C, of D. Bij een aantal rassen is een combinatie gegeven, omdat het van belang is op welke grondsoort en onder welke klimatologische omstandigheden de aardappel geteeld is.

A is een aardappel die weinig bloemig is en niet afkookt.
B is een aardappel die iets tot matig bloemig is.
C is een aardappel die matig tot goed bloemig is, maar die niet snel afkookt.
D is een aardappel die zeer bloemig is en in het algemeen afkookt.

Zogenaamde 'super'rassen zijn grover gesorteerd, extra geselecteerd en gewassen.

Naam	Uiterlijk	Kook-eigenschap
Alpha lichtgele schil	ovaal	A - B
Bildtstar geel vruchtvlees	rond	B - C
Bintje lichtgeel vruchtvlees	lang ovaal	B - C
Doré geel vruchtvlees	ovaal	B - C
Eigenheimer vorm, geel vruchtvlees	ovaal, onregelmatige vorm	C - D
Gloria geel vruchtvlees	lang ovaal	A
Irene rode schil	rond, regelmatige vorm	D
Nicola geel vruchtvlees	lang ovaal	A
Resonant geel vruchtvlees	regelmatige vorm	C
Santé lichtgeel vruchtvlees		B - C

Laten we ook de yam en de zoete aardappel niet vergeten. U kunt deze stomen, in dobbelsteentjes snijden en aan de soep toevoegen, er een luchtige puree van maken of een koude, zoete taart. Zoete aardappelen en yams zijn ook zeer geschikt om in de oven te poffen.

Een uitermate gunstige eigenschap van de aardappel is dat zij geen druppel - zelfs geen millidruppel - verzadigd vet of cholesterol bevat. Laten we er daarom mee ophouden onze aardappelen te verzadigen met vet en ze op te dienen met een flinke klodder cholesterol! Laten we de Franse frietjes een nieuw aanzien geven en ze gezond en wel terug exporteren naar onze vrienden in Frankrijk!

Nu u weet dat aardappelen eiwit leveren, kunt u ze voortaan met een gerust hart als een verantwoord *hoofdgerecht* opdienen, in plaats van als bijgerecht.

Patates, nieuwe stijl

12 minuten

Hier is een nieuwe versie van een aardappelgerecht dat over de hele wereld bekend is - patates frites! U zult merken dat we de aardappelen houden maar het vet weglaten. Deze Patates, nieuwe stijl, zijn bedoeld voor diegenen onder ons die niet graag opgenomen willen worden in de statistieken over hart- en vaatziekten.

2 grote stevige aardappelen	tomatenketchup, mayonaise
1 eetlepel olijfolie	zonder eieren of
	Amandelmayonaise (blz. 119)
	steen- of zeezout

1. Schil de aardappelen en snijd ze (eventueel met een patatsnijder of food processor) in stokjes. Bestrijk een grote bakplaat met olijfolie.

2. Verdeel de patates over de bakplaat, bestrijk ze met olijfolie en grilleer ze 7 minuten op 15 centimeter afstand van een voorverwarmde grill. Schep ze om en rooster ze nog 3 tot 5 minuten tot de patates goudbruin en knapperig zijn.

3. Schep de patates op warme borden en dien direct op met tomatenketchup of mayonaise en zout.

2 - 3 personen

Aardappelschijfjes

15 minuten

Deze 'gebakken' aardappelschijfjes zijn erg populair. Kort geleden, tijdens een bijeenkomst met vertegenwoordigers van een aantal bekende Amerikaanse fast-food ketens, waren deze aardappelschijfjes per ongeluk iets eerder dan het hoofdgerecht aan tafel gebracht. Het duurde geen drie minuten voordat de rest van de maaltijd tevoorschijn kwam maar de schalen met aardappelschijfjes waren gewoon leeg. Het was frappant en niet echt een verrassing voor ons. Dien op bij de New York Goodwich (blz. 119) en Koolsla (blz. 172).

2 grote stevige aardappelen	groentebouillonpoeder
1 eetlepel olijf- of saffloerolie	kruidenzout
1 teentje knoflook, uitgeperst	

1. Snijd de ongeschilde aardappelen in dunne schijfjes. Bestrijk een grote bakplaat met 1 theelepel olie. Meng de rest van de olie met de knoflook in een kleine kom. Schik de aardappelschijfjes op de bakplaat, bestrijk ze met de knoflookolie en bestrooi ze met de bouillonpoeder en kruidenzout naar smaak.

2. Grilleer de aardappelschijfjes 7 minuten op 10 centimeter afstand van een voorverwarmde grill tot ze goudbruin en knapperig zijn. Schep ze op een warme schaal en dien direct op.

2 - 3 personen

Ovenfrites

1 uur, 45 minuten

Wij hebben meer post over Krokante aardappelen ontvangen dan over welk recept dan ook uit *Een Leven Lang Fit*. Wij zijn er van overtuigd dat deze ovenfrites even populair zullen worden - knapperig aan de buitenkant en zacht van binnen. Geef de mayonaise maar door!

6 grote stevige aardappelen
mespuntjes van elk van de
  volgende smaakmakers:
  strooikruiden, met of zonder zout
  groentebouillonpoeder
  paprikapoeder

steen- of zeezout
versgemalen peper
4 eetlepels zonnebloem-
  of olijfolie
evt. 4 eetlepels fijngehakt
  bieslook

1. Schil de aardappelen en snijd ze doormidden. Snijd elke helft in vingerdikke stukken.

2. Verdeel de aardappelen over een grote braadslee en bestrooi ze met de kruiderij.

3. Giet de olie over de aardappelen en schep alles door elkaar. Dek de schaal af met aluminiumfolie en bak de aardappelen 45 minuten in een voorverwarmde oven (210° C). Verwijder de aluminiumfolie en bak de aardappelen nog 45 minuten. Schep ze een keer om. Bestrooi de ovenfrites met het bieslook en dien direct op.

6 personen

Gebakken aardappelen uit de oven

1 uur

Het perfecte gerecht voor een dag dat u geen tijd heeft gehad om het avondeten voor te bereiden. Een goede reden om een voorraad gestoomde aardappelen bij de hand te hebben.

6 grote stevige aardappelen,
  gestoomd, geschild en in
  dunne plakjes gesneden
1 kleine ui, in dunne ringen gesneden
2 teentjes knoflook, uitgeperst
2 - 3 eetlepels olijfolie
steen- of zeezout en versgemalen peper

paprikapoeder
1 eetlepel fijngehakte
  peterselie
evt. 20 g sojamargarine
  in stukjes gesneden

1. Verdeel de plakjes aardappel over een ingevette braadslee en voeg de uiringen, knoflook, olijfolie en wat zout en peper toe. Schep alles door elkaar en bestuif de aardappelen met paprikapoeder en peterselie. Leg hier en daar een klontje margarine.

2. Bak de aardappelen 15 minuten in een voorverwarmde oven (220° C), schep ze om, zet het vuur iets lager (170° C) en bak ze nog 30 tot 45 minuten. U kunt de aardappelen eventueel een poos (tot 2 uur) warmhouden in een lauwwarme oven (150° C).

3 - 4 personen

Wortelrösti

40 minuten

Wij hebben zoveel positieve reacties ontvangen over dit recept uit *Een Leven Lang Fit* dat we besloten hebben om het ook weer in dit boek op te nemen.

3 eetlepels saffloerolie
¹/₂ uitje, geraspt
250 g wortels, geschild en
  geraspt

3 grote stevige aard-
  appelen, geschild en
  geraspt
evt. steen- of zeezout

1. Doe de olie en het geraspte uitje in een koekepan met anti-aanbaklaag en laat het uitje 1 minuut fruiten. Doe de geraspte wortels en geraspte aardappelen erbij en bestrooi ze eventueel met wat zout. Bak de Wortelrösti aan een kant goudbruin, keer het om en bak hem aan de andere kant ook goudbruin en knapperig.

2. Trek de rösti met een houten lepel in drieën of laat hem op een platte schaal glijden en snijd het in punten.

3 personen

Aardappelpuree suprème

20 - 25 minuten

300 g aardappelen, geschild en
  in vieren gesneden
1 laurierblad
1 stengel bleekselderij
8 peperkorrels
1 handvol peterselie

1 teentje knoflook, gepeld
2 eetlepels lichte miso
evt. 2 eetlepels ongezoete
  sojamelk
1 eetlepel olijf- of
  zonnebloemolie
versgemalen peper

1. Doe de aardappelen in een grote pan met voldoende water zodat ze net onderstaan. Doe er het laurierblad, de bleekselderij, de peperkorrels, de peterselie en de knoflook bij, breng alles aan de kook en laat de aardappelen 10 tot 15 minuten zachtjes koken in de afgedekte pan. De aardappelen mogen echter niet tot moes koken.

2. Schep de aardappelen met een schuimspaan uit de pan en doe ze in een grote pan. Let op dat u de peperkorrels er in elk geval niet bij doet. Los de miso op in ¹/₂ deciliter van het kookvocht.

3. Stamp de aardappelen met de miso-oplossing, sojamelk, olie en wat peper. Voeg eventueel nog enkele eetlepels van het kookvocht toe tot er een smeuïge puree ontstaat. Klop de aardappelpuree met een garde en dien direct op of doe het in een ovenvaste schaal en houd het niet langer dan 30 minuten warm in de oven (150° C).

2 personen

JUS VOOR AARDAPPELPUREE

De meeste mensen vinden aardappelpuree lekker met jus; hieronder vindt u een paar heerlijke recepten.

De makkelijkste jus

3 eetlepels olijfolie
3 eetlepels volkorenmeel
2 eetlepels groentebouillonkorrels of 2 groentebouillontabletten
$7^1/_2$ dl water*

Verhit de olijfolie in een grote koekepan. Roer het volkorenmeel en de groentebouillonkorrels door de hete olijfolie en laat ze 1 minuut meewarmen. (Als u bouillontabletten gebruikt, moet u eerst het water toevoegen en pas daarna de bouillontabletten.) Voeg het water, roerend met een garde, met grote scheuten tegelijk toe. Blijf roeren tot er een gladde gebonden jus ontstaat. Laat de jus 5 minuten onder af en toe roeren, zachtjes doorkoken.

ca. $7^1/_2$ dl

Bruine uienjus met dragon

Deze jus smaakt nog beter als u zelfgemaakte groentebouillon gebruikt in plaats van een kant-en-klare soort.

1 eetlepel olijfolie
1 grote ui, in ringen gesneden
$3^1/_2$ dl water
2 theelepels groentebouillonkorrels, of 1 groentebouillontablet
$^1/_4$ theelepel gedroogde dragon
mespuntje gedroogde salie
mespuntje geraspte nootmuskaat
$^1/_4$ theelepel gedroogde kervel

Verhit de olie in een grote koekepan. Fruit de uiringen 15 minuten tot ze goudbruin en iets gekarameliseerd zijn - schep ze regelmatig om om aanbranden te voorkomen. Voeg het water, de bouillonkorrels of het bouillontablet, de dragon, salie, nootmuskaat en kervel toe, breng alles aan de kook, zet het vuur iets lager en laat de jus enkele minuten inkoken.

$1^1/_2$ - 2 dl

* In plaats van gewoon water kunt u het kookvocht van een portie aardappelen gebruiken.

Krachtige bruine jus

Heerlijk bij de Franse groentenmelange op blz. 333 of als een exotische aanvulling op een schaal gestoomde groenten.

$^1/_2$ dl olijfolie
250 g *mirepoix*, dat uit de volgende groenten en kruiden bestaat:
  1 kleingesneden wortel
  1 kleingesneden uitje
  1 kleingesneden bleekselderijhart (het binnenste
  gedeelte van een struik bleekselderij)
  $^1/_2$ klein laurierblad
  $^1/_4$ theelepel gedroogde tijm
30 g volkorenmeel
5 zwarte of witte peperkorrels
4 eetlepels fijngehakte peterselie
1 l water
2 groentebouillontabletten of 2 afgestreken eetlepels
  groentebouillonkorrels
zeezout
versgemalen peper

Verhit de olijfolie in een pan met een dikke bodem. Fruit de *mirepoix* tot het bruin begint te worden, voeg het volkorenmeel toe en blijf roeren tot het meel ook iets bruin is geworden. Doe de peperkorrels en peterselie erbij en voeg het water en de bouillontabletten of bouillonkorrels toe. Laat de jus 2 uur onder af en toe roeren zachtjes koken tot het op dikke slagroom lijkt. Giet de jus door een zeef en breng het op smaak met zout en peper.

ca. 5 dl

Tip: U kunt het water en de bouillontabletten of bouillonkorrels eventueel door 1 liter zelfgemaakte groentebouillon vervangen.

Romige champignonjus met uien

Deze ouderwetse, romige jus is net zo lekker als de jus die Oma vroeger maakte en smaakt heerlijk bij aardappelpuree. Voor een stevige, hartige maaltijd kunt u deze jus ook bij gekookt graan (bulgur, couscous, rijst enz.) opdienen.

$1\frac{1}{2}$ eetlepel olijfolie
1 ui, fijngehakt
1 teentje knoflook, uitgeperst
60 g champignons, in plakjes gesneden
1 eetlepel volkorenmeel
evt. 3 eetlepels strooigist
$3\frac{1}{2}$ dl kookvocht van wat aardappelen
$1\frac{1}{2}$ eetlepel groentebouillonkorrels of 2 groentebouillontabletten

Verhit de olijfolie in een koekepan en fruit de ui en knoflook 3 tot 4 minuten, tot ze zacht zijn. Voeg de champignons toe en laat ze 2 tot 3 minuten, onder af en toe roeren, meefruiten. Roer het meel en de strooigist door het uimengsel en laat het meel 1 minuut meewarmen. Voeg het aardappelkookvocht, roerend met een garde, met grote scheuten tegelijk toe en blijf roeren tot er een gladde, gebonden jus ontstaat. Laat de jus 5 minuten doorkoken. (Verdun de jus eventueel met wat extra aardappel kookvocht.)

ca. 3 dl

Tip: Als u de jus ruim van tevoren wilt bereiden moet u voorkomen dat er een velletje op komt. Leg een velletje bakpapier over de jus. Haal het papier vlak voor het opdienen eraf en warm de jus voorzichtig op.

Aardappelrösti

1 uur

Knapperige aardappelrösti die u makkelijk in partjes kunt snijden.

6 - 8 middelgrote stevige
  aardappelen, geschild

steen- of zeezout
3 eetlepels olijfolie

1. Rasp de aardappelen op een grove rasp, doe ze in een vergiet en spoel ze goed af. Rol de geraspte aardappelen in een schone theedoek, pers het overtollige water eruit en bestrooi de geraspte aardappelen met zout.

2. Verhit 2 eetlepels van de olie in een koekepan met anti-aanbaklaag. Doe de geraspte aardappelen in de pan en druk ze plat met een houten spatel. Dek de pan af en laat de rösti 20 minuten op een matig hoog vuur bakken.

3. Neem het deksel er voorzichtig af, horizontaal houdend, zodat er geen condenswater in de pan valt. Droog het deksel af. Keer de rösti op een platte schaal of pizzavorm.

4. Verhit de rest van de olijfolie in de koekepan en laat de rösti terug in de pan glijden met de gebakken kant naar boven.

5. Druk de rösti weer plat en bak het 20 minuten in de onafgedekte pan.

6. Laat de rösti op een platte schaal glijden en snijd hetmin partjes.   *4 personen*

Aardappelkoekjes

1 uur, 20 minuten

Deze aardappelkoekjes zijn eigenlijk kleine rösti's en kunnen als borrelhapje of bij salades of soepen worden opgediend of als een extra bij veel verschillende maaltijden.

6 middelgrote, stevige
  aardappelen, grofgeraspt
olijfolie

steen- of zeezout
versgemalen peper

1. Geraspte aardappelen moet u onmiddellijk gebruiken of in koud water zetten om oxidatie en verkleuren te voorkomen. Laat de geraspte aardappelen uitlekken, rol ze in een schone theedoek en pers het overtollige water eruit. Meng de geraspte aardappelen met wat zout en peper.

2. Verhit een eetlepel olijfolie in een koekepan met anti-aanbaklaag. Doe een derde van de geraspte aardappelen in de pan en druk ze zo plat mogelijk met een houten spatel. Let op dat het randje van het aardappelkoekje niet te dun is, anders gaat het verbranden. Bak het aardappelkoekje op een matig hoog vuur, druk het steeds plat zodat het binnenste gedeelte van het koekje ook gaar wordt.

3. Keer het aardappelkoekje om en bestrijk de pan met olijfolie. Bak de onderkant van het aardappelkoekje ook goudbruin, doe het op een platte schaal en houd het warm. Bereid nog twee aardappelkoekjes met de rest van de geraspte aardappelen en snijd ze alle drie doormidden.   *6 personen*

Tip: U kunt deze aardappelkoekjes van tevoren bakken en in een hete oven weer opwarmen.

Franse aardappelkoek

1 uur, 15 minuten

Een mooi gerecht dat heel makkelijk te bereiden is.

8 nieuwe aardappelen (Alpha's)
  geschild en in dunne plakjes
  gesneden

5 eetlepels olijfolie
steen- of zeezout
versgemalen peper

1. Droog de aardappelplakjes in een theedoek. Verhit 1 eetlepel olijfolie in een taartvorm (20 cm middellijn) in een voorverwarmde oven (190° C).

2. Schik een laag aardappelplakjes dakpansgewijs in de taartvorm, bedruppel ze met 1 eetlepel olijfolie en bestrooi ze met wat zout en peper.

3. Herhaal stap 2 drie of vier maal met de rest van de aardappelplakjes en bak de aardappelkoek 1 uur in de oven, tot de aardappelen zacht zijn en de rand van de koek licht-goudbruin is. Keer de aardappelkoek op een platte schaal en snijd hem in vieren.

4 personen

VOOR EEN SNELLE OPLOSSING

Bereid meer gekookte of gepofte aardappelen dan u nodig heeft. U kunt koude aardappelen altijd gebruiken om een snelle en smakelijke maaltijd te bereiden. Vooral de hartige smaak van een gepofte aardappel voegt iets speciaals toe aan elke schotel. Grote nieuwe aardappelen en ook yams zijn zeer geschikt om te poffen.

1. Snijd de koude aardappelen in dunne plakjes en schik ze op een ingevette bakplaat. Bestrijk ze met een mengsel van knoflook en olijfolie, bestrooi ze met uw lievelingskruiden en rooster ze enkele minuten onder een hete grill.

2. Snijd de aardappelen in dobbelsteentjes en verwerk ze in een salade.

3. Snijd geschilde gekookte aardappelen in dobbelsteentjes en kook ze met andere kleingesneden groenten in bouillon om er een stevige soep van te maken.

4. Dien plakjes koude gepofte aardappelen op met plakjes avocado. Breng ze op smaak met kruidenzout en geef er een grote portie gemengde salade bij. Wat een heerlijke lunchschotel!

5. Voeg wat plakjes koude gekookte aardappelen of yam aan roergebakken groenten toe en laat ze 2 minuten meebakken.

6. Voeg in dobbelsteentjes gesneden koude gekookte yams aan een groentesoep toe en kook ze 10 minuten mee. De yam valt uit elkaar en geeft de soep een heerlijk zoete smaak.

Gebakken gepofte aardappelen

15 minuten

Koude gepofte aardappelen zijn uitstekend om te bakken. De volgende keer dat u gepofte aardappelen eet, bereid er dan een paar extra, laat ze afkoelen, verpak ze in huishoudfolie en bewaar ze (tot maximaal een week) in de koelkast.

2 grote gepofte aardappelen

2 eetlepels olijfolie

steen- of zeezout

evt. versgemalen peper

1. Snijd de aardappelen, met schil, in plakjes of in stukjes.

2. Verhit de olijfolie in een koekepan met anti-aanbaklaag en bak ze aan beide kanten goudbruin en knapperig. Bestrooi ze met zout en peper naar smaak.

4 personen

Variatie: Voor een lichter, maar nog steeds lekker resultaat, schilt u de aardappelen voor u ze in plakjes of stukjes snijdt.

Aardappelsalade met kerrie

30 minuten

Een knalgele, pikante aardappelsalade die zeker goedgekeurd zal worden. Hij is ideaal om op een picknick mee te nemen en kan ook de gegrilleerde aardappelen vervangen in de Aardappelsalade op blz. 178.

2 eetlepels olijfolie

$1/2$ theelepel zwart mosterdzaad

evt. $1/3$ theelepel komijnzaad

$1/2$ theelepel kurkuma

100 g wortel, in dobbelsteentjes

  gesneden en geblancheerd

100 g ui, fijngehakt of 2

  bosuitjes, kleingesneden

750 g gestoomde aardappelen

  geschild en in blokjes

$1/2$ theelepel gemalen komijn

evt. steen- of zeezout

$1/4$ theelepel cayennepeper

1 eetlepel citroen- of limoensap

2 eetlepels fijngehakte

  verse koriander of peterselie

1. Doe de olie en het mosterdzaad in een pan met een dikke bodem en laat het mosterdzaad 1 minuut bakken. Voeg het komijnzaad, de kurkuma, de wortel en de ui of bosuitjes toe en laat ze 3 minuten meefruiten tot de ui zacht is.

2. Voeg de aardappelen toe en fruit ze 2 minuten al roerend mee. Roer de gemalen komijn en eventueel wat zout erdoor en bestrooi de aardappelen met cayennepeper. Meng alles goed door, dek de pan af, zet het vuur iets lager en laat de aardappelen 5 minuten zachtjes smoren.

3. Verwijder het deksel, voeg het citroensap en koriander of peterselie toe en dien warm of op kamertemperatuur op.

5 personen

Geroosterde aardappelschilletjes met romige bieslooksaus

30 minuten

Hier is een gerecht waar niemand van af kan blijven, het is op, op het moment dat u het opdient! Met deze nieuwe, verbeterde versie zullen ze erbovenop duiken als nooit tevoren. U kunt er niet genoeg van maken.

4 grote stevige aardappelen
1 eetlepel olijf- of zonnebloemolie

strooikruiden
Romige bieslook-dipsaus
(blz. 157) of Tahina (blz. 155)

1. Gebruik een aardappelmesje om de schil van de aardappelen in repen van 2 centimeter breed te snijden. Doe de geschilde aardappelen in een kom koud water en bewaar ze voor een andere keer.

2. Bestrijk een bakplaat met olijfolie en schik de reepjes aardappelschil naast elkaar op de plaat. Bak ze 15 tot 20 minuten in een voorverwarmde oven (225° C) tot de schilletjes goudbruin en knapperig zijn. Bestrooi ze met de strooikruiden en laat ze op een rooster afkoelen. (U kunt de schilletjes eventueel een dag van tevoren bakken en de volgende dag weer opwarmen - 5 minuten bij 225° C.) Dien ze op met een van de dipsauzen.

4 personen

Aardappelsalade de Luxe

15 minuten

750 g gekookte aardappelen,
geschild en in dunne plakken
gesneden
2 stengels bleekselderij,
kleingesneden
1 bosuitje, fijngehakt
100 g tahoe
1 eetlepel strooigist

$1^1/_4$ dl mayonaise zonder eieren
1 theelepel milde mosterd
$^1/_2$ theelepel mosterdpoeder
steen- of zeezout
versgemalen peper

1. Meng de aardappelen met de bleekselderij en het bosuitje in een grote kom.

2. Prak de tahoe met de strooigist, voeg de mayonaise en beide soorten mosterd toe en meng alles goed door elkaar.

3. Schep het tahoemengsel door het aardappelmengsel en breng het op smaak met zout en peper. Dien gekoeld op.

6 - 8 personen

Gebarbecuede aardappelen

5-10 minuten

Aardappelen die op de barbecue geroosterd zijn hebben een onweerstaanbare smaak. Ze smaken nog lekkerder als u ze in guacamole, Amandelmayonaise met tuinkruiden (blz. 120) of tomatenketchup doopt!

3 grote, koude gepofte aardappelen   1 teentje knoflook
3 eetlepels olijfolie

1. Snijd de aardappelen in plakjes van een $^1/_2$ centimeter. Meng de olijfolie met de knoflook in een kleine kom.

2. Schik de plakjes aardappel naast elkaar op het barbecuerooster, bestrijk ze met de knoflookolie en schep ze meteen om. Bestrijk de aardappelen weer met de knoflookolie. Rooster de plakjes aardappel 3 tot 4 minuten aan beide kanten tot ze goudbruin en knapperig zijn - bestrijk ze regelmatig met de knoflookolie.

3 personen

Gepofte aardappelen met kerrie

1 uur, 25 minuten

2 grote stevige aardappelen $1^1/_2$ eetlepel strooigist
1 dl water   1 eetlepel lichte miso
1 - 2 theelepels olijfolie   2 theelepels tahin
1 middelgrote ui, in vieren   zoete paprikapoeder
  en daarna in plakjes gesneden
$^1/_4$ theelepel gemalen komijn
$^1/_4$ theelepel kerriepoeder

1. Boen de aardappelen en prik ze overal in met een vork om te voorkomen dat ze tijdens het bakken openbarsten. Bak ze 1 uur, 15 minuten in een voorverwarmde oven (200° C) tot ze van binnen helemaal zacht zijn.

2. Doe intussen 2 eetlepels water, de olijfolie en de ui in een koekepan en laat de ui 2 minuten fruiten op een matig hoog vuur. Voeg de komijn en kerriepoeder toe en laat ze 1 minuut meefruiten. Roer de strooigist door het uimengsel en laat het 1 minuut meefruiten. Voeg de rest van het water, de miso en de tahin toe, breng alles aan de kook en blijf roeren tot de miso opgelost is.

3. Neem de gepofte aardappelen uit de oven en laat ze iets afkoelen. Snijd ze in de lengte door en schep het aardappelkruim voorzichtig uit de schillen.

4. Doe de gefruite ui en het aardappelkruim in een kom en stamp ze door elkaar. Schep de vulling terug in de aardappelschillen, bestrooi ze met paprikapoeder en rooster ze 5 minuten onder een voorverwarmde grill tot er een goudbruin korstje op komt.

2 personen

Aardappelschuitjes

30 minuten

Nog een verrukkelijk alternatief voor een geliefd Amerikaans aardappelgerecht - gepofte aardappelen met kaasvulling. Onze versie is net zo lekker, maar bevat geen kaas!

2 grote stevige aardappelen
250 g pompoen
2 - 3 eetlepels olijf- of zonne-
    bloemolie
versgemalen peper
zoete paprikapoeder

$1/4$ - $1/2$ theelepel
    gemalen komijn
steen- of zeezout of
    strooikruiden

1. Bak de aardappelen 1 uur en 15 minuten in een voorverwarmde oven (200° C), tot ze van binnen helemaal zacht zijn en laat ze iets afkoelen. Schil intussen de pompoen, snijd het vruchtvlees in dobbelsteentjes en stoom ze boven een pan heet water.

2. Snijd de aardappelen in de lengte doormidden en schep het aardappelkruim voorzichtig uit de schillen. Meng de gestoomde pompoen met het aardappelkruim, de olijfolie (houd 2 theelepels olie achter voor later), komijn en wat zout en peper en stamp alles goed door elkaar.

3. Schep de vulling terug in de aardappelschillen, bestrijk de bovenkant van elke gevulde aardappel met de achtergehouden olijfolie en bestrooi ze met paprikapoeder. Rooster de aardappelschuitjes 10 minuten onder een voorverwarmde grill.

2 - 4 personen

Aardappel-courgettesalade

30 minuten

Een frisse aardappelsalade die ideaal is voor een zomerse maaltijd. Dien de salade warm op of op kamertemperatuur. De simpelste ideeën zijn vaak de beste en dit gerecht is er een uitstekend voorbeeld van.

6 stevige aardappelen
4 kleine courgettes, in plakjes
    gesneden
2 eetlepels extrazuivere olijfolie

2 theelepels citroensap
steen- of zeezout
versgemalen peper

1. Stoom de aardappelen 25 minuten tot ze gaar zijn, laat ze iets afkoelen en snijd ze in vieren en daarna in plakjes.

2. Stoom de courgettes 5 minuten tot ze beetgaar zijn en laat ze afkoelen.

3. Doe de courgettes en de aardappelen in een kom, voeg de olijfolie, het citroensap en wat zout en peper toe en schep alles goed door elkaar.

3 - 4 personen

Engelse aardappelkoek

40 minuten

Dit recept, een favoriet van het hele gezin, is een bewerking van een traditioneel Engels gerecht met een charmante naam 'Bubble and Squeak'. Dit gerecht werd op maandagavond opgediend en bestond uit groenterestjes van het zondagse diner, die door elkaar waren gestampt en dan gebakken in een grote koekepan. Het koude roastbeef dat nog van de zondag over was werd apart opgediend. Dit recept lukt het beste als u de gestoomde aardappelen enkele uren in de koelkast bewaart. Ze zijn dan makkelijk te raspen.

10 tot 12 middelgrote aardappelen	3 - 4 eetlepels water
4 eetlepels olijfolie	strooikruiden zonder zout
1 uitje, geraspt	versgemalen peper
$^1/_2$ middelgrote groene kool, grofgeraspt of geschaafd	

1. Stoom de aardappelen 15 minuten en laat ze enkele uren in de koelkast staan. Rasp de aardappelen op een grove rasp. Doe 2 eetlepels olijfolie en het uitje in een grote koekepan met anti-aanbaklaag en laat het uitje 2 minuten zachtjes fruiten.

2. Voeg de geraspte of geschaafde kool toe en laat deze 2 tot 3 minuten meefruiten. Schep de kool regelmatig om en voeg voldoende water toe om aanbranden te voorkomen. Doe de geraspte aardappelen en wat strooikruiden en peper erbij en schep alles goed door elkaar.

3. Druk het mengsel plat met een spatel en bak het circa 15 minuten tot de onderkant goudbruin en knapperig is.

4. Keer de aardappelkoek met behulp van een platte schaal of pizzavorm. Verhit de rest van de olijfolie in de pan en laat de aardappelkoek terug in de pan glijden. Druk hem weer plat en bak de andere kant goudbruin. Laat de aardappelkoek op een platte schaal glijden en snijd hem in punten.

4 - 6 personen

Zevenschaft

1 uur

1 eetlepel olijfolie	1 grote ui, in acht partjes gesneden
2 uien, fijngehakt	ca. $7^1/_2$ dl water
1 teentje knoflook, uitgeperst	1 laurierblad
2 stengels bleekselderij, in stukjes gesneden	steen- of zeezout
	versgemalen peper
1 theelepel gedroogde tijm	300 g courgettes, in
3 eetlepels volkorenmeel	plakjes gesneden
300 g winterpeen, in plakjes gesneden	150 g diepvriesdoperwtjes
300 g geschilde aardappelen, in blokjes gesneden	250 g groene kool, klein- gesneden

1. Doe de olijfolie, uien, knoflook en bleekselderij in een braadpan en laat ze 5 minuten zachtjes fruiten - schep ze regelmatig om. Voeg de tijm en het volkorenmeel toe en laat ze 1 minuut al roerend meewarmen.

2. Roer de winterpeen, aardappelen en partjes ui door het bleekselderijmengsel. Voeg het water toe, breng alles aan de kook en doe het laurierblad en wat zout en peper erbij. Dek de pan af en laat de zevenschaft 30 minuten zachtjes koken.

3. Voeg de courgettes, doperwtjes en groene kool toe, roer alles goed door en laat het gerecht nog 20 minuten doorkoken. Controleer de smaak en verwijder het laurierblad. *4 - 6 personen*

Tip: Dit gerecht kunt u van tevoren bereiden en vlak voor het opdienen weer opwarmen. Het is ook zeer geschikt om in te vriezen.

Variatie: Vervang de courgettes door 300 gram gestoomde broccoli. Voeg de broccoli 10 minuten voor het einde van de kooktijd toe en laat het gerecht verder onafgedekt doorkoken. (Als u de broccoli in de onafgedekte pan meekookt, blijft deze mooi groen van kleur.)

Aardappelkerrie met tomatenjus

45 minuten

Dit geurige aardappelgerecht is een bewerking van een traditioneel recept uit India - *alu ki-sabzi*. Het is een prima gerecht voor een party met hartige hapjes en salades. Alle kruiden en specerijen kunt u bij een toko of reformzaak kopen.

$^1/_2$ dl sesamolie
evt. 1 theelepel komijnzaad
1 laurierblad
3 theelepels gemalen koriander
$1^1/_2$ theelepel gemalen komijn
$^1/_4$ theelepel paprikapoeder
$^1/_2$ theelepel kurkuma
zout

6 middelgrote tomaten, ontveld en kleingesneden
1 bosje verse koriander of
    peterselie, fijngehakt
9 - 10 middelgrote stevige
    aardappelen, geschild
    en in dobbelsteentjes gesneden
1 l water of groentebouillon
2 theelepels limoensap

1. Doe de sesamolie, het komijnzaad, het laurierblad, de koriander, de komijn, de paprikapoeder, de kurkuma en wat zout in een braadpan en laat het mengsel 1 minuut zachtjes fruiten. Doe de tomaten en verse koriander of peterselie erbij en laat ze enkele minuten meebakken tot het vocht verdampt is.

2. Schep de aardappelen door het specerijmengsel en laat ze 5 minuten meefruiten. Giet het water of de bouillon over het aardappelmengsel en breng alles al roerend aan de kook. Dek de pan af en laat het geheel 20 minuten zachtjes koken tot de aardappelen gaar zijn.

3. Verwijder het deksel en laat de jus 5 tot 10 minuten inkoken - prak een deel van de aardappelen en bind de jus hiermee. Voeg het limoensap toe en controleer de smaak. *8 personen*

Tip: U kunt de verse tomaten eventueel door een blik tomaten vervangen, maar dan wel zonder het vocht. Dit gerecht kunt u van tevoren bereiden en enkele dagen in de koelkast bewaren.

Groenteschotel met aardappelkorst

1 uur, 10 minuten

Voor relatief weinig geld heeft u met deze voortreffelijke ovenschotel een heerlijk maal voor een gezin van vijf personen. De bereidingstijd is vrij kort, maar uw gezin wil toch het gevoel hebben dat ze iets goeds eten (dat minstens een dag werk in de keuken heeft gekost). Gebruik het voedzame kookvocht van de aardappelen om de aardappelpuree mee te bereiden en ook als basis voor de jus. Laat de aardappelkorst een mooie, goudbruine kleur krijgen in de oven.

Aardappelkorst

5 middelgrote aardappelen, geschild
1 teentje knoflook
1 stengel bleekselderij
handje peterselie
8 peperkorrels

1 middelgrote ui
1 laurierblad
1 eetlepel lichte miso
1 eetlepel olijfolie
paprikapoeder

Groenteschotel

1 eetlepel olijfolie
1 rode ui, fijngehakt
1 teentje knoflook, uitgeperst
250 g champignons, in plakjes
   gesneden
500 g stevige tahoe
4 eetlepels barbecuesaus

evt. 1 eetlepel strooigist
1 eetlepel groentebouillonkorrels
1 theelepel gedroogde tijm
1 theelepel paprikapoeder
1 eetlepel tamari
150 g diepvriesmaïskorrels
40 g spinazie, fijngehakt

Eenvoudige jus

2 eetlepels olijfolie
2 eetlepels volkorenmeel
evt. 2 theelepels strooigist

6 dl kookvocht van de aardappelen
1 eetlepel groentebouillonkorrels of
   1 groentebouillontablet

1. Schil de aardappelen en snijd ze in vieren. Zet ze op in een grote pan met voldoende water zodat ze net onderstaan. Doe de bleekselderij, de peterselie, de peperkorrels, de ui en het laurierblad erbij. Breng alles aan de kook, dek de pan af en laat de aardappelen 15 tot 20 minuten zachtjes koken.
2. Bereid intussen de groenteschotel. Doe 1 eetlepel olijfolie, de ui en de knoflook in een grote koekepan en laat het uimengsel 1 minuut zachtjes fruiten. Voeg de champignons toe en laat ze 2 minuten meefruiten. Breek de tahoe in stukjes, doe ze in de koekepan en laat ze 1 minuut meefruiten. Roer de barbecuesaus, strooigist, bouillonkorrels, tijm, paprikapoeder en tamari door het tahoemengsel en laat alles 10 minuten roerbakken op een matig hoog vuur.

3. Laat de aardappelen uitlekken, doe ze in een grote kom en bewaar het kookvocht. Voeg de miso en de olijfolie aan de aardappelen toe en stamp 2 tot 2¹/₂ deciliter van het kookvocht in gedeeltes door de aardappelen om er een smeuïge puree van te maken. Let vooral op dat de aardappelpuree niet te slap wordt.

4. Roer de maïskorrels en de spinazie door het tahoemengsel en doe het in een ondiepe, ingevette, ovenvaste schaal. Druk het plat met de bolle kant van een grote lepel. Strijk de aardappelpuree over de vulling en maak de bovenkant glad. Bestrooi de aardappelpuree met paprikapoeder en bak de schotel 30 tot 40 minuten in een voorverwarmde oven (200° C) tot er een goudbruin korstje opkomt.

5. Bereid intussen de jus. Verhit de olijfolie in een grote koekepan. Roer het volkorenmeel en de strooigist door de hete olie en laat ze 1 minuut meewarmen. Voeg 6 deciliter van het achtergehouden kookvocht van de aardappelen, roerend met een garde en met grote scheuten tegelijk, toe. Blijf roeren tot er een gladde gebonden jus ontstaat. Breng de jus op smaak met de bouillonkorrels of het bouillontablet en laat het even doorkoken.

6. Schep het gerecht op warme borden en giet een deel van de jus over elke portie.

5 personen

Groente tsimmis met aardappelknoedels

1 uur, 20 minuten

Dit is een oud recept van mijn Grootmoeder Ida. Toen zij het maakte deed ze er ook nog rundvlees bij - hier is mijn vegetarische alternatief. 'Tsimmis' betekent stoofschotel.

Stoofschotel

1 middelgrote ui, fijngehakt
2 eetlepels olijfolie
1 grote ui, in ringen gesneden
2 stengels bleekselderij, in
   stukjes gesneden
1 bos worteltjes, geraspt
1 bos worteltjes, in stukjes
   gesneden
4 (zoete) aardappelen, geschild
   en in stukjes gesneden

2 eetlepels volkorenmeel
2 groentebouillontabletten
1¹/₂ l kokend water
3 grote courgettes, in
   stukjes gesneden
4 eetlepels fijngehakte
   peterselie
evt. 1 eetlepel verse dille

Aardappelknoedels

4 middelgrote aardappelen,
   geschild en geraspt
2 eetlepels sojameel
3 eetlepels volkorenmeel

1 eetlepel saffloerolie
steen- of zeezout
versgemalen peper

1. Fruit de fijngehakte ui in de olijfolie. Voeg de uiringen en bleekselderij toe en laat ze 2 tot 3 minuten meefruiten. Voeg de geraspte wortels, de stukjes wortel en de (zoete) aardappelen toe. Roer het volkorenmeel erdoor en laat alles nog 2 minuten fruiten.

2. Los de bouillontabletten op in het kokende water en giet deze bouillon over de gefruite groenten. Dek de pan af, breng alles aan de kook en laat de groenten 10 minuten zachtjes koken. Schil intussen de aardappelen voor de knoedels en rasp ze op een grove rasp. Roer de courgettes, peterselie en dille door de gestoofde groenten.

3. Meng alle ingrediënten voor de aardappelknoedels - het mengsel moet vrij stevig zijn. Laat steeds een volle eetlepel van het knoedelmengsel in de kokende stoofschotel vallen, dek de braadpan af en laat het 30 minuten in een voorverwarmde oven (180° C) bakken. Verwijder het deksel en laat het gerecht nog 10 minuten bakken.

8 personen

Yampuree met pompoen

45 minuten

Deze yampuree eten wij altijd bij het kerstmaal.

1 kg pompoen
2 grote of 4 middelgrote yams
1 eetlepel vruchtensuiker of
  ahornsiroop

1 dl vers sinaasappelsap
gemalen kaneel en geraspte
  nootmuskaat

1. Bak de pompoen (met schil) en de yams 1 uur in een voorverwarmde oven (190° C), tot ze zacht zijn. Zet de temperatuur van de oven iets lager (170° C). Schep het vruchtvlees van beide groenten in een schaal en stamp het met het sinaasappelsap.

2. Klop de pompoen-yampuree met een elektrische handmixer, doe deze in een ovenvaste schaal, bestrooi hem met wat kaneel en nootmuskaat en bak hem 20 tot 30 minuten in de oven.

8 personen

Gestoofde yams met courgettes

30 minuten

1 eetlepel olijfolie
1 middelgrote ui, fijngehakt
1 stengel bleekselderij,
  kleingesneden
3 middelgrote wortels, geschild
  en in plakjes gesneden
1 stevige aardappel, geschild
  en geraspt

1 grote yam, geschild en in stukjes gesneden
5 dl water
4 eetlepels fijngehakte peterselie
1 groentebouillontablet
2 grote courgettes, in de lengte
  in vieren en daarna in stukjes gesneden
strooikruiden
versgemalen peper

1. Doe de olijfolie, ui en bleekselderij in een braadpan en laat de groenten 2 of 3 minuten zachtjes fruiten.

2. Voeg de plakjes wortel, de geraspte aardappel en de yam toe. Roer het water, de peterselie en het bouillontablet erdoor, breng alles aan de kook en laat de groenten 10 minuten koken in de afgedekte pan.

3. Voeg de courgettes en wat strooikruiden en versgemalen peper toe. Dek de pan weer af en laat de courgettes 10 minuten zachtjes meekoken cn de saus binden.

4 personen

Geroosterde yamchips

15 minuten

2 middelgrote yams, in plakjes   evt. strooikruiden
  gesneden
2 eetlepels zonnebloemolie

1. Schik de plakjes yam naast elkaar op twee met olie bestreken bakplaten.

2. Bestrijk de plakjes yam met olie en bestrooi ze eventueel met wat strooikruiden. Rooster de yams 10 minuten onder een hete grill, tot ze goudbruin zijn.

4 personen

Gekarameliseerde yams

1 uur

1 kg kleine yams   1 eetlepel zonnebloemolie
2 eetlepels ahornsiroop   gemalen kaneel
1 eetlepel honing

1. Schil de yams en snijd ze in stukken van 5 centimeter. Stoom ze 20 minuten boven een pan heet water tot ze zacht zijn.

2. Laat de yams uitlekken en doe ze in een ondiepe ovenvaste schaal. Bedruppel ze met de ahornsiroop, honing en zonnebloemolie en bestuif ze met gemalen kaneel.

3. Bak de yams 35 tot 40 minuten in een voorverwarmde oven (180° C) tot ze goudbruin zijn. Schep ze af en toe om.

4 personen

12

Deegwaren - waar Oost en West elkaar ont- moeten

De geschiedenis van de deegwaren is net zo'n wirwar als de sliertjes op een bord tagliatelle. Er bestaat een theorie die zegt dat deegwaren naar de Westelijke wereld zijn gebracht door Marco Polo, toen hij na zijn expeditie naar China in de dertiende eeuw terugkeerde naar Italië. Toch zijn de deskundigen het er niet over eens dat de oorsprong ervan in China ligt. Sommigen wijzen op het bestaan van bewijzen die erop duiden dat deegwaren al veel eerder voorkwamen in het Middellandse-Zeegebied. Op Etruskische wandschilderingen die dateren van 400 voor Christus zijn tafels met bloem te zien en het eenvoudige gereedschap dat gebruikt wordt om zelf deegwaren te maken. Al voordat Marco Polo in 1298 in zijn reisverslag meldde dat de Chinezen 'lasagne' aten, had een notaris uit Genua in 1278 een kist macaroni opgenomen in zijn inventarislijst van de erfenis van een soldaat.

Het meest waarschijnlijk is natuurlijk dat deegwaren al geruime tijd voor Marco Polo's reis zowel in China als in Italië bestonden en dat de beide keukens zich op dat gebied onafhankelijk van elkaar ontwikkeld hebben. In onze tijd kunnen we beschikken over vele heerlijke deegwarensoorten die de weerslag vormen van deze twee evolutierichtingen. Uit Italië komen spaghetti, linguine, fusilli, rotelle, lasagna, fettuccine, macaroni, vermicelli, tagliatelle, penne, rigatoni en dergelijke. Maifun, mihoen, wontons, udon, soba, ramen en somen komen alle uit Azië. Omdat we in ons land de gerechten uit het Oosten en uit het Westen kennen, is er een grote keuze aan deegwarensoorten ontstaan.

ZIJN DEEGWAREN GEZOND?

De keuze die wij kunnen maken uit deegwarensoorten is beslist zeer groot. Deegwaren zijn tenslotte complexe koolhydraten - een bouwstof die in deze tijd van fitness en gezondheidsbewustzijn veel opgang maakt. Wat heerlijk dat er zo veel verschillende soorten zijn.

Toch moeten we enige voorzichtigheid betrachten als we even voorbijgaan aan de uiterlijke kenmerken en ons richten op de ingrediënten ervan. Niet alle complexe koolhydraten zijn tenslotte gelijkwaardig. Volkorendeegwaren zijn veel gezonder dan de meer algemene soorten die gemaakt worden van geraffineerde griesmeel (een meel dat afkomstig is van het endosperm van harde tarwe), omdat de voedingsvezel nog intact is en er meer van de oorspronkelijke bouwstoffen in zitten.

'Maar ik heb wel eens volkorendeegwaren gegeten,' klaagt u, 'en het is net of je nat karton zit te eten!' Ik begrijp wat u bedoelt. Onze smaakpapillen zijn gewend aan deegwarensoorten die van witte bloem gemaakt zijn en het duurt even voordat we erachter komen dat volkorendeegwaren *anders* smaken en niet minder lekker. Ik heb gemerkt dat er volkorendeegwaren zijn die dezelfde structuur hebben als de geraffineerde deegwaren en zelfs beter van smaak zijn. Met name de Aziatische deegwarensoorten zijn zeer gezond. Zij bestaan meestal uit een combinatie van tarwe en boekweit, tarwe en zilvervliesrijst, soja- of sesamolie en zijn op smaak gebracht met een Chinees kruid dat bijvoet heet of met *jinenjo*, een wilde zoete aardappel die in de bergen groeit. Soba en udon zijn werkelijk verrukkelijk en kunnen bijna elke geraffineerde deegwarensoort uitstekend vervangen. In de natuurlijke voedingsindustrie worden ook deegwaren gemaakt van nieuwe graansoorten zoals quinoa of lupinebloem (gemaakt van lupinen). Deze zijn rijk aan voedingsvezel, eiwit, calcium, vitaminen en mineralen en zij hebben een uitstekende smaak en structuur. Het is zeer de moeite waard om een kijkje te nemen bij een grote supermarkt of een goed gesorteerde toko of reformwinkel. Vaak hebben ze een ruim assortiment van verschillende soorten deegwaren. Bij de meeste recepten kunt u de aangegeven soort deegwaren toch door een andere soort vervangen.

SNELLE DEEGWARENRECEPTEN

Deegwaren zijn snel klaar en combineren op een natuurlijke wijze met groenten en salades, waardoor ze een prima keuze zijn als u snel klaar wilt zijn met koken. Voor een snel deegwarengerecht maakt u een eenvoudige saus of een simpel groentemengsel klaar in een grote pan, steelpan of wok en u voegt er de gekookte deegwaren aan toe, warm of afgekoeld. U fruit bijvoorbeeld wat knoflook en ui en voegt daar verse tomaten of tomaten uit blik aan toe, wat basilicum, oregano, peterselie en de deegwaren. Of u fruit of stoomt uw favoriete groenten, voegt er kruiderij naar keuze aan toe en olijfolie. Dan hebt u een snelle 'Pasta Primavera'. Voor een aanlokkelijke 'Pasta Mexicana' snijdt u verse tomaten, komkommer, paprika, avocado en cilantro (verse koriander) fijn en u schept deze groenten in de pan om met olijfolie. Voor een pittige Szechwan of een milder Cantonees deegwarengerecht maakt u groenten klaar in de wok met Aziatische sausen; schep de gare soba, udon, mie enzovoorts in de wok om met de saus en laat het geheel goed op temperatuur komen. U kunt ook deegwaren met een kerrie- of stroganoffsaus opdienen; praktisch elke denkbare saus is met deegwaren te combineren. En denk aan het principe van de salade als hoofdgerecht. Als u eigenlijk alleen maar een salade wilt maken, kunt u de deegwaren daarin verwerken; dat is verreweg een van de beste manieren om met smaak van uw deegwaren te genieten.

Rijstmie met verse tomatensaus

10 minuten

Dien dit gerecht op met Gestoomde artisjokken (blz. 243), met Avocadoboter (blz. 241) en Franse groene salade met tahoekäse (blz. 161).

250 g rijstmie
3 vleestomaten, ontveld,
  van de pitjes ontdaan en in
  stukjes gesneden
2 teentjes knoflook, uitgeperst

2 eetlepels fijngehakte
  verse of 2 theelepels
  gedroogde basilicum
$^1/_4$-$^1/_2$ theelepel zout
versgemalen peper
2 eetlepels extra-zuivere
  olijfolie

1. Bereid de rijstmie volgens de aanwijzing op de verpakking.
2. Bereid intussen de saus. Meng de tomaten, knoflook, basilicum, wat zout en peper en de olijfolie door elkaar.
3. Roer de helft van de saus door de uitgelekte rijstmie en schep de rest er bovenop.

2 personen

Tip: Bereid de saus het liefst 30 minuten tot 1 uur voor u hem nodig heeft.

Linguine met een traditionele saus van verse tomaten

20 minuten

Voor veel mensen is een gekookte tomatensaus te zuur. In het begin wordt deze saus op de traditionele wijze bereid, maar de verse tomaten worden pas aan het einde van de bereiding toegevoegd. Het resultaat ziet er fantastisch uit en smaakt heerlijk.

250 g volkorenlinguine of
  andere deegwaren
1 teentje knoflook
1 uitje
1 worteltje
1 stengeltje bleekselderij
2 eetlepels olijfolie

1 groentebouillontablet
2 eetlepels fijngehakte
  verse of 1 theelepel
  gedroogde basilicum
2 eetlepels fijngehakte
  peterselie
$^1/_2$ dl water
6 middelgrote tomaten
evt. versgemalen peper

1. Bereid de linguine volgens de aanwijzing op de verpakking. Hak de knoflook, het uitje, het worteltje en de bleekselderij fijn met een food processor.
2. Doe de olie en de fijngehakte groenten in een koekepan met een zware bodem en laat de groenten

2 tot 3 minuten zachtjes fruiten. Schep ze regelmatig om om aanbranden te voorkomen. Voeg het bouillontablet, de kruiden en het water toe, dek de pan af en laat de saus 5 minuten zachtjes koken, tot de groenten zacht zijn.

3. Dompel de tomaten 30 seconden in kokend water. Pel ze en snijd ze in stukjes. Schep de verse tomaten door de saus, voeg eventueel wat versgemalen peper toe en schep de saus door de uitgelekte deegwaren.

2 personen

Fettuccine met courgettesaus en verse tomaten

20 minuten

Courgettes en deegwaren vullen elkaar uitstekend aan. Voeg wat kleingesneden tomaten en basilicum toe voor een echte 'Pasta Italiana'!

250 g fettuccine of andere deegwaren
2 eetlepels olijfolie
4 kleine courgettes, in de lengte in vieren en daarna in plakjes gesneden
evt. $^1/_4$ theelepel gedroogde oregano

2 middelgrote tomaten, ontveld en kleingesneden
2 eetlepels fijngehakte verse of 1 theelepel gedroogde basilicum
steen- of zeezout
versgemalen peper

1. Bereid de fettuccine volgens de aanwijzing op de verpakking. Doe de olie en de courgettes in een koekepan en fruit de courgettes 3 minuten op een matig hoog vuur. Schep ze regelmatig om, voeg de oregano toe en eventueel wat water om aanbranden te voorkomen.

2. Doe de gekookte en uitgelekte fettuccine in een grote kom, voeg de gefruite courgettes, tomaten, basilicum en wat zout en peper toe en schep alles goed door elkaar.

2 personen

Spaghetti à la minute

20 minuten

350 g spaghetti of andere deegwaren
1 eetlepel olijfolie
2 uien, fijngehakt
2 stengels bleekselderij, fijngehakt
2 worteltjes, fijngehakt
1 teentje knoflook, uitgeperst
1 eetlepel strooigist

6 vleestomaten, ontveld en kleingesneden of 1 blik tomaten, uitgelekt en kleingesneden
$^1/_4$ theelepel gedroogde oregano
$^1/_2$ theelepel gedroogde basilicum
steen- of zeezout
versgemalen peper
evt. 1 eetlepel tomatenpuree

1. Bereid de spaghetti volgens de aanwijzing op de verpakking. Doe de olijfolie, uien, bleekselderij, worteltjes en knoflook in een grote pan en laat de groenten 3 minuten, onder regelmatig roeren, zachtjes fruiten. Roer de strooigist door de gefruite groenten.

2. Voeg de tomaten, de kruiden, wat zout en peper en de tomatenpuree aan de groenten toe en laat het geheel 10 minuten zachtjes koken in de afgedekte pan tot de tomaten zacht zijn en er een lobbige saus ontstaat. Roer de saus af en toe door om aanbranden te voorkomen.

3. Giet de saus over de uitgelekte spaghetti en dien direct op.

3 personen

Tip: Laat de saus 40 tot 50 minuten zachtjes koken voor een gladder resultaat.

Linguine met asperges

20 minuten

Asperges en deegwaren passen goed bij elkaar. Dit recept is heel makkelijk te bereiden, maar ziet er toch verfijnd uit.

250 g linguine of andere
  deegwaren
500 g asperges
3 eetlepels olijfolie
2 eetlepels fijngehakte sjalots
150 g champignons in plakjes
  gesneden

1 eetlepel sesam tahin,
  opgelost in $^1/_2$ dl water
evt. versgemalen peper
snufje dragon

1. Bereid de linguine volgens de aanwijzing op de verpakking. Maak de asperges schoon en snijd ze in schuine stukken, 1 centimeter groot. Blancheer dikke asperges 2 minuten in kokend water - bij dunne asperges hoeft dit niet.

2. Doe 2 eetlepels olijfolie en de sjalot in een grote koekepan en laat de sjalot zachtjes fruiten. Doe de asperges erbij en fruit ze 5 minuten mee. Schud de pan af en toe heen en weer om aanbranden te voorkomen. Voeg de champignons toe en laat ze 2 minuten meefruiten, terwijl u de pan nog steeds heen en weer schudt.

3. Schep de linguine, samen met de rest van de olijfolie, en de tahinoplossing, door het asperge-mengsel en voeg wat peper en dragon toe.

2 personen

Spaghetti met courgettes, bosuitjes en kerrie

20 minuten

Gebruik het liefst jonge courgettes voor dit recept. Als u een kas in de moestuin heeft, kunt u courgettes zelf kweken. Wij planten het courgettezaad in het voorjaar en oogsten de courgettes de hele zomer door. Deze jonge, malse courgettes zijn iets heel speciaals en verhogen de smaak van allerlei soorten deegwaren. Voeg er een heel klein beetje kerriepoeder aan toe om er een heel speciaal gerecht van te maken.

500 g dunne spaghetti of andere
  deegwaren
3 eetlepels olijfolie
1 theelepel kerriepoeder
evt. $1/4$ theelepel kurkuma
evt. $1/4$ theelepel gemalen
  koriander
4 bosuitjes, kleingesneden

500 g jonge courgettes,
  in stukjes gesneden
evt. 2 eetlepels fijn-
  gehakte peterselie
1 theelepel limoen-
  of citroensap
evt. steen- of zeezout

1. Bereid de spaghetti volgens de aanwijzing op de verpakking. Doe 2 eetlepels olijfolie, de kerriepoeder, kurkuma en koriander in een grote koekepan en laat de specerijen heel even fruiten.

2. Voeg de bosuitjes toe en fruit ze 3 minuten mee, tot ze zacht beginnen te worden. Schep de courgettes erdoor en laat ze 5 minuten, onder regelmatig omscheppen, meefruiten. Voeg de peterselie en het limoen- of citroensap toe.

3. Doe de uitgelekte spaghetti in een grote kom, voeg de rest van de olijfolie en het kerriemengsel toe en schep alles goed door elkaar. Breng het gerecht eventueel op smaak met zout.

4 personen

Andijvie 'soep'

35 minuten

Dien dit gerecht op met knapperig brood en 'Stedda' kipsalade (blz. 178).

1 eetlepel olijfolie
1 kleine ui, in ringen gesneden
1 krop andijvie, in stukjes gesneden
1 l krachtige groentebouillon

50 g vermicelli, in stukjes
  gebroken
steen- of zeezout
versgemalen peper

1. Doe de olijfolie en de ui in een grote pan en laat de ui 3 minuten zachtjes fruiten.

2. Doe de andijvie erbij en laat het 1 minuut meefruiten.

3. Giet de bouillon over de andijvie, breng het geheel aan de kook en laat de andijvie 15 minuten zachtjes koken in de afgedekte pan.

4. Zet het vuur iets hoger, doe de vermicelli erbij en laat ze 15 minuten meekoken in de onafgedekte pan. Voeg wat zout en peper toe.

2 - 3 personen

Macaroni met pesto en doperwtjes

25 minuten

Veel mensen vinden pesto erg lekker, maar weten niet hoe makkelijk het is om het zelf te bereiden. Bereid dit recept in de zomermaanden wanneer u verse basilicum in de tuin heeft of bij de groenteboer kunt kopen. Als bijgerecht is een verse tomatensalade zeer geschikt.

250 g macaronischelpen
2 teentjes knoflook
1 bos verse basilicum
4 eetlepels pijnboompitten

1 dl extra-zuivere
 olijfolie
300 g diepvriesdoperwtjes
steen- of zeezout

1. Bereid de macaronischelpen volgens de aanwijzing op de verpakking. Bereid intussen de pesto. Hak de knoflook in een food processor, voeg de basilicumblaadjes toe en hak ze fijn. Voeg tenslotte de pijnboompitten toe en hak ze ook zeer fijn. Laat de olijfolie in een dunne straal in de food processor lopen en meng tot er een dikke lobbige saus ontstaat.
2. Stoom de doperwtjes gaar boven een pan kokend water.
3. Laat de macaroni uitlekken en bewaar 1 deciliter van het kookvocht voor de saus. Meng het kookvocht door $^1/_2$ deciliter van de pesto en warm de saus op, maar laat hem niet aan de kook komen.
4. Doe de macaroni in een grote kom en voeg de doperwtjes en aangelengde pesto toe. Schep alles goed door elkaar.

2 personen

Tip: Doe de rest van de pesto in een kleine pot en giet er een laagje olijfolie op om te voorkomen dat de basilicumblaadjes bruin worden. Sluit de pot goed af. Deze zelfgemaakte pesto kunt u enkele weken goed houden in de koelkast.

Gemengde deegwaren met champignon-uiensaus

20 minuten

Bij dit recept hoort een trucje om wat volkorendeegwaren te gebruiken voor de ware liefhebbers van gewone deegwaren. Kook 500 gram fettuccine *en* 250 gram volkorenspaghetti. Meng beide soorten deegwaren door elkaar - de volkorendeegwaren verdwijnen in de saus en zijn dus minder herkenbaar. Dien dit gerecht op met Traditionele koolsoep uit de Oekraïne (blz. 223), Gebakken pompoen (blz. 261), en Klassieke groene salade (blz. 160).

500 g fettuccine
250 g volkorenspaghetti
1 eetlepel olijfolie
1 teentje knoflook, uitgeperst
1 grote ui, in ringen gesneden

500 g grote champignons
$3^3/_4$ dl krachtige groentebouillon
$^1/_2$ theelepel mirin
4 eetlepels fijngehakte bladpeterselie
steen- of zeezout
versgemalen peper

1. Kook beide soorten deegwaren (apart) volgens de aanwijzing op de verpakking. Laat ze uitlekken en spoel ze af onder de koude kraan om te voorkomen dat de deegwaren aan elkaar vastplakken.

2. Verhit de olijfolie, knoflook en ui in een grote koekepan met anti-aanbaklaag en laat het mengsel 3 minuten zachtjes fruiten. Maak de champignons schoon en verwijder het onderste gedeelte van de steel. Snijd de helft van de champignons in plakjes en hak de rest fijn. Voeg de fijngehakte champignons aan de gefruite ui toe en laat ze enkele minuten meefruiten. Roer 2½ deciliter bouillon door het champignonmengsel. Voeg de plakjes champignon toe en laat ze even meekoken.

3. Roer de rest van de bouillon, de mirin, de peterselie en wat zout en peper door de saus en laat het 3 tot 5 minuten inkoken en binden.

4. Schep beide soorten deegwaren door de champignon-uiensaus en laat het gerecht, onder voortdurend roeren, goed doorwarmen.

4 personen

Paddestoelen en fettuccine met knoflook, olie en peterselie

45 minuten

Wij hebben dit heerlijke recept aan mijn moeder te danken. Het vereist wat voorbereiding, omdat de gedroogde paddestoelen geweekt moeten worden, maar verder is de bereidingstijd heel kort. Hier heeft u een suggestie voor een lekker menu: Romige aspergesoep met venkel (blz. 218), Paddestoelen en fettuccine met knoflook, olie en peterselie, Klassieke groene salade (blz. 160), Tomaten met pesto (in de zomer, blz. 167) of Gegratineerde wortelschotel (in de winter, blz. 266).

15 g gedroogde Italiaanse
  paddestoelen (porcini)
250 g champignons
250 g verse shi-itake, zonder steel
500 g fettuccine of spinaziedeegwaren

½ dl extra-zuivere olijfolie
1 teentje knoflook, uitgeperst
3 eetlepels fijngehakte
  verse peterselie
steen- of zeezout
versgemalen peper

1. Week de gedroogde paddestoelen 30 minuten in warm water, tot ze zacht zijn.

2. Snijd de champignons in dunne plakjes.

3. Bereid de fettuccine volgens de aanwijzing op de verpakking.

4. Laat de gedroogde paddestoelen uitlekken en giet het weekvocht door een zeer fijne zeef. Hak de geweekte paddestoelen fijn en doe ze samen met het gezeefde weekvocht in een pan. Breng het geheel aan de kook en laat het kookvocht geheel inkoken.

5. Doe de olijfolie en de knoflook in een koekepan en laat de knoflook 1 minuut fruiten. Voeg de peterselie, de champignons en de shi-itake toe en laat ze 1 minuut meefruiten. Doe de gekookte paddestoelen en wat zout en peper erbij en laat ze enkele minuten meekoken. Schep het champignonmengsel door de uitgelekte fettuccine en dien direct op.

4 personen

Tip: U kunt gedroogde shi-itake in plaats van verse shi-itake gebruiken. Week ze 10 minuten, laat ze uitlekken en behandel ze verder als verse shi-itake.

HET VERWERKEN VAN KOUDE DEEGWAREN

Het is wel handig om wat koude gekookte deegwaren in voorraad te hebben, vooral als u oosterse schotels lekker vindt. Meestal worden deze gerechten in een wok bereid en de deegwaren met de groenten verwarmd. Om de bereidingstijd wat korter te maken en daardoor wat energie te besparen, kunt u een andere keer wat extra deegwaren koken om in oosterse schotels, soepen en salades te verwerken. Spoel de uitgelekte deegwaren goed af met koud water om te voorkomen dat de deegwaren aan elkaar vastplakken. Bewaar de afgekoelde deegwaren in een afgedekte kom in de koelkast. De deegwaren blijven minstens drie dagen goed.

Eenvoudige Lo Mein

12 minuten

Gebruik het liefst Aziatische volkorendeegwaren (gemaakt van boekweit of soba) en geniet van dit eenvoudige Oosterse gerecht.

250 g dunne deegwaren, te
  bereiden volgens de aanwijzing
  op de verpakking
ca. 4 eetlepels saffloerolie
$1/2$ dl krachtige groentebouillon
1 eetlepel natriumarme ketjap of tamari

$1/2$ theelepel geraspte
  gemberwortel of $1/4$
  theelepel gemberpoeder
evt. 1 teentje knoflook, uitgeperst
3 bosuitjes, in stukjes gesneden
2 - 3 blaadjes paksoi, in reepjes gesneden

1. Meng de deegwaren met 1 eetlepel saffloerolie in een grote kom.

2. Meng de bouillon met de ketjap en meng de gemberwortel en knoflook met 1 eetlepel saffloerolie. Zet alle ingrediënten naast de wok.

3. Verhit de wok en bestrijk de binnenkant met 1 eetlepel saffloerolie. Doe het gember/knoflookmengsel en de bosuitjes in de wok en roerbak ze 1 minuut. Voeg de paksoi toe en laat deze 1 minuut meebakken. Schep de groenten uit de wok en bewaar ze voor later.

4. Veeg de wok schoon met een vel keukenpapier. Verhit de rest van de saffloerolie, zet het vuur iets lager en roerbak de gekookte deegwaren 1 minuut. Voeg eventueel wat extra saffloerolie toe om te voorkomen dat de deegwaren aan de wok vastbakken. Giet het bouillonmengsel in de wok en roer alles goed door elkaar.

5. Schep de groenten door de saus in de wok. Zet het vuur wat hoger en blijf roeren tot het vocht bijna verdampt is. Schep de Lo Mein op een warme schaal.

2 personen

Variatie: Voeg 150 gram in dobbelsteentjes gesneden tahoe tezamen met de paksoi toe.

Lo Mein met groenten

35 minuten

250 g dunne Aziatische deegwaren
2 eetlepels saffloerolie
2 bosuitjes, in schuine stukjes
   gesneden
1 teentje knoflook, uitgeperst
150 g courgettes, in stukjes
   gesneden
100 g wortels, in stokjes
   gesneden
350 g broccoliroosjes

evt. 50 g gedroogde shi-
   itake paddestoelen,
   in water geweekt
200 g fijngehakte groene kool
2 eetlepels natriumarme
   ketjap
2 eetlepels tamari
1 eetlepel lichte miso
$1/2$ theelepel sesamolie
versgemalen peper

1. Bereid de deegwaren volgens de aanwijzing op de verpakking of gebruik een restje deegwaren. Meng ze met 1 eetlepel saffloerolie in een kom en zet deze naast de wok.

2. Zet de bosuitjes, knoflook en courgettes ook naast de wok. Stoom de wortels en broccoli 3 minuten en zet ze naast de wok. Laat de shi-itake uitlekken, giet het weekvocht door een zeef en meng $1/2$ deciliter van het weekvocht met de ketjap, tamari, miso en sesamolie in een kleine kom.

3. Verhit 1 eetlepel saffloerolie in de wok. Fruit de bosuitjes en knoflook 1 minuut. Voeg de courgettes en shi-itake toe en laat ze 3 minuten meebakken. Roer een eetlepel van het bouillonmengsel erdoor om de groenten vochtig te houden.

4. Voeg de kool toe en laat deze 1 minuut roerbakken. Doe de broccoli en de wortels erbij en laat ze 1 of 2 minuten meebakken tot ze beetgaar zijn. Schep de roergebakken groenten op een warme schaal.

5. Doe de rest van het bouillonmengsel in de wok, breng het geheel aan de kook en laat de saus 1 minuut al roerend doorkoken en binden.

6. Schep de deegwaren door de saus en warm ze goed door. Doe de groenten terug in de wok en schep ze voorzichtig door de deegwaren. Laat alles 1 minuut al roerend doorwarmen en breng het gerecht op smaak met peper. Dien direct op uit de wok of doe de Lo Mein in een warme schaal.

4 personen

Chinese komkommersalade met deegwaren

15 minuten

Het speciale van deze eenvoudige schotel is dat de schijfjes rauwe komkommer zo'n heerlijke verfrissende combinatie opleveren met deegwaren. Een leuk bijgerecht bij Tomateburgers (blz. 208) en ook ideaal om op een picknick mee te nemen.

250 g Aziatische volkorendeegwaren
300 g broccoliroosjes
$^1/_2$ dl natriumarme ketjap
1 eetlepel sesamolie

2 theelepels sesamzaad
1 komkommer, in flinter-
   dunne plakjes gesneden
1 bosuitje, fijngehakt

1. Bereid de lintnoedels volgens de aanwijzing op de verpakking of gebruik een restje deegwaren.

2. Stoom de broccoli beetgaar boven een pan kokend water. Meng de ketjap met de sesamolie en het sesamzaad in een kleine kom.

3. Doe de komkommer, gestoomde broccoli en deegwaren in een grote, ondiepe schaal. Voeg de saus en het bosuitje toe en meng alles goed door elkaar.

3 personen

'Pasta' Mexicana

15 minuten

250 g groene spaghetti of
   andere deegwaren
250 g tomaten, in dobbelsteentjes
   gesneden
$^1/_2$ komkommer, in reepjes
   gesneden
1 middelgrote avocado,
   geschild en in dunne plakjes
   gesneden
$2^1/_2$ dl Salsa (blz. 154, blz. 155)
   of kant-en-klaar salsa

1 eetlepel extra-zuivere
   olijfolie
$^1/_2$ theelepel gedroogde
   oregano
$^1/_4$ theelepel gemalen komijn
$^1/_4$ theelepel chilipoeder
cayennepeper
4 eetlepels fijngehakte
   verse koriander of peterselie

1. Bereid de deegwaren volgens de aanwijzing op de verpakking, laat ze uitlekken, spoel ze af onder de koude kraan en doe ze in een grote, ondiepe schaal.

2. Schep de tomaten, komkommer en avocado door de deegwaren.

3. Meng de salsa met de olie, oregano, komijn, chilipoeder en wat cayennepeper en giet deze saus over de salade ingrediënten. Bestrooi de salade met de koriander of peterselie en schep alles voorzichtig door elkaar.

3 - 4 personen

Boekweitdeegwaren met paddestoelen en asperges

30 minuten

Gegrilleerde oesterzwammen geven deze Aziatische deegwarenschotel iets aparts. U kunt eventueel champignons of shi-itake gebruiken in plaats van oesterzwammen.

Deegwaren

250 g boekweit deegwaren
250 g verse oesterzwammen
1 eetlepel olijfolie
1 eetlepel saffloerolie
1 teentje knoflook, uitgeperst

200 g asperges, schoon-
    gemaakt en in stukjes gesneden
100 g spinazie, kleingesneden
$^1/_2$ komkommer, in reepjes
    gesneden
evt. 1 eetlepel wijnazijn
versgemalen peper

Saus

$^1/_2$ dl teriyaki of natriumarme
    ketjap
$^1/_2$ theelepel groentebouillon-
    korrels

1 eetlepel sesamolie
2 eetlepels rijstazijn

1. Kook de deegwaren beetgaar volgens de aanwijzing op de verpakking en doe ze in een grote ondiepe schaal. Bestrijk de oesterzwammen met olijfolie en rooster ze licht-goudbruin onder een hete grill.

2. Meng de ingrediënten voor de saus in een kleine kom.

3. Doe de saffloerolie en de knoflook in een wok en laat de knoflook 30 seconden zachtjes fruiten. Doe de asperges erbij en laat ze 3 tot 4 minuten roerbakken. Giet de saus over de asperges, breng het geheel aan de kook en giet de saus met de asperges over de deegwaren.

4. Schep de spinazie, komkommer, taugé en eventueel de wijnazijn door het deegwarenmengsel en garneer het gerecht met de oesterzwammen.

4 personen

'Pasta' Primavera

25 minuten

Een heerlijk fris deegwarengerecht dat u binnen een half uur op tafel heeft.

150 g verse of diepvries-
  doperwtjes
500 g verse asperges, schoongemaakt en in stukjes
  van 2 cm gesneden
150 g sperziebonen, in stukjes
  van 2 cm gesneden
150 g wortels, in schuine
  plakjes gesneden
3 eetlepels olijfolie

250 g spaghettini
$^1/_2$ rode paprika, kleingesneden
2 eetlepels fijngehakte
  verse basilicum of
  fijngehakt bieslook
4 eetlepels fijngehakte peterselie
100 g ijsbergsla, in
  reepjes gesneden
versgemalen peper

1. Breng een grote pan water aan de kook en blancheer de doperwtjes, asperges, sperziebonen en wortels (elke groente apart) 1 tot 3 minuten, tot ze beetgaar zijn. Schep ze met een schuimspaan uit de pan, doe ze in een vergiet en spoel ze af met koud water. Dep de groenten droog en bewaar ze voor later.

2. Breng het water weer aan de kook en voeg 1 eetlepel olijfolie toe. Kook de spaghettini beetgaar.

3. Doe intussen de rest van de olijfolie, de geblancheerde groenten en de rode paprika in een grote koekepan en laat ze 1 minuut zachtjes fruiten.

4. Laat de spaghettini goed uitlekken en doe ze in een grote kom. Schep de gefruite groenten, basilicum, peterselie en ijsbergsla door de spaghettini en breng het gerecht op smaak met peper.

3 - 4 personen

Champignons Stroganoff

25 minuten

Dien op met Broccoli d'Italia (blz. 252) en Klassieke Groene salade (blz. 160).

1 eetlepel olijfolie
1 ui, fijngehakt
1 teentje knoflook, uitgeperst
250 g champignons, in dunne
  plakjes gesneden
3 eetlepels citroensap
$^1/_2$ theelepel gedroogde dragon
$^1/_2$ theelepel zoete paprikapoeder

$2^1/_2$ dl groentebouillon of water
1 eetlepel sesam tahin
versgemalen peper
1 kleine tomaat, ontveld,
  van de pitjes ontdaan en
  kleingesneden
250 g deegwaren, gekookt en uitgelekt
2 eetlepels fijngehakte
  verse peterselie

1. Doe de olie, ui en knoflook in een koekepan met anti-aanbaklaag en laat het uimengsel 3 minuten zachtjes fruiten. Doe de champignons erbij en laat ze 2 minuten al roerend meefruiten. Voeg het citroensap, de dragon en de paprikapoeder toe en meng alles goed door elkaar.

2. Meng de groentebouillon met de tahin en giet het over het champignonmengsel. Schep alles goed door elkaar, neem de pan van het vuur, breng het champignonmengsel op smaak met peper en roer de kleingesneden tomaat erdoor.

3. Schep de Stroganoffsaus over de warme deegwaren en bestrooi met peterselie.

2 personen

DIVERSE DEEGWARENGERECHTEN

Szechwannoedels met pindasaus

45 minuten

Deegwaren

150 g wortels, in dunne plakjes
  gesneden
50 g taugé
250 g asperges, in stukjes
  gesneden

500 g spaghetti (boekweit-
  spaghetti is zeer geschikt)
2 dunne preien, in ringen gesneden
$1/2$ komkommer, in dunne
  plakjes gesneden

Saus

1 teentje knoflook, uitgeperst
1 theelepel geraspte gemberwortel
1 bosuitje, fijngehakt
6 eetlepels pindakaas (met
  of zonder stukjes)
2 eetlepels tamari of
  natriumarme ketjap

1 eetlepel mirin of 2
  theelepels honing
1 eetlepel pikante barbecuesaus
1 eetlepel sesamolie
1 theelepel mosterdpoeder
$1/2$ theelepel zout
1 dl groentebouillon

1. Blancheer de wortels en de taugé (apart) 1 minuut in kokend water. Laat ze uitlekken en dep ze droog met keukenpapier. Blancheer de asperges 3 minuten.

2. Klop de ingrediënten voor de saus in een kleine kom.

3. Kook de spaghetti volgens de aanwijzing op de verpakking, laat ze uitlekken en spoel ze af onder de koude kraan. Doe de spaghetti, preien, komkommer, asperges en taugé in een schaal, giet de saus erover en schep alles goed door elkaar. Dien dit gerecht op kamertemperatuur op.

4 personen

Groentelasagne

1¹/₂ - 2 uur

Groentelasagne smaakt heerlijk bij een groot aantal gerechten, maar een bijzonder lekker menu voor een feestje zou het volgende kunnen zijn: Groentelasagne, Worteltjes au Naturelle (blz. 266), Doperwtensalade met dille (blz. 189), Groene salade met shi-itake en basilicum (blz. 163) en Aardappelstrudel (blz. 338).

Deegwaren

250 g spinazielasagne

1 theelepel olijfolie

Tahoekäse

500 g stevige tahoe
$^1/_2$ dl extra-zuivere olijfolie
steen- of zeezout

$^1/_2$ theelepel versgeraspte
nootmuskaat of $^1/_4$ theelepel gemalen nootmuskaat

Vulling

2 teentjes knoflook, uitgeperst en
gemengd met 4 eetlepels olijfolie
2 middelgrote courgettes, door
de lengte in dunne plakjes
gesneden
1$^1/_2$ theelepel gedroogde basilicum
1$^1/_2$ theelepel gedroogde oregano

$^1/_2$ theelepel zoete paprikapoeder
steen- of zeezout
versgemalen peper
300 g champignons, in
dunne plakjes gesneden
ca. 300 g diepvriesspinazie
(gehakt), ontdooid

Voor de bereiding

olijfolie
1$^3/_4$ dl tomatensaus (blz. 290,
blz. 291 of blz. 304)
gedroogde basilicum
gedroogde oregano

zoete paprikapoeder
steen- of zeezout
versgemalen peper

1. Breng een grote pan met water aan de kook. Voeg de olijfolie aan het water toe en kook de vellen lasagne, een paar tegelijk, tot ze beetgaar zijn. Laat ze uitlekken, spoel ze af met koud water en laat ze op schone theedoeken uitlekken. Dek de lasagne af met een natte theedoek.

2. Prak 350 gram tahoe met een vork en klop de olijfolie, zout en nootmuskaat erdoor. Breek de rest van de tahoe in stukjes en schep ze door de geprakte tahoe.

3. Doe 1 eetlepel knoflookolie en een derde van de courgettes in een grote koekepan en laat de courgettes 3 tot 4 minuten zachtjes fruiten. Bestrooi ze met basilicum, oregano, paprikapoeder, zout en

peper. Fruit de rest van de courgettes op dezelfde wijze - als de plakjes courgette dun genoeg zijn hoeft u ze niet om te scheppen.

4. Doe de rest van de knoflookolie en de champignons in de koekepan en laat de champignons 2 tot 3 minuten zachtjes fruiten.

5. Druk het overtollige vocht uit de spinazie.

6. Bestrijk een ondiepe rechthoekige schaal (ca. 22 x 32 cm) met olijfolie. Strijk een deel van de tomatensaus over de bodem van de schaal en schik hierop een laag lasagnevellen. Bedek de lasagne met een dikke laag tahoekäse en doe hierop lagen courgettes, champignons en spinazie. Bestrooi de groenten met zout en peper naar smaak. Herhaal deze procedure nog twee maal, maar houd 3 vellen lasagne, 6 eetlepels tahoekäse en 2 eetlepels tomatensaus achter.

7. Bedek de laatste laag groenten met de achtergehouden lasagnevellen en bestrijk ze met de tahoekäse en de saus. Bestrooi het gerecht met wat basilicum, oregano en paprikapoeder en dek de schaal af met een vel bakpapier, met daarop een vel aluminiumfolie (zie Tip). Bak de lasagne 45 minuten in een voorverwarmde oven (170°C) en laat de lasagne enkele minuten staan voor u ze aansnijdt. Dien warm op.

8 personen

Tip: Het bakpapier voorkomt het lekken van aluminium in het voedsel (zie blz. 55).

Vermicelli met auberginesaus

45 minuten - 1 uur

500 g vermicelli of spaghettini
1 kg aubergines, in blokjes gesneden
1 1/2 theelepel zout
1/2 dl olijfolie
2 gele of rode paprika's
  in dobbelsteentjes gesneden
1 teentje knoflook, uitgeperst

1 kg tomaten*, ontveld,
  van de pitjes ontdaan en
  kleingesneden
10 olijven, in stukjes
  gesneden

1. Bereid de vermicelli of spaghettini volgens de aanwijzing op de verpakking, laat ze uitlekken en houd het warm.

2. Bestrooi de blokjes aubergine met zout en laat ze 15 tot 30 minuten uitlekken in een vergiet. Spoel ze af met koud water en dep ze droog met keukenpapier.

3. Doe de olijfolie en de aubergines in een grote koekepan en laat de aubergines rondom licht-goudbruin bakken. Zet het vuur iets lager, dek de koekepan af en laat de aubergines 10 tot 12 minuten smoren.

4. Voeg de paprika's, knoflook, en tomaten aan de aubergines toe, roer alles goed door elkaar en laat het geheel 7 minuten zachtjes koken in de onafgedekte pan. Voeg de olijven toe en laat ze 2 tot 3 minuten meekoken. Voor een romiger saus kunt u de helft van de saus eventueel met een staafmixer pureren en dan met de rest van de saus mengen. Schep de auberginesaus over de gekookte vermicelli en dien direct op.

6 - 8 personen

* In plaats van verse tomaten kunt u twee 1/2-literblikken tomaten gebruiken. Laat ze uitlekken en snijd de tomaten in stukjes.

SAUSEN VOOR DEEGWAREN

Soms heeft u alleen maar een saus nodig om bij gekookte deegwaren op te dienen. Misschien vindt u het handig om een voorraad saus in uw diepvries te bewaren voor al die dagen dat u maar 10 minuten heeft om een salade te bereiden en een portie deegwaren te koken. Hier volgt een aantal recepten voor sausen die u van tevoren kunt bereiden en dan in enkele minuten weer kunt opwarmen en door gekookte deegwaren scheppen. Een aantal sausen bij de voorafgaande recepten valt ook in deze categorie: Verse tomatensaus (blz. 290), de saus op blz. 291, 292 (Spaghetti à la minute), Auberginesaus (blz. 303), Pindasaus (blz. 303) en Pesto (blz. 294) kunt u allemaal bij de hand houden om aan gekookte deegwaren toe te voegen.

Bolognese spaghettisaus, zonder vlees

Veel mensen zijn dol op deze klassieke Italiaanse saus, die traditioneel met vlees, tomaten en kruiden bereid wordt en die ook al jaren in ons land zeer populair is. Men houdt echter niet zo van de verzadigde vetzuren en cholesterol die er ook in zitten. Wanneer u onze versie van deze saus proeft, zult u niet geloven dat zij geen vlees bevat. Het lijkt op en ruikt en smaakt naar het oorspronkelijke recept, maar het bevat geen cholesterol, maar zeer weinig verzadigde vetzuren en meer calcium, bruikbare eiwitten en ijzer dan een Bolognese saus met vlees. En het is voordelig in prijs! Dien deze saus op bij gekookte deegwaren, verwerk hem in een lasagne of bestrijk een pizzabodem ermee.

Deze voortreffelijke saus wordt nog voedzamer als u er wat bevroren tahoe aan toevoegt. Laat een blok tahoe uitlekken, snijd het in 2 tot 4 plakken, doe het in een goedsluitende diepvriesdoos en vries het een nacht in. Laat de tahoe de volgende dag ontdooien en uitlekken, en druk er zoveel mogelijk van het vocht uit.

350 g bevroren tahoe, ontdooid en uitgelekt
2 eetlepels olijfolie
4 teentjes knoflook, uitgeperst
2 uien, fijngehakt
100 g wortels, in dobbelsteentjes gesneden
2 eetlepels tomatenpuree
1/2 l blik tomaten, kleingesneden

1/2 l blik tomatensaus
snufje cayennepeper
1 theelepel paprikapoeder
1 theelepel gedroogde basilicum
1 theelepel gedroogde oregano
4 eetlepels fijngehakte bladpeterselie
steen- of zeezout
versgemalen peper

1. Doe de tahoe in een food processor en schakel deze aan en uit tot de tahoe op gehakt lijkt.

2. Doe de olijfolie, knoflook, uien en wortels in een pan met een dikke bodem en laat de groenten 2 minuten zachtjes fruiten. Doe de tahoe en tomatenpuree erbij en laat ze 2 minuten al roerend meefruiten. Voeg de tomaten, tomatensaus, cayennepeper, paprikapoeder, basilicum, oregano, peterselie en wat zout en peper toe, roer alles goed door en laat de saus 1 uur in de afgedekte pan zachtjes doorkoken. Roer de saus af en toe door.

1 - 1¹/₂ liter

Variatie: Fruit 200 gram in plakjes gesneden champignons met de tahoe mee en volg het recept verder zoals boven is beschreven.

Linzen Bolognese

1 uur

Een stevige hartige saus - lekker in de wintermaanden.

ca. 6 dl water
150 g grauwe linzen
2 eetlepels olijfolie
1 ui, fijngehakt
2 teentjes knoflook, uitgeperst

100 g wortels, fijngehakt
1 stengel bleekselderij, fijngehakt
2 x $^1/_2$ l blik tomaten,
 uitgelekt en kleingesneden
$^1/_2$ - 1 theelepel gedroogde
 oregano
steenzout
versgemalen peper

1. Breng het water aan de kook, doe de linzen erbij en laat ze 40 minuten koken in de afgedekte pan tot ze zacht zijn. Voeg eventueel wat extra water toe.

2. Doe de olijfolie, ui, knoflook, wortel en bleekselderij in een grote pan en laat de groenten, onder af en toe roeren, fruiten tot ze zacht zijn. Voeg de tomaten, oregano en wat zout en peper toe, dek de pan af en laat de saus 5 minuten zachtjes koken.

3. Roer de gekookte linzen door de saus en laat het geheel goed doorwarmen.

ca. 1 liter

Sesamsaus

5 minuten

Hier is een saus die niet gekookt hoeft te worden en die u bij warme of koude deegwaren kunt op-dienen. Deze sesamsaus smaakt vooral lekker als u wat reepjes komkommer of andere groenten toe-voegt.

100 g sesamzaad
1 teentje knoflook, uitgeperst
$^1/_2$ theelepel geraspte gemberwortel
6 eetlepels olijf- of sesamolie

evt. 1 - 2 eetlepels mirin
snufje cayennepeper
6 eetlepels natriumarme ketjap
6 eetlepels groente-
 bouillonkorrels
1$^1/_4$ dl water

1. Rooster het sesamzaad 1 minuut in een hete koekepan met anti-aanbaklaag.

2. Meng de rest van de ingrediënten in de bovengenoemde volgorde in een food processor en meng ze steeds na toevoeging van drie ingrediënten tot er een dikke saus ontstaat. Deze saus kunt u ook met een staafmixer bereiden.

ca. 4 dl

Pikante tahinsaus

10 tot 15 minuten

2 bosuitjes, fijngehakt
2 eetlepels olijfolie
1 eetlepel volkorenmeel
3 eetlepels strooigist
4 - 5 dl water
2 eetlepels sesam tahin

2 theelepels groente-
  bouillon of lichte miso
1$^1/_4$ dl ongezoete sojamelk
versgemalen peper
steenzout

1. Fruit de bosuitjes 3 minuten in de olijfolie. Roer het meel door de gefruite bosuitjes en laat het 3 minuten meewarmen. Voeg de strooigist en het water met grote scheuten tegelijk toe en blijf roeren met een garde tot er een gladde gebonden saus ontstaat. Roer de tahin en de groentebouillon of miso door de saus.

2. Laat de saus al roerend doorkoken op een matig hoog vuur. Klop de sojamelk erdoor en laat de saus nog 2 minuten, al kloppend doorkoken. Breng de tahinsaus op smaak met peper en zout en dien direct op.

4 - 5 dl saus, voldoende voor 500 g deegwaren

Variatie: Roer 300 gram gekookte maïskorrels door de warme saus en dien op met spinaziedeegwaren.

13

Voedsel voor de gehele planeet

OM TE BEGINNEN: DE VOLWAARDIGE GRAAN-SOORTEN

De geschiedenis van de beschaving begint bij het cultiveren van graansoorten. Granen hebben door de hele geschiedenis heen de mensheid voorzien van het dagelijks brood en zij hebben eigenschappen waardoor zij als geen ander produkt in onze levensbehoeften voorzien. Door hun hoge gehalte aan complexe koolhydraten, eiwitten, vitaminen en mineralen en hun lage vetgehalte leveren zij bijna elke bouwstof die ons lichaam nodig heeft.

Het grootste deel van de wereldbevolking maakt meer gebruik van graan dan van welk ander voedingsmiddel ook. In Azië bestaat het dagelijks dieet van de gemiddelde mens voor meer dan 70 procent uit graan en 1 miljard Chinezen eten per dag een pond rijst. Hoewel bijna twee derde van de landbouwgrond in de Verenigde Staten gebruikt wordt voor de graanteelt, wordt wel 90 procent van al het verbouwde graan gebruikt als veevoeder. Ondanks alle aandacht die men schenkt aan de noodzaak van de aanwezigheid van complexe koolhydraten in ons dieet, is het toch zo dat graanprodukten slechts 30 procent van het dieet van een gemiddelde Amerikaan uitmaken. Dit percentage is nauwelijks de helft van dat van een eeuw geleden, toen het gemiddelde Amerikaanse dieet voor 60 procent uit graanprodukten bestond. (Naarmate onze graanconsumptie is gedaald, zijn de cijfers die ziektegevallen weergeven verhoudingsgewijs gestegen!) Helaas bestaat het kleine percentage graanprodukten dat door de Amerikanen gegeten wordt, voor het grootste gedeelte uit geraffineerde produkten.

Het verschil tussen volwaardige en geraffineerde graansoorten

Een onbewerkte graankorrel bestaat uit drie delen, die zijn ondergebracht in een eetbaar omhulsel. Het hart van de graankorrel is het *endosperm*, dat voornamelijk uit zetmeel en eiwit bestaat en dat dient als voeding voor de zaailing voordat de blaadjes ontspruiten. Om het endosperm heen bevindt zich de *kiem* - het embryo van het zaad - die ontspruit tot een nieuwe plant. De kiem is rijk aan voedingsstoffen, namelijk eiwit, onverzadigde vetzuren, koolhydraten, vitaminen van het B-complex, vitamine E en mineralen, vooral ijzer. Het derde deel bestaat uit *zemelen* - enkele laagjes beschermend materiaal dat het endosperm en de kiem omgeeft. De zemelen bevatten de hoogste concentratie aan voedingsvezel; bovendien bevatten zemelen vitaminen uit de B-groep en mineralen zoals fosfor en kalium. Zemelen zijn dan wel onverteerbaar voor de mens, toch vervullen zij de belangrijke rol de andere voedingsstoffen uit de graankorrel met zich mee te voeren, waardoor zij de gang van deze stoffen door het spijsverteringskanaal vergemakkelijken.

Als u een volwaardige graankorrel eet waarvan het oneetbare omhulsel is verwijderd, komen alle gunstige eigenschappen van het graan uw lichaam ten goede. Alle aanwezige eiwitten, complexe koolhydraten, onverzadigde vetzuren, voedingsvezels, B-vitaminen en vitaminen van het B-complex, vitamine E, ijzer, fosfor, kalium en andere voedingsstoffen kunnen door uw lichaam worden gebruikt in de totale vorm waarin zij in de natuur voorkomen. Uit zulk volwaardig voedsel kan uw lichaam gezonde bloedcellen, botten en weefsels opbouwen. Bovendien kan het lichaam de benodigde energie leveren en zichzelf in stand houden zonder dat het energie- of bouwstofreserves hoeft aan te spreken.

Als men daarentegen de voedzame hele graankorrels voor commercieel gebruik gaat raffineren, gebeurt dat alles niet. Tijdens het raffineren worden de kiem, die zo rijk is aan bouwstoffen en de vezelrijke zemelen *beide* verwijderd. Wat overblijft is slechts het endosperm met daarin het zetmeel en eiwit. Wat verdwijnt zijn alle vitaminen, mineralen, voedingsvezels, onverzadigde vetzuren en het grootste deel van de waardevolle eiwitten en complexe koolhydraten. (Geraffineerde graanprodukten eten is net zo iets als een lunch in een piepschuim bakje kopen, de inhoud weggooien en vervolgens het bakje opeten. Het is bijna net zo onlogisch.)

Een voordeel van dit verwijderen van voedingsstoffen is dat het produkt langer bewaard kan worden (ook het piepschuim bakje kan langer bewaard worden dan de inhoud), maar de prijs die we ervoor betalen kan niet hoog genoeg worden ingeschat. De illustratie hieronder laat schematisch zien hoe groot het verlies is.

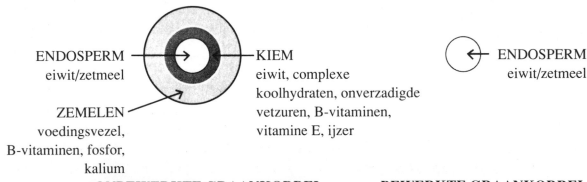

ENDOSPERM
eiwit/zetmeel

ZEMELEN
voedingsvezel,
B-vitaminen, fosfor,
kalium

KIEM
eiwit, complexe
koolhydraten, onverzadigde
vetzuren, B-vitaminen,
vitamine E, ijzer

ENDOSPERM
eiwit/zetmeel

ONBEWERKTE GRAANKORREL   **BEWERKTE GRAANKORREL**

Als men geraffineerde graanprodukten verrijkt, wordt een klein gedeelte van de verloren gegane bouwstoffen weer toegevoegd, maar de balans tussen de bouwstoffen die de Natuur had aangebracht is niet meer aanwezig. Veel van de oorspronkelijke bouwstoffen komen bovendien *niet* terug in het produkt en het is onmogelijk de belangrijke voedingsvezel opnieuw toe te voegen. Daarnaast is er veel meer energie voor nodig om het zetmeelrijke graan, waaraan nu de meeste complexe koolhydraten en andere bouwstoffen ontbreken, te verwerken dan dat het energie oplevert. Het zetmeelrijke graan trekt meer bouwstoffen naar zich toe dan het aan het lichaam afgeeft en pleegt daardoor een aanslag op de lichaamsenergie en de bouwstofreserves.

Er is wel een lichtpuntje: de huidige trend in de Verenigde Staten en ook in andere Westerse landen, laat een langzame ontwikkeling zien in de richting van volkoren graanprodukten. U hoeft maar een supermarkt met natuurlijke voeding binnen te lopen, waar men zich het meest van goede voeding bewust is, om te zien dat de volkorenprodukten, los en verpakt, behoren tot de meest verkochte produkten. De fabrikanten van levensmiddelen die aan supermarkten leveren zijn er eveneens mee bezig te voldoen aan de vraag naar volkorenprodukten. In dit hoofdstuk doe ik u eenvoudige bereidingstechnieken aan de hand die u kunt toepassen om meer volwaardige graanprodukten in uw keuken te gaan gebruiken. Verderop treft u een basistechniek aan voor de bereiding van volkorenprodukten en enkele van onze favoriete graanrecepten. Maar eerst...

IETS OVER PEULVRUCHTEN

'Peulvrucht' is een veelomvattend woord dat een categorie volwaardige voedingsmiddelen aanduidt waar ook bonen onder vallen. Vaak wordt het woord 'boon' gebruikt als synoniem voor 'peulvrucht' en dat schept verwarring, omdat bepaalde peulvruchten niet als bonen gezien worden. Spliterwten, linzen en zwarte-ogenbonen zijn bijvoorbeeld ook peulvruchten. Ik gebruik het woord 'boon' als ik het over bonen heb en het woord 'peulvrucht' als ik spreek over de gehele categorie.

Peulvruchten zijn onder andere:

groene en gele spliterwten	rode adukibonen
bruine (of groene) en rode linzen	limabonen
zwarte-ogenbonen	mungbonen
kleine, ovale zwarte bonen	kekererwten (garbanzo's)
witte bonen	rode (nier)bonen
bruine bonen	sojabonen
pintobonen	capucijners
gedroogde tuinbonen	

Men is veelal ten onrechte van mening dat peulvruchten dik maken, terwijl ze in werkelijkheid een te verwaarlozen hoeveelheid vet bevatten; zij zijn voedzaam en niet dikmakend. Als u peulvruchten in bescheiden hoeveelheden eet met veel groenten erbij, zijn ze zelfs zeer geschikt om mee af te slanken of uw gewicht op peil te houden. De populariteit van buitenlandse gerechten hebben ertoe bijgedragen dat men positiever over peulvruchten is gaan denken. De kruidige Indiase dals en kerrieschotels, de falafel uit het Midden-Oosten en de Mexicaanse burrito's hebben alle peulvruchten als basis en hebben de consument laten zien hoe verrukkelijk en veelzijdig deze voedingsmiddelen zijn.

Peulvruchten leveren een overvloed aan positieve voedingsstoffen en daarbij zijn ze nog goedkoop ook. Zij vormen een van de beste bronnen van cholesterolverlagende voedingsvezels en bevatten een spoortje meervoudig onverzadigd vet dat een positieve rol meespeelt in het samenspel binnen het volwaardige produkt. Peulvruchten hebben een bijna even hoog gehalte aan voedingsvezel als de zemelen van graansoorten. Zij vormen ook een uitstekende bron van complexe koolhydraten, plantaardige eiwitten, vitamine A, vitaminen van het B-complex en mineralen zoals ijzer, calcium, fosfor en kalium.

Peulvruchten zijn volwaardige produkten die u in overvloed aantreft in de supermarkt. Zij zijn ook los verkrijgbaar in de meeste reformwinkels en vaak ook bij de groenteboer. Maar net als bij alle andere volwaardige produkten is het belangrijk op kwaliteit te letten. De kwaliteit komt tot uiting in kleur en vorm. Zo horen witte bonen wit te zijn en geen grijze vlekken te vertonen; ze moeten gelijk van vorm zijn en een glad, niet rimpelig oppervlak hebben en er mogen geen pitjes in zitten. Niet meer dan twee procent mag gespleten zijn, want dat duidt erop dat zij ruw behandeld zijn of te snel gedroogd. Als u in een boon bijt en hij breekt niet open maar geeft mee, weet u dat de boon niet voldoende gedroogd is. In het algemeen kunt u het beste uitzien naar peulvruchten die helder van kleur zijn en mooi van vorm. Koop ze daar waar de omzet hoog is, want hoe ouder ze zijn, des te langer moet u ze koken.

Peulvruchten kunnen een jaar lang bewaard worden. Bewaar ze in de bijkeuken in luchtdichte glazen potten. U kunt peulvruchten na het koken ook goed invriezen (met uitzondering van linzen), waardoor u heel goed een grote hoeveelheid kunt klaarmaken. Het meest veelzijdig zijn de stevige peulvruchten-soepen, die zo welkom zijn in combinatie met een salade op een koude winterdag.

Maar zijn ze niet moeilijk verteerbaar?

Ja en nee! Dit ogenschijnlijke probleem kan snel de wereld uit zijn als u met bepaalde zaken rekening houdt. Het is waar dat sommige mensen zich niet helemaal prettig voelen als zij een maaltijd hebben gegeten die peulvruchten bevatte. Dit gevoel wordt teweeggebracht door de complexe suikers (oligosac-charides), die in niet-afgebroken toestand in de dikke darm terechtkomen en niet makkelijk door enzymen worden afgebroken. Studies tonen aan dat een regelmatige in plaats van incidentele consumptie van peulvruchten dit probleem tot een minimum beperkt, omdat de enzymen in de darmen zich gelei-delijk aanpassen.

Er zijn andere variabelen die een dergelijk verteringsprobleem positief kunnen beïnvloeden, omdat het in feite niet de peulvruchten zijn die de oorzaak vormen, maar veeleer wat we ermee doen. Bepaalde peulvruchten zijn veel beter verteerbaar dan andere en ik leg in mijn recepten altijd de nadruk op deze soorten. De kleinere soorten die niet geweekt hoeven te worden en die het snelst gaar zijn, zoals spliterwten en linzen, zijn het makkelijkst verteerbaar.

Er zijn wat trucs die u bij de bereiding kunt toepassen om de verteerbaarheid van problematische bonen te bevorderen:

1. Zorg dat u de bonen zo lang kookt dat ze helemaal zacht zijn. Bedenk dat peulvruchten uniek zijn wat betreft de grote hoeveelheid plantaardige eiwitten en zetmeel. Omdat het lichaam nogal zwaar belast wordt door voedsel dat verhoudingsgewijs veel eiwit en vet bevat, is het van essentieel belang dat u de peulvruchten zodanig bereidt dat deze bouwstoffen in de best verteerbare vorm opgenomen wor-den. Trouwens, bonen die niet gaar zijn, smaken niet lekker.

2. Giet het weekwater af. Uit voedingstechnisch oogpunt is het beter om bonen in het weekwater te koken, omdat er tijdens het weken voedingsstoffen in het weekwater terechtkomen. Als u echter vers water gebruikt om de peulvruchten in te koken, zullen bepaalde oligosaccharides (complexe suikers) met het afgegoten weekwater verdwijnen.

3. U kunt bonekruid aan het gerecht toevoegen om de verteerbaarheid te bevorderen. Een kleine aard-appel, die u aan het begin van het kookproces toevoegt en aan het eind weggooit, heeft hetzelfde effect.

4. Als u kombu (eetbare zeewier) aan de bonen toevoegt, worden ze eerder zacht en beter verteerbaar.

5. Zout de bonen niet voor of tijdens het koken. Zout maakt de schil hard en de peulvrucht minder goed verteerbaar. Als u zout wilt toevoegen, doe dit dan na het koken.

6. Eet slechts kleine hoeveelheden peulvruchten, want het zijn zeer geconcentreerde voedingsmiddelen. U doet er verkeerd aan als u net zo veel van een bonenschotel zou eten als van een salade (tenzij u zware lichamelijke arbeid denkt te gaan verrichten). Zelfs in culturen waar peulvruchten tot de basisvoeding behoren, eet men ze niet in grote hoeveelheden tegelijk. U kunt bonen ook beter met lichte gerechten combineren dan met zware. Zij vragen nogal wat van ons spijsverteringskanaal, dus het zou niet eerlijk zijn dit nog meer te belasten. Mijn ervaring is dat bonen en groenten de beste combinatie zijn voor een algemeen gevoel van welbehagen en een goede spijsvertering.

Hoe kunt u peulvruchten het beste gebruiken

In een gezond vegetarisch dieet kunnen peulvruchten een ondersteunende, maar enigszins ondergeschikte rol spelen. Door de lange kooktijd en de inweektijd die voor veel soorten nodig is, zijn ze minder geschikt voor drukbezette mensen. De meest veelzijdige en, zoals hierboven gezegd, best verteerbare peulvruchten zijn spliterwten en linzen, waarvan u uitstekend soep kunt maken in een relatief korte tijd. En u hoeft ze niet in te weken. Andere peulvruchten, vooral de grotere soorten die lang gekookt moeten worden, zijn nu in glazen potten (of in blik) verkrijgbaar. Hoewel u in dat geval duurder uit bent, zijn ze wel handiger. In reformwinkels zijn uitstekende kant-en-klare organische bonen in glazen potten te koop, die u in voorraad kunt houden en kunt gebruiken voor soep, hummus (keker-erwtenpâté), Mexicaanse gebakken bonen, bonendips, stoofgerechten, chili's en salades. Maar als u zin en genoeg tijd hebt, zal een grote pan bonen, die lekker staat te pruttelen op uw fornuis, uw huis vervullen van een heerlijk en gezellig aroma dat u nooit kunt bereiken als u kant-en-klaar bonen gebruikt. Als ze eenmaal klaar zijn, kunt u ze voor later gebruik invriezen.

Bedenk dat tahoe (de wonderbaarlijke basis voor alle 'Stedda' recepten) een produkt van sojabonen is en waarschijnlijk een van de best verteerbare voedingsmiddelen ter wereld. Het bevat alles van de sojaboon behalve de voedingsvezel en omdat het een peulvruchtprodukt is, verdient tofu het op deze plaats genoemd te worden.

Geen verwarring meer

De recente ontdekking dat het lichaam eiwitten bouwt vanuit zijn opslagplaats van aminozuren (het aminozuurbad) heeft de foutieve theorie ontkracht dat wij diverse plantaardige eiwitten moeten combineren om bij elke maaltijd volwaardige eiwitten binnen te krijgen. Helaas gelooft de consument dit nog steeds. Veel mensen denken nog dat het nodig is bonen te combineren met graanprodukten om te zorgen dat ons lichaam volwaardige eiwitten kan opnemen. Dr. Nathan Pritikin noemt dit 'een van de meest misleidende (ideeën) van de laatste jaren, omdat iedereen nu denkt dat het uitbalanceren van de voeding essentieel is. (Het) wekt de indruk dat plantaardige eiwitten geen significante percentages aminozuren bevatten.'[1]

Deze misvatting heeft de mensen in verwarring gebracht en ervoor gezorgd dat ze zich niet prettig voelden, omdat ze te veel aten - en dat maakte dat zij bonen heel moeilijk konden verteren! Degene die de theorie ontwikkeld heeft, is ons nu te hulp geschoten. Frances Moore Lappe, schrijfster van *Diet for a Small Planet*, ontvouwde haar theorie voor het eerst aan het einde van de jaren zestig, maar in de

---

1. Nathan Pritikin, 'Vegetarian Times', no. 43, blz. 22.

opnieuw bewerkte uitgave van 1981 heeft ze haar uiterste best gedaan te benadrukken dat haar gedachten over de combinatie van eiwitten niet door feiten worden gestaafd. Ze zei: 'Toen ik bezig was de theorie te ontkrachten die zei dat vlees de enige weg naar volwaardige eiwitten was, heb ik een andere, onware theorie naar voren geschoven. Ik heb de indruk gewekt dat het noodzakelijk was veel aandacht te schenken aan de keuze van de voedingsmiddelen om zonder vlees toch genoeg volwaardige eiwitten binnen te krijgen.'[1] Door de grote aandacht die werd besteed aan het combineren van bonen met graanprodukten gaf de consument ook de indruk dat zij geen eiwit zouden kunnen opnemen uit andere plantaardige produkten *behalve* deze twee categorieën (granen en bonen), zoals bijvoorbeeld fruit en groenten. We zien in de tabel op blz. 424 dat eiwit in feite aanwezig is in de meeste, zo niet *alle* plantaardige produkten.

Gelukkig weet men nu dat plantaardige eiwitten, in welke combinatie ook, meer dan onze behoefte aan eiwit kunnen dekken en dat zelfs zonder ons op te zadelen met de schadelijke vetzuren en cholesterol die dierlijke produkten bevatten.

HOE BEREIDT U VOLWAARDIGE GRAANPRODUKTEN

Alle volwaardige graansoorten worden volgens dezelfde basismethode gekookt in water of groentebouillon, waardoor ze opzwellen, zacht worden en veranderen in voedsel voor ons lichaam. Voor het koken van granen is geen speciale handigheid nodig. Ze zijn ongelooflijk makkelijk te bereiden. De kooktijd en de hoeveelheid vloeistof varieert per graansoort, maar voor de rest is de techniek bijna altijd gelijk.

U hebt het volgende keukengerei nodig:

vergiet
maatbeker (inhoud van ca. $2^1/_2$ dl)
zware steelpan of kookpan met deksel

De ingrediënten voor 2 porties zijn:

1 maatbeker volwaardig graan naar keuze
Passende hoeveelheid vloeistof (water of groentebouillon)
voor 1 maatbeker graan (zie tabel op blz. 314)
1 of 2 theelepels plantaardige olie

1. Doe een afgemeten hoeveelheid graan in een vergiet met kleine gaatjes en spoel het graan grondig.

2. Breng het vocht aan de kook in een steelpan. Voeg het graan en de olie toe, breng het geheel opnieuw aan de kook, doe er een deksel op en laat alles op een laag pitje koken tot het vocht geheel is opgenomen. Roer niet tijdens het koken, want anders wordt het graan papperig.

Variatie (naar keuze): Sommige graansoorten krijgen een nootachtiger smaak als u ze roostert voor het koken. Rooster ze in een pan met anti-aanbaklaag of in een gewone pan met 1 eetlepel olijfolie. Blijf voortdurend roeren boven een matige hittebron tot het graan aroma afgeeft, voeg vervolgens kokend water toe en kook het graan als boven.

1. Frances Moore Lappe, *Diet for a Small Planet* (New York, N.Y.: Ballantine, 1982), blz. 162.

Enkele graansoorten

Amarant - Een klein rond zaadje, half zo groot als gierst. Amarant is een zeer oude graansoort die door de Azteken gebruikt werd. Het heeft van alle graansoorten het hoogste eiwitgehalte en is wat voedingswaarde betreft zo krachtig dat de National Academy of Sciences het heeft genoemd als een van 's werelds meest veelbelovende voedingsmiddelen. Amarant wordt nog als specialiteit gekweekt en is daarom niet overal verkrijgbaar (informeer bij uw reformzaak). We zien amarant meestal als ingrediënt van ontbijtprodukten of koekjes. Het zou echter meer verbouwd moeten worden, omdat het een winterhard gewas is, bestand tegen droogte en koude. De graankorrel zelf krijgt door het koken een papachtige substantie en kan het beste als gezoet ontbijtgerecht gegeten worden of gebruikt worden in pikante stoofschotels.

Gerst - De oudste gecultiveerde graansoort. Het is in elk klimaat een veelverbouwd, winterhard gewas. De milde smaak en stevige structuur ervan zorgen ervoor dat gerst uitstekend in soepen en andere graangerechten verwerkt kan worden. Het is een goede vervanger voor rijst en recentelijk ontdekt als ingrediënt voor salades. Parelgort (gepelde en geslepen gerstekorrels) is tot op zekere hoogte geraffineerd; het grootste deel van de zemelen en de kiem is verwijderd. Schotse gort is voedzamer; doordat het iets minder geraffineerd is, bevat het meer zemelen en delen van de kiem. Gebleken is dat gerst verlagend werkt op de cholesterolspiegel van het bloed.

Boekweitgrutten (kasha) - Een zeer oud voedingsmiddel, dat oorspronkelijk in China werd gecultiveerd en later in Oost-Europa; het wordt in beide streken nog steeds veel gebruikt. Het is een van de beste bronnen van calcium en bevat veel eiwit en mineralen. Kasha heeft een sterke smaak, die ervoor zorgt dat het uitstekend in plaats van zilvervliesrijst kan worden gegeten en is verrukkelijk in combinatie met gefruite uitjes en paddestoelen.

Popcorn - Wordt speciaal gekweekt als snack en werd oorspronkelijk door de Inca's verbouwd. Het bevat weinig calorieën en vet (tenzij u vet toevoegt) en zeer veel voedingsvezel. De beste bereidingswijze is die waarbij gebruik wordt gemaakt van een heteluchts 'popper'; u hoeft dan geen olie toe te voegen.

Gierst - Een basisvoedingsmiddel in het oude India, Egypte en China, voordat men overging op rijst. Het staat ook bekend als basisvoedsel van de Hunza's uit de Himalaya, die bekend waren om de hoge leeftijd die ze bereikten. Gierst is de enige graansoort die niet zuur is in het lichaam en daarom zeer aan te bevelen. Het bevat volwaardig eiwit; is rijk aan ijzer, kalium en calcium; en het is licht verteerbaar. U kunt het als gezoete pap eten, maar ook gebruiken in stoofgerechten en ovenschotels, als vervanger van rijst en als vulling voor groenten.

Haver - Wordt al gecultiveerd sinds de begintijd van de christelijke beschaving. Haver is een ideaal gewas voor koude streken. Van de gewone graansoorten bevat haver het meeste eiwit; alleen amarant en quinoa bevatten meer. Haver bevat veel calcium, ijzer en fosfor. Doordat het meer vet bevat dan de meeste andere graansoorten, heeft haver de reputatie het lichaam te verwarmen, waardoor het geschikt is voor koudere klimaten. (Vet helpt het lichaam warmte en energie op te slaan.) Volwaardige haver behoudt de gezonde zemelen en kiem. U gebruikt haver bij het bakken (van bijvoorbeeld brood en koekjes), als ontbijtprodukt of in combinatie met andere graansoorten om zijn stevigheid. U kunt haver ook laten ontkiemen. Havervlokken zijn gemaakt van haver die in dunne plakjes is gesneden; ze zijn het meest geschikt als ontbijtprodukt en ook als basisingrediënt voor muesli. Havermout wordt gestoomd en platgewalst; instant havermout is voorgekookt. In beide gevallen zijn de bouwstoffen van de hele korrel behouden gebleven.

Bij het koken van granen, is het heel belangrijk om de juiste verhouding tussen graan en water te hebben. De makkelijkste manier om dit te bereiken is als volgt. Gebruik een kop van ongeveer $2^1/_2$ deciliter inhoud om zowel het graan als het water mee af te meten. De juiste verhouding voor elke graansoort staat in de tabel.

BEREIDINGSTIJDEN EN BEREIDINGSWIJZEN VAN VOLKORENGRAANSOORTEN*

Graan (1 kopje)	Water (kopjes)	Kooktijd (minuten)	Methode
amarant	$2^1/_2$-3	20-25	
boekweitgrutten (kasha)	2	15-20	eerst roosteren
gerst	3-$3^1/_2$	50-55	
parelgort	$1^1/_2$-2	40-45	
gierst	$2^1/_2$	35-40	eerst roosteren
haver	3-4	45-60	een nacht weken
havermout	$1^1/_2$	10	voeg havermout aan kokend water toe, neem de pan van het vuur en laat de havermout 10 minuten staan
quinoa	2	15	eerst roosteren; bereid in bouillon voor extra smaak
rijst			
lange korrel (zilvervlies)	$2^1/_4$	40	laat de rijst 10 minuten nagaren in de afgedekte pan
ronde korrel (zilvervlies)	$2^1/_4$	40	zie rijst met lange korrel
basmati	2	18-20	
wilde rijst	$2^1/_2$	40	voeg aan kokend water toe en laat de rijst zachtjes koken tot het water geabsorbeerd is
tarwe			
volle korrel	$3^1/_2$-4	55-60	een nacht weken
bulgur (voorgekookt)	2	15-20	begiet met kokend water en laat het 20 minuten staan
geplette tarwekorrels	3	35-40	eerst roosteren
couscous (voorgekookt)	2	15	voeg aan kokend water toe, goed doorroeren en 10 - 15 minuten in de afgedekte pan laten wellen (kan ook geroosterd worden)

* Algemene bereidingswijze van alle soorten graan. Breng het kookvocht (water, bouillon enzovoorts) aan de kook, voeg graan naar keuze en 1 of 2 theelepels plantaardige olie toe en laat het graan gedurende de aangegeven tijd zachtjes koken op een laag vuur.

Quinoa - Is net als amarant een graansoort van de oude Andesbewoners. Het is goed te cultiveren op grote hoogten in schrale grond en wordt momenteel in Colorado (V.S.) verbouwd. Quinoa is verkrijgbaar als korrel en als meel, hoewel het nog vrij duur is, omdat het met de hand geoogst wordt. De korrel is kleiner dan die van gierst, maar bij het koken zwelt hij op tot vier maal de oorspronkelijke grootte en u krijgt dus in verhouding veel waar voor uw geld. Samen met amarant heeft quinoa het hoogste hoogwaardig eiwitgehalte van alle graansoorten en het is ook rijk aan calcium, fosfor en ijzer. Het heeft een milde, nootachtige smaak, die wordt verhoogd door roosteren, een luchtige structuur en de kooktijd is kort. U kunt quinoa gebruiken in plaats van bulgur, rijst of als couscous. Gebruik het ook eens als vulling of in ovenschotels en salades. (Quinoa is soms verkrijgbaar bij een reformwinkel.)

Rijst - Het belangrijkste voedingsmiddel voor de helft van de wereldbevolking, dat zijn oorsprong in India heeft. In de Westerse keuken wordt het nog niet zo lang gebruikt, namelijk vanaf ongeveer de zeventiende eeuw. Wereldwijd wordt witte rijst veel meer gegeten dan zilvervliesrijst, maar wat voedingswaarde betreft is zilvervliesrijst veel en veel beter. Rijst bevat veel voedingsvezel, een redelijke hoeveelheid eiwit en weinig vet en verliest door raffineren tweederde van de vitaminen, tweederde van de voedingsvezel, twintig procent van de eiwitten en de helft van de mineralen. Toen men in Azië overging van zilvervliesrijst op witte rijst, staken ziekten de kop op die het gevolg waren van een gebrek aan voedingsstoffen, totdat men ertoe overging de rijst te verrijken. Bruine basmatirijst komt oorspronkelijk uit India en wordt nu ook verbouwd in Californië. Witte basmati heeft een populaire nootachtige smaak en een aantrekkelijke structuur, maar is wel geraffineerd.

Tarwe - Momenteel het meest gecultiveerde graangewas ter wereld en het wordt al vermeld in Chinese en Egyptische geschriften van duizenden jaren geleden. Er wordt in de Verenigde Staten meer graan verbouwd dan waar ook ter wereld, maar de tarwe die wij consumeren is voor het grootste deel geraffineerd. Geraffineerde tarwe, die is ontdaan van de zemelen en de kiem, verliest wel 80 procent van de vitaminen en mineralen en 93 procent van de voedingsvezel! Het eiwitgehalte blijft wel hoog, omdat het eiwit zich bevindt in het endosperm. Bij verrijking wordt slechts een deel van de vitaminen opnieuw toegevoegd en dus kan verrijkte tarwe in de verste verte niet tippen aan volwaardige tarwe. Hele tarwekorrels worden niet veel als zodanig gegeten, maar zijn geschikt om te laten ontspruiten of om te worden verwerkt in soepen, salades, ovenschotels en om te gebruiken bij het bakken. Ongeraffineerde bulgur wordt gemaakt door tarwekorrels voor te koken, vervolgens te drogen en te walsen, waarbij de voedingswaarde van de volwaardige korrels wordt behouden. Gebruik bulgur in plaats van rijst in pilafgerechten, ovenschotels, als vulling en in brooddeeg. Couscous wordt gemaakt van geraffineerde harde tarwe, waarbij uitsluitend het endosperm wordt gebruikt, dat gestoomd wordt, gedroogd en gewalst. Het heeft een prettige, lichte structuur en smaakt naar pasta, maar de voedingswaarde is niet veel hoger dan die van geraffineerde deegwaren. Gebruik couscous vermengd met groenten in plaats van rijst en in salades. Geplette tarwekorrels lijken op bulgur, maar hebben een langere kooktijd en de structuur is plakkerig. Het behoudt de voedingswaarde van graankorrels.

Wilde rijst - Is helemaal geen rijst, maar het zaad van een watergras. Het wordt echter gekookt en verwerkt als een graansoort. Wilde rijst hoort thuis in de Noordamerikaanse meren en rivieren. Het is duur omdat het nogal schaars is (informeer bij uw reformzaak). U kunt wilde rijst goed samen gebruiken met gewone rijst en het wordt nooit geraffineerd. Het is rijk aan voedingsstoffen, bevat veel hoogwaardig eiwit, vitaminen, mineralen en voedingsvezel en weinig vet. Wilde rijst wordt veelvuldig gebruikt als hoofdingrediënt van pilafschotels in combinatie met andere graansoorten en is verrukkelijk in romige soepen.

HOE BEREIDT U PEULVRUCHTEN

Peulvruchten en bonen in het bijzonder vragen een lange kooktijd, maar zijn niet moeilijk te bereiden. Enkele uitzonderingen daargelaten, moeten ze alle voor het koken enige tijd weken, hetgeen de kooktijd aanzienlijk bekort. De enige peulvruchten die u niet hoeft te laten weken, zijn spliterwten, mungbonen, zwarte-ogenbonen en linzen. De truc van het bereiden van bonen is dat u vooruit moet denken. Als u bonen wilt gebruiken voor een maaltijd, maar niet de tijd neemt om ze te laten weken en op de juiste wijze te koken, zult u geen goed resultaat krijgen. Bonen hebben hun tijd nodig. Als u ze te snel gaar wilt krijgen door ze op hoog vuur te koken in plaats van ze langzaam te laten pruttelen, zal het omhulsel openspringen en zijn ze verknoeid.

Er zijn twee methoden om bonen te laten weken:

De langzame methode

Leg de bonen op een dienblad en kijk ze na op de aanwezigheid van steentjes en andere ongerechtigheden. Spoel ze vervolgens goed af in een vergiet. Doe ze in een grote pan met 3 of 4 maal zoveel water als het volume van de bonen. Dek de pan af en zet hem tot de volgende dag in de koelkast, om bederf te voorkomen. Als u klaar bent om de bonen te bereiden, laat u ze uitlekken en spoelt ze af. Vervolgens voegt u water toe. De hoeveelheid is niet van belang; het moet voldoende zijn om ze zachtjes in te laten koken. Een richtlijn is ten minste twee maal zoveel water toe te voegen als het volume van de bonen.

De snelle methode

Als u bent vergeten de bonen de avond tevoren in het water te zetten, kunt u ze toch klaarmaken met behulp van deze methode, die slechts een uur in beslag neemt. Mijn ervaring is dat de bonen niet evenveel water opnemen en dat betekent dat ze nog wel vrij lang moeten koken, maar als noodoplossing is deze methode prima.

Sorteer de bonen zoals hierboven staat aangegeven en spoel ze af. Doe ze in een pan met 3 of 4 maal zoveel water als het volume van de bonen. Breng het water flink aan de kook en haal de pan dan direct van het vuur. Laat de bonen afgedekt gedurende 1 uur staan. Kook de bonen als hieronder beschreven; zie ook de tabel op bladzijde. 314.

Bereidingswijze voor alle bonen die geweekt moeten worden

U hebt het volgende kookgerei nodig:

dienblad
maatbeker (inhoud ca. $2^{1}/_{2}$ dl)
vergiet
grote, zware pan met deksel

1. Leg de gewenste hoeveelheid bonen in een enkele laag op het dienblad, zodat u eventuele steentjes goed kunt zien. Verwijder alle ongerechtigheden. Doe de bonen in een vergiet en spoel ze goed af.

2. Laat de bonen weken op een van de twee aangegeven wijzen.

3. Giet het weekwater weg en voeg zoveel vers water toe dat u twee maal zoveel water als bonen hebt.

4. Breng het geheel aan de kook en laat de bonen op een middelmatige warmtebron zachtjes koken tot ze gaar zijn. Dit duurt 45 minuten tot 3 uur. Let erop dat de bonen zachtjes koken, omdat de schil van de bonen door koken op een hoog vuur zullen openbarsten. Door zachtjes koken kan de smaak zich beter ontwikkelen en zullen de bonen mooi gelijkmatig gaar worden. U kunt zien of de bonen gaar zijn door met duim en wijsvinger in de boon te knijpen; als de boon gaar is, voelt u daarbij een gelijkmatige, geringe weerstand.

Wat kunt u aan de bonen toevoegen

U kunt bonen prima koken in gewoon water, maar u kunt ook bepaalde kruiden aan het kookvocht toevoegen die de smaak, de structuur en het aroma positief beïnvloeden. Er zijn echter ook smaakmakers die u beter niet kunt toevoegen, omdat zij een goed resultaat in de weg staan.

Om de smaak te verbeteren kunt u laurierblad, knoflook en gehakte ui toevoegen.

Om de structuur te verbeteren kunt u bonekruid toevoegen. Ook kunt u een stukje kombu van ongeveer 10 cm toevoegen om de bonen zachter en makkelijker verteerbaar te maken.

Voeg geen zout toe tot het allerlaatste moment, want zout maakt de bonen hard en verlengt de kooktijd. Tomaten hebben hetzelfde effect. Voeg nooit dubbelkoolzure soda toe, want deze stof maakt bouwstoffen onwerkzaam.

HANDIG BONENSCHEMA

Boon	Weken	Kooktijd	Opmerkingen en suggesties
aduki	ja	1 u	Boonsoort uit Azië, is makkelijker te verteren en heeft meer smaak dan rode (nier)bonen. Combineer met chilipoeder, ketjap, gember, miso, knoflook.
bruine bonen	ja	1-1$^1/_2$ u	Kan in allerlei soorten schotels worden verwerkt. Heeft een zachte smaak. Combineer met melasse, tomaten, mosterd, uien, paprika, kerrie.
kekererwten	ja	2$^1/_2$-3 u	Zeer geliefd in het Midden-Oosten, Middellandsezeegebied, Noord-Afrika, India. Basisingrediënt voor falafel en hummus. Combineer met sesam tahin, citroensap, knoflook, komijn, koriander, kerrie.
kievitsbonen	ja	1$^1/_2$-2 u	Wordt veel gebruikt in de Cajun en Mexicaanse keukens. Combineer met met chilipeper, tomaten, knoflook, verse koriander, komijn, avocado, oregano, chilipoeder.

limabonen	ja	45 min. - 1½ u	Grote en kleine soorten. Combineer met mais en andere groenten, tomatensaus, laurier, tijm, knoflook, olijfolie, basilicum.
linzen	nee	30-45 min.	Makkelijk te verteren. Worden veel gebruikt in de Indiase keuken. Bruine en rode linzen hebben praktisch dezelfde smaak. Verwerk ze in dal (Indiaas linzengerecht), soepen, salades, stoofschotels of combineer met deegwaren en diverse groenten, kerrie, paprika, tomaten, olijfolie, citroensap knoflook, uien.
mungbonen	nee	45 min. - 1 u	Worden veel gebruikt in de Aziatische en Indiase keuken. Laat ze ontspruiten en verwerk de spruiten in salades. Lijken enigszins op doperwten. Combineer met kerrie, gember, knoflook, tomaat, verse chilipepers, spinazie, verse koriander.
rode bonen	ja	1½-2 u	Moeilijkste boonsoort om te verteren. Kunnen in chiligerechten, minestronesoep en salades (eerst marineren) worden verwerkt. Combineer met pikante kruiden en specerijen.
spliterwten	nee	1-1½ u	Makkelijk te verteren. Gele spliterwten zijn zachter van smaak dan groene spliterwten. Zeer geschikt om soep van te maken. Combineer met tomaten, uien, knoflook, miso, verse chilipepers, citroen, dille, kerrie, tijm.
witte bonen	ja	1½-2 u	In Italië bekend als cannellini. Ze hebben een milde, romige smaak. Combineer met tomaten, knoflook, melasse, honing, mosterd.
zwarte bonen	ja	1-2 u	Worden veel gebruikt in Latijns-Amerika, de landen rond de Middellandse Zee en in Azië. Ze hebben een vrij sterke smaak. Op smaak brengen met tijm, bonekruid, knoflook, uien, citroensap, olijfolie, cayennepeper.
zwarte-ogen- bonen	nee	1-1½ u	Worden veel gebruikt in Afrika en het zuidelijke deel van de V.S. Kunnen in salades worden verwerkt in combinatie met gestoomde groene groenten. Combineer met tomaten, knoflook, uien, citroensap, appelazijn, olijfolie en zwarte peper.

Eenvoudig gebakken rijst

15 minuten

Een uitstekende manier om een restje rijst te verwerken, kinderen zijn er dol op. Het toevoegen van taugé zorgt ervoor dat de rijst vochtig blijft. Dien op met IJsbergsalade (blz. 167) en Loempia's uit de oven (blz. 346).

400 g taugé
100 g wortel, kleingesneden
3 eetlepels natriumarme ketjap
2 eetlepels tamari
$^{1}/_{2}$ theelepel gemberpoeder
1 theelepel lichte miso
4 eetlepels saffloerolie
evt. 100 g tahoe, in dobbelsteentjes gesneden

1 dunne prei, in ringen
  gesneden
1 ui, fijngehakt
1 struik paksoi, in stukjes
  gesneden
600 g gekookte zilvervliesrijst
versgemalen peper

1. Blancheer de taugé 1 minuut in kokend water en laat het goed uitlekken. Blancheer de wortel 2 tot 3 minuten in kokend water en laat het goed uitlekken.

2. Meng de ketjap, tamari, gemberpoeder en miso in een kleine kom.

3. Doe 1 eetlepel saffloerolie en de tahoe in een wok en laat de tahoe 1 minuut roerbakken. Doe 1 eetlepel van het ketjapmengsel erbij en laat de tahoe nog 2 minuten roerbakken. Voeg de prei, ui, wortel en paksoi toe en laat ze 2 minuten al roerend meebakken, tot de paksoi zacht is. Doe de gefruite groenten op een schaal.

4. Veeg de wok schoon met een vel keukenpapier en verhit de rest van de saffloerolie. Verwarm de rijst in de hete olie, voeg de rest van het ketjapmengsel toe en schep alles goed door elkaar.

5. Schep de groenten en de taugé door de gebakken rijst en breng het gerecht op smaak met peper.

6 personen

GEKOOKTE RIJST OPWARMEN

Doe een restje rijst in het bovenste gedeelte van een stoompan of in een fijne zeef boven een pan kokend water. Laat de rijst 5 tot 10 minuten stomen, tot ze goed doorgewarmd is, doe ze in een kom, voeg zout, peper, kruiden, specerijen enzovoorts toe en schep alles goed door elkaar.

Basmatirijst met spinazie en uien

20 minuten

Dien op bij Champignonratatouille (blz. 189) en Griekse salade 2000 (blz. 166).

225 g zilvervlies- of basmatirijst
7$^1/_2$ dl water
2 theelepels + 2 eetlepels
 olijfolie

steen- of zeezout
2 grote (Spaanse) uien
ca. 400 g diepvries gehakte
 spinazie, ontdooid

1. Zet de rijst op met het water, 2 theelepels olijfolie en wat zout. Dek de pan af en laat de rijst 18 tot 35 minuten (18 minuten voor basmatirijst en 35 minuten voor zilvervliesrijst) zachtjes koken.
2. Doe intussen 2 eetlepels olijfolie en de ui in een koekepan en laat de ui 2 minuten zachtjes fruiten. Voeg eventueel 1 of 2 eetlepels water toe om aanbranden te voorkomen. Doe de spinazie erbij, dek de pan af en laat de spinazie goed doorwarmen.
3. Schep het spinaziemengsel door de gare rijst en dien direct op.

4 personen

Spaanse rijstschotel

25-40 minuten

Dit is een ideaal gerecht voor een feestje of om mee te nemen voor de lunch en ook lekker bij Eenvoudige tostada (blz. 182).

2 theelepels olijfolie
1 ui, fijngehakt
$^1/_2$ theelepel gemalen koriander
$^1/_4$ theelepel gemalen komijn
2 theelepels bouillonkorrels
1 groentebouillontablet of 2
 theelepels lichte miso

300 g basmati- of zilver-
 vliesrijst, afgespoeld
1 l water
$^3/_4$ theelepel strooikruiden zonder zout
1 middelgrote tomaat
250 g gekookte doperwtjes
versgemalen peper

1. Doe de olijfolie en de ui in een pan en laat de ui 2 minuten zachtjes fruiten. Voeg de koriander en komijn toe en laat ze 1 minuut al roerend meefruiten.
2. Roer de bouillonkorrels en de rijst door de gefruite ui en voeg het water en strooikruiden toe. Zet het vuur wat hoger en breng het geheel al roerend aan de kook. Dek de pan af en zet het vuur zo laag mogelijk. Laat de rijst 18 tot 35 minuten (18 minuten voor basmatirijst en 35 minuten voor zilvervlies-rijst) zachtjes koken.
3. Dompel de tomaat 30 seconden in kokend water, verwijder het vel en hak het vruchtvlees zeer klein. Schep de doperwtjes en de tomaat door de gekookte rijst en voeg wat peper en eventueel wat extra strooikruiden toe.

6 personen

Gebakken rijst uit de oven

25 - 45 minuten

Als u rijst in de oven bakt, wordt ze blootgesteld aan een gelijkmatige hitte, waardoor ze door en door bakt. Dit is beter dan bakken in een pan waar de rijst alleen maar op de bodem heet wordt, waardoor ze niet gelijkmatig gebakken wordt en blijft plakken. Dit gerecht is handig als u ook nog andere dingen aan het koken bent en alle kookplaten in gebruik zijn. Het is een prima schotel om aan gasten voor te zetten. Dien op met Gekarameliseerde wortels (blz. 265) en Klassieke groene salade (blz. 160).

1 - 2 eetlepels olijfolie
1 grote ui, fijngehakt
300 g basmati- of zilvervliesrijst

1 l water of krachtige groentebouillon
steen- of zeezout
versgemalen peper

1. Doe de olijfolie en de ui in een pan en laat de ui 2 minuten zachtjes fruiten. Roer de rijst door de gefruite ui en laat het 1 of 2 minuten al roerend meefruiten.

2. Giet het water of de groentebouillon over de rijst en breng alles aan de kook. Roer het geheel goed door en doe het in een ovenvaste schaal. Leg een rondje ingevet bakpapier op de rijst, dek de schaal af en bak de rijst 20 tot 40 minuten (20 minuten voor basmatirijst en 40 minuten voor zilvervliesrijst) in een voorverwarmde oven (180° C).

3. Neem de schaal uit de oven en roer de rijstkorrels los met een vork.

6 - 8 personen

Variaties:

(1) Los een snufje saffraan op in het water om de rijst een mooie gele kleur te geven.

(2) Voeg 100 g diepvriesdoperwtjes aan de gare rijst toe. Ze zullen door de warmte van de rijst gaar worden.

Rijst en doperwtjes met pestosaus

20 - 45 minuten

Dien op met Geroosterde yamchips (blz. 287) en Komkommersalade met munt (blz. 170).

150 g zilvervliesrijst
1 theelepel olijfolie
400 g diepvriesdoperwtjes

$^1/_2$ dl pesto
versgemalen peper
strooikruiden zonder zout

1. Breng $5^1/_2$ deciliter water aan de kook, voeg de rijst en olijfolie toe, roer alles goed door en laat de rijst 40 minuten zachtjes koken in de afgedekte pan. Neem de pan van het vuur en laat de rijst 10 minuten nagaren in de afgedekte pan.

2. Stoom de doperwtjes gaar en houd $^1/_2$ deciliter van het stoomwater achter voor de saus.

3. Meng de pesto met het stoomwater van de doperwtjes, schep de gekookte rijst en de doperwtjes door elkaar en roer er de pestosaus door. Breng het gerecht op smaak met wat peper en strooikruiden.

2 personen

Gevulde paksoirolletjes

1 uur, 50 minuten

Dien op met Broccoli met vlindermacaroni (blz. 252) en Franse groene salade met tahoekäse (blz. 161).

Paksoirolletjes

50 g zilvervliesrijst met
  ronde korrel
50 g zilvervliesrijst met
  lange korrel
50 g wilde rijst of basmatirijst
5 dl water
evt. ¹/₂ theelepel zeezout
20 grote paksoibladeren
1 eetlepel olijfolie

1 middelgrote ui, gehakt
1 middelgrote wortel,
  fijngehakt
3 eetlepels fijngehakte
  verse of 1 eetlepel
  gedroogde dille
strooikruiden, met of
  zonder zout

Uiensaus

1 eetlepel olijfolie
2 middelgrote uien, in ringen
  gesneden
1 worteltje, fijngehakt
1 eetlepel donkere miso
1 eetlepel lichte miso
2 eetlepels citroensap

4 eetlepels fijngehakt
  vers of 1 theelepel
  gedroogd bonekruid
4 eetlepels fijngehakte
  verse peterselie
3 dunne schijfjes citroen
2 laurierblaadjes

1. Week de drie soorten rijst enkele uren in koud water en laat ze uitlekken. Breng het water met het zout en de saffloerolie aan de kook en voeg het rijstmengsel toe. Breng de inhoud van de pan weer aan de kook, roer het rijstmengsel even door en laat het 45 minuten koken op een zeer laag vuur. U mag de deksel er *niet* afhalen. Neem de pan van het vuur en laat het rijstmengsel 10 minuten in de afgedekte pan nagaren. Verwijder het deksel en roer de rijstkorrels los met een vork.

2. Bereid intussen de paksoibladeren. Snijd de steeltjes eraf en hak ze fijn. Stapel de paksoibladeren op elkaar in een stoommandje en stoom ze 1 tot 2 minuten boven een pan kokend water, tot ze iets zacht zijn. (Laat ze niet te lang stomen, anders worden ze zacht en zwak en kunnen makkelijk scheuren). Neem de paksoibladeren uit het stoommandje, doe ze op een grote bakplaat en dek ze af met een vochtige theedoek. Bewaar het vocht in de stoompan voor de saus.

3. Doe de olijfolie, paksoisteeltjes, ui en worteltje in een koekepan en laat de groenten 3 minuten zachtjes fruiten. Voeg eventueel 1 tot 2 eetlepels van het stoomvocht toe om aanbranden te voorkomen. Roer de dille erdoor, schep het mengsel door de gekookte rijst en breng alles op smaak met strooi-kruiden.

4. Schep een volle eetlepel van de rijstvulling aan de onderkant van elk blad paksoi. Vouw het eenmaal, vouw dan de zijkanten naar binnen en rol het op als een loempia. Vul de rest van de paksoibladeren op dezelfde wijze en schik ze in een ondiepe, ovenvaste schaal.

5. Verwarm de oven voor (175° C). Bereid nu de saus. Verhit de olijfolie en fruit de uien en het worteltje tot ze zacht beginnen te worden. Voeg 5 tot 7¹/₂ deciliter van het achtergehouden stoomvocht toe, roer beide soorten miso erdoor en breng alles aan de kook. Laat de saus 5 tot 7 minuten op een hoog vuur iets inkoken.

6. Voeg het citroensap, het bonekruid en de peterselie aan de saus toe en laat het 1 tot 2 minuten doorkoken. Schep de saus over de paksoirolletjes en leg de schijfjes citroen en de laurierblaadjes er bovenop. Dek de schaal af met een vel bakpapier met daarop een vel aluminiumfolie en bak de paksoirolletjes 45 minuten in de oven.

6 - 8 personen

Graanpilaf

1 uur

1 eetlepel olijfolie	75 g zilvervliesrijst
1 ui, fijngehakt	75 g parelgort
2 teentjes knoflook,	snufje cayennepeper of
uitgeperst	een scheutje Tabasco
7¹/₂ dl groentebouillon	4 eetlepels fijngehakte
75 g bulgur	verse peterselie

1. Doe de olijfolie, ui en knoflook in een grote koekepan met deksel en laat het uimengsel 5 minuten zachtjes fruiten.

2. Voeg de bouillon, bulgur, rijst en parelgort toe en breng alles aan de kook. Doe de cayennepeper en peterselie erbij, zet het vuur zo laag mogelijk, dek de koekepan af en laat de pilaf 40 minuten zachtjes koken.

3. Laat de pilaf 10 minuten afgedekt staan, roer de graankorrels los met een vork en controleer de smaak.

4 - 6 personen

Ovenschotel van rijst met tuinkruiden

30 tot 60 minuten

Dit is een makkelijke, verfijnde rijstschotel die weinig voorbereiding nodig heeft. Intussen heeft u voldoende tijd om andere gerechten voor de maaltijd klaar te maken. Gebruik het liefst een zware ovenvaste braadpan om dit gerecht in te bereiden. Dien op met Doperwtensoep met cashewroom (blz. 218) of Zoetzure aubergines (blz. 246) en Klassieke groene salade (blz. 160).

Witte basmatirijst heeft een bereidingstijd van 30 minuten nodig en zilvervliesrijst 50 minuten. Maak meteen een dubbele portie, dan heeft u wat restjes rijst om in salades en soepen te verwerken.

1 eetlepel olijfolie	1 laurierblad
1 ui, fijngehakt	1 theelepel gedroogde
evt. 1 teentje knoflook,	marjolein
uitgeperst	6 eetlepels fijngehakte
300 g zilvervlies- of basmati-	verse peterselie
rijst	Tabasco
6 dl kokende groentebouillon	steen- of zeezout
2 theelepels gedroogde tijm	versgemalen peper

1. Doe de olijfolie, ui en knoflook in een grote ovenvaste braadpan en laat het uimengsel 2 minuten zachtjes fruiten.

2. Roer de rijst door het uimengsel en voeg de kokende bouillon en de rest van de ingrediënten toe. Roer het rijstmengsel goed door, dek de braadpan af en breng alles aan de kook.

3. Zet de braadpan middenin een voorverwarmde oven (180° C) en bak het gerecht 50 minuten.

4. Neem de braadpan uit de oven, verwijder het laurierblad en controleer de smaak.

6 personen

Tip: Dit gerecht kunt u van tevoren klaarmaken en op het fornuis weer opwarmen.

Variatie: Voeg 2 theelepels kerriepoeder aan de gefruite ui toe, voordat u de rijst en bouillon erbij doet.

Broccolipilaf

15 minuten

1 eetlepel saffloerolie	1 ui, fijngehakt
evt. $^1/_2$ theelepel komijnzaad	500 g broccoli
evt. $^1/_2$ theelepel mosterdzaad	1 dl water
1 theelepel gemalen koriander	450 g gestoomde zilvervliesrijst
1 theelepel kurkuma	het sap van 1 citroen
evt. snufje asafoetida*	evt. 2 eetlepels fijn-
2 laurierblaadjes	gehakte verse koriander
1 teentje knoflook, uitgeperst	1 theelepel zeezout

1. Bereid eerst de rijst. (Doe 150 g zilvervliesrijst in 6 dl kokend water met 1 theelepel olijfolie. Kook de rijst 40 minuten in de afgedekte pan op een zeer laag vuur. Neem de pan van het vuur en laat de rijst 10 minuten nagaren in de afgedekte pan.)

2. Doe de saffloerolie, het komijn- en mosterdzaad in een grote koekepan en laat de specerijen heel even fruiten, voeg de koriander, kurkuma, asafoetida en laurierblaadjes toe.

3. Doe de knoflook en ui erbij en laat het mengsel 3 minuten fruiten tot de ui zacht is en bruin begint te worden. Verdeel intussen de broccoli in roosjes, schil de stelen en snijd ze in plakjes. Voeg de broccoliroosjes en -steeltjes aan het uienmengsel toe en laat ze 5 minuten al roerend meefruiten.

4. Giet het water over het broccolimengsel, dek de pan af en laat de broccoli 5 minuten zachtjes koken.

5. Roer de gestoomde rijst door het broccolimengsel en laat het al roerend doorwarmen. Voeg het citroensap, eventueel de verse koriander en het zout toe en schep alles weer goed door elkaar.

5 - 6 personen

* Asafoetida kunt u vaak bij een toko kopen.

Traditionele couscous met groenten

groenten: 45 minuten
couscous: 15 minuten

Voor een aantrekkelijk resultaat kunt u de groenten in royale hapklare porties snijden.

Groenten

2 eetlepels olijfolie

$^1/_2$ theelepel geraspte nootmuskaat

$^1/_4$ theelepel kaneelpoeder

$1^1/_2$ theelepel gemalen komijn

$^1/_2$ theelepel kurkuma

evt. cayennepeper naar smaak

2 teentjes knoflook, uitgeperst

500 g aardappelen, geschild en
  in dobbelsteentjes gesneden

300 g wortels, in dikke
  plakken gesneden

300 g uien, grofgehakt

$^3/_4$ - 1 l water

300 g courgettes, in dikke
  plakken gesneden

1 eetlepel lichte miso

evt. steen- of zeezout

evt. versgemalen peper

Couscous

300 g voorgekookte couscous

1 l water

1. Doe de olijfolie, specerijen en knoflook in een braadpan en laat het specerijmengsel 30 minuten fruiten. (Pas de hoeveelheden specerijen aan naar uw eigen smaak.) Voeg alle groenten, behalve de courgettes, aan het specerijmengsel toe en laat ze 3 minuten, al roerend, meefruiten.

2. Giet het water over de groenten, breng het geheel aan de kook en laat de groenten 20 minuten zachtjes koken in de afgedekte pan tot ze bijna gaar zijn. Voeg de courgettes toe en laat ze 5 tot 10 minuten meekoken in de onafgedekte pan. Roer de groenten regelmatig door en voeg eventueel wat extra water toe om aanbranden te voorkomen.

3. Neem 1 deciliter van het kookvocht uit de braadpan en meng het met de miso. Giet de miso-oplossing terug in de pan, roer alles goed door en voeg wat zout en peper toe. (U kunt het groente-mengsel eventueel enkele uren of een dag van tevoren bereiden, zodat de verschillende smaken zich met elkaar kunnen mengen.)

4. Bereid vervolgens de couscous. Breng het water aan de kook en giet het over de couscous. Laat de couscous 10 tot 15 minuten in een afgedekte kom staan en roer de graankorrels daarna los met een vork.

5. Dien de couscous in aparte kommen op en schep er de groenten en saus over.

6 - 8 personen

Rijstsoufflé met spinazie

50 minuten

Dien dit gerecht op met Bonte salade van gemarineerde groenten (blz. 188) en Gegrilleerde asperges (blz. 244).

1 pak diepvries gehakte spinazie	250 g stevige tahoe
3 eetlepels olijfolie	$^1/_4$ theelepel kruidenzout
$^1/_4$ theelepel kurkuma	$^1/_2$ theelepel zeezout
1 uitje, fijngehakt	versgemalen witte peper
4 bosuitjes, fijngehakt	250 g gekookte basmatirijst

1. Laat de spinazie ontdooien en uitlekken; bewaar 2 eetlepels van het vocht.

2. Doe 2 eetlepels olijfolie en de kurkuma in een koekepan en laat de kurkuma heel even fruiten. Voeg het uitje en de bosuitjes toe en fruit ze tot ze zacht zijn. Neem de pan van het vuur.

3. Meng de tahoe met de rest van de olijfolie, het achtergehouden spinazievocht, kruidenzout, zout en wat peper tot er een romig mengsel ontstaat.

4. Meng de gefruite groenten, de rijst en het tahoemengsel met de spinazie en doe het in een met olie bestreken souffléschaal (1$^1/_2$ l inhoud). Bak de rijstsoufflé 30 minuten in een voorverwarmde oven (150° C) tot het stevig aanvoelt en dien direct op.

6 personen

Kasha met deegwaren en champignonjus

40 minuten

Dit is de traditionele manier om kasha op te dienen, maar hoewel in het oorspronkelijk gerecht ei verwerkt is, om de granen van elkaar gescheiden te houden, hebben wij geen eieren in ons recept verwerkt. Meestal gebruikt men vlindermacaroni, maar u kunt ook een andere soort gebruiken. De pittige champignonjus is heel makkelijk te bereiden. In ruim een half uur heeft u een stevig, winters hoofdgerecht dat heerlijk smaakt bij Gestoomd bietenloof met paksoi (blz. 249) en een groene salade.

2 cups geroosterde boekweit- korrels (kasha)	1 ui, in ringen gesneden
	250 g champignonhoedjes,
1 l kokend water met 2 groente- bouillontabletten of 1 l warme groentebouillon	in plakjes gesneden
	1 eetlepel volkorenmeel
	1 theelepel gedroogde tijm
1 laurierblad	7$^1/_2$ dl water gemengd met
200 g vlindermacaroni	1 eetlepel groentebouillonkorrels of
1 eetlepel olijfolie	1$^1/_2$ groentebouillontablet

1. Verhit een zware koekepan en rooster de kasha totdat de nootachtige geur goed te ruiken is - roer de kasha regelmatig door. Giet de kokende groentebouillon over de kasha, doe het laurierblaadje erbij, dek de koekepan af en breng alles aan de kook. Roer de kasha goed door en laat het 15 tot 20 minuten zachtjes koken tot het droog en luchtig is.

2. Bereid intussen de macaroni volgens de aanwijzing op de verpakking, laat hem uitlekken, spoel hem af met koud water en bewaar voor later.

3. Doe de olijfolie en ui in een koekepan en laat de ui zachtjes fruiten. Voeg de champignons, het volkorenmeel en tijm toe en laat ze enkele minuten meefruiten tot de champignons zacht zijn en het meel goudbruin is. Roer de groentebouillon door het champignonmengsel en breng alles al roerend aan de kook. Kook de jus in tot er ongeveer een halve liter overblijft.

4. Meng de macaroni en de kasha in een vuurvaste schaal. Verwarm ze op een laag vuur en roer er de helft van de jus door. Doe de rest van de champignonjus in een kom en geef deze er apart bij.

4 flinke porties

Tip: Kasha kunt u heel makkelijk opwarmen. Voeg slechts wat vocht toe en roer het dan goed door.

Linda's gevulde koolrolletjes met gierst

2 uur

Mijn zuster Linda heeft hier een prima recept voor een stevig winters gerecht. Het is een eenvoudige versie van gevulde kool en het resultaat is zeker de voorbereidingstijd waard. Probeer het maar eens!

160 g gierst
6 dl water of groentebouillon
2½ dl water
2 stengels bleekselderij, fijngehakt
2 wortels, geraspt
3 teentjes knoflook, uitgeperst
4 eetlepels fijngehakte verse peterselie
evt. 50 g pijnboompitten of
   100 g gekookte kekererwten
1 tomaatje, ontveld, van de
   pitjes ontdaan en kleingesneden

1 grote savooiekool
5 dl tomatensaus (uit blik)
½ l blik tomaten
3 eetlepels citroensap
2 theelepels vruchtensuiker of honing
evt. 30 g rozijnen
1 laurierblad
½ rode ui, in plakjes gesneden
kruidenzout
versgemalen peper

1. Rooster de gierst in een droge koekepan en voeg 6 deciliter kokend water of groentebouillon toe. Dek de pan af en laat de gierst 35 tot 40 minuten zachtjes koken. Roer de gierstkorrels los met een vork.

2. Voeg de bleekselderij, wortels, ui, knoflook, peterselie, eventueel de pijnboompitten of kekererwten en het tomaatje toe en meng alles goed door elkaar.

3. Trek de bladeren van de savooiekool voorzichtig los en blancheer ze 3 minuten in kokend water.

4. Vul elk koolblad met een schepje van het gierstmengsel en rol ze netjes op. Schik ze, met de naad aan de onderkant, in een ovenvaste schaal.

5. Meng de tomatensaus, tomaten en 2½ deciliter water. Voeg het citroensap en de vruchtensuiker of honing toe. Giet deze saus over de koolrolletjes en bestrooi ze met de rozijnen. Leg het laurierblad en de plakjes ui erbovenop en bestrooi het geheel met wat kruidenzout en peper.

6. Dek de schaal af en bak de koolrolletjes 45 minuten tot 1 uur in een voorverwarmde oven (180° C).

6 personen

Bruine bonen met pikante saus

1 uur, 10 minuten

Het ideale gerecht om bij Pikante tahoe taco's (blz. 207), Maïskolven met 'Stedda botersaus' (blz. 258) en Koolsla (blz. 172) op te dienen.

1 uitje, fijngehakt	1 eetlepel tomatenpuree
evt. 2 eetlepels verkruimelde	2 eetlepels melasse of ahornsiroop
tahoe	1 theelepel mosterdpoeder
1 eetlepel olijfolie	evt. steen- of zeezout
1 l blik bruine bonen, uitgelekt	versgemalen peper
2 eetlepels tomatenketchup	snufje cayennepeper

1. Fruit het uitje en de verkruimelde tahoe 2 minuten in de olijfolie.

2. Meng de bruine bonen met de tomatenketchup, tomatenpuree, melasse, mosterdpoeder en wat zout, peper en cayennepeper in een ovenvaste schaal en roer het tahoemengsel erdoor.

3. Dek de schaal af en bak de bonen 30 minuten in een voorverwarmde oven (180° C). Verwijder de deksel en bak ze nog 30 minuten.

4 personen

Armeense kufta

1 uur, 10 minuten

Deze schotel kunt u opdienen met een kleine hoeveelheid fijngehakte peterselie en fijngehakte bosuitjes, om als een dipsaus te gebruiken. Dien op met Provençaalse rijstsalade (blz. 180).

1¼ l water	zeezout
250 g rode linzen	snufje cayennepeper
4 eetlepels saffloerolie	6 eetlepels fijngehakte
2 uien, fijngehakt	verse peterselie
200 g bulgur	3 bosuitjes, fijngehakt

1. Breng het water aan de kook in een grote pan. Voeg de linzen toe, breng alles weer aan de kook en laat de linzen circa 1 uur zachtjes koken tot er een dikke pap ontstaat. Roer de linzenpap regelmatig door om aanbranden te voorkomen.

2. Doe intussen de saffloerolie en de uien in een koekepan met een dikke bodem en laat de uien zachtjes fruiten tot ze net bruin beginnen te worden - bewaar ze voor later.

3. Neem de pan met de linzenpap van het vuur en roer de bulgur erdoor. Blijf roeren tot de bulgur uit begint te zetten en tot de pap stevig genoeg is om er kleine balletjes van te maken. Als de pap te stijf is kunt u wat extra heet water toevoegen.

4. Breng de pap op smaak met zout en cayennepeper en vorm het tot kleine balletjes. Laat iedereen zijn of haar portie door de fijngehakte peterselie en bosuitjes wentelen.

7 personen

Gestoofde kievitsbonen

3¹/₂ uur

350 g kievitsbonen, een nacht
  geweekt
2¹/₂ l water
2 eetlepels olijfolie
1 ui
1 teentje knoflook, uitgeperst
3 tomaten, ontveld en in stukjes
  gesneden of ¹/₂ l blik tomaten,
  uitgelekt en kleingesneden

¹/₂ theelepel gedroogde
  oregano
¹/₂ theelepel gemalen
  komijn
steen- of zeezout

1. Laat de geweekte bonen uitlekken en doe ze, samen met het water in een grote pan. Breng het geheel aan de kook en laat de bonen 2 tot 3 uur zachtjes koken, tot ze gaar zijn.

2. Laat de bonen uitlekken en gebruik het kookvocht eventueel als basis voor een soep. Doe de olijfolie, ui en knoflook in een koekepan en laat het uimengsel zachtjes fruiten. Roer de tomaten, oregano en komijn erdoor en laat ze 2 tot 3 minuten meefruiten. Schep het uimengsel door de kievitsbonen en breng ze op smaak met zout.

4 personen

Pikante witte-bonenschotel met maïs en sperziebonen

25 minuten

Een eenvoudig maar stevig bijgerecht met een smakelijke, pikante saus. Heerlijk bij gerechten zoals Aardappelstrudel (blz. 338), dat u gewoon zonder mes en vork kunt eten, en een mooie groene salade.

2 bosuitjes
1 dl extrazuivere olijfolie
¹/₂ teentje knoflook, uitgeperst
strooikruiden, zonder zout
versgemalen zwarte peper
250 g sperziebonen, in stukjes
  gebroken

1³/₄ dl groentebouillon
  of 2 theelepels lichte
  miso gemengd met 1³/₄ dl
  kokend water
400 g maïskorrels, uit blik
  of diepvries
500 g gare witte bonen of
  flageolets

1. Meng de bosuitjes met de olijfolie, knoflook, wat strooikruiden en zwarte peper in een food processor tot er een gladde saus ontstaat.

2. Breng een pan water aan de kook en kook de sperziebonen 5 minuten tot ze beetgaar zijn. Laat ze uitlekken en bewaar ze voor later.

3. Verwarm de bouillon of de miso-oplossing in dezelfde pan, voeg de maïskorrels toe en laat ze 5 minuten zachtjes doorwarmen.

4. Spoel de witte bonen of flageolets uit blik onder de koude kraan. Voeg ze, samen met de sperziebonen aan het maïsmengsel toe en breng alles aan de kook. Roer de bosuitjessaus door het bonenmengsel en laat het geheel al roerend doorwarmen op een laag vuur. Controleer de smaak.

6 personen

Chili speciaal

45 minuten - 1¹/₂ uur

Ideaal voor een picknick.

2 theelepels saffloer- of
  zonnebloemolie
1 teentje knoflook, uitgeperst
1 grote ui, fijngehakt
1 wortel, fijngehakt
evt. 250 g tahoe, verkruimeld
700 g gekookte kievitsbonen
¹/₂ l blik tomaten, uitgelekt
  en van de pitjes ontdaan

¹/₂ dl tomatenketchup of
  tomatensaus
150 g diepvriesmaïs-
  korrels
3 theelepels paprikapoeder
1 theelepel gemalen komijn
³/₄ theelepel chilipoeder
¹/₂ theelepel steen- of zeezout
evt. 4 eetlepels maïsmeel

1. Doe de saffloerolie, knoflook, ui en wortel in een braadpan en laat de knoflook en de groenten 2 minuten zachtjes fruiten. Voeg de verkruimelde tahoe toe en laat het enkele minuten al roerend meefruiten.

2. Roer de bonen, tomaten, tomatenketchup of tomatensaus en maïskorrels door het tahoemengsel, voeg de specerijen en eventueel het maïsmeel toe en laat alles 30 minuten tot 1 uur zachtjes koken in de afgedekte braadpan.

8 personen

Tip: Als u weinig tijd heeft kunt u het gerecht 15 tot 30 minuten laten koken - het smaakt nog steeds heerlijk. Een langere kooktijd geeft er echter meer smaak aan.

Pikante chililinzen

1 uur, 15 minuten

2 uien, fijngehakt
3 stengels bleekselderij, kleingesneden
2 wortels, kleingesneden
$^1/_2$ groene paprika, kleingesneden
2 teentjes knoflook, fijngehakt
2 eetlepels olijfolie
125 g bulgur
2 x $^1/_2$ l blik tomaten

500 g linzen
2 liter water
1 theelepel groentebouillonpoeder
1 theelepel Mexicaanse kruiden
$^1/_4$ theelepel gemalen komijn
$^1/_2$ theelepel gedroogde basilicum
steen- of zeezout
$^1/_2$ theelepel zoete paprikapoeder

1. Fruit de uien, bleekselderij, wortels, paprika en knoflook in de olijfolie tot ze zacht zijn.

2. Voeg de rest van de ingrediënten toe en laat alles 45 minuten tot 1 uur zachtjes koken in de afgedekte pan. Doe eventueel wat extra water erbij om aanbranden te voorkomen.

8 personen

Witte-bonenschotel

2$^1/_2$ uur

Gebruik kleine witte bonen om dit gerecht te bereiden. Week ze een nacht in koud water of gebruik de snelle weekmethode op blz. 316. Dit is een prima schotel voor een buffet, omdat u het van tevoren kunt bereiden.

400 g kleine witte bonen
  (bruine bonen of flageolets),
  een nacht geweekt
4 wortels, kleingesneden
1 stengel bleekselderij, kleingesneden
evt. 1 tomaat, ontveld, van de
  pitjes ontdaan en kleingesneden
1 kleine rode paprika, van de
  zaadjes ontdaan en kleingesneden
2 uien, in ringen gesneden

3 teentjes knoflook,
  uitgeperst
1 laurierblad
$^1/_2$ theelepel gedroogde rozemarijn
2 eetlepels olijfolie
1$^1/_2$ theelepel steen-
  of zeezout
versgemalen peper
evt. 1 groente-
  bouillontablet

1. Laat de geweekte bonen uitlekken en doe ze in een grote pan met 2$^1/_2$ liter water. Doe de wortels, bleekselderij, tomaat, paprika en uien erbij en breng het geheel aan de kook. Voeg de knoflook, het laurierblad, de rozemarijn en de olijfolie toe.

2. Breng alles aan de kook en laat het mengsel 1 uur en 40 minuten zachtjes koken in de afgedekte pan.

3. Voeg het zout, wat peper en eventueel het bouillontablet toe en laat alles nog 30 tot 40 minuten doorkoken.

10 personen

Franse groentenmelange

2 uur (gedroogde bonen)
25 minuten (bonen uit blik)

Mélange is het Frans woord voor 'mengsel' en dit is een hele goede! De paksoi vult de smaak van de bonen uitstekend aan. Dien op met knapperig brood en een Maaltijdsalade.

400 g gedroogde witte of bruine bonen, of 2 blikken witte bonen, uitgelekt en afgespoeld
evt. 1 teentje knoflook
evt. 1 laurierblad
evt. 300 g paksoi of spinazie, gewassen
2 eetlepels olijfolie

1 grote ui, fijngehakt
2 teentjes knoflook, uit- geperst
2 x ½ l blik tomaten, uitgelekt, van de pitjes ontdaan en in stukjes gesneden
½ theelepel gedroogde basilicum
½ theelepel gedroogde tijm strooikruiden, zonder zout versgemalen peper

1. Week gedroogde bonen een nacht in ruim koud water, laat ze de volgende dag uitlekken en kook ze gaar in vers water met de knoflook en het laurierblad. U kunt eventueel de snelle weekmethode (blz. 316) gebruiken. Laat de bonen uitlekken en verwerk ze in het recept.

2. Kook de paksoi of de spinazie met het aanhangende water al roerend in een grote pan op een matig hoog vuur. Laat de paksoi of spinazie goed uitlekken en snijd het in stukjes.

3. Doe de olijfolie, ui en knoflook in een grote koekepan en laat het uimengsel 2 minuten zachtjes fruiten. Roer de uitgelekte bonen, paksoi of spinazie, tomaten, kruiden, wat strooikruiden en peper door het uimengsel, zet het vuur zo laag mogelijk en laat alles 10 minuten, onder regelmatig roeren, doorwarmen. Controleer de smaak en dien direct op.

8 personen

14

Hartige hapjes

De volgende recepten horen bij de leukste om te maken en te eten. Ze zijn geïnspireerd op een aantal bekende gerechten en ook op de kookkunst van de vele etnische keukens in de wereld. Maar wel houden we ons aan de dieetregels die we ons zelf in dit boek gesteld hebben.

Ik pas deze recepten voor dagelijks gebruik toe *en* voor etentjes met gasten. De meeste recepten zijn makkelijk klaar te maken, maar hebben desondanks toch wel iets speciaals dat ze ook geschikt maakt voor feesten en partijen.

Een Leven Lang Fit Pizza

15 - 20 minuten

In Italië en Zuid-Frankrijk werden pizza's oorspronkelijk zonder kaas bereid. Deze verbazend makkelijke en voedzame versie van een traditionele pizza laat u zien hoe fris en smakelijk een pizza zonder kaas kan zijn en elke pizza-liefhebber voldoening schenkt.

Deeg

15 g gedroogde gist
120 g volkorenmeel
180 g ongebleekt witmeel

$2^1/_2$ dl warm water
3 eetlepels olijfolie
steen- of zeezout

Vulling

1 dl olijfolie

250 g kleine aubergines, in de
  lengte in dunne plakjes
  gesneden

2 courgettes, in dunne plakjes
  gesneden

250 g champignons, in dunne
  plakjes gesneden

1 rode ui, in ringen gesneden

1 teentje knoflook, uitgeperst

1 theelepel maïsmeel

1 dl pesto (blz. 294)

de helft van het recept
  voor Geroosterde rode
  paprika's (blz. 205)

2 vleestomaten, in dunne
  plakjes gesneden

100 g Griekse olijven,
  in dunne plakjes gesneden

4 eetlepels fijngehakte
  verse of 1 theelepel
  gedroogde basilicum

evt. snufje oregano

1. Meng de gist en de helft van beide soorten meel in een grote kom. Roer het warme water en de olijfolie erdoor. Voeg de rest van het meel toe en kneed het mengsel tot er een stevig deeg ontstaat. Kneed het deeg minstens 5 minuten door, dek het af met een natte theedoek en laat het op een warme plaats rijzen.

2. Bereid intussen de vulling. Bestrijk twee bakplaten met olijfolie. Verdeel de aubergines, courgettes, champignons en uiringen over de bakplaten. Meng de rest van de olijfolie met de knoflook, bestrijk de groenten hiermee en rooster ze 5 minuten onder een hete grill.

3. Bestuif het aanrecht met meel en kneed het deeg weer door. Rol het uit tot een grote cirkel (ca. 40 cm middellijn) of een grote rechthoek. Bestrijk een pizzavorm of een bakplaat met olijfolie, bestuif hem met het maïsmeel en doe het deeg in de vorm of op de bakplaat.

4. Bestrijk de pizzabodem met pesto en beleg met de geroosterde groenten (aubergines, courgettes, champignons en uiringen - in deze volgorde). Bedek de pizza met de geroosterde paprika en plakjes tomaat en bestrooi met de olijven en de kruiden.

5. Bak de pizza 15 tot 20 minuten in een voorverwarmde oven (250° C) tot de korst licht-goudbruin is. Snijd de pizza in punten of vierkante stukken en dien direct op.

4 - 6 personen

Een Leven Lang Fit shepherd's pie (verbeterd recept)

1 1/2 uur

Vroeger dacht ik dat deze heerlijke schotel met roomboter en room bereid moest worden. Dit hoeft helemaal niet! Onze versie is net zo lekker en bevat geen cholesterol en verzadigde vetzuren. Dien op met Romige champignonjus (blz. 275), Salade van exotische paddestoelen en groenten (blz. 185), Yampuree met pompoen (blz. 286), Libanese sperziebonen (blz. 263), en Zoete pompoentaart (blz. 378).

Vulling

1/2 dl olijfolie
1 sjalotje, fijngehakt
1 grote ui, fijngehakt
4 stengels bleekselderij, fijngehakt
12 sneetjes oud volkorenbrood,
 in dobbelsteentjes gesneden
2 theelepels gemalen salie
1/2 theelepel gedroogde marjolein

1/2 theelepel gedroogde tijm
1/2 theelepel gemalen selderijzaad
1/2 theelepel paprikapoeder
versgemalen peper
1 eetlepel groentebouillonkorrels, gemengd met 6 dl
 kokend water of 6 dl
krachtige groentebouillon

Aardappelkorst

1 kg aardappelen
1 stengel bleekselderij
1 teentje knoflook
1 laurierblad

8 peperkorrels
1 afgestreken eetlepel lichte miso
1 - 2 eetlepels olijfolie
versgemalen peper
paprikapoeder

1. Doe de olijfolie, het sjalotje, de ui en de bleekselderij in een braadpan en laat de groenten 2 minuten zachtjes fruiten. Voeg de dobbelsteentjes brood, de salie, de marjolein, de tijm, het selderijzaad, de paprikapoeder en wat peper toe en laat alles 5 minuten al roerend fruiten op een laag vuur.

2. Roer de kokende bouillon door het broodmengsel, dek de pan af en laat de vulling 30 minuten zachtjes koken tot er een dikke pap ontstaat (het geheim van een goede vulling is langzaam koken en regelmatig doorroeren).

3. Schil de aardappelen, snijd ze in vieren en zet ze op met ruim koud water, de bleekselderij, de knoflook, het laurierblad en de peperkorrels. Breng alles aan de kook, dek de pan af en laat de aardappelen 15 tot 20 minuten zachtjes koken, tot ze zacht zijn, maar niet uiteenvallen.

4. Schep de aardappelen met een schuimspaan uit de pan en bewaar het kookvocht om er de jus mee te bereiden. Los de miso op in 1 1/4 deciliter van het kookvocht.

5. Stamp de aardappelen met de miso-oplossing, olijfolie en peper. Voeg eventueel wat extra kookvocht toe als de puree te droog lijkt.

6. Bestrijk een hoge ovenvaste schaal met olie. Druk de vulling in de schaal, bedek deze met aardappelpuree en bestuif de bovenkant met paprikapoeder.

7. Bak het gerecht 45 minuten tot de aardappelkorst goudbruin is.

6 - 8 personen

Tamale pie

1 uur, 20 minuten

Een pikante ovenschotel met een zachte korst die uit het zuidelijk deel van Noord-Amerika komt. U kunt de chilivulling enkele uren of zelfs een dag van tevoren bereiden en de 'pie' vlak voor het bakken verder bereiden. Tamale pie is zeer geschikt om in te vriezen.

Chili

1 eetlepel saffloerolie
1 teentje knoflook, uitgeperst
2 uien fijngehakt
1 wortel, fijngehakt
250 g bevroren tahoe, ontdooid,
   uitgelekt en verkruimeld
$1/_2$ l blik tomaten, kleingesneden
600 g gekookte kievitsbonen
$1/_2$ theelepel strooikruiden
   of zeezout
2 eetlepels maïsmeel

$1/_2$ dl tomatenketchup of
   tomatensaus
150 g maïskorrels, uit
   blik of diepvries
3 theelepels paprikapoeder
1 theelepel gemalen komijn
$3/_4$ theelepel chilipoeder
$1/_4$ theelepel cayennepeper

Maïsbrood

120 g geel maïsmeel
120 g volkorenmeel
1 theelepel bakpoeder
1 theelepel dubbelkoolzure soda
$1/_2$ dl vloeibare honing

100 g zachte tahoe
$4^1/_2$ dl Amandelmelk
   (blz. 82)
1 theelepel zonnebloemolie
evt. snufje zout

1. Doe de saffloerolie, knoflook, uien en wortel in een braadpan en laat de groenten 3 minuten zachtjes fruiten, tot ze zacht beginnen te worden. Voeg de verkruimelde tahoe toe en laat alles nog 4 minuten fruiten. Doe de tomaten, kievitsbonen, tomatenketchup, maïskorrels, specerijen en maïsmeel erbij en meng alles door elkaar. Dek de pan af en laat de chili 30 minuten, onder af en toe roeren, zachtjes koken.

2. Meng de droge ingrediënten voor het maïsbrood in een grote kom. Meng de tahoe met de Amandelmelk, de zonnebloemolie en eventueel wat zout met een staafmixer en roer het mengsel door de droge ingrediënten tot er een lobbig beslag ontstaat.

3. Doe de chili in een hoge ovenvaste schaal. Schep het maïsbroodbeslag over de chilivulling - let op dat de vulling geheel bedekt is met het beslag. Bak de Tamale pie 30 tot 45 minuten in een voorverwarmde oven (190° C) tot een metalen spies die u in het maïsbrood steekt er weer schoon uitkomt. Laat de Pie iets afkoelen.

8 - 10 personen

Tip: Voor een iets dunnere korst kunt u de helft van het beslag gebruiken en de 'pie' 25 tot 30 minuten bakken.

Aardappelstrudels

50 minuten

Deze lichte hartige strudels zijn elke keer dat ik ze opdien zo'n succes, dat ik het niet kan laten om ze hierin op te nemen. Het recept lijkt wel een beetje ingewikkeld, maar is in feite een van de makkelijkste uit dit hoofdstuk. Bij de eerste hap weet u het al, dit is een kunstwerk!

4 grote stevige aardappelen,
   geschild en grofgeraspt
1 uitje, fijngehakt
evt. steen- of zeezout
versgemalen peper

2 theelepels olijfolie
10 loempiavellen
$\frac{1}{2}$ dl zonnebloemolie
   gemengd met $\frac{1}{2}$ dl
   olijfolie

1. Doe de geraspte aardappelen in een zeef en druk het overtollige vocht eruit. Doe ze in een kom en meng ze met het uitje, wat zout en peper en de olijfolie. Werk zo vlug mogelijk en bereid de aardappelen vlak voor u ze nodig heeft om verkleuren te voorkomen.

2. Leg 1 loempiavel op het aanrecht en bestrijk het met het oliemengsel. Doe $\frac{1}{10}$ van de vulling in het midden van het loempiavel en vouw het netjes om de vulling heen.

3. Doe de aardappelstrudel op een met olie bestreken bakplaat en bestrijk hem weer met het oliemengsel. Maak met een scherp mes een paar schuine sneetjes in de strudel en bereid de rest op dezelfde manier.

4. Bak de strudels 20 tot 25 minuten in een voorverwarmde oven (220° C) tot ze goudbruin en knapperig zijn.

10 strudels

Variatie: Vervang een van de aardappelen door 2 geschilde en grofgeraspte, middelgrote wortels.

Gevulde wijnbladeren

90 minuten

Hier is een grandioos recept uit het Midden-Oosten dat zeer geschikt is als onderdeel van een buffet.

250 g gepekelde wijnbladeren
9 eetlepels olijfolie
1 uitje, fijngehakt
1 theelepel gedroogde dille
evt. 3 eetlepels krenten
1 theelepel geraspte nootmuskaat

$\frac{1}{4}$ theelepel gemalen
   kardamom
250 g gekookte basmatirijst
   (zonder zout, omdat de
   wijnbladeren zelf vrij
   zout van smaak zijn)
het sap van $\frac{1}{2}$ - 1 citroen
enkele dunne plakjes citroen
2 - 3 laurierblaadjes

1. Spoel de wijnbladeren voorzichtig af onder de koude kraan, laat ze uitlekken in een vergiet bekleed met keukenpapier en verwijder de steeltjes.

2. Doe 5 eetlepels olijfolie en het uitje in een grote koekepan en laat het uitje 1 minuut zachtjes fruiten. Voeg de dille, krenten, nootmuskaat en kardamom toe, neem de pan van het vuur en roer de rijst erdoor.

3. Schep een lepel van de rijstvulling in het midden van elk wijnblad en vouw het blad voorzichtig om de vulling heen. Schik de gevulde wijnbladeren in een ovenvaste schaal.

4. Meng het citroensap met de rest van de olijfolie en voldoende water om het vol te maken tot $2^1/_2$ deciliter. Giet het vocht over de gevulde wijnbladeren en bedek ze met plakjes citroen en laurierblaadjes. Dek het gerecht af met een vel bakpapier met daarop een vel aluminiumfolie. Bak de wijnbladeren 45 minuten tot het vocht bijna geheel opgenomen is.

6 - 8 personen

Samosa's

1 uur, 20 minuten

Deze pikante Indiase samosa's zijn verbazend makkelijk te bereiden.

Deeg

120 g volkorenmeel	$1^1/_4$ dl water
1 eetlepel saffloerolie	30 g ongebleekt witmeel
$^1/_4$ theelepel zeezout	

Vulling

500 g aardappelen, gestoomd, geschild en in dobbel-steentjes gesneden	$^1/_2$ theelepel gemalen komijn
	$^1/_4$ theelepel kurkuma
	$^1/_2$ theelepel gemalen koriander
75 g diepvries doperwtjes	
2 theelepels zonnebloemolie	evt. snufje cayennepeper
1 theelepel zwart mosterdzaad	$^1/_4$ - $^1/_2$ theelepel zeezout
$^1/_4$ theelepel komijnzaad	evt. 6 eetlepels fijn-gehakte verse koriander
1 uitje, fijngehakt	
1 eetlepel geraspte gemberwortel	1 eetlepel citroensap
2 theelepels kerriepoeder	1 - 2 dl plantaardige olie

1. Meng het volkorenmeel, de saffloerolie en het zeezout door elkaar. Voeg het water toe en meng met een vork tot er een stevig deeg ontstaat.

2. Kneed het ongebleekte meel in kleine gedeeltes door het deeg tot het niet meer aan uw handen vastplakt en dek het af met een natte theedoek.

3. Doe de aardappelen in een kom. Blancheer de doperwtjes 1 minuut in kokend water, schep ze uit de pan en bewaar ze voor later.

4. Doe de zonnebloemolie, het mosterdzaad en het komijnzaad in een grote koekepan en laat de specerijen fruiten tot ze beginnen te spetteren. Doe het uitje en de gemberwortel erbij en fruit ze tot het uitje zacht is.

5. Roer de kerriepoeder, de komijn, de kurkuma, de koriander, de cayennepeper en het zout door het gembermengsel en laat ze 2 minuten al roerend meefruiten. Doe de aardappelen en doperwtjes erbij en roer alles goed door elkaar. Voeg eventueel de verse koriander en het citroensap toe, laat het mengsel 2 minuten koken, neem de pan van het vuur en laat het mengsel afkoelen.

6. Verdeel het deeg in 12 balletjes. Bestuif het aanrecht met meel en rol elk deegballetje uit tot een cirkel met een middellijn van 12 centimeter. Bestrijk de plakjes deeg met olie, doe op elk plakje deeg 2 eetlepels van de vulling en vouw ze dubbel. Bestrijk de samosa's met olie.

7. Verhit een bodem olie in een grote koekepan en bak de samosa's 2 tot 3 minuten aan elke kant tot het deeg goudbruin is. Laat de samosa's uitlekken op keukenpapier.

12 samosa's

Tortilla Feest

35 - 40 minuten

Dit is geen recept, het is meer een zeer handig idee voor een vegetarische maaltijd. Vroeger noemden wij dit idee een 'Tortilla Boogie' omdat mensen steeds opstonden om de tortilla's op het fornuis op te warmen. Toen bedachten we dat de tortilla's gewoon in een elektrische koekepan aan tafel opgewarmd konden worden. In Amerika hebben ze zelfs een aardewerk tortillastomer ontworpen!

Tortilla Feest is een unieke manier om een maaltijd uit gestoomde groenten, rauwe groenten en graan (de tortilla's) samen te stellen. Maïstortilla's geven een speciale smaak aan het maal. Zacht en warm - het kan niet beter!

warme maïstortilla's
gestoomde groenten (een of meer van
  de volgende: broccoli, bloemkool,
  asperges, courgettes, spruitjes,
  sperziebonen, pompoen, wortels)
evt. gefruite champignons
  met dressing of koolsla

rauwe groenten (één of meer
  van de volgende: geraspte
  wortels, stukjes kom-
  kommer, plakjes avocado,
  plakjes tomaat, reepjes
  sla, taugé, augurkjes),
  of een gemengde salade

1. Snijd een aantal uitgezochte groenten in stukjes en stoom ze beetgaar - de stukjes groenten moeten ongeveer 1 centimeter dik en 5 centimeter lang zijn. Stel een schaal rauwe groenten naar keuze samen (of gebruik in plaats van de rauwe groenten uw lievelingssalade).

2. Verse avocado kunt u eventueel prakken om de tortilla's mee te bestrijken. Mosterd, mayonaise zonder eieren of Amandelmayonaise (blz. 119) kunt u in kommen doen en op tafel zetten.

3. Zorg dat u op minstens 3 warme tortilla's per persoon rekent. Een ieder kiest zijn eigen tortillasaus en gestoomde en rauwe groenten en stelt zo zijn eigen maal samen. Kinderen hebben de neiging om het simpel te houden; vaak kiezen ze alleen maar komkommer of sperziebonen. Daarentegen hebben volwassenen er een handje van om er alles tegelijk op te stapelen. De tortilla's worden om de vulling gerold en gewoon uit de hand gegeten.

Gevulde flensjes met champignons en prei

flensjes: 45 minuten
vullen en bakken: 30 minuten

Flensjes

120 g ongebleekt witmeel
120 g volkorenmeel
$^1/_2$ theelepel bakpoeder

evt. snufje zout
8 dl water
2 eetlepels zonnebloemolie
150 g zachte tahoe
olie voor de koekepan

Vulling

2 - 3 eetlepels olijfolie
500 g champignons
2 preien, in dunne plakjes gesneden
1 theelepel gedroogde tijm
2 eetlepels volkorenmeel
$^1/_2$ theelepel gemalen koriander
$^1/_2$ theelepel kerriepoeder

$3^1/_2$ dl water (of het kookvocht
   van een portie aardappelen)
$1^1/_2$ eetlepel lichte miso
2 theelepels citroensap
1 eetlepel fijngehakte verse peterselie
versgemalen peper
fijngehakte peterselie voor de garnering

1. Bereid eerst de flensjes. Doe alle ingrediënten, behalve de tahoe en de olie in een food processor en meng ze tot er een glad beslag ontstaat. Doe de tahoe erbij en meng het beslag nog 30 seconden.

2. Verhit een koekepan met anti-aanbaklaag op een matig hoog vuur tot een waterdruppel er sissend op verdampt. Bestrijk de pan met olie en giet circa $^1/_2$ deciliter beslag in de pan. Kantel de koekepan, zodat de bodem gelijkmatig met het beslag bedekt is en bak het flensje aan de onderkant licht-goudbruin. Keer het flensje en bak de andere zijde ook licht-goudbruin. Bak de rest van de flensjes op dezelfde wijze, stapel ze op een schaal en laat ze afkoelen.

3. Doe de olijfolie, champignons, preien en tijm in een grote koekepan en laat de groenten 2 tot 3 minuten fruiten op een matig hoog vuur - schep ze regelmatig om. Roer het meel erdoor en laat het 1 minuut meewarmen. Voeg de koriander en kerriepoeder toe en laat ze heel even meefruiten.

4. Los de miso op in het water en roer het door het champignonmengsel. Breng de saus al roerend aan de kook, zet het vuur iets lager en laat de saus even doorkoken en binden. Voeg het citroensap, de peterselie en wat peper toe, neem de pan van het vuur en laat de saus iets afkoelen.

5. Doe ruim 1 deciliter van de saus (zonder champignons) in een aparte kom. Vul elk flensje met 2 tot 3 eetlepels van de champignonvulling. Rol ze op en doe ze, met de naad aan de onderkant, in een met olie bestreken ovenvaste schaal. Giet de achtergehouden saus erover en bak de flensjes 20 tot 30 minuten tot ze goudbruin zijn. Bestrooi ze eventueel met wat fijngehakte peterselie.

4 personen

Tip: De vulling kunt u een dag of twee van tevoren bereiden. De flensjes kunt u eventueel voor het volgende recept gebruiken.

Pompoen blintzes

1 uur, 15 minuten

De verfijnde smaak en samenstelling van de vulling voor deze blintzes wordt heel mooi aangevuld door de vochtige pannekoekje, pikante 'Stedda' zure room en fijngehakt bieslook.

2 kg pompoen
120 g tahoe
2 theelepels vruchtensuiker
4 eetlepels sinaasappelsap
$^1/_4$ - $^1/_2$ theelepel zout
versgemalen peper
$^1/_4$ theelepel geraspte nootmuskaat

$^1/_4$ theelepel gemalen
   koriander
24 Flensjes (blz. 341)
2 eetlepels zonnebloemolie
   of sojamargarine
$^1/_2$ - 1 dl 'Stedda' zure
   room (blz. 127)
2 eetlepels fijngehakt bieslook

1. Schil de pompoen en verwijder de pitten. Snijd de pompoen in stukken en stoom ze 20 minuten boven een pan kokend water tot ze gaar zijn. Laat de pompoen 10 tot 15 minuten afkoelen.

2. Meng de pompoen, de tahoe, de vruchtensuiker en het sinaasappelsap met een staafmixer of food processor. Voeg het zout, wat peper, de nootmuskaat en de koriander toe en meng alles weer goed door elkaar. (Deze pompoenvulling kunt u eventueel 3 tot 4 dagen in de koelkast bewaren.)

3. Doe op elk flensje een schepje van de vulling en vouw ze dicht. (U kunt de blintzes nu eventueel op een met huishoudfolie beklede bakplaat doen en gedeeltelijk invriezen. Verpak ze daarna in diepvriesfolie en vries ze in. Ze kunnen tot 2 maanden in de koelkast worden bewaard. Bestrijk de blintzes met olie zodra ze klaar zijn, en bak ze 30 minuten in een voorverwarmde oven (180° C). U hoeft ze niet te laten ontdooien.)

4. Schik de blintzes op een bakplaat, bestrijk ze met olie en bak ze circa 20 minuten licht-goudbruin in een voorverwarmde oven (200° C).

5. Doe op elke blintze een schepje 'zure room' en bestrooi ze met fijngehakt bieslook.

ca. 24 blintzes

Spinazietaart

1 uur

Dien deze spinazietaart op met Gekarameliseerde wortels (blz. 265), Provençaalse rijstsalade (blz. 180) en Klassieke groene salade (blz. 160).

1 eetlepel olijfolie
2 uien, fijngehakt
75 g verse spinazie, fijngehakt
$^1/_4$ theelepel geraspte nootmuskaat
500 g stevige tahoe

2 eetlepels rijstazijn
1 eetlepel lichte miso
1 eetlepel tahin
1 eetlepel milde mosterd
1 teentje knoflook, uitgeperst
1 x het recept voor volkorendeeg (blz. 343)

1. Doe de olijfolie en uien in een koekepan en laat de uien 2 minuten zachtjes fruiten. Voeg de spinazie en nootmuskaat toe en laat ze 1 minuut meefruiten.

2. Meng de tahoe, rijstazijn, miso, tahin, mosterd en knoflook in een food processor of met een staafmixer tot er een romige saus ontstaat. Doe het spinaziemengsel in een kom en roer het tahoemengsel erdoor.

3. Rol het deeg uit en bekleed een quiche- of pizzavorm (22$^{1}/_{2}$ cm middellijn) hiermee. Vul de vorm met het spinaziemengsel en bak de taart 30 minuten in een voorverwarmde oven (200° C) tot de vulling stevig aanvoelt. Laat de taart 30 minuten afkoelen.

6 - 8 personen

Aspergetaart

45 minuten

Volkorendeeg

150 g volkorenmeel

evt. 50 g zachte tahoe

6 eetlepels zonnebloem- of saffloerolie

$^{1}/_{2}$ dl ijskoud water

snufje zout

Vulling

1 eetlepel olijfolie

3 bosuitjes, kleingesneden

250 g asperges, in stukjes
  gesneden

1 dl water

500 g stevige tahoe

6 eetlepels fijngehakte verse peterselie

2 eetlepels rijstazijn

1 eetlepel lichte miso

1 eetlepel zachte mosterd

$^{1}/_{2}$ theelepel gedroogde marjolein

$^{1}/_{2}$ theelepel gedroogde basilicum

1. Zeef het meel en doe het, samen met de tahoe, in een food processor. Schakel de motor aan en uit en voeg voldoende zonnebloemolie toe tot het mengsel op grove broodkruimels lijkt. Voeg het water eetlepel voor eetlepel toe tot er een stevig deeg ontstaat. Leg het deeg op het met bloem bestrooide werkblad en kneed het even door. Rol het deeg uit tot een grote cirkel (30 cm middellijn) en bekleed er een quiche- of pizzavorm mee. (Voor een gebakken deegkorst, bak u het 15 minuten in een voorverwarmde oven 180° C.) Dek de ongebakken deegbodem af met een natte theedoek terwijl u de vulling bereidt.

2. Doe de olijfolie en bosuitjes in een grote koekepan en laat de bosuitjes 2 minuten zachtjes fruiten. Voeg de asperges toe en fruit ze heel even mee. Doe het water erbij en laat de asperges 5 minuten zachtjes koken tot ze bijtgaar zijn. Bewaar het kookvocht.

3. Meng de tahoe, peterselie, rijstazijn, miso, mosterd, marjolein en basilicum met een staafmixer of food processor, voeg $^{1}/_{2}$ deciliter van het kookvocht van de asperges toe en meng alles tot er een romige saus ontstaat. Schep de asperges erdoor.

4. Giet de vulling in de deegbodem en bak het 30 minuten in een voorverwarmde oven (200° C), tot de vulling stevig aanvoelt. Laat de aspergetaart 30 minuten afkoelen. *6 - 8 personen*

Variatie: Voor een hartige taart zonder deegkorst kunt u de vulling in een met olie bestreken ovenvaste schaal (1 liter inhoud) doen en bakken zoals boven is beschreven.

Boerenstoofschotel met deegkorst

1 uur, 20 minuten

Dien op met Spinaziesalade met tomaten (blz. 168) of Klassieke groene salade (blz. 160), Bieten met citroensap (blz. 248) en Maïskolven met 'Stedda' botersaus (blz. 258).

Stoofschotel

60 g volkorenmeel
2 eetlepels strooigist
evt. steen- of zeezout
snufje gemalen salie
1 teentje knoflook, uitgeperst
300 g stevige tahoe, in
  blokjes gesneden
1 eetlepel olijfolie
2 uien, in stukjes gesneden

4 stengels bleekselderij,
  kleingesneden
150 g wortels, kleingesneden
250 g diepvriesdoperwtjes
300 g aardappelen, geschild
  en in blokjes gesneden
2 - 3 eetlepels water
2 x het recept voor vol-
  korendeeg (blz. 343)
1 eetlepel ketjap

Jus

25 g strooigist
30 g volkorenmeel
1 dl olijfolie
$3^3/_4$ dl water

2 - 3 eetlepels ketjap
evt. steen- of zeezout
versgemalen peper

1. Meng volkorenmeel, strooigist, zout, salie en knoflook in een papieren zak. Doe de blokjes tahoe erbij en schud alles door elkaar.

2. Rol iets meer dan de helft van het deeg uit op een met bloem bestrooid werkblad en bekleed een quiche- of pizzavorm ($22^1/_2$ cm middellijn) hiermee. De deegranden hoeft u niet af te snijden. Dek de deegkorst af met een natte theedoek en bewaar hem in de koelkast.

3. Doe de olijfolie, uien en bleekselderij in een grote koekepan en laat de groenten 3 minuten zachtjes fruiten. Voeg de wortels, doperwtjes en aardappelen toe en laat ze 3 tot 4 minuten al roerend meefruiten. Doe het water erbij, dek de pan af en laat de groenten zachtjes koken tot de wortels gaar zijn. Verwijder de deksel en roer de blokjes tahoe erdoor. Blijf roeren tot de blokjes tahoe goudbruin zijn en voeg de ketjap toe.

4. Bereid intussen de jus. Rooster het strooigist en het volkorenmeel in een droge koekepan tot het goudbruin is, voeg de olijfolie toe en klop alles glad met een garde. Voeg het water, nog steeds roerend met een garde, met grote scheuten tegelijk aan het meelmengsel toe. Blijf roeren tot er een gladde, gebonden saus ontstaat. Roer de ketjap en wat zout en peper erdoor.

5. Roer de jus door het tahoemengsel en giet het in de deegbodem. Rol de rest van het deeg uit tot een cirkel die bovenop de vorm past. Druk de deegranden stevig op elkaar en prik de bovenkant overal in met een vork. Bak het gerecht 30 tot 40 minuten in een voorverwarmde oven (200° C) tot de deegkorst goudbruin is. *6 - 8 personen*

Groente-sushi

1 uur, 20 minuten

Een zeer geliefd gerecht - en veel makkelijker dan het lijkt.

150 g zilvervliesrijst, met ronde
  korrel
1 theelepel zonnebloemolie
2 eetlepels rijstazijn
8 knapperige sperziebonen
8 reepjes wortel
8 reepjes komkommer

evt. vers bieslook, in
  stukken (5 cm) gesneden
8 reepjes stevige tahoe
  ($^1/_2$ cm dik)
1 dl barbecuesaus of tamari
4 velletjes nori (zeewier)
evt. zwart sesamzaad

1. Doe de rijst in een kom koud water, laat hem 1 minuut weken en daarna uitlekken. Breng 6 dl water aan de kook, doe de rijst en zonnebloemolie erbij, breng alles terug aan de kook en laat de rijst 40 minuten zachtjes koken in de afgedekte pan. Neem de pan van het vuur en laat de rijst 10 minuten nagaren. Roer de rijstazijn erdoor en keer de rijst op een platte schaal - laat de rijst drogen en afkoelen.

2. Blancheer de sperziebonen en reepjes wortel 3 tot 4 minuten in een grote pan kokend water, tot ze beetgaar zijn. Schep ze met een schuimspaan uit de pan en spoel ze af onder de koude kraan.

3. Schik de reepjes komkommer, reepjes wortels, sperziebonen, bieslook en reepjes tahoe op een platte schaal. Doe de barbecuesaus of tamari in een kleine kom.

4. Rooster de nori door de velletjes op 5 tot 10 centimeter afstand van een hoge gasvlam te houden tot ze felgroen van kleur zijn. Pas op dat de norivelletjes niet aanbranden.

5. Doe 1 velletje geroosterde nori op een sushimat (zie Tip), bedek tweederde van de nori met een kwart van de rijst. Druk de rijst stevig tegen de zijkanten van het velletje nori aan, maar laat ongeveer $2^1/_2$ centimeter onbedekt aan de onderkant van het velletje en 5 centimeter aan de bovenkant (zie tekening). Leg een rij groenten en een plakje tahoe in het midden van de rijst en bestrijk het met een deel van de saus. Rol de sushimat over de nori, rijst en groenten en laat het over de vulling rollen. Druk, terwijl u rolt, op de sushi met uw handpalm zodat ze stevig opgerold wordt.

6. Snijd elke norirol met een kartelmes in 8 plakken, schik ze op een schaal en bestrooi ze met zwart sesamzaad.
Bereid de rest van de sushi op dezelfde manier.

2 personen

Tip: Een dunne bamboe sushimat kunt u bij een goede toko of bij een Japanse specialiteitenwinkel kopen.

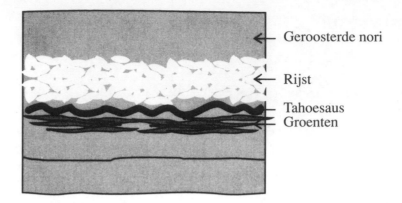

Geroosterde nori

Rijst

Tahoesaus
Groenten

Sushi met komkommer en avocado

1 uur, 10 minuten

Deze zijn zelfs nog gemakkelijker dan Groentesushi omdat u de groenten niet hoeft te blancheren.

8 dunne plakjes stevige avocado
8 dunne plakjes komkommer
alfalfa- of zonnebloempitspruiten

4 theelepels Umeboshi
  pruimpasta
4 velletjes nori

Volg de volgorde voor het schikken van plakjes avocado en komkommer op de rijst, zoals is omschreven in het recept op blz. 345. Bedek ze met een dunne rij alfalfa- of zonnebloempitspruiten en bestrijk ze met de Umeboshi pruimsaus. Rol de sushi op en snijd ze in plakjes.

2 personen

Loempia's uit de oven

1 uur, 15 minuten

Loempia's

1 ui
1 bos uitjes
1 eetlepel saffloerolie
1 theelepel geraspte gemberwortel
100 g geraspte wortel
200 g geschaafde groene kool

75 g taugé
$1/2$ dl tamari
2 theelepels sesamolie
zwarte peper
40 kleine loempiavellen
$1/2$ dl sesam- of zonne-
  bloemolie
sesamzaad

Hete Chinese mosterd

1 dl milde mosterd   2 theelepels honing
2 theelepels mosterdpoeder

1. Snijd de ui in zeer dunne plakjes en de bosuitjes in de lengte in dunne slierten.

2. Doe de saffloerolie, gemberwortel, bosuitjes en plakjes ui in een wok en laat de groenten 3 minuten zachtjes fruiten. Voeg de wortel en kool toe en laat ze heel even al roerend meebakken. Schep de taugé erdoor en neem de wok van het vuur.

3. Roer de tamari, sesamolie en wat peper door het groentemengsel en laat het volkomen afkoelen.

4. Bestrijk elk loempiavel met sesam- of zonnebloemolie en doe een schepje van de vulling in het midden. Vouw de loempia dicht en leg hem op een met olie bestreken bakplaat. Bestrijk de loempia met olie en bereid de rest zo snel mogelijk. Bestrooi de loempia's met sesamzaad en bak ze 10 tot 15 minuten in een voorverwarmde oven (240° C) tot ze goudbruin zijn. (U kunt de loempia's eventueel van tevoren bereiden en vlak voor het opdienen in de hete oven weer opwarmen.)

7. Meng de ingrediënten voor de mosterdsaus door elkaar en geef deze er apart bij.

40 loempia's

15

Bakken met liefde

De recepten in dit hoofdstuk zijn al jaren mijn persoonlijke favoriete recepten en ik denk dat u ze ook zeer zult waarderen. Bakken is een huiselijke kunst. Met behulp van eenvoudige technieken kan iedereen heerlijke koekjes maken. De keuze van de ingrediënten maakt natuurlijk wel uit, maar de liefde waarmee u het gebak bereidt is het ingrediënt dat men er het beste uit proeft. Alleen al het feit dat u er graag uw tijd en energie in steekt zegt voldoende!

DIT GEBAK IS GOED VOOR UW GEZONDHEID

Misschien hebt u gemerkt dat dit boek voor een zeer groot deel op persoonlijke ervaring is gebaseerd. De inhoud wordt bepaald door wat ik zelf over voeding heb ontdekt bij mijn pogingen om een gezonde levenswijze na te streven en door het werk van anderen die dezelfde opvattingen huldigen en mijn ervaringen konden onderschrijven. Ik zou u dus geen goede dienst bewijzen als ik u mijn ervaring in dit laatste hoofdstuk zou onthouden.

Onze smaakpapillen zijn van nature ingesteld op zoete gerechten. (Als u moedermelk zou proeven, ons eerste, primaire voedsel, zou u merken dat het uitermate zoet is en dat is precies wat de Natuur voor ons bedoeld heeft.) Aan dit verlangen naar zoetigheid voldoen wij binnen ons gezin over het algemeen door verse, natuurlijk zoete en heerlijke vruchten te eten en wel zo veel dat we ons slechts af en toe te goed doen aan zoet gebak.

In de keuken steek ik niet de meeste tijd in de bereiding van zoet gebak. Toen ik mij ging richten op deze categorie om de recepten die ik al lang gebruikte te vervolmaken en nieuwe recepten samen te stellen, ging mijn dochter Lisa, als door de goden gezonden, full-time aan de slag om mij te helpen. Zij beschikt over flair, een natuurlijke aanleg en creativiteit op het gebied van bakken. Zelfverzekerd en enthousiast richtte ze zich op allerlei smakelijke zoete gerechten en ze haalde de ene na de andere geurige creatie uit de oven, die ons het water in de mond deed lopen. Veel van deze recepten zijn het resultaat van deze samenwerking tussen moeder en dochter, die onze kijk op de kunst van het bakken zeer positief heeft beïnvloed.

Bij bijna iedereen spelen versgebakken taarten en koekjes een belangrijke rol in de herinnering. Veel mensen denken met genoegen terug aan de tijden dat het zoete aroma van versgebakken brood, koekjes of cakes, het huis vervulde. Niemand die dit zeer menselijke genoegen heeft gesmaakt zal ontkennen dat het emotionele waarde heeft. Toch is er de laatste jaren enige discussie over de invloed van zoetigheid op het lichaam.

Gebak *kan* gezond en puur natuurlijk zijn. Het kan zeker een eigen plaats innemen in een gezond dieet. Op een koude winterdag kan een warm cakeje met een kop pepermuntthee precies datgene zijn wat u nodig hebt om zich lekker te voelen en fit genoeg om met goede moed aan de rest van uw leven te beginnen. Maar de ingrediënten van dat cakeje zijn zeer belangrijk. Zij bepalen of het een bedreiging van uw gezondheid zal zijn of een heerlijke traktatie vol gezonde bouwstoffen. De waarheid is dat gebak alleen maar met steeds meer achterdocht bekeken wordt door de ingrediënten die er over het algemeen voor gekozen worden. Dat zijn in hoge mate bewerkte stoffen, die ontdaan zijn van hun voedingswaarde, waardoor zij op hun beurt het lichaam ontdoen van de aanwezige reserves aan bouwstoffen. Zij confisceren de energie van het lichaam en geven er niets voor terug.

GEBRUIK GEWOON ANDERE INGREDIËNTEN

We kunnen terugkeren naar de basisprincipes waar onze grootmoeders en overgrootmoeders zich aan hielden voordat iedereen zich stortte op de moderne geraffineerde produkten. *En* we kunnen ons voordeel gaan doen met de revolutionaire ingrediënten die recentelijk ontwikkeld zijn op dit gebied. Wij willen de waarde van de 'witte' en 'light' eigenschappen van hooggeraffineerde produkten, waarvan we zijn gaan aannemen dat ze goed waren, eens opnieuw gaan bezien en gaan ontdekken hoe 'echte' cakes en koekjes, gemaakt van gezonde volwaardige ingrediënten er ook al weer uitzagen en hoe ze smaakten. U zult het belang ervan inzien zodra u bij de eerste hap die huiselijke smaak van deze produkten weer proeft. De smaak is echt. U zult voelen dat ze uw lichaam goed doen en u zult er blij om zijn dat ze er ook 'echt' uitzien!

De recepten op de volgende pagina's dragen opnieuw uit wat 'gezond' werkelijk betekent als we spreken over gebak. Het geheim ervan is natuurlijk dat het gebak zo verrukkelijk is dat het werkelijk voldoening geeft. Veel van de schade die geraffineerde bakprodukten met zich meebrengen, komt voort uit de verslavende eigenschappen van sommige ingrediënten. Gelukkig is het zo dat mensen die *gezond* gebak eten minder gauw de noodzaak zullen voelen evenveel of zelfs steeds meer te gaan eten. De beste manier om van uw zelfgebakken produkten te genieten is ze te eten op dagen waarop het grootste deel van uw voeding bestaat uit vers fruit, salades en lichte groentengerechten of soep. Als daarentegen uw maaltijden zwaar zetmeel of zware eiwitten bevatten, kunt u beter geen gebak eten, want in dat geval zal gebak u het gevoel geven dat u te veel gegeten hebt.

We hebben hier te maken met een nieuw psychologisch aspect. Nu u gerechten maakt die echt goed voor u zijn, hoeft u gebak niet meer als zondig te beschouwen of schuldgevoelens te hebben. U moet zich realiseren dat die schuldgevoelens niets meer zijn dan een emotionele manifestatie van het lichaam, dat zich instinctief weert tegen bepaalde schadelijke invloeden. U kunt gebak maken tot een meer centraal deel van de maaltijd en het niet meer beschouwen als een probleem. Geef vers gebakken brood, cakes en koekjes hun rechtmatige plaats. Omgeef ze door gezonde soepen, salades en groenten. Als u ze uw goedkeuring verleent, zult u geen last meer hebben van dwanggedachten.

Vruchtensuiker: een gezond produkt

Gedurende de eerste jaren van volwassenheid was ik een slachtoffer van geraffineerde suiker. Net als

William Dufty, de schrijver van *Sugar Blues* [1,] wisselden mijn stemmingen van hyperactief tot zeer depressief; het ene moment barstte ik van de energie en het volgende moment knapte ik volledig af. Mijn gedachten waren verward en ik kon moeilijk duidelijke beslissingen nemen. Mijn gewicht ging op en neer, ik at onregelmatig, ik was vaak depressief en ik had symptomen van een slechte gezondheid die steeds verergerden. Ik onderging de slechte invloed van een produkt dat zowel een van de meest verkochte als een van de minst begrepen produkten is. Om de woorden van dr. John Yudkin te gebruiken:

Als slechts een fractie van wat nu al bekend is over de effecten van suiker bekend gemaakt zou worden met betrekking tot welke andere stof ook die als voedingsadditief gebruikt wordt, zou die stof onmiddellijk verboden worden...[2]

Toen ik *Sugar Blues* las en ik mijn eigen leven daarin beschreven zag, begon ik de geschiedenis en de politieke aspecten van suiker te doorzien en bovendien het bijna universele effect ervan. Ik besloot terstond dat ik het nooit meer zou eten en dat is me ook gelukt (op een paar uitzonderingen in de loop van vijftien jaar na). Ik besloot ook alles te doen wat in mijn macht lag om het verre van mijn kinderen te houden. Dat was echter niet zo makkelijk als het klinkt, omdat we suiker kunnen aantreffen in vele niet-zoete produkten, van spaghettisaus tot crackers, van sladressings tot juspoeder. Een feit is dat suiker openlijk of onmerkbaar aanwezig is in bijna alles wat wij eten. In de Verenigde Staten eet men gemiddeld 63 kilogram per persoon per jaar. Dat is ongeveer 170 gram per dag! Als u denkt dat u er niet zo veel van gebruikt, moet u eens bedenken dat een blikje frisdrank 9 theelepels geraffineerde suiker bevat. Een kwart liter vruchtenyoghurt bevat bijna evenveel. Geen wonder dat we praktisch een volk van suikerverslaafden zijn!

Het is duidelijk dat er dringend behoefte is aan een gezond alternatief. Vruchtensuiker is dat gezondheidsbevorderende alternatief voor geraffineerde suiker en het kan gebruikt worden in bijna alle gevallen waarin u anders suiker zou moeten gebruiken, vooral bij het bakken.

Vruchtensuiker is ongeveer zo korrelig als geraffineerde suiker en kan in dezelfde hoeveelheden worden gebruikt voor bijna elk gebak, maar het lijkt in niets anders op suiker. Geraffineerde suiker is een leeg voedingsmiddel, een enkelvoudig koolhydraat dat afkomstig is van suikerriet of suikerbieten. Bij de verwerking wordt het echter geheel en al ontdaan van voedingsvezel en bouwstoffen. De hoge suikerspiegels in ons bloed, die afkomstig zijn van enkelvoudige suikers, kunnen rampzalige chemische reacties veroorzaken en kunnen aan het lichaam de calcium- en vitamine-B-reserves onttrekken. Vruchtensuiker daarentegen is een zoetstof van fructose die wordt gewonnen uit vruchten en granen. Het bevat zowel enkelvoudige als complexe koolhydraten en een kleine hoeveelheid eiwitten, vetzuren, vitaminen en mineralen. Hoewel deze bouwstoffen in verhouding tot de koolhydraten in geringe hoeveelheden voorkomen, zijn ze toch belangrijk voor de opname en de werkzaamheid van de koolhydraten. In tegenstelling tot geraffineerde suiker, dat zo vlug in de bloedbaan terechtkomt dat het lichaam het niet kan verwerken, is vruchtensuiker een evenwichtige combinatie van enkelvoudige koolhydraten en sporenelementen uit de oorspronkelijke vrucht enerzijds en complexe koolhydraten uit het oorspronkelijke graan anderzijds.

---

1. Warner Books; New York, 1976. Dit boek zou verplichte lectuur moeten zijn voor iedereen, van politieagenten en docenten tot moeders en grootmoeders, van politici tot artsen en verpleegkundigen.
2. Dr. John Yudkin, arts, biochemicus en emeritus hoogleraar in de voedingsleer aan de London University, geciteerd in Kathy Hishijo, *The Art of Dieting Without Dieting* (Glendale, CA.: The Self-Sufficiency Association, 1986).

Als men geraffineerde suiker eet, stelt het lichaam het systeem in werking dat het bloedsuikergehalte reguleert. Omdat suiker een enkelvoudig koolhydraat is dat niet hoeft te worden omgezet en geen voedingsvezel bevat die het proces zou kunnen vertragen, wordt de bloedbaan plotseling overladen met glucose. Dit dwingt de alvleesklier tot het uitscheiden van grote hoeveelheden insuline om de glucose te metaboliseren. De extra insuline verbrandt zeer snel het teveel aan glucose, maar blijft dan urenlang in de bloedbaan doorgaan met het verbranden van glucose, zodat we uiteindelijk uitkomen bij een te laag bloedsuikergehalte, ofwel de 'Sugar Blues'. De oorspronkelijke snelle vermeerdering van energie die men voelt na het eten van geraffineerde suiker slaat om in een gevoel van onvoldaanheid en moeheid (de weerslag van de verlaagde bloedsuikerspiegel van het lichaam) en een sterke behoefte aan meer zoetigheid. Aldus wordt een vicieuze cirkel in gang gezet, met een voortdurende onbalans van de bloedsuiker- en insulinespiegels, die leidt tot hypoglycemie of diabetes (een van de tien meest voorkomende doodsoorzaken in de Verenigde Staten). Bovendien dragen deze voortdurende chemische veranderingen in het lichaam bij tot ernstig overgewicht, omdat men veel te veel zoetigheid consumeert om de sterke behoefte aan suiker die men voelt te bevredigen. Wat een naargeestig verhaal! En dat alles door de consumptie van geraffineerde suiker!

Vruchtensuiker komt het lichaam binnen als een uitgebalanceerde combinatie van enkelvoudige en complexe koolhydraten. De complexe koolhydraten, in de vorm van dextrine, voorzien het lichaam gedurende langere tijd van de benodigde glucose; zij worden in de loop van twee tot vier uur langzaam afgebroken en omgezet in glucose. De combinatie van enkelvoudige en complexe koolhydraten die vruchtensuiker bevat, zorgt ervoor dat de bloedsuikerspiegel constanter blijft dan het geval zou zijn bij eenzelfde hoeveelheid enkelvoudige koolhydraten.

Om u de zekerheid te geven dat uw zoete bakprodukten een bijdrage leveren aan uw gezondheid, bevatten de meeste recepten in dit hoofdstuk vruchtensuiker of een andere uitgebalanceerde zoetstof. Jaren geleden, toen ik had besloten geen geraffineerde suiker meer in mijn keuken toe te laten, heb ik er veel tijd en energie ingestoken om mijn zoete recepten zodanig aan te passen dat zij een goed resultaat gaven met gezonde zoetstoffen. Omdat deze zoetstoffen vloeibaar waren, was een dergelijke aanpassing niet altijd eenvoudig. Met vruchtensuiker in mijn keuken, kon ik de suiker één op één vervangen; geen ander ingrediënt hoeft te worden aangepast. Het enige verschil dat ik kon ontdekken tussen vruchtensuiker en geraffineerde suiker is dat vruchtensuiker het makkelijkst op te lossen is in *hete* vloeistoffen, terwijl suiker bij lagere temperaturen oplost. Deze eigenschap nemen we echter, gezien de enorme voordelen, makkelijk op de koop toe.

Vruchtensuiker is op een zachtere manier zoet dan geraffineerde suiker. Naar onze mening is vruchtensuiker *volmaakt* zoet en niet te zoet. De zoete smaak harmoniseert met andere smaken in het produkt en domineert niet.

Als ik spreek als moeder die met lede ogen heeft toegekeken hoe in het gedrag van haar kinderen de schommelingen in hun bloedsuikerspiegel tot uiting kwamen, kan ik verklaren dat ik nu vol vertrouwen en met een warm gevoel van geluk toezie als ze in een koekje of cakeje happen dat gemaakt is met vruchtensuiker. U zult dat gevoel ook leren kennen. Vruchtensuiker kunt u krijgen bij de goede reformwinkels en supermarkten.

HET BESTE TIJDSTIP OM ZOETIGHEID TE ETEN

Dat is beslist niet aan het eind van de maaltijd, als de maag al hard bezig is om diverse soorten voedsel te verwerken. We kunnen beter de traditionele theetijd in ere herstellen als de gelegenheid zich aandient. Het moment waarop u 's middags thee drinkt ligt enkele uren na de lunch en ook enkele uren voor etenstijd - een moment waarop uw maag een 'leeg' gevoel registreert - en dat is het moment waarop u wat zoet gebak kunt eten, bij een kopje kruidenthee. Uw maag kan zich nu geheel richten op die zoetigheid, zonder dat er ander voedsel in de maag aanwezig is dat gelijktijdig verwerkt moet worden. Eet tijdens de avondmaaltijd dan wat lichtere kost dan anders. U zult zich voldaan voelen als u een kop soep en een salade gegeten hebt. Voor sommige mensen volstaat zelfs een maaltijd die uit vruchten bestaat.

MATIGHEID IS HET SLEUTELWOORD

Weest u erop bedacht dat u, als u uw behoefte aan zoetigheid met gebak stilt, niet altijd hetzelfde energieke en stimulerende gevoel zult ervaren dat u hebt als u fruit hebt gegeten. Gebak voorziet in een ander soort energie. Het is zachter en werkt langzamer en als u er te veel van eet of als u zich er te vaak aan te buiten gaat, kunt u zich er loom van gaan voelen. De vuistregel bij het eten van gebak is: *eet het met mate* en alleen dan als er verder geen voedsel in de maag aanwezig is. Voor zoetigheid geldt, anders dan voor fruit, dat het wel *mogelijk* is zoetigheid samen met andere voedingsmiddelen te eten, maar het verteert beter als het apart gegeten wordt.

Het is ook beter en lekkerder om gebak bij koud weer te eten, als het lichaam kan profiteren van de lichaamsverwarmende eigenschappen. De calorieën van gebak zullen ertoe bijdragen dat de warmte wordt opgewekt die het lichaam dan nodig heeft. Bij warm weer kunt u beter voor zoet fruit kiezen, omdat dat weinig vet bevat; het hoge gehalte aan water zorgt voor afkoeling van het lichaam en maakt dat u zich lichtvoetig en energiek voelt.

Gebruik bakpoeder dat geen aluminium bevat

Gebruik voor het bakken van brood en cake of koekjes bakpoeder dat *geen aluminium bevat*.

> **Studies hebben uitgewezen dat aluminiumzouten vanuit de darmen kunnen worden geabsorbeerd en in diverse menselijke weefsels geconcentreerd kunnen worden opgeslagen. Bovendien heeft men hoge aluminiumspiegels aangetroffen in de hersenen van patiënten die lijden aan de ziekte van Alzheimer en de ziekte van Parkinson. Daarnaast wordt aluminium in verband gebracht met degeneratie van het beendergestel en met dysfunctie van de nieren.[1]**

Als u dit weet vraagt u zich waarschijnlijk af waarom het nog is toegestaan aluminium in bakpoeder te verwerken en waarom men dergelijk bakpoeder nog gebruikt. Bakpoeder dat aluminium bevat werkt op twee momenten. Tijdens het mixen van het deeg of beslag begint dit al iets te rijzen, maar de grootste rijskracht komt tijdens het bakken tot uiting. Hierdoor wordt een zeer fijne, luchtige structuur bereikt, die door commerciële bakkers hoog gewaardeerd wordt, omdat zij het deeg of beslag vaak lange tijd laten staan voordat het de oven ingaat. Maar dit proces is in uw geval niet noodzakelijk. Als u

---

1. *Shoppers Guide to Natural Foods* (Garden City, NJ: Avery Publishing Group, 1978), blz. 33.

een luchtiger structuur wilt krijgen, zet u het deeg of beslag direct in de oven.

Als u er zeker van wilt zijn dat uw bakpoeder geen aluminium bevat, hebt u de keuze uit twee mogelijkheden:

* U maakt het bakpoeder zelf van:

2 delen citroenzuur
1 deel dubbelkoolzure soda
2 delen arrowroot (pijlwortel)

Bereid dit van tevoren en bewaar het voor later gebruik in een luchtdicht potje.

* U vraagt bij de reformwinkel of ze aluminiumvrije bakpoeder verkopen.

DE PROVISIEKAST VOOR *EEN LEVEN LANG FIT*

Er zijn vele gezonde en smakelijke produkten die u bij het bakken kunt gebruiken. Sommige ervan zijn u misschien niet bekend en u kunt daarom dit gedeelte van het boek nog eens opslaan als u behoefte hebt aan informatie over nieuwe ingrediënten.

Zoetstoffen

Honing is het produkt van de bloemennectar die bijen verzamelen en omzetten in een zoete, kleverige vloeistof. Een bij doet er *haar hele leven* over om een theelepel honing te maken en daarom is dit een produkt dat met enig ontzag gegeten dient te worden. In principe is honing een enkelvoudig koolhydraat, dat snel in de bloedbaan wordt opgenomen, waardoor de bloedsuikerspiegel direct stijgt. Het is op zichzelf geen evenwichtige zoetstof. Honing is zoeter dan vruchtensuiker, dus als u geen vruchtensuiker bij de hand hebt, vervangt u het door een kleinere hoeveelheid honing. Gebruik bij het bakken een honingsoort met een milde smaak.

Ahornsiroop wordt jaarlijks gedurende korte tijd geproduceerd als het ahornsuikersap wordt afgetapt. Om 4 liter siroop te maken, wordt ongeveer 160 liter sap ingekookt en daarom is pure ahornsiroop zo duur. Ahornsiroop wordt meer gewaardeerd om de fijne smaak dan om de daarin aanwezige bouwstoffen, want die bevat het maar in geringe mate. Het bestaat grotendeels uit enkelvoudige koolhydraten en wat sporenelementen. Gebruik uitsluitend pure ahornsiroop; siropen met 'ahornsmaak' bevatten vooral hulpstoffen en niet meer dan 3 procent echte ahornsiroop. U moet ahornsiroop na het openen in de koelkast bewaren.

Rijstesiroop (gemaakt van zilvervliesrijst) is een *evenwichtige* zoetstof. Het is in de eerste plaats een complex koolhydraat, dat minder snel dan honing of ahornsiroop in de bloedbaan terechtkomt. Rijstsiroop bevat niet zo'n hoog gehalte aan bouwstoffen als *gerstmoutsiroop*, maar het bevat voldoende sporenelementen en B-vitaminen om het tot een verantwoorde keuze te maken als u het kunt krijgen. Het heeft een minder geconcentreerde smaak dan andere zoetstoffen en geeft een niet opdringerig, mild-zoet resultaat.

Sorghumsiroop wordt ook wel Chinese rietsuiker genoemd. Sorghum is een plant die verwant is aan gierst. Sorghumsiroop was een veelgebruikte zoetstof in het Amerika van de achttiende en negentiende eeuw, voornamelijk in het zuidelijk deel. De stelen van de plant worden geplet en de aldus verkregen zoete siroop wordt gekookt en gezeefd tot een donkere siroop die rijk is aan mineralen zoals kalium, ijzer, calcium en de vitaminen uit de B-groep.

Gerstemoutsiroop is minder zoet dan melasse en honing en ongeveer even zoet als rijstsiroop. Door het hoge gehalte aan complexe koolhydraten wordt het langzaam in de bloedbaan opgenomen en het kan worden beschouwd als een *evenwichtige* zoetstof, die uw bloedsuikerspiegel niet ontregelt. Door het moutproces wordt het gehalte aan vitaminen uit de B-groep verhoogd. Het bevat ook enige sporenmineralen.

Dadelsuiker wordt gemalen van gedroogde dadels en kan niet beschouwd worden als een suiker omdat het in feite een voedingsmiddel is. Het bevat veel voedingsvezels en een groot aantal vitaminen en mineralen, waaronder ijzer. U kunt vruchtensuiker vervangen door dadelsuiker bij de bereiding van cake en broodsoorten die van beslag gemaakt worden. Het lost echter niet op in vloeistof. Het belangrijkste argument tegen het gebruik van dadelsuiker is de hoge prijs.

Meelsoorten

Volkorenmeel bestaat in fijne en grove malingen, maar de verpakking wijst dit niet altijd uit, behalve als het meel op steen gemalen is. Als u dit op de verpakking ziet staan, weet u dat er sprake is van een grove maling, die algemeen wordt beschouwd als de beste soort. Als het graan met behulp van molenstenen gemalen wordt, wordt het aan minder grote hitte blootgesteld, waardoor de bouwstoffen beter bewaard blijven, met name de B-vitaminen en vitamine E. Bewaar dit meel in luchtdichte verpakking en leg het in de koelkast of diepvriezer als u het niet vaak gebruikt. Geschikt voor brood, cadetjes, crackers en pannekoeken.

Fijn volkorenmeel wordt van een zachtere graansoort gemaakt die minder gluten bevat dan gewoon volkorenmeel. Het is fijner van structuur dan volkorenmeel en bevat de zemelen en de kiem. Gebak wordt luchtiger als u dit meel gebruikt. Als een recept volkorenmeel aangeeft, gebruik dan geen fijn volkorenmeel. Gebruik fijn volkorenmeel voor cakes, pasteitjes en koekjes.

Ongebleekt meel is een geraffineerde, verrijkte meelsoort, gemaakt van tarwe en niet gebleekt. Het is zeer geschikt om te combineren met andere meelsoorten als u een luchtiger structuur wilt bereiken.

Havermeel bevat de meeste bouwstoffen die in de haver aanwezig waren, zoals zeven B-vitaminen plus een behoorlijke hoeveelheid ijzer, calcium en fosfor. Zowel de kiem als de zemelen blijven intact in havermeel, omdat de haver voor de verwerking niet geraffineerd wordt. U kunt havermeel voor sommige recepten gebruiken in plaats van fijn volkorenmeel en in combinatie met andere meelsoorten voor andere recepten.

Rijstebloem (gemaakt van zilvervliesrijst) bevat een breed scala aan B-vitaminen, vitamine E en mineralen. U bereikt het beste resultaat als u rijstebloem in kleine hoeveelheden combineert met andere meelsoorten. Het gebruik van rijstebloem voor gebak resulteert meestal in een droger eindprodukt.

Sojameel bestaat, net als sojabonen, voor 20 procent uit vet (waarvan een klein gedeelte verzadigd is) en voor 34 procent uit eiwit. Het bevat het grootste deel van de oorspronkelijke bouwstoffen, met name de vitaminen van het B-complex, vitamine E, fosfor, calcium en ijzer. Het wordt gemaakt van rauwe sojabonen, die zijn ontdaan van het vlies en vervolgens zijn geplet en fijngemalen. Sojameel zorgt dat de bovenkant van het gebak zacht, vochtig en mooi bruin wordt, maar het heeft een uitgesproken smaak, dus gebruik het altijd met mate. U kunt bij het bakken tot 25 procent van het gewone meel vervangen door sojameel. Zelfs als u een kleine hoeveelheid gebruikt, vergroot sojameel de mogelijkheid tot opname in het lichaam van de eiwitten in de andere gebruikte meelsoorten en daarom wordt het beschouwd als een produkt met grote kwaliteiten als voedingsmiddel.

Gierstmeel is een voedzaam en makkelijk te verteren graanmeel dat uitstekende eiwitten levert, een breed scala aan B-vitaminen en calcium, kalium en vooral ijzer. Gierstmeel kan niet zonder andere meelsoorten gebruikt worden, omdat het een enigszins bitter resultaat geeft. Combineer het met andere meelsoorten om tot een luchtig en zeer voedzaam resultaat te komen.

Rijs- en bindmiddelen

Tahoe Gebruik dit als vervanger voor eieren en andere zuivelprodukten die in veel bakrecepten worden aangegeven. Het resultaat is werkelijk wonderbaarlijk. Tahoe bevat veel eiwitten, vitaminen, mineralen en meervoudig onverzadigd vetzuren (zoals omega-3 vetzuren), weinig verzadigde vetzuren en geen cholesterol en geeft een lichte, vochtige structuur die de smaak van het produkt niet aantast.

Banaan Een halve kleine banaan bindt het beslag en het bakresultaat is lichter en minder droog.

Dubbelkoolzure soda Ook bekend onder de naam natriumbicarbonaat. Het wordt gebruikt om beslag met zure ingrediënten te laten rijzen en te neutraliseren.

Bakpoeder Verleent volume en een lichtere structuur aan het bakprodukt. We bevelen uitsluitend bakpoeder *zonder aluminium* aan (zie blz. 353). 'Tweevoudig werkzaam' houdt in dat het produkt zowel rijst bij het bereiden van het beslag als in de oven tijdens het bakken. Bakpoeder zonder aluminium bevat calciumfosfaat, natriumbicarbonaat en maïzena.

Agar-agarvlokken of poeder worden gemaakt van zeewier en worden gebruikt om te geleren. Met 75 procent koolhydraten bevat agar-agar een vezelstof die onverteerd het lichaam verlaat; het voegt massa toe aan het dieet en heeft een gunstig laxerend effect. Het bevat ijzer, calcium, kalium en jodium naast een aantal vitaminen, waaronder B6, B12, C, D en K. Een sterk aanbevolen ingrediënt.

Arrowroot (pijlwortel) is afkomstig van de wortel van een tropische plant. Het is een zijdeachtig wit bindmiddel dat snel werkt en heeft niet de kleverige structuur die we wel zien als we meel als bindmiddel gebruiken. Een eetlepel arrowroot bindt circa $2^1/_2$ deciliter vloeistof; het moet eerst opgelost worden in koud water. Arrowroot en maïzena hebben bij het koken dezelfde eigenschappen en u kunt ze door elkaar gebruiken, maar arrowroot heeft een hogere voedingswaarde.

Smaakmakers

Puur vanille-extract wordt verkregen door de vanillepeul te laten weken in water of alcohol. Imitatievanille bestaat uit synthetische, chemische ingrediënten en is niet aan te bevelen.

Carob is een poeder dat gemaakt wordt van de peulen van de groenblijvende johannesbroodboom. Het wordt voornamelijk gebruikt als vervanger van cacao, omdat de kleur, structuur en kookeigenschappen daar veel van weg hebben. *In tegenstelling tot cacao* bevat carob een te verwaarlozen hoeveelheid vet, *geen* cafeïne en heeft het een positieve in plaats van negatieve invloed op de opname van calcium. Carob bevat calcium, fosfor en ijzer.

Carobrepen zijn gemaakt van gerstemout, maïsmout, johannesbroodpoeder en lecithine. Zij bevatten

SUCCESVOL BAKKEN MET VOLWAARDIGE INGREDIENTEN

1. Gebruik bij het maken van beslag een food processor, handmixer, elektrische mixer of garde om te zorgen dat er voldoende lucht in het vochtige beslag komt. Het resultaat zal dan luchtiger worden.

2. Als u een food processor gebruikt om droge ingrediënten aan een romig mengsel toe te voegen, gebruikt u de pulseerknop en laat u de machine niet langer aanstaan dan nodig is om het geheel te mengen. Van te lang mixen wordt de cake taai.

3. Verwarm uw oven altijd voor, zodat hij de juiste temperatuur heeft als u klaar bent om te gaan bakken. De ene oven is trager dan de andere en de verschillen kunnen nu eenmaal niet in een recept worden aangegeven. Normaal gesproken duurt het voorverwarmen 10 tot 15 minuten en de meeste recepten houden daar rekening mee. Als uw oven er langer over doet, zet u hem eerder aan. Als uw beslag klaar is en de oven nog niet, zal het beslag niet goed rijzen, met als gevolg een ingezakte cake.

4. Om te zien of de cake gaar is, steekt u een breinaald of houten prikker in het midden van de cake. Als deze er droog uitkomt, is de cake gaar. U kunt ook licht op de cake drukken. Als de cake terugveert, is hij gaar.

5. U moet de oventemperatuur die staat aangegeven strikt aanhouden. Gebruik een oventhermometer om de temperatuur in uw oven te controleren en pas de stand aan aan de temperatuur die in het recept wordt vermeld.

6. Cake en brood van niet-geraffineerde ingrediënten dienen in de koelkast bewaard te worden als u ze niet binnen twee dagen opeet. De meeste koekjes kunnen gedurende langere tijd bij kamertemperatuur bewaard worden. Dit komt doordat ze minder vocht bevatten. Het is zeer teleurstellend als u iets verrukkelijks gebakken hebt en het is een paar dagen later bedorven omdat u hebt verzuimd het in de koelkast te zetten.

7. De meeste bakprodukten kunnen ingevroren worden, maar hoe langer u ze daar bewaart, des te groter het verlies aan smaak en structuur. Verpak alles goed om 'vriesbrood' te voorkomen.

8. Als u de hoeveelheden die een recept aangeeft verkleint of vergroot, gebruikt u ook minder of meer bakvormen. Als u minder deeg maakt, kunt u ook een kleinere bakvorm nemen.

9. Voor cakes en koekjes raden wij u roestvrij stalen bakvormen en -platen aan. Vertind staal is ook acceptabel. Ovenvaste glazen schalen zijn geschikt voor bepaalde recepten, maar houd er rekening mee dat het deeg in ovenvaste glazen schalen sneller bruin wordt. Verlaag de oventemperatuur met enkele graden als u ovenvaste glazen schalen gebruikt.

10. Bewaar ahornsiroop na opening in de koelkast. Sorghumsiroop of zwavelvrije melasse kan gebruikt worden in plaats van gewone melasse.

11. Gebruik een mild smakende honingsoort om te vermijden dat de andere smaken van het produkt overstemd worden. Om honing af te meten gaat u als volgt te werk: u meet eerst de benodigde olie af of u kwast de maatbeker met wat olie in. Vervolgens gebruikt u dezelfde maatbeker om de honing af te meten; het laagje olie zorgt ervoor dat de honing zonder plakken uit de maatbeker glijdt.

geen geraffineerde suiker en zijn ook zonder melkpoeder verkrijgbaar. Daarom zijn ze het meest geschikt om bij het bakken te gebruiken.

Granenkoffie wordt gemaakt van de dahliaknol of van een wisselende combinatie van geroosterde rogge, gerst, cichorei, biet en andere ingrediënten. Het bevat geen cafeïne en is goed te gebruiken voor bakprodukten die naar mokka moeten smaken, in combinatie met carobpoeder. Carob en koffievervangende produkten geven een prettige chocoladesmaak.

Oliën en botervervangende produkten

Pure sojamargarine bevat vloeibare sojaolie, sojabonen, zout, plantaardige lecithine en water. Het is beter om sojamargarine te gebruiken bij het bakken dan boter, omdat sojamargarine geen cholesterol bevat en verhoudingsgewijs ook minder verzadigd vet.

Olijfolie wordt in kruidig gebak en brood verwerkt in plaats van bakvet, boter of margarine.

Saffloerolie is een prima olie voor allerlei doeleinden. Hij bevat 90 procent meervoudig onverzadigd vet en linolzuur, allebei stoffen waarvan men meent dat zij de cholesterolspiegel in het bloed verlagen. U kunt bij het bakken boter, margarine en alle veel vet bevattende oliesoorten uitstekend vervangen door saffloerolie.

Zonnebloemolie is ook een olie die veel gebruikt wordt voor allerlei doeleinden. Na saffloerolie staat deze olie op de tweede plaats wat betreft het gehalte aan meervoudig onverzadigde vetzuren, dat 65 tot 70 procent bedraagt. Deze olie is zoeter van smaak dan saffloerolie en doet wat boterachtig aan, waardoor hij uitstekend gebruikt kan worden bij het bakken in plaats van boter of de andere, vettere oliesoorten.

Plantaardige melksoorten

Amandelmelk maakt u door rauwe amandelen met water te mixen met een staafmixer of food processor (zie blz. 82) en kan in de meeste recepten dierlijke melk vervangen. Amandelmelk bevat veel calcium.

Cashewmelk kan worden gebruikt in plaats van room van dierlijke afkomst, omdat zij rijker van smaak en dikker is dan amandelmelk. Wordt op dezelfde wijze gemaakt als amandelmelk, van rauwe cashewnoten en water (zie blz. 85)

Sojamelk wordt geperst van sojabonen die eerst geweekt, gekookt en gepureerd zijn. Sojamelk stelt dierlijke melk wat voedingswaarde betreft in de schaduw. Als u het uzelf makkelijk wilt maken, kunt u sojamelk gebruiken bij het bakken, omdat sojamelk kant en klaar in pakjes verkrijgbaar is, maar we geven de voorkeur aan amandelmelk, die een luchtiger en smakelijker resultaat zal opleveren.

Onthoud dat u de traditionele magere zuivelprodukten kunt gebruiken als u de bovenstaande vervangers niet kunt krijgen of niet wilt gebruiken, zonder dat het resultaat minder goed uitvalt.

Specerijen

Kaneel is verkrijgbaar als poeder of als kaneelstokjes, die u zelf in een raspmolentje kunt malen om een betere smaak te krijgen.

Nootmuskaat is verkrijgbaar in gemalen vorm, maar u kunt de hele noot ook zelf op een nootmuskaatrasp raspen. Vers geraspte nootmuskaat is veel beter en sterker van smaak.

Gemberwortel is de wortel van een tropische plant. Voor het bakken is gemalen gemberwortel het best geschikt.

Piment is de bes van een groenblijvende boom. De smaak lijkt op die van diverse specerijen samen, waaronder kaneel, nootmuskaat en kruidnagels. Gemalen piment geeft een lekker smaakje aan appeldesserts, bananebrood, kruidcake of -koek, koekjes en gerechten waarin pompoenen zijn verwerkt.

Foelie is het rode omhulsel van de muskaatnoot. De smaak lijkt op die van nootmuskaat, maar is iets milder. In Nederland wordt foelie vooral in soepen gebruikt.

Kruidnagels zijn de bloemknoppen van de groenblijvende kruidnagelboom. Ik heb ontdekt dat veel mensen de smaak van kruidnagels niet erg waarderen. Kruidnagelpoeder wordt vaak samen met kaneel gebruikt. Gebruik het met mate; te veel kruidnagel geeft een bittere nasmaak.

ONTBIJTGERECHTEN DIE UW ENERGIE OP PEIL HOUDEN

Omdat het programma *Een Leven Lang Fit* zo vurig het gebruik van vers fruit tot het middaguur propageert, vraagt men ons wel eens wat men nu aan moet met de ontbijtgerechten die zo lekker waren. Tenzij u professioneel aan sport doet en daarvoor zeer intensief moet trainen (waardoor u soms 16.000 calorieën per dag nodig hebt), kent u het energieverlies dat het gevolg is van het eten van geconcentreerde koolhydraten als ontbijt. Wanneer eten we deze gerechten dan *wel*?

Veel mensen hebben hierop het antwoord gevonden: de brunch in het weekend of af en toe een avondmaaltijd met ontbijtgerechten, die dan bestaat uit bijvoorbeeld Wentelteefjes (zie blz. 359), 'Roereieren' (zie blz. 130) en Rijstepap (zie blz. 374). U kunt ook kiezen voor pannekoeken of wafels met ahornsiroop. Als u deze produkten op het lunch- of avondmenu zet, krijgt u een zeer geconcentreerde maaltijd en de truc is dan ook om de andere maaltijden in te vullen met fruit of groenten, zonder daar verder geconcentreerd voedsel aan toe te voegen. U kunt dan lichtgestoomde groenten door uw salade mengen. Daardoor zult u het plezierige gevoel krijgen dat het eten van groenten oplevert en de meer geconcentreerde 'ontbijtmaaltijd' zal een welkome afwisseling zijn. Denk er wel aan als u ontbijtgerechten als avondeten gebruikt, dat u vroeg dient te eten, zodat uw lichaam ruimschoots de tijd heeft om de maaltijd te verteren voordat u gaat slapen en ga bovendien na het eten een eindje wandelen. Als u uw behoefte aan ontbijtprodukten stilt tijdens een weekendbrunch, eet dan 's avonds een lichte maaltijd (soep en salade) of eet alleen wat fruit om al het geconcentreerde voedsel van de brunch goed weg te kunnen werken.

Als u de koude ontbijtprodukten (muesli enz.) het meeste mist, kunt u zichzelf best af en toe verwennen met een lunch of diner bestaande uit ontbijtprodukten met volkorentoast. U hoeft er alleen voor te zorgen dat de andere maaltijden op die dag veel fruit en groenten bevatten.

Wat giet u over uw ontbijtprodukten? Makkelijk is sojamelk en onweerstaanbaar lekker is amandelmelk. Ook zonnebloempitmelk is geschikt. U moet er alleen op letten dat u wel *volkoren* ontbijtprodukten gebruikt. De meeste ontbijtprodukten uit de fabriek bevatten minder bouwstoffen dan de doos waarin zij verkocht worden en zijn onacceptabel. U en uw gezinsleden zijn te belangrijk en te waardevol om leeg voedsel te eten.

Volkorenpannekoeken of -wafels

20 minuten

Deze zuivelvrije pannekoeken zijn luchtig en erg smakelijk. Het recept is een bewerking van een recept uit *The Cookbook for People Who Love Animals* door Gentle World.

120 g boekweit-, haver- of
   volkorenmeel
$3/4$ theelepel dubbelkoolzure soda
2 eetlepels sojapoeder gemengd
   met 4 eetlepels water
2 eetlepels honing of ahornsiroop

1 dl zonnebloemolie
4 dl sojamelk, Amandel-
   melk of Cashew-
   melk (blz. 82, 85)
olie, om te bakken

1. Meng de droge ingrediënten in een middelgrote kom. Meng de vloeibare ingrediënten in een grote kom. Voeg de droge ingrediënten aan de vloeibare ingrediënten toe en roer alles tot er een lobbig beslag ontstaat.

2. Bestrijk een koekepan of wafelijzer met anti-aanbaklaag met olie en laat het goed heet worden. Giet 1 deciliter van het beslag in de pan of op het wafelijzer en bak de pannekoek of wafel 3 minuten aan elke kant tot ze goudbruin is. Bereid de rest op dezelfde wijze en dien op met warme honing of ahornsiroop.

4 personen

Volkorenwentelteefjes

15 minuten

8 sneetjes volkorenbrood
5 dl Amandelmelk (blz. 82) of
   sojamelk
2 - 4 eetlepels ahornsiroop
1 theelepel gemalen kaneel

snufje zout
2 eetlepels zonnebloemolie
ahornsiroop

1. Snijd het brood in driehoekjes en schik ze op een grote platte schaal.

2. Meng de Amandelmelk, de ahornsiroop, het kaneel en wat zout met een staafmixer en giet het over het brood. Laat het brood 5 tot 30 minuten weken tot al het vocht is opgenomen.

3. Bestrijk een koekepan met anti-aanbaklaag met olie en bak de wentelteefjes aan beide kanten goudbruin. Dien direct op met ahornsiroop.

4 personen

MUFFINS EN BROODJES

Havermuffins met blauwbessen

40 minuten

Deze muffins zijn net zo zacht als cakejes.

100 g zachte tahoe
3 grote rijpe bananen, geprakt
1 dl zonnebloemolie
1³/₄ dl heldere honing of
    rijstsiroop
1 theelepel vanille-extract
60 g volkorenmeel

75 g havermeel
30 g haverzemelen
25 g sojameel
2 theelepels bakpoeder
¹/₂ theelepel dubbelkoolzure soda
1 theelepel gemalen kaneel
evt. snufje zout
150 g verse of bevroren blauwbessen

1. Meng de tahoe, de bananen, de zonnebloemolie, de honing en het vanille-extract met een staafmixer of food processor.

2. Meng de droge ingrediënten in een grote kom, druk er een kuiltje bovenin en giet het tahoe-mengsel in het kuiltje. Roer met een houten lepel tot er een lobbig beslag ontstaat en schep er de blauwbessen voorzichtig door.

3. Bestrijk circa 12 cakevormpjes met olie en vul ze voor tweederde met het beslag. Bak de muffins 25 tot 30 minuten in een voorverwarmde oven (190° C) tot een houten prikker die u er insteekt er weer schoon uitkomt. Laat de muffins heel even in de vormpjes afkoelen, keer ze op een rooster en laat ze verder afkoelen.

ca. 12 muffins

Appelmuffins

40 minuten

Een zachte muffin die zeker populair zal zijn onder de liefhebbers van appeltaart.

100 g zachte tahoe
3 grote rijpe bananen, geprakt
1 dl zonnebloemolie
1³/₄ dl heldere honing
1 theelepel vanille-extract
60 g volkorenmeel
75 g havermeel
25 g sojameel

30 g haverzemelen
2 theelepels bakpoeder
¹/₂ theelepel dubbelkoolzure soda
2 theelepels gemalen kaneel
evt. snufje zout
2 handappels, geschild,
    geboord en in stukjes gesneden
1 theelepel citroensap
50 g gewelde rozijnen

1. Meng de tahoe, de bananen, de zonnebloemolie, de honing en het vanille-extract met een staafmixer of food processor.

2. Meng de drie soorten meel, haverzemelen, bakpoeder, dubbelkoolzure soda, 1 theelepel kaneel en wat zout in een grote kom en druk er een kuiltje bovenin. Doe het tahoemengsel in het kuiltje en roer met een houten lepel tot er een lobbig beslag onstaat. Meng de stukjes appel met de rest van de kaneel, het citroensap en de rozijnen en schep ze door het beslag.

3. Bestrijk circa 12 cakevormpjes met olie en vul ze voor twee derde met het beslag. Bak de muffins 25 tot 30 minuten in een voorverwarmde oven (190° C) tot een houten prikker die u er insteekt er weer schoon uitkomt. Laat de muffins heel even in de vormpjes afkoelen, keer ze op een rooster en laat ze verder afkoelen.

ca. 12 muffins

Perzikenmuffins

40 minuten

Perfecte muffins, gevuld met gekruide verse perziken die tijdens het bakken heerlijk ruiken. Voor een speciale gelegenheid kunt u deze muffins met jam opdienen.

120 g zachte tahoe
1 dl sojamelk
$1^1/_4$ dl zonnebloemolie
$2^1/_2$ dl heldere honing of
   $1^3/_4$ dl ahornsiroop
1 rijpe banaan
180 g volkorenmeel

50 g sojameel
15 g haverzemelen
snufje zout
$2^1/_2$ theelepels bakpoeder
2 rijpe perziken, in
   stukjes gesneden
$^1/_4$ theelepel geraspte
   nootmuskaat
$^1/_2$ theelepel gemalen kaneel

1. Meng de tahoe, sojamelk, zonnebloemolie, honing en banaan met een staafmixer.

2. Meng beide soorten meel, de zemelen, het zout en de bakpoeder in een grote kom en druk er een kuiltje bovenin. Giet het tahoemengsel in het kuiltje en roer met een houten lepel tot er een lobbig beslag ontstaat.

3. Meng de stukjes perzik met de specerijen en schep ze vervolgens door het beslag.

4. Bestrijk circa 12 cakevormpjes met olie en vul ze voor tweederde met het beslag. Bak de muffins 25 tot 30 minuten in een voorverwarmde oven (190° C) tot een houten prikker die u er insteekt er weer schoon uitkomt. Laat de muffins heel even in de vormpjes afkoelen, keer ze op een rooster en laat ze verder afkoelen.

ca. 12 muffins

Bananemuffins met carob

35 - 40 minuten

Lichte muffins met een zoete smaak die net op cakejes lijken.

60 g zachte tahoe
3 grote rijpe bananen
1 theelepel vanille-extract
1 dl saffloer- of zonnebloemolie
1³/₄ dl heldere honing
60 g grof volkorenmeel

90 g fijn volkorenmeel
25 g sojameel
30 g haverzemelen
2 theelepels bakpoeder
¹/₂ theelepel dubbelkoolzure soda
1 theelepel gemalen kaneel
evt. snufje zout
75 g carob, in kleine stukjes gehakt

1. Meng de tahoe, de bananen, het vanille-extract, de honing en de saffloerolie met een staafmixer.

2. Meng de drie soorten meel, zemelen, bakpoeder, dubbelkoolzure soda, kaneel en wat zout in een grote kom en druk een kuiltje boven in. Giet het tahoemengsel in het kuiltje en roer met een houten lepel tot er een lobbig beslag ontstaat. Schep de stukjes carob erdoor.

3. Bestrijk circa 12 cakevormpjes met olie en vul ze voor tweederde met het beslag. Bak de muffins 25 tot 30 minuten in een voorverwarmde oven (190° C) tot een houten prikker die u er insteekt er weer schoon uitkomt. Laat de muffins heel even in de vormpjes afkoelen, keer ze op een rooster en laat ze verder afkoelen.

ca. 12 muffins

Courgettemuffins met wortel

30 minuten

200 g volkorenmeel
¹/₂ theelepel dubbelkoolzure soda
¹/₄ theelepel zeezout
1 theelepel gemalen kaneel
1¹/₄ dl saffloerolie
12 dl Amandelmelk (blz. 82)

ruim 1¹/₂ dl heldere
honing
60 g tahoe
100 g wortel, fijngeraspt
60 g courgette, fijngeraspt
evt. 50 g gewelde rozijnen

1. Meng het meel, de dubbelkoolzure soda, het zout en kaneel in een grote kom.

2. Meng de olie, Amandelmelk, honing en tahoe met een staafmixer en voeg het aan het meelmengsel toe. Roer met een houten lepel tot er een lobbig beslag ontstaat. Schep de geraspte wortel, geraspte courgette en de rozijnen erdoor.

3. Bestrijk circa 12 cakevormpjes met olie en vul ze voor tweederde met het beslag. Bak de muffins 25 tot 30 minuten in een voorverwarmde oven (190° C) tot een houten prikker die u er insteekt er weer schoon uitkomt. Dien de muffins warm op.

ca. 12 muffins

Zoete aardappelbroodjes

30 minuten

Licht en luchtig.

250 g volkorenmeel
4 theelepels bakpoeder
snufje zout
75 g sojamargarine
1 dl zonnebloemolie

100 g zoete aardappelpuree*
2 eetlepels sojamelk,
   Amandelmelk (blz. 82) of
   Cashewroom (blz. 116)

1. Zeef de droge ingrediënten in een grote kom en snijd de margarine met twee messen erdoor tot het mengsel op broodkruimels lijkt. Voeg de zonnebloemolie, de zoete aardappelpuree en voldoende sojamelk toe tot er een zacht deeg ontstaat.

2. Schep 12 tot 16 hoopjes van het deeg op een bakplaat en bak de broodjes 15 tot 20 minuten in een voorverwarmde oven (200° C). Laat ze op een taartrooster afkoelen.

12 - 16 broodjes

Tip: Ongebakken broodjes kunt u invriezen. U hoeft ze niet te laten ontdooien - bak ze 20 tot 25 minuten bij 200° C.

Zoete broodjes

20 minuten

150 g zachte sojamargarine
300 g volkorenmeel
60 g sojameel
2 theelepels bakpoeder
2 theelepels dubbelkoolzure soda

snufje zout
2 eetlepels heldere
   honing
$1^1/_4$ dl Amandel-
melk (blz. 82)

1. Meng de margarine, beide soorten meel, de bakpoeder, de dubbelkoolzure soda en het zout in een food processor tot het mengsel op fijne broodkruimels lijkt.

2. Meng de honing met de Amandelmelk, roer het door het kruimelmengsel en meng tot er een zacht deeg ontstaat. Schep 12 hoopjes van het deeg op een met olie bestreken bakplaat en bak de broodjes 10 tot 12 minuten. Laat ze op een taartrooster afkoelen.

ca. 12 broodjes

* In plaats van zoete aardappelpuree kunt u yampuree of gewone aardappelpuree gebruiken.

Chilimuffins met maïs

40 minuten

120 g maïsmeel
60 g sojameel
60 g volkorenmeel
snufje zeezout
1 theelepel bakpoeder
1 theelepel dubbelkoolzure soda
60 zachte tahoe
100 g maïskorrels, diepvries of
    uit blik
2¹/₂ dl Amandelmelk (blz. 82)

¹/₂ dl heldere honing
1 eetlepel zonnebloemolie
¹/₂ groene paprika en ¹/₂
    rode paprika, kleingesneden
1 uitje, fijngehakt
evt. ¹/₄ theelepel zout
mespuntje gemalen komijn
mespuntje chilipoeder
¹/₄ theelepel knoflook-
    poeder

1. Meng de drie soorten meel met het zout, het bakpoeder en de dubbelkoolzure soda in een grote kom.
2. Meng de tahoe met de helft van de maïskorrels, de Amandelmelk en de honing met een staafmixer of food processor.
3. Verhit de zonnebloemolie in een koekepan en fruit de paprika's en het uitje 2 minuten tot ze zacht zijn. Voeg het zout en de specerijen toe en laat ze 1 of 2 minuten meefruiten. Laat het mengsel iets af-koelen.
4. Schep het tahoemengsel en het paprikamengsel voorzichtig door het meelmengsel tot er een lobbig beslag onstaat. Bestrijk circa 12 cakevormpjes met olie en vul ze voor driekwart met het beslag. Bak de muffins 15 tot 20 minuten in een voorverwarmde oven (190° C) tot een houten prikker die u er insteekt er weer schoon uitkomt. Dien de muffins warm op.

ca. 12 muffins

KOEKJES

Pindakoekjes met jam

40 minuten

Een heerlijk koekje. Proef ze als ze nog warm zijn, net uit de oven, en drink er een glas Amandel-melk bij. Deze vochtige koekjes zijn zeer voedzaam - je weet niet wat je proeft!

150 g witte amandelen
5 dl zonnebloemolie
375 g pindakaas
60 g zachte tahoe
1¹/₄ dl ahornsiroop
3 middelgrote bananen
300 g volkorenmeel

40 g sojameel
snufje zout
1¹/₂ theelepel bakpoeder
ca. ¹/₂ pot aardbeien-,
    kersen-, blauwbessen- of
    abrikozenjam, het liefst
    met vruchtesap gezoet

1. Maal de amandelen in een food processor (zie Tip).

2. Voeg de zonnebloemolie, pindakaas, tahoe, ahornsiroop en bananen toe en meng alles goed door elkaar.

3. Voeg het volkorenmeel, het sojameel, het zout en het bakpoeder toe en meng tot er een zacht deeg ontstaat.

4. Bestrijk 2 of 3 grote bakplaten met olie, vorm het deeg tot balletjes die even groot zijn als een walnoot, druk ze voorzichtig op de bakplaat en maak in elk balletje met uw duim een kuiltje in het midden. Vul de kuiltjes met jam en bak de koekjes 20 tot 25 minuten in een voorverwarmde oven (180° C) tot ze licht-goudbruin zijn. Laat ze op een taartrooster iets afkoelen.

ca. 24 koekjes

Tip: Als u geen food processor heeft, kunt u de amandelen in een notenmolen malen. Gebruik een staafmixer voor de tweede stap, maar maak stap drie af met de hand.

Amandelkoekjes met jam

30 minuten

Een rond koekje met een schepje jam in het midden. Hier heeft u een recept dat u met havermeel in plaats van tarwemeel kunt bereiden - kinderen zijn er dol op!

100 g witte amandelen
100 g havermout
150 g havermeel of volkoren-
    tarwemeel
$^1/_2$ theelepel gemalen kaneel

$1^1/_4$ dl ahornsiroop
$1^1/_4$ dl zonnebloemolie
$^1/_2$ pot jam, het liefst
    met vruchtesap gezoet

1. Maal de amandelen en daarna de havermout in een food processor. Voeg het havermeel, het kaneel, de ahornsiroop en de zonnebloemolie toe en schakel de food processor heel even aan en uit.

2. Vorm het deeg met natgemaakte handen tot balletjes die even groot zijn als een walnoot. Doe de balletjes deeg op een met olie bestreken bakplaat en maak in elk balletje met uw duim een kuiltje in het midden. Vul de kuiltjes met jam en bak de koekjes 10 tot 15 minuten in een voorverwarmde oven (170° C) tot ze licht-goudbruin zijn. Laat ze op een taartrooster iets afkoelen.

ca. 24 koekjes

Variatie: Vul de koekjes met Romig carobglazuur (blz. 376).

Haverkoeken

30 minuten

Een geweldige koek. Om van te watertanden, met gekoelde Amandelmelk.

1³/₄ dl zonnebloem- of saffloerolie
200 g dadel- of bruine basterdsuiker
1³/₄ dl heldere honing
1¹/₄ dl Amandelmelk (blz. 82)
2 theelepels vanille-extract
300 g volkorenmeel

¹/₂ theelepel dubbelkool-
   zure soda
¹/₂ theelepel zeezout
300 g havermout
75 g rozijnen
50 g carob, in stukjes
   gehakt
³/₄ theelepel gemalen kaneel

1. Klop de zonnebloemolie, dadelsuiker, honing, Amandelmelk en vanille-extract in een grote kom. Voeg de rest van de ingrediënten een voor een toe en klop het mengsel na elke toevoeging goed door.

2. Bestuif uw handen met bloem en rol het deeg tot balletjes die even groot zijn als een walnoot. Doe de balletjes deeg op een bakplaat en druk ze plat met een spatelmes. Bak de haverkoeken 20 minuten in een voorverwarmde oven (170° C) tot ze aan de onderkant licht-goudbruin zijn.

ca. 30 koeken

Linda's notenkoekjes met carob

20 minuten

Deze zijn zo makkelijk te maken. De granenkoffie vult de smaak van de carob uitstekend aan.

1¹/₄ dl zonnebloemolie
1 dl heldere honing
1 middelgrote rijpe banaan
80 g volkorenmeel

90 g carobpoeder
evt. 1 eetlepel granen-
   koffie
150 g walnoten, grofgehakt
1 theelepel vanille-extract
snufje zout

1. Meng de zonnebloemolie, honing en banaan met een staafmixer of food processor.

2. Doe het meel, de carobpoeder en eventueel de granenkoffie in een kom en roer het oliemengsel erdoor.

3. Schep de walnoten, het vanille-extract en het zout door het beslag en schep, met gebruik van een theelepel, hoopjes van het beslag op een met olie bestreken bakplaat. Bak de koekjes 10 tot 12 minuten in een voorverwarmde oven (170° C).

18 - 20 koekjes

Bananekoekjes met carob

30 minuten

Een heerlijk koekje dat zeer makkelijk te bereiden is.

3 grote rijpe bananen
1 theelepel vanille-extract
1 dl saffloerolie
1³/₄ dl Amandelmelk (blz. 82) of
  sojamelk
120 g vruchtensuiker
2 eetlepels sojapoeder
300 g havermeel
60 g sojameel

60 g haverzemelen
1 theelepel dubbelkool-
  zure soda
1 theelepel bakpoeder
2 theelepels gemalen
  kaneel
¹/₄ theelepel gemalen
  kardamom
¹/₈ theelepel zeezout
150 g carob, in stukjes gehakt

1. Meng de bananen met het vanille-extract, de saffloerolie en de Amandelmelk met een staafmixer.

2. Doe de rest van de ingrediënten, behalve de carob, in een grote kom en roer het bananemengsel en de stukjes carob erdoor.

3. Schep, met gebruik van een theelepel, hoopjes van het beslag op een bakplaat en bak de koekjes 20 tot 25 minuten in een voorverwarmde oven (170° C) tot ze licht-goudbruin zijn.

ca. 36 koekjes

Haverkoekjes met dadels

45 minuten

Een zacht, fruitig koekje met een bijzondere smaak en samenstelling. Deze haverkoekjes zijn heel makkelijk te bereiden. Zorg dat u wat voor uzelf overhoudt voordat de bakgeur iedereen naar de keuken lokt en uw koekjes als sneeuw voor de zon verdwijnen!

3 grote bananen, geprakt
200 g havermout
100 dadels, in stukjes gesneden

1 dl olie
snufje zout
1 theelepel vanille-extract

1. Meng de bananen met de rest van de ingrediënten en laat het mengsel 15 minuten staan.

2. Schep, met behulp van een theelepel, hoopjes van het deeg op een bakplaat en bak de koekjes 20 minuten in een voorverwarmde oven (170° C) tot ze goudbruin zijn.

ca. 24 koekjes

Pompoentaart met cashewroom

1 uur, 45 minuten

Een heerlijke taart die door al mijn vrienden en kennissen en natuurlijk ook mijn gezin, al jarenlang gewaardeerd wordt. De ingrediënten voor de vulling worden gewoon in een food processor gemengd en in een deegbodem gebakken. Dien op met Luchtige cashewroom (blz. 117).

Deegbodem

120 g sojamargarine
2 dl heldere honing of
   ahornsiroop

120 g volkorenmeel

Vulling

400 g pompoenpuree
$2^1/_2$ dl Cashewmelk (blz. 85)
40 g aardappelmeel
60 g cashewboter
$1^1/_4$ dl heldere honing en
   $1^1/_4$ dl ahornsiroop
1 theelepel vanille-extract

2 theelepels gemalen kaneel
1 theelepel gemalen
   koriander
1 theelepel gemalen foelie
$^1/_4$ theelepel gemalen piment
evt. snufje gemberpoeder
$1^1/_2$ eetlepels melasse
snufje zout

1. Meng de margarine, de honing en het volkorenmeel in een food processor tot het mengsel op grove broodkruimels lijkt. Druk driekwart van het kruimelmengsel in een vierkante bakvorm (22 x 22 x 5 cm).

2. Meng de pompoenpuree en Cashewmelk in een food processor. Voeg de rest van de ingrediënten toe en meng tot er een gladde puree ontstaat.

3. Giet de vulling in de korst en bestrooi met het achtergehouden kruimelmengsel. Bak 15 minuten in een voorverwarmde oven (210° C), zet de oventemperatuur heel laag (120° C) en laat de taart $1^1/_4$ uur doorbakken. Laat de taart op een taartrooster afkoelen en vervolgens minstens 1 uur in de koelkast staan alvorens u hem in vierkante stukjes snijdt.

ca. 16 stuks

Carobkoekjes

275 g volkorenmeel	1³/₄ dl heldere honing
2¹/₂ dl water	of ahornsiroop
120 g margarine	1 theelepel vanille-extract
60 g carobpoeder	¹/₂ theelepel zeezout
1 volle eetlepel granenkoffie	2¹/₂ theelepel bakpoeder

1. Meng 50 gram volkorenmeel met het water, breng het mengsel aan de kook en laat het al roerend doorkoken en binden. Laat deze pap afkoelen.

2. Smelt de margarine en voeg de carobpoeder en granenkoffie toe. Klop het mengsel met een garde en laat het afkoelen.

3. Meng de honing met de afgekoelde pap en het vanille-extract en klop het door het carobmengsel.

4. Meng de rest van het meel, het zout en de bakpoeder en roer het door het honingmengsel. Giet het beslag in een met olie bestreken vierkante bakvorm (30 x 30 cm) en bak het 35 minuten in een voorverwarmde oven (170°C) tot een scherp mes dat u in de koek steekt er weer schoon uitkomt. Snijd de koek in vierkante stukken.

ca. 25 koekjes

POMPOEN BAKKEN

Was de pompoen, snijd hem doormidden en verwijder de pitten en de zaadlijsten. Leg de pompoen, met de doorgesneden zijde naar onderen, op een bakplaat en bak hem 1 uur in een voorverwarmde oven (150° C) tot het vruchtvlees zacht is. Schep het vruchtvlees uit de schil, wrijf het door een zeef of pureer het in een food processor.

Zachte wortelkoekjes

30 minuten

2¹/₂ dl saffloerolie
1³/₄ dl honing
1 middelgrote rijpe banaan
100 g havermout
240 g volkorenmeel
40 g sojameel

1 theelepel bakpoeder
3 theelepels gemalen kaneel
¹/₄ theelepel geraspte
   nootmuskaat
1 theelepel vanille-extract
150 g fijngeraspte wortel
100 g gewelde rozijnen of
   krenten of 50 g rozijnen
   en 50 g carob, in stukjes gehakt

1. Meng de saffloerolie, de honing en de banaan met een staafmixer of food processor. Roer de rest van de ingrediënten, behalve de wortel en de rozijnen, door het bananemengsel en schep de rozijnen of krenten erdoor.

2. Schep met behulp van een eetlepel hoopjes deeg op met olie bestreken bakplaten en bak de koekjes 15 minuten in een voorverwarmde oven (190° C). Laat de koekjes op een taartrooster afkoelen.

ca. 36 koekjes

Tahoerepen

35 minuten

120 g sojamargarine, gekoeld
1 dl ahornsiroop of honing
120 g + 1 eetlepel volkorenmeel
250 g stevige tahoe

1 dl honing
1 theelepel vanille-extract
50 g carob, in stukjes
   gehakt of 100 g verse
   aardbeien, in plakjes
   gesneden

1. Meng de sojamargarine, de ahornsiroop en 120 gram meel in een food processor tot het mengsel op grove broodkruimels lijkt. Houd een derde van het kruimelmengsel achter en druk de rest in een vierkante bakvorm (22 x 22 x 5 cm). Bak het kruimelmengsel 10 minuten midden in een voorverwarmde oven (180°C).

2. Meng de tahoe, de honing, het vanille-extract en 1 eetlepel volkorenmeel in een food processor en spreid het mengsel over de kruimelbodem. Verdeel de stukjes carob of plakjes aardbei over de tahoevulling en bestrooi met het achtergehouden kruimelmengsel. Bak de taart 20 minuten bij dezelfde temperatuur, laat hem afkoelen en snijd hem in repen.

ca. 9 tahoerepen

BROOD

Uiepiazettes

1 uur, 20 minuten

Platte knoflookbroodjes, bedekt met gegrilleerde uien. Heerlijk bij soep en salade.

Brood

1 zakje gedroogde gist
$^{1}/_{2}$ dl warm water
4 eetlepels honing
$1^{1}/_{4}$ dl olijfolie
2 dl water

$^{1}/_{2}$ theelepel zout
300 g volkorenmeel
180 g ongebleekt witmeel

Uienvulling

$1^{1}/_{4}$ dl olijfolie
3 teentjes knoflook

3 theelepels gedroogde
  salie of basilicum
1 grote ui, in zeer dunne
  ringen gesneden

1. Meng de gist met het warme water en 1 eetlepel honing. Laat het mengsel 5 minuten staan tot het begint te schuimen.

2. Meng de olijfolie met de rest van de honing, het water en het gistmengsel. Voeg de droge ingrediënten toe en kneed het deeg 7 minuten. Doe het deeg in een met olie bestreken kom, dek het af met een natte theedoek en laat het 45 minuten tot 1 uur op een warme plaats rijzen.

3. Bereid intussen de uievulling. Meng de olijfolie, knoflook en salie met een staafmixer en giet het mengsel over de uieringen.

4. Trek het gerezen deeg in 6 gelijke stukken. Vorm elk stuk tot een balletje en druk ze plat op een met olie bestreken bakplaat. Bestrijk de broodjes met het oliemengsel en bedek ze met de uieringen.

5. Bak de piazettes 10 minuten in een voorverwarmde oven (250° C) tot de uien iets knapperig zijn. Laat de piazettes op een rooster heel even afkoelen en dien ze warm op.

6 piazettes

Tip: U kunt eventueel 8 tot 10 kleinere piazettes maken en iets korter bakken.

Bananebrood

1 uur, 10 minuten

180 g zachte tahoe
1³/₄ dl heldere honing
¹/₂ dl zonnebloem- of saffloerolie
1 theelepel vanille-extract
2 middelgrote rijpe bananen, geprakt

250 g volkorenmeel
¹/₂ theelepel bakpoeder
¹/₂ theelepel dubbelkoolzure soda
snufje zout
1 eetlepel maanzaad

1. Meng de tahoe, honing, zonnebloemolie, vanille-extract en banaan in een food processor.

2. Meng het meel, de bakpoeder en de dubbelkoolzure soda in een kom en voeg ze, samen met het zout aan het tahoemengsel toe. Meng tot er een glad beslag ontstaat.

3. Voeg het maanzaad aan het beslag toe en schakel de food processor heel even aan en uit. Doe het beslag in een met olie bestreken broodvorm en bak het brood 1 uur in een voorverwarmde oven (180° C) tot een houten prikker die u er insteekt er weer schoon uitkomt. Laat het brood 30 minuten in de vorm afkoelen en daarna op een taartrooster.

1 brood

Gembercake met Cashewroom

1 uur, 20 minuten

Deze cake wordt beter als u hem een tijdje laat staan, dus vouw er huishoudfolie omheen en bewaar hem in de koelkast. Het blijft tot 10 dagen goed, als u er zo lang van af kunt blijven!

4 eetlepels zonnebloemolie
evt. 1¹/₂ eetlepel sojalecithine
  (verkrijgbaar bij een reformzaak)
100 g bruine basterdsuiker
1¹/₄ dl melasse
1¹/₄ dl kokend water
180 g volkorenmeel

2¹/₂ eetlepel geraspte
  verse gemberwortel
¹/₂ theelepel gemalen kaneel
¹/₄ theelepel gemalen kruidnagels
snufje zout
1 theelepel bakpoeder
¹/₂ theelepel dubbelkoolzure soda
80 g krenten

1. Bestrijk een broodvorm met olie en bestuif het met meel.

2. Meng de zonnebloemolie, lecithine en basterdsuiker in een food processor. Voeg de melasse en het water toe en meng tot er een romige massa ontstaat.

3. Doe de rest van de ingrediënten, behalve de krenten erbij en meng tot er een dik beslag ontstaat. Voeg de krenten toe en schakel de food processor een paar keer aan en uit.

4. Doe het beslag in een met olie bestreken en met bloem bestrooide tulbandvorm en bak de cake 50 tot 55 minuten in een voorverwarmde oven (170° C) tot een houten prikker die u er insteekt er weer schoon uitkomt. Laat de cake eerst 5 minuten in de vorm en daarna op een taartrooster afkoelen. Dien op met Cashewroom (blz. 116).

1 cake

Pikant courgettebrood

1 uur, 30 minuten

350 g volkorenmeel
1¹/₂ theelepel bakpoeder
1 theelepel dubbelkoolzure soda
evt. ¹/₂ theelepel geraspte
   nootmuskaat
evt. ¹/₄ theelepel zout
¹/₄ theelepel gemalen kardomom
100 g zachte tahoe

1 dl sojamelk
1³/₄ dl heldere honing
1³/₄ dl zonnebloemolie
300 g courgettes, grof-
   geraspt
evt. 100 g gewelde
   rozijnen

1. Meng de droge ingrediënten in een grote kom. Meng de tahoe met de sojamelk met een staafmixer en voeg de honing en zonnebloemolie toe.

2. Druk een kuiltje in het midden van de droge ingrediënten. Giet het tahoemengsel in het kuiltje en roer alles tot er een dik beslag ontstaat. Schep de courgettes en de rozijnen erdoor en doe het beslag in een met olie bestreken broodvorm.

3. Bak het brood 1 uur tot 1 uur en 15 minuten in een voorverwarmde oven (170° C) tot een houten prikker die u in het brood steekt er weer schoon uitkomt. Keer het brood uit de vorm en laat het op een taartrooster volkomen afkoelen voor u het aansnijdt.

1 brood

PAP EN PUDDING

Mokka parfait

10 minuten

Geïnspireerd op een recept van Bill Shurtleff en Akiko Aoyagi van het Soyfoods Center in Lafayette, Californië. Deze Mokka parfait krijgt een hoge waardering.

300 g zachte tahoe
2 eetlepels heldere honing
2 eetlepels ahornsiroop
1 eetlepel carobpoeder

1 eetlepel zachte soja-
   margarine
1 eetlepel zonnebloemolie
¹/₂ theelepel vanille-extract
snufje zout
evt. ¹/₄ theelepel granenkoffie

1. Meng de ingrediënten met een staafmixer tot er een gladde massa ontstaat en dien gekoeld op.

3 - 4 personen

Indiase maïspudding

3 uur, 15 minuten

Deze zoete, donkere pudding neemt minder dan 15 minuten in beslag aan voorbereiding en wordt dan 3 uur langzaam gebakken in de oven, terwijl u wat anders doet. Neem een maaltijd die uit salade bestaat en dien de pudding warm op als nagerecht. Of dien de pudding warm op bij een brunch of bij de thee. U kunt eventueel wat Cashewroom (blz. 116) erbij geven.

1¼ l sojamelk

50 g sojamargarine

2 dl melasse

5 eetlepels vruchtensuiker
 of honing

125 g maïsmeel

¾ theelepel gemalen
 kaneel

¾ theelepel geraspte
 nootmuskaat

1. Verwarm 1 liter sojamelk in een pan. Roer de margarine, melasse en vruchtensuiker erdoor. Meng het maïsmeel met de specerijen en klop het warme melkmengsel erdoor. Dit kunt u het beste met een garde doen. Giet het maïsmengsel terug in de pan en laat het 10 minuten, onder voortdurend roeren, doorkoken op een laag vuur.

2. Giet de maïspap in een met olie bestreken ovenvaste schaal. Giet de rest van de sojamelk over de pap (roer het niet) en bak 3 uur in een voorverwarmde oven (150° C). Dien warm op.

6 - 8 personen

Rijstepap

1 uur

150 g zilvervliesrijst,
 een nacht geweekt

5 dl water

1 theelepel zonnebloemolie

snufje zeezout

3¾ dl sojamelk of
 Cashewmelk (blz. 85)

25 g gewelde rozijnen

1 theelepel gemalen
 kaneel

snufje gemalen kardamom

evt. snufje gemberpoeder

1¼ dl ahornsiroop

1. Laat de rijst uitlekken. Doe de uitgelekte rijst, het water, de zonnebloemolie en het zout in een pan en breng alles aan de kook. Roer de rijst één keer door, dek de pan af en laat het 40 minuten zachtjes koken op een laag vuur. Neem de pan van het vuur, laat het nog 10 minuten nagaren en roer het door met een vork.

2. Verwarm de sojamelk. Laat de rozijnen uitlekken en voeg ze, samen met de specerijen, aan de warme melk toe. Roer de gekookte rijst en de ahornsiroop door het melkmengsel en laat de pap 5 minuten al roerend koken. Dien warm of koud op.

6 personen

Rijstepap uit de oven

1 uur, 45 minuten

Gebakken rijstepap smaakt heerlijk na een maaltijdsalade. De baktijd is wel lang, maar daartegenover staat dat de voorbereidingstijd heel kort is. Dit is een goede manier om een restje zilvervliesrijst te verwerken.

400 g gekookte zilvervliesrijst met ronde korrel	1 theelepel vanille-extract
	1 theelepel citroensap
6 dl water	$2^1/_2$ dl sojamelk
evt. 120 g rozijnen	120 g zachte tahoe
2 dl heldere honing	2 eetlepels tahin
$^1/_2$ theelepel gemalen kaneel	gemalen kaneel

1. Doe rijst, water, rozijnen, honing, kaneel, vanille-extract en citroensap in een grote pan. Breng alles aan de kook en laat het 5 minuten op een laag vuur doorkoken in de onafgedekte pan.

2. Meng de sojamelk, tahoe en tahin met een staafmixer, voeg het aan het rijstmengsel toe en laat de pap even doorkoken en binden.

3. Giet de rijstepap in een met olie bestreken ovenvaste schaal en bestuif de bovenkant met gemalen kaneel. Bak de rijstepap 1 uur en 30 minuten in een voorverwarmde oven (160° C).

8 personen

TAARTEN EN GEBAK

Appelmoescake

1 uur, 10 minuten

Dit inspirerende recept hebben we te danken aan Bill Shurtleff en Akiko Aoyagi van het Soyfoods Center in Lafayette, Californië. Het is aan hun inspanningen te danken dat tahoe de vervangende rol voor zuivelprodukten in taarten en gebak heeft aangenomen. Bak deze sappige, donkere cake in een tulbandvorm om het beste resultaat te krijgen.

250 g zachte tahoe	snufje zout
5 dl verse appelmoes	225 g volkorenmeel
$1^1/_4$ dl zonnebloemolie	40 g sojameel
30 g vruchtensuiker	$1^1/_2$ dubbelkoolzure soda
2 eetlepels citroensap	100 g gewelde rozijnen
$^1/_2$ theelepel gemalen kaneel	evt. 90 g gehakte walnoten

1. Meng de eerste 7 ingrediënten met een staafmixer of food processor.

2. Meng het volkorenmeel met het sojameel en de dubbelkoolzure soda en druk er een kuiltje bovenin. Giet het tahoemengsel in het kuiltje en roer alles goed door elkaar. (Dit kunt u eventueel in de food processor doen.)

3. Laat de rozijnen uitlekken en schep ze, samen met de walnoten, door het beslag. Giet het beslag in een met olie bestreken tulbandvorm (22$^1/_2$ cm middellijn) en bak de cake 50 minuten in een voorverwarmde oven (170° C) tot een houten prikker die u in de cake steekt er weer schoon uitkomt.

4. Neem de cake na 5 minuten uit de vorm en laat hem op een taartrooster afkoelen. Dien warm of koud op.

8 personen

Variatie: Vervang de appelmoes door een gelijke hoeveelheid geprakte bananen.

Wortelcake met carob

1 uur, 15 minuten

1$^3/_4$ dl zonnebloemolie
1$^1/_4$ dl sinaasappelsap
180 g vruchtensuiker
30 g carobpoeder
2 eetlepels granenkoffie
250 g zachte tahoe

150 g geraspte wortels
240 g volkorenmeel
2 theelepels dubbelkoolzure
   soda
$^1/_4$ theelepel zout
1 theelepel gemalen kaneel

1. Meng de olie, het sinaasappelsap en de vruchtensuiker in een food processor. Voeg het carobpoeder, de granenkoffie en tahoe toe en meng alles goed door elkaar. Doe de geraspte wortels erbij en schakel de food processor een paar keer in en uit.

2. Doe de droge ingrediënten in een grote kom en druk er een kuiltje bovenin. Giet het carobmengsel in het kuiltje en klop alles goed door elkaar.

3. Doe het beslag in een met olie bestreken tulbandvorm en bak de cake 50 tot 55 minuten in een voorverwarmde oven (170° C) tot een houten prikker die u in de cake steekt er weer schoon uitkomt. Neem de cake na 5 minuten uit de vorm en laat hem vervolgens op een taartrooster afkoelen.

8 - 10 personen

Variatie: U kunt de cake eventueel met Romig carobglazuur bedekken (zie volgend recept).

Romig carobglazuur

3 eetlepels sojamargarine
100 g carob
$^1/_2$ dl heldere honing

$^1/_2$ dl Amandelmelk (blz. 82)
1 theelepel vanille-extract

Doe alle ingrediënten in een pan. Zet de pan op een laag vuur en blijf roeren tot er een gladde massa ontstaat. Giet de glazuur over de afgekoelde cake en laat het hard worden.

Romige appeltaart

45 minuten

Een heerlijke appeltaart met een knapperige volkorenkorst en een romige vulling.

Deegkorst

120 g volkorenmeel
120 g ongebleekt witmeel
120 g sojamargarine, in stukjes
  gesneden

$^1/_2$ theelepel geraspte
  nootmuskaat
evt. snufje zout
6 eetlepels ijswater

Vulling

3 eetlepels zonnebloemolie
$2^1/_2$ theelepel gemalen kaneel
120 g zachte tahoe
120 g vruchtensuiker of
  $1^1/_4$ dl ahornsiroop
500 g appels, geschild en grofgeraspt

75 g gewelde rozijnen
60 g volkorenmeel
15 g margarine, gesmolten
gemalen kaneel

1. Doe beide soorten meel, de margarine, de nootmuskaat en het zout in een food processor en meng 10 seconden tot het mengsel op fijne broodkruimels lijkt. (U kunt eventueel de margarine met twee messen door het meelmengsel snijden.) Voeg voldoende ijskoud water toe tot er een stevig deeg ontstaat.

2. Verdeel het deeg in 2 stukken, rol een stuk uit tot een cirkel (ca. 25 cm middellijn) en bekleed een ondiepe taartvorm hiermee. Snijd de randjes eraf.

3. Verpak het tweede stuk deeg in huishoudfolie en bewaar het in de koelkast. Dek de deegbodem af met een natte theedoek en bewaar het in de koelkast terwijl u de vulling bereidt.

4. Meng de zonnebloemolie met het kaneel, de tahoe en de helft van de vruchtensuiker met een staafmixer of food processor. Roer het tahoemengsel door de geraspte appelen en meng alles goed door elkaar. Meng de rest van de vruchtensuiker met de rozijnen en het meel en voeg dit aan het appel-mengsel toe. Roer alles goed door en schep de vulling in de deegbodem.

5. Rol het tweede stuk deeg uit tot een cirkel (ca. 25 cm middellijn) en bedek de appelvulling hier-mee. Druk de randen stevig op elkaar met de achterkant van een vork. Bestrijk de bovenkant van de taart met de gesmolten margarine en bestuif het met kaneel. Bak de appeltaart 25 tot 30 minuten in een voorverwarmde oven (220° C) tot de bovenkant goudbruin is en laat hem in de vorm afkoelen.

8 personen

Zoete pompoentaart

1 uur, 20 minuten

Dankzij tahoe kunt u een perfecte pompoentaart opkloppen zonder cholesterol en verzadigde vetzuren.

180 g stevige tahoe
250 g pompoenpuree
100 g vruchtensuiker of
  2 dl heldere honing of
  ahornsiroop
$^1/_2$ dl plantaardige olie
2 eetlepels melasse
1 theelepel vanille-extract

$1^1/_2$ theelepel gemalen
  kaneel
$^3/_4$ theelepel geraspte
  nootmuskaat
$^3/_4$ theelepel gemberpoeder
$^1/_2$ theelepel gemalen foelie
$^1/_4$ theelepel zeezout
1 ongebakken deegbodem (blz. 379)
Cashewroom (blz. 116)

1. Meng de ingrediënten voor de vulling met een staafmixer of food processor, tot er een romige massa ontstaat. Giet de vulling in de deegbodem en bak de taart 1 uur in een voorverwarmde oven (170° C) tot ze stevig aanvoelt.

2. Dien de pompoentaart gekoeld op met Cashewroom.

8 - 10 personen

LEKKERE TAARTEN ZONDER BAKKEN

Taarten die zonder bakken gemaakt worden van vers fruit, zijn het laatste woord op het gebied van creatief taarten maken. Ze zien er ten eerste heel anders en mooi uit en komen helemaal tegemoet aan uw verlangen naar zoet. De smaak is uniek, zo anders dan alles wat u gewend was. Maar het belangrijkste van deze taarten, is dat ze van 'rauwe' ingrediënten worden gemaakt en daarom vanaf het eerste hapje goed voor ons zijn.

Als we een van deze taarten bij de hand hebben, dan heb ik absoluut geen zin om een warme maaltijd te eten, want dan moet ik uren wachten voordat ik van de taart kan genieten. Het is belangrijk om deze ongebakken taarten niet te eten nadat u gekookt voedsel heeft gegeten. U moet ze als gewoon fruit beschouwen. Om van fruit het meeste profijt te hebben, moet het op een lege maag gegeten worden. Rauw (levend) voedsel gaat sneller door de maag dan gekookt voedsel. Als u deze ongebakken taarten dus na gekookt voedsel eet, vraagt u om problemen. Doordat ze een combinatie zijn van gedroogd en vers fruit, mogen ze niet anders dan op een lege maag gegeten worden, of iets wat niet zwaarder is dan een salade. Wij maken zelf wel eens een maaltijd die uit een vruchtentaart met een grote salade bestaat. De recepten beginnen met een gewone ongebakken taartbodem, waarna we de recepten van onze favoriete taarten geven.

Ongebakken vruchtentaartbodem

10 minuten

40 g zonnebloempitten
75 g sesamzaad
75 g pecannoten of amandelen
30 g geraspte kokos

75 - 100 g rozijnen
  (voldoende om het zaad-
  mengsel te binden)
75 g zachte dadels, ontpit

1. Maal de zonnebloempitten, het sesamzaad, de noten en de kokos in een food processor tot er een fijn meel ontstaat. Voeg de rozijnen en dadels toe en meng alles goed door elkaar.

2. Druk het zaadmengsel in een ondiepe taartvorm (22$^{1}/_{2}$ cm middellijn) en de bodem is klaar om gevuld te worden.

1 taartbodem

Tip: (1) U kunt dit recept ook maken met andere soorten noten, de hoeveelheden blijven gelijk.

(2) Als het zaadmengsel te droog is kunt u wat appelsap, notenmelk of water toevoegen.

Variatie: Voor een lekker voedzaam tussendoortje kunt u, met natgemaakte handen, balletjes van het mengsel vormen, door geraspte kokos rollen en invriezen.

Romige perzikentaart

45 minuten

1 Ongebakken vruchtentaartbodem
  (blz. 379)
5 - 6 grote perziken, geschild
3 eetlepels vers sinaasappelsap
100 g rauwe cashewnoten
30 g poedersuiker of 3
  eetlepels ahornsiroop

1$^{1}/_{4}$ dl water
1 theelepel vanille-extract
1 dl zonnebloemolie
verse muntblaadjes, voor de
  garnering

1. Bereid de taartbodem en koel hem in de diepvriezer of koelkast.

2. Snijd de perziken in schijfjes en meng ze met het sinaasappelsap.

3. Meng de cashewnoten, de poedersuiker, het water en de vanille-extract met een staafmixer tot er een romige saus ontstaat. Schakel de staafmixer op de laagste stand en laat de zonnebloemolie in een dunne straal op het cashewmengsel lopen tot het geheel op mayonaise lijkt.

4. Bestrijk de taartbodem met een dunne laag van de cashewroom. Vul de taartbodem met laag om laag perzik-schijfjes, bestreken met cashewroom - zorg ervoor dat de bovenste laag uit perziken bestaat. Garneer de taart met muntblaadjes en laat hem minstens 2 uur in de koelkast staan.

voor 8 personen

Verse dadelpruimtaart

30 minuten

Als u een keer verse dadelpruimen kunt kopen, dan is het écht de moeite waard om deze taart te maken. De dadelpruimen moeten zeer rijp en zacht zijn. Als u de schil er makkelijk af kunt trekken kunt u ze geschild gebruiken; anders kunt u ze met schil en al in de vulling verwerken.

1 Ongebakken vruchtentaartbodem
 (blz. 379), bereid met meer
 pecannoten en geen sesamzaad
7 middelgrote dadelpruimen,
 zonder steel
3 grote dadels

1 theelepel gemalen kaneel
$^1/_4$ theelepel geraspte
 nootmuskaat
1 eetlepel geraspte kokos

1. Bereid de taartbodem en koel hem in de diepvriezer of koelkast.
2. Meng de ingrediënten voor de vulling met een staafmixer tot er een romige massa ontstaat.
3. Giet de vulling in de gekoelde taartbodem en laat het minstens 2 uur in de koelkast staan.

8 - 10 personen

Ananastaart met banaan en kokos

30 minuten

1 Ongebakken vruchtentaartbodem
 (blz. 379)
1 theelepel geraspte nootmuskaat
4 grote rijpe bananen
25 g geraspte kokos
1 kleine ananas, geschild

2 theelepels honing
2 theelepels agar-agar
1 dl water
1 rijpe kiwi
geraspte kokos

1. Bereid de taartbodem en koel hem in de diepvriezer of koelkast.
2. Bestrooi de taartbodem met nootmuskaat. Snijd de bananen in schuine plakjes en schik ze op de deegbodem.
3. Meng de kokos, ananas en honing met een staafmixer tot er een romige massa ontstaat.
4. Verwarm de agar-agar met het water 3 tot 4 minuten al roerend in een kleine pan tot het mengsel geleiachtig is.
5. Voeg het agar-agarmengsel direct aan het ananasmengsel toe, meng het geheel 20 seconden op de hoogste stand en giet deze saus over de bananen.
6. Pel de kiwi, snijd hem in de lengte doormidden en daarna in plakjes. Schik de plakjes kiwi op de taart met de platte kant tegen de rand van de taartbodem aan en bestrooi met geraspte kokos. Laat de taart minstens 2 uur in de koelkast staan.

8 - 10 personen

Gekruide sinaasappeltaart met gember

30 minuten

1 Ongebakken vruchtentaartbodem
  (blz. 379)
40 g droge geraspte kokos
6 navelsinaasappelen, gepeld
6 theelepels geraspte gemberwortel
1 theelepel gemalen kardamom

1 sappige mango, geschild of
  1 kleine papaya, geschild en ontpit
3 eetlepels agar-agar
1 dl water
verse muntblaadjes
dunne reepjes sinaasappelschil voor de garnering

1. Bereid de taartbodem en koel hem in de diepvriezer of koelkast.

2. Maal de kokos in een food processor, voeg de sinaasappelen (zonder pitjes), gemberwortel, kardamom, nootmuskaat en mango of papaya toe en meng alles nog 2 tot 3 minuten tot er een romige massa ontstaat.

3. Verwarm de agar-agar met het water 3 tot 4 minuten al roerend in een kleine pan tot het mengsel geleiachtig is. Voeg het agar-agarmengsel direct aan de vruchtenpuree toe en meng alles nog 45 seconden.

4. Giet de vulling in de taartbodem, garneer het met muntblaadjes en reepjes sinaasappelschil en laat de taart minstens 2 uur in de koelkast staan.

8 - 10 personen

Aardbeientaart met banaan

35 minuten

Deze verse vruchtentaart met een romige bodem van gedroogd fruit en noten is een niet te beschrijven traktatie. De ingrediënten voor de bodem kunt u aan uw eigen smaak aanpassen, zolang de samenstelling maar dik genoeg is.

Bodem

100 g sesamzaad
50 g zonnebloempitten of
  amandelen
50 g pecannoten of walnoten
140 g rozijnen of vijgen

100 g ontpitte dadels
1 - 3 eetlepels Amandel-
  melk (blz. 82) of water
gemalen kaneel

Glazuur

300 g aardbeien

3 eetlepels vruchtensuiker
of 2 eetlepels ahorn-
siroop

Vulling

3 middelgrote bananen
300 g aardbeien

geraspte kokos

1. Maal het sesamzaad, de zonnebloempitten en de pecannoten in een food processor. Voeg de rozijnen, dadels en voldoende Amandelmelk toe om er een stevig 'deeg' van te maken. Druk het 'deeg' in een ondiepe ronde taartvorm (22½ cm) en bestuif het met gemalen kaneel.

2. Meng 300 gram aardbeien met de vruchtensuiker. Giet tweederde van de aardbeienpuree in de taartbodem en bewaar de rest voor later.

3. Snijd de bananen en de aardbeien in dunne plakjes. Schik de helft van de aardbeien op de taartbodem en bedek ze met de plakjes banaan. Verdeel de rest van de aardbeienpuree over de banaan en giet de rest van het glazuur erover. Bestrooi de taart met geraspte kokos en laat hem minstens 3 uur in de koelkast staan.

8 - 10 personen

Romige citroentaart met Blauwbessen

30 minuten

Bodem

45 g sesamzaad
100 g amandelen
25 g geraspte kokos

4 grote dadels, zonder pit
75 - 100 g rozijnen

Vulling

2 eetlepels agar-agar
1¼ dl water
1 dl citroensap
3½ dl water
3½ dl ananassap

200 g cashewnoten
1 dl ahornsiroop
40 g geraspte kokos
4 eetlepels aardappelmeel
snufje zout

Garnering

100 g diepvriesblauwbessen
75 g cashewnoten
2 rijpe perziken, geschild en
  in stukjes gesneden

1 dl vers sinaasappel-
sap

1. Maal het sesamzaad, de amandelen en de kokos in een food processor en voeg de dadels en voldoende rozijnen toe tot er een stevig 'deeg' ontstaat. Druk het 'deeg' in een ondiepe ronde taartvorm.
2. Laat de agar-agar 10 minuten wellen in het water.
3. Meng de rest van de ingrediënten voor de vulling met een staafmixer of food processor tot er een romige massa is ontstaan.
4. Verwarm het agar-agarmengsel 5 minuten boven een laag vuur. Laat het al roerend aan de kook komen, voeg het aan de vulling toe en meng alles nog 1 minuut.
5. Giet de vulling in de taartbodem en laat het minstens 2 uur in de koelkast staan.
6. Meng de ingrediënten voor de garnering met een staafmixer of food processor en giet het over de gekoelde taart.

8 personen

Banane-pindataart

35 minuten

Die is 'schandalig' lekker! Maar ja, af en toe mag ieder mens wel eens van iets zondigs genieten! Laat het na het snijden 5 minuten staan voor het opdienen, de samenstelling wordt dan romiger.

Bodem

120 g rozijnen
70 g zonnebloempitten
80 g sesamzaad
100 g amandelen
120 g ontpitte dadels

gemalen kaneel
geraspte nootmuskaat
enkele eetlepels Amandel-
  melk, water of appelsap

Vulling

10 bevroren bananen
3 eetlepels citroensap

3 eetlepels ahornsiroop
350 g pindakaas, met
  stukjes noot

Garnering

100 g geroosterde pinda's   gemalen kaneel
  grofgehakt

1. Maal de rozijnen, de zonnebloempitten en het sesamzaad in een food processor. Voeg de amandelen toe en schakel de food processor heel even in en uit. Doe de dadels erbij en meng alles tot er een stevig 'deeg' ontstaat. Als het 'deeg' te droog is kunt u wat Amandelmelk, water of appelsap toevoegen.

2. Druk het 'deeg' in een ondiepe ronde taartvorm en druk de rand van de bodem omhoog zodat het iets boven de rand van de vorm uitsteekt. Bestuif de taartbodem met kaneel en nootmuskaat en bewaar hem in de diepvriezer.

3. Was de kom van de food processor en droog hem goed af. Meng de bevroren bananen in de food processor, voeg het citroensap, de ahornsiroop en de pindakaas toe en meng tot er een romige massa ontstaat. Doe de vulling in de taartbodem, bestrooi het met de grofgehakte pinda's, bestuif het met de kaneel en doe het terug in de diepvriezer.

10 personen

Tip: Bevroren bananen worden gauw bruin. Om deze taart er zo goed mogelijk uit te laten zien, moet u hem snel aansnijden en dan het overblijvende deel direct weer in de koelkast zetten.

Tot besluit

Aan het begin van elk jaar vergeten velen van ons telkens weer hoever de tijd op de kalender al weer voortgeschreden is en het duurt weken voordat we eraan gewend zijn het nieuwe jaar correct te schrijven. Dat is niet zo erg. Maar naarmate we gewend raken aan een nieuw decennium en een nieuw millennium naderen, ligt er een veel ernstiger gevaar op de loer, namelijk dat wij niet beseffen wat we tot nu toe met ons eigen lichaam en met onze planeet gedaan hebben. Als we dit besef niet hebben, kunnen wij er ook ons voordeel niet mee doen.

In de laatste alinea van de eerste uitgave van *Een Leven Lang Fit* staat dat u het verdient er goed uit te zien en zich goed te voelen als u daar moeite voor gedaan hebt. Wij verdienen het allemaal te profiteren van de jaren van nauwkeurig onderzoek, experimenteren, studeren en ontwikkeling waaraan zo veel toegewijde mannen en vrouwen hun leven gewijd hebben. Enkelen zijn door hun daden en hun positie bekend geworden. Van anderen, die zelf anoniem gebleven zijn, zijn de onderzoeksresultaten zeer bekend geworden.

Wij beschikken nu over alle mogelijkheden om beter voedsel op een betere manier te bereiden dan ooit tevoren mogelijk was. Wij kunnen nu als nooit tevoren beschikken over informatie die ons tot richtlijn kan dienen om onszelf en onze planeet gezonder te maken en gezond te laten blijven. De vooruitgang die we hebben geboekt is de basis van wat ervoor nodig is om verzekerd te zijn van succes en om te kunnen overleven in de tijd die nog voor ons ligt. Er schuilt gevaar in de neiging die bij veel mensen bestaat om door een druk bezet leven van het juiste pad af te dwalen, ook al weten we wat het beste is voor onszelf, ons gezin en onze naasten.

Ik ben er heel zeker van dat dit boek u kan helpen uzelf te helpen. Het meest lofwaardige streven van de mens is het streven zich beter te gaan voelen, er beter uit te gaan zien en beter te gaan functioneren. Als we onze toekomst in aanmerking nemen, wordt dit streven zelfs een eerste vereiste. Als we de kans willen hebben bepaalde onfortuinlijke milieuproblemen die onze planeet bedreigen, te keren, moeten we er eerst voor zorgen dat ons persoonlijke milieu in orde is. Wij moeten beschikken over de nodige energie en helderheid van geest, om nog niet te spreken over toewijding bij het streven naar een gunstig resultaat.

Ik heb het unieke genoegen en de eer gehad mensen van overal uit de Verenigde Staten en uit de hele wereld te ontmoeten. Wat hun achtergronden of meningen ook waren en welke verschillende inzichten ze ook hadden, ik heb altijd een warm gevoel van genegenheid gehad voor die familie die de mensheid in feite is. Overal ter wereld is men bezorgd over onze collectieve toekomst. Ik hoop dat dit boek u erbij zal helpen meer voor uzelf te doen, zodat u in staat zult zijn meer voor anderen te doen.

Een vriend van mij die het manuscript van dit boek en dit commentaar tot besluit had gelezen, zei me dat mijn droombeeld wel erg rooskleurig was en dat ik een optimist was. Ik heb dat als een compliment opgevat. Misschien bedoelde hij de neiging die ik heb om mij te richten op het meest positieve eindresultaat voor alle mensen als het enig mogelijke eindresultaat en daar dan resoluut op af te stevenen. Misschien is wat hij eruit proefde het onwrikbare standpunt dat SUCCES ONS ENIGE ALTERNATIEF IS.

Appendix: tabellen, schema's en ander referentiemateriaal

DE OVERZICHTELIJKE VOEDINGSTABEL

Ik heb deze voedingstabel samengesteld om u met één oogopslag een antwoord te geven op eenvoudige vragen als: 'Wat kan ik *eten* om meer vitamine A binnen te krijgen?' Om de gegevens bruikbaar en begrijpelijker te maken, heb ik een korte beschrijving opgenomen van elke bouwstof, de rol die deze in uw lichaam speelt en de 'vijanden' die de werkzaamheid verminderen dan wel tenietdoen.

Waarschijnlijk zult u merken dat deze tabel afwijkt van andere tabellen die u wel eens gezien hebt. De vermelde voedingsmiddelen zijn niet-dierlijke en niet-zuivelhoudende bronnen van elke bouwstof. Zij zijn werkelijk bruikbare bronnen van deze bouwstoffen (geen voedingsmiddelen met praktisch te verwaarlozen minimale hoeveelheden). Om het u makkelijk te maken, staan bovenaan de lijst de voedingsmiddelen die bijzonder veel van die bouwstof bevatten.

Deze voedingstabel is samengesteld uit gegevens over voornamelijk rauwe voedingsmiddelen, zoals bijvoorbeeld vermeld in het *Handbook of the Nutritional Contents of Foods*, gepubliceerd door het Ministerie van Landbouw in de Verenigde Staten. U dient zich natuurlijk te realiseren dat door het verwarmen of koken van rauw voedsel een chemische verandering van veel bouwstoffen plaatsvindt. Als u kijkt naar de kolom 'vijanden', kunt u zien welke bouwstoffen met name door verhitting (koken) worden geschaad.

De tabel is ingedeeld in drie categorieën: vitaminen en mineralen, voedingsvezel en eiwitten. Ik hoop dat hij u goed van pas zal komen in dit Tijdperk van de Voeding, waarin elke driejarige u zou kunnen vragen: 'Hé, zit hier eigenlijk vitamine C in?'

VITAMINE A

Hoofdfuncties	Vijanden
Verhoogt de weerstand.	Luchtverontreiniging
	Alcohol
Bestrijdt infectieziekten, vooral	Koffie
van de luchtwegen.	Cortisone
	Teveel aan ijzer
Bevordert de synthese van	Mineraalolie
eiwitten.	Tekort aan vitamine
	D (te weinig zon)
Bevordert de groei van botten,	
een gezonde huid en libido.	
Verhoogt de weerstand tegen	**AANVULLENDE NUTRIËNTEN**
luchtverontreiniging.	Plantaardige eiwitten
	Vitamine B-complex
Bevordert het gezichtsvermogen, vooral	Choline
nachtblindheid.	Vitamine C, D, E, F
	(essentiële vetzuren)
Bevordert de werking van de	Calcium
galblaas.	Zink

BESTE BRONNEN	ANDERE GESCHIKTE BRONNEN	
Abrikozen, gedroogd	Abrikozen, vers	Bosuitjes
Boerenkool	Kantaloep	Broccoli
Paardebloemblaadjes	Kersen	Peterselie
Rode chilipepers	Mango	Pompoen
Wortels	Nectarine	Raapstelen
Zeewier (vooral nori)	Papaya	Rode paprika
Zuring	Perzik	Sla
	Pruimen, gedroogd	Spinazie
		Tuinkers
	Andijvie	Venkel
	Asperges	Winterpompoen
	Bieslook	Witlof
	Bietenloof	Zoete aardappel

VITAMINE B^1: THIAMINE

Hoofdfuncties	Vijanden
Bevordert het in stand houden van een gezond zenuwstelsel.	Alcohol
	Koffie
	Koorts
Essentieel voor normale groei.	Hitte
	Teveel aan suiker
Verhoogt de eetlust en bevordert het verteren van koolhydraten.	Stress
	Operaties
	Tabak
Bevordert de spieropbouw en een gezond hart.	

AANVULLENDE NUTRIËNTEN

Bevordert het oxydatieproces in de lichaamscellen.

Vitamine B-complex en
B^2 (Riboflavine)
Foliumzuur
Vitamine B^3

Bevordert een gezonde lever.

Vitamine C en E
Mangaan
Zwavel

BESTE BRONNEN	ANDERE GESCHIKTE BRONNEN	
Avocado	Avocado	Bamboescheuten
Alle volkoren-graansoorten:	Vijgen, gedroogd	Bietenloof
vooral zilver-	Sinaasappels	Bloemkool
vliesrijst,	Ananas	Boerenkool
gierst, tarwe,	Pruimen, gedroogd	Broccoli
rogge	Rozijnen	Champignons
Alle peul-		Knoflook
vruchten;	Amandelen	Maïs
vooral soja-	Cashewnoten	Oker
bonen, kievits-	Kastanjes	Peterselie
bonen, rode	Hazelnoten	Prei
bonen,	Macadamiënoten	Raapstelen
witte bonen,	Walnoten	Spinazie
gedroogde	Waterkastanjes	Spruitjes
erwten		Tuinkers
Paranoten	Strooigist	Yam
Pecannoten		Zoete aardappel
Pijnboompitten	Aardappel,	
Sesamzaad	met schil	
Zonnebloempitten	Asperges	

VITAMINE B²: RIBOFLAVINE

Hoofdfuncties	Vijanden
Bevordert de stofwisseling van eiwitten.	Alcohol
	Cafeïne
	Koffie
Bevordert de stofwisseling van vetten	Suiker
	Tabak
Essentieel voor de gezonde conditie van huid, lever, ogen, haar	Orale anti-conceptiepillen
	Ultraviolet licht

AANVULLENDE NUTRIËNTEN

Bevordert het oxydatieproces in de lichaamscellen.

Vitamine B-complex
Vitamine B⁶
Vitamine B³
Vitamine C
Fosfor

Stimuleert de vorming van rode bloedlichaampjes en anti-stoffen.

Verhoogt de weerstand tegen ziektes.

Bevordert de gezonde conditie van de nieren en het hart.

BESTE BRONNEN

Amandelen
Champignons
Rode chilipepers
Tarwekiem
Wilde rijst

ANDERE GESCHIKTE BRONNEN

Avocado
Banaan, vooral gedroogd
Perzik, vooral gedroogd
Pruimen, gedroogd
Pompoen

Cashewnoten
Kastanjes
Sesamzaad
Waterkastanjes
Zonnebloempitten

Asperges
Bietenloof
Boerenkool
Broccoli
Kelp
Oker
Peterselie
Raapstelen
Spinazie
Tuinkers

Peulvruchten, vooral:
Kievitsbonen
Mungbonen

Rode bonen
Sojabonen
Tuinbonen
Witte bonen
Spliterwten

Volkorengraan-produkten, vooral:
Gierst
Tarwe
Zilvervlies-rijst

Tarwezemelen
Strooigist

VITAMINE B³: NICOTINEZUUR

Hoofdfuncties	Vijanden
Bevordert de stofwisseling van koolhydraten.	Alcohol
	Antibiotica
	Cafeïne
Stimuleert een gezonde bloedsomloop.	Suiker
	Teveel aan zetmeel
	Slaappillen
Essentieel voor een gezonde huid.	Oestrogeen
	AANVULLENDE NUTRIËNTEN
Bevordert het in stand houden van een gezond zenuwstelsel.	Vitamine B-complex
	Vitamine C
	Fosfor

BESTE BRONNEN	ANDERE GESCHIKTE BRONNEN	
Rijstzemelen	Abrikozen	Asperges
Tarwezemelen	Bananen	Champignons
Rode chilipeper, gedroogd	Perziken	Doperwtjes
Wilde rijst		Maïs
	Amandelen	
	Cashewnoten	Peulvruchten:
	Pijnboompitten	Bruine bonen
	Sesamzaad	Kievitsbonen
	Zonnebloempitten	Mungbonen
		Rode bonen
	Boekweit	Sojabonen
	Volkorentarwe	Spliterwten
		Tuinbonen
		Witte bonen

VITAMINE B⁵: PANTOTHEENZUUR

Hoofdfuncties	**Vijanden**
Stimuleert het maken van antistoffen.	Alcohol
	Antibiotica
	Cafeïne
Bevordert de werking van het maag-darmkanaal.	Koffie
	Oestrogeen
	Hitte
Bevordert de opbouw van nieuwe lichaamscellen.	Slaappillen
	Stress

Hoofdfuncties

Stimuleert het maken van
antistoffen.

Bevordert de werking van
het maag-darmkanaal.

Bevordert de opbouw van
nieuwe lichaamscellen.

Bevordert een gezonde huid
en gezond haar.

Bevordert de werking van de
adrenalineklieren, die het
lichaam onder stress goed
helpen functioneren.

Vermoedelijk biedt het
bescherming tegen straling.

Bevordert de ontwikkeling van
het centrale zenuwstelsel.

Bevordert de gezondheid van de
lever.

Vijanden

Alcohol
Antibiotica
Cafeïne
Koffie
Oestrogeen
Hitte
Slaappillen
Stress

AANVULLENDE NUTRIËNTEN
Vitamine B-complex
Vitamine B⁶ en B¹²
PABA
Biotine
Foliumzuur
Vitamine C

GESCHIKTE BRONNEN

Boekweitmeel
Rijst
Tarwezemelen
Zonnebloempitten

Papaya

Peulvruchten:
  Kievitsbonen
  Mungbonen
  Rode bonen
  Spliterwten
  Tuinbonen
  Witte bonen

Groene groenten:
  Artisjokken
  Asperges
  Bleekselderij
  Boerenkool
  Broccoli
  Kelp
  Koolsoorten
  Sla
  Spinazie

Volkorengraan-
soorten:
  Boekweit
  Tarwe

VITAMINE B⁶: PYRIDOXINE

Hoofdfuncties	Vijanden
Bevordert het verteren en opnemen van voedsel.	Alcohol
	Antibiotica
	Middelen tegen convulsies
Stimuleert de produktie van hormonen (adrenaline en insuline).	Cafeïne en Koffie
	Koken (hitte)
	Cortisone
	DES
Bevordert de produktie van antistoffen.	Oestrogeen
	Orale anti-conceptiepillen
	Straling
Bevordert de vorming van rode bloedlichaampjes.	Suiker
	Tabak

AANVULLENDE NUTRIËNTEN

Helpt het voorkomen van misselijkheid.

Vitamine B^1, B^2, B^5,
B-complex
Vitamine C
Magnesium

Bevordert de synthese van RNA en DNA.

Kalium
Linolzuur
Natrium (uit natuurlijke bronnen)

Vermoedelijk helpt het het lichaams-gewicht onder controle te houden.

BESTE BRONNEN	ANDERE GESCHIKTE BRONNEN	
Tarwekiem	Avocado's	Bladgroenten:
Volkorengraan-soorten, vooral	Bananen	Bleekselderij
	Kantaloep	Boerenkool
Boekweit	Papaya's	Sla
Haver		Spinazie
Rogge	Hazelnoten	
Tarwe	Walnoten	Strooigist
Zilvervlies-rijst	Zonnebloempitten	
Bieten	Groene paprika's	
Citroenen	Wortels	
Kool	Peulvruchten:	
Sinaasappels	Kievitsbonen	
	Rode bonen	
	Spliterwten	
	Tuinbonen	
	Witte bonen	

VITAMINE B^9: FOLIUMZUUR

Hoofdfuncties	Vijanden
Essentieel voor de groei van lichaamscellen.	Alcohol
	Middelen tegen convulsies
	Barbituraten
Essentieel voor de synthese van RNA en DNA.	Cafeïne en Koffie
	Orale anti-conceptiepillen
	Slaappillen
Bevordert de vorming van rode bloedlichaampjes.	Stress
	Sulfonamiden
	Zonlicht, Hitte, Koken
Belangrijk voor de stofwisseling van eiwitten.	Tabak

AANVULLENDE NUTRIËNTEN

Bevordert de produktie van antistoffen.

Vitamine B-complex
Vitamine B^{12}
Vitamine H (Biotine)
Pantotheenzuur (B^5)
Vitamine C
PABA

GESCHIKTE BRONNEN

Asperges	Noten:
Bietenloof	Amandelen
Broccoli	Cashewnoten
Bladgroenten:	Hazelnoten
Andijvie	Walnoten
Boerenkool	
Spinazie	Strooigist
Champignons	Tarwekiem
Rapen	
Tuinbonen	

VITAMINE B12: COBALAMINE

Hoofdfuncties	Vijanden
De vorming en instandhouding van een gezond zenuwstelsel.	Alcohol
	Maagzuurtabletten
	Antibiotica
Remt de afbraak van de zenuwcellen.	Aspirine
	Cafeïne
	Diuretica
De vorming van rode bloed-lichaampjes.	Oestrogeen
	Laxeermiddelen
	Orale anti-conceptiepillen
Essentieel voor de groei van kinderen.	Slaappillen

AANVULLENDE NUTRIËNTEN

Bevordert de synthese van RNA en DNA.

Bevordert de stofwisseling van koolhydraten.

Nodig tijdens de zwangerschap.

Vitamine B6
Vitamine B-complex
Vitamine C
Choline, Inositol
Kobalt
Kalium
Natrium (uit natuurlijke bronnen)

BELANGRIJK

In de American Dietetic Association (ADA) richtlijn over vegetarisme* staat dat bodemplanten geen vitamine B12 bevatten. Andere bronnen noemen echter deze voedingsmiddelen wel ** en ***

GESCHIKTE BRONNEN

Taugé
Andere spruiten:
  Alfalfa
  Boekweit
  Klaver
  Zonnebloempit
Bananen
Druiven
Papaya
Perziken

Zonnebloempitten
Noten, vooral Amandelen

Doperwten

Alfalfa
Fenugriek
Gember
Ginseng

Hop
Klis

Koningskaars
Ogentroost
Paardebloem
Paprika's
Rode klaver
Smeerwortel
Zoethout
Zeegroenten:
  Chlorella
  Dulse
  Kelp
  Spirulina

Strooigist, mits gekweekt op een middel rijk aan vitamine B12 (kijk op het etiket)

* American Dietetic Association, *Position of the American Dietetic Association* 'Vegetarian diets' - technical support paper. ADA REPORTS, Maart 1988, Vol. 88, Nr. 1.
** Louise Tenney, *Today's Healthy Eating* (Provo, Utah, Woodland Books, 1986), blz. 66-67, 120. Dr. John R. Christopher, *Regenerative Health* (Springville, Utah: Christopher Publications, 1982), blz. 73-81.
*** Robert A. Kreucher, D.C., Hippocrates Health Institute, West Palm Beach, FL 33411.

VITAMINE B15: PANGAMINEZUUR

Hoofdfuncties	**Vijanden**
Verhoogt het zuurstofgehalte in bloed, spieren en lichaamsweefsel.	Alcohol Cafeïne De meeste laxeermiddelen
Stimuleert de werking van de klieren en het zenuwstelsel.	Zonlicht Water
Verbetert de bloedsomloop.	**AANVULLENDE NUTRIËNTEN** Vitamine B-complex
Remt vermoedelijk vroegtijdige veroudering af.	Choline, Inositol Vitamine C Kalium
Beschermt tegen koolmonoxide-(kolendamp)vergiftiging.	Natrium (uit natuurlijke bronnen)

GESCHIKTE BRONNEN

Rijstzemelen
Sesamzaad
Strooigist
Zilvervliesrijst
Zonnebloempitten

VITAMINE B^{17}: LAETRILE

Hoofdfuncties	Vijanden
Beperkt vermoedelijk de kans op kanker.	Alcohol Cafeïne
Niet toegestaan in de Verenigde Staten.	**AANVULLENDE NUTRIËNTEN** Vitamine B-complex Choline, Inositol Vitamine C Kalium Natrium (van natuurlijke bronnen)

GESCHIKTE BRONNEN

De pitten van de volgende
vruchten:
Abrikozen (vooral)
Appels
Nectarines
Perziken
Pruimen
Ook in:
Boekweit
Gierst
Kekererwten
Mungbonen

VITAMINE B-COMPLEX
Choline

Hoofdfuncties	Vijanden
Bevordert de stofwisseling van vetten.	Alcohol
	Koffie
	Oestrogeen
Zorgt voor gezond haar, gezonde schildklieren en een gezonde lever.	Bewerken van voedsel (hitte)
	Suiker
	Sulfonamiden
Bevordert de opbouw van het immuunsysteem.	Contact met water

AANVULLENDE NUTRIËNTEN

Essentieel bestanddeel van acetylcholine (vloeistof in de zenuwen).

Vitamine A
Vitamine B-complex
Vitamine B^{12}
Foliumzuur

Bevordert het in stand houden van gezonde bloedvaten.

Inositol
Linoolzuur

GESCHIKTE BRONNEN

Rapen
Kruiden, zoals:
  Anijs
  Fenugriek
  Gember
  Klis
  Ogentroost
Kelp

De meeste vruchten

Noten, zoals:
  Amandelen
  Cashewnoten
  Paranoten
  Walnoten

Pinda's (rauw)
Sojabonen en
  andere peul-
  vruchten

Bladgroenten, zoals:
  Bleekselderij
  Boerenkool
  Sla
  Spinazie
Doperwten
Kool
Sperziebonen

Tarwekiem
Strooigist

VITAMINE B-COMPLEX
Inositol

Hoofdfuncties	Vijanden
Stimuleert de haargroei.	Alcohol
	Antibiotica
Essentieel voor een gezonde	Koffie
hartspier.	Oestrogeen
	Bewerken van voedsel
In hoge concentraties terug	(hitte)
te vinden in het menselijk	Suiker
lichaam: hersenen, nieren,	Contact met water
lever, milt en maag.	

AANVULLENDE NUTRIËNTEN
Vitamine B[12]
Vitamine B-complex
Choline
Linolzuur

GESCHIKTE BRONNEN

Citrusvruchten	Noten, zoals:	Bulgur
Kantaloepmeloen	Amandelen	Haver
Papaya	Cashewnoten	Kelp
Rozijnen	Paranoten	Maïs
	Walnoten	Paardebloem
Melasse	Kruiden, zoals:	
	Fenugriek	Strooigist
	Klis	Tarwekiem
	Ogentroost	Zilvervliesrijst

VITAMINE C: ASCORBINEZUUR

Hoofdfuncties	Vijanden

Helpt tegen het voorkomen
van infectieziekten en
bevordert het genezingsproces.

Bevordert het instandhouden
van gezonde geslachtsorganen
en adrenalineklieren.

Bevordert de groei van gezonde
pezen.

Bevordert de groei van de
tanden.

Versterkt capillairweefsel.

Zorgt voor gezond tandvlees en
botten.

Alcohol
Antibiotica
Aspirine
Barbituraten
Koken (hitte)
Cortisone
Diuretica
Hoge koorts
Pijnstillers
Stress
Tabak

AANVULLENDE NUTRIËNTEN
Calcium
Magnesium

GESCHIKTE BRONNEN

Aardbeien	Alfalfaspruiten	Rode kool
Citroensap,	Bieslook	Rode paprika
vers	Boerenkool	Savooiekool
Guava	Broccoli	Spinazie
Sinaasappelsap,	Groene paprika	Spruitjes
vers	Koolrabi	Tuinkers
Tomaten	Peterselie	Waterkers
Zwarte bessen	Raapstelen	Zuring
		Chilipepers
		Mierikswortel,
		rauw

VITAMINE D

Hoofdfuncties	Vijanden
Ultraviolet licht van de zon vormt een olieachtige substantie op onze huid (ergosterol) om in vitamine D.	Middelen tegen convulsies Barbituraten Cortisone Mineraalolie Slaaptabletten Luchtverontreiniging
Regelt het opnemen van calcium en fosfor in het lichaam.	**AANVULLENDE NUTRIËNTEN** Vitamine A Vitamine C Vitamine F (essentiële vetzuren)
Essentieel voor een gezond gebit, gezonde botten en een gezond zenuwstelsel.	Choline Calcium Fosfor
Bevordert de werking van de schildklier.	Magnesium Natrium (uit natuurlijke bronnen)
Bevordert het stollen van bloed.	

BESTE BRON	ANDERE GESCHIKTE BRONNEN
Zonlicht!	Alfalfaspruiten Muurerwt Ogentroost Fenugriek Koningskaars Papaya Rode framboos Rozebottels

VITAMINE E

Hoofdfuncties	Vijanden
Zorgt ervoor dat zuurstof en afvalstoffen zich in de lichaamscellen niet verbinden tot gifstoffen (anti-oxydanten).	Chloor Hitte Mineraalolie Ranzig vet of olie
Zorgt voor gezonde rode bloedlichaampjes.	Orale anti-conceptiepillen

Hoofdfuncties

Zorgt ervoor dat zuurstof en
afvalstoffen zich in de
lichaamscellen niet verbinden
tot gifstoffen (anti-oxydanten).

Zorgt voor gezonde rode
bloedlichaampjes.

Bevordert de bloedsomloop.

Voorkomt de vorming van bloed-
propjes; lost fibrine op en
remt de vorming van thrombine.

Beschermt de longen tegen
luchtverontreiniging.

Bevordert de gezondheid van
de voortplantingsorganen.

Bevordert het voorkomen van
onvruchtbaarheid.

Bevordert het opnemen van
selenium en fosfor.

Vijanden

Chloor
Hitte
Mineraalolie
Ranzig vet of olie

Orale anti-conceptiepillen

AANVULLENDE NUTRIËNTEN
Vitamine A
Vitamine B1
Vitamine B-complex
Inositol
Vitamine F (essentiële
vetzuren)
Mangaan
Selenium
Fosfor

BESTE BRONNEN

Peren	Spinazie
Zwarte bessen	Spruitjes
	Waterkers
Sesamzaad	Zoete aardappel
Zonnebloempitten	
	Boekweit
Amandelen	Gierst
Hazelnoten	Haver
Paranoten	Quinoa
Walnoten	Rogge
	Zilvervliesrijst
Asperges	
Bietenloof	Tarwekiem
Broccoli	
Maïs	
Prei	
Raapstelen	

VITAMINE F: ESSENTIËLE VETZUREN
Linolzuur en Linoleenzuur

Hoofdfuncties	Vijanden
Voorkomt een te hoog cholesterolgehalte en hard worden van de vaatwanden.	Hitte
	Contact met licht
	Contact met zuurstof
	Ranzige oliën
Bevordert de groei.	Bestraling, ook röntgenstraling
Bevordert gezond haar en een gezonde huid.	**AANVULLENDE NUTRIËNTEN**
	Vitamine A, C, D & F
	Fosfor
Bevordert de normale werking van de klieren.	Calcium
Deze vetzuren worden 'essentieel' genoemd omdat ze niet door het lichaam gemaakt kunnen worden.	

BESTE BRONNEN	ANDERE GESCHIKTE BRONNEN	
Sojabonen	Boter	Zeewier
Pompoenpitten	Avocado's	Broccoli
	Zonnebloempitten	Peterselie
Walnoten	Noten, vooral:	Spinazie
	Amandelen	
	Cashewnoten	Olijfolie
	Pecannoten	
	Pistachenoten	
	Walnoten	
	Gierst	
	Haver	
	Kokos	
	Maïs	
	Rijstzemelen	
	Tarwezemelen	

VITAMINE H: BIOTINE

Hoofdfuncties	Vijanden
Bevordert de stofwisseling van koolhydraten, eiwitten en onverzadigde vetzuren.	Alcohol Koffie Oestrogeen Bewerken van voedsel
Essentieel voor normale groei.	Rauw Eiwit Suiker
Bevordert het gebruik van vitamine B in het lichaam.	Sulfonamiden

Hoofdfuncties

Bevordert de stofwisseling
van koolhydraten, eiwitten
en onverzadigde vetzuren.

Essentieel voor normale groei.

Bevordert het gebruik van
vitamine B in het lichaam.

Belangrijk voor gezonde nieren,
een gezonde lever en een gezonde
alvleesklier.

Onderhoudt het beenmerg, het
haar, de geslachtsklieren en
de huid.

Vijanden

Alcohol
Koffie
Oestrogeen
Bewerken van voedsel
Rauw Eiwit
Suiker
Sulfonamiden

AANVULLENDE NUTRIËNTEN
Vitamine B-complex
Vitamine B^{12}
Vitamine C
Foliumzuur (B^9)
Pantotheenzuur (B^5)
Zwavel

BESTE BRONNEN

Andijvie	Zilvervliesrijst
Asperges	Haver
Bietenloof	
Boerenkool	Tarwezemelen
Spinazie	Strooigist

CALCIUM

Hoofdfuncties	Vijanden
Bevordert een gezond gebit en gezonde botten.	Aspirine
	Chocolade
	Mineraalolie
Bevordert het stollen van bloed.	Oxaalzuur*
	Stress
Versterkt het zenuwstelsel.	Tetracyclinen

AANVULLENDE NUTRIËNTEN

Hoofdfuncties	
Zorgt voor een regelmatige hartslag.	Vitamine A, C, D & F
Bevordert de spierwerking (samentrekken van de spieren).	IJzer
	Magnesium
	Fosfor
Zorgt voor een normale stofwisseling.	Mangaan
	Aminozuur Lysine
Stimuleert het werken van bepaalde enzymen.	Lichaamsbeweging!

BESTE BRONNEN

Amandelen
Bietenloof
Broccoli
Raapstelen
Sesamzaad
Vijgen, vooral
  gedroogd
Waterkers
Zeewier:
  Agar
  Carragheen
  Dulse
  Kelp

* Oxaalzuur komt voor in bietenloof, spinazie en rabarber maar wordt vaak geneutraliseerd door het calcium in de groenten.

ANDERE GESCHIKTE BRONNEN

Appel, vooral
  gedroogd
Banaan, vooral
  gedroogd
Bramen
Citrusschil
Dadels
Peer, vooral gedroogd
Perzik, vooral
  gedroogd
Pruimen, gedroogd
Rozijnen

Courgettes
Pompoen

Hazelnoten
Paranoten
Zonnebloempitten

Miso
Tahoe

Artisjokken
Bleekselderij
Boerenkool

Koolsoorten
Peterselie
Spinazie
Spruitjes
Tuinkers
Venkel

Peulvruchten,
  vooral gedroogde:
  Kekererwten
  Kievitsbonen
  Linzen
  Mungbonen
  Rode bonen
  Sojabonen
  Spliterwten
  Tuinbonen
  Witte bonen

Amarant
Boekweit
Gerst
Gierst
Haver
Rogge
Rijstzemelen
Tarwezemelen
Zilvervliesrijst

CHROOM

Hoofdfuncties	Vijanden
Bevordert een gezonde bloeds-omloop.	Geraffineerde kool-hydraten
Verhoogt het energiepeil door de glucose-tolerantie te beïnvloeden.	Suiker
Verhoogt de effectiviteit van insuline.	**AANVULLENDE NUTRIËNTEN** Zink Vitamine C
Bevordert de synthese van vetzuren, cholesterol en eiwitten.	
Beïnvloedt de gezondheid van de schildklier en milt.	

GESCHIKTE BRONNEN

Aardappelen, met schil

Kelp

Volkorengraan-
soorten, zoals:
Tarwe
Zilvervliesrijst
Rogge
Haver

FOSFOR

Hoofdfuncties	Vijanden
Bevordert de gezonde groei van het beendergestel en het gebit.	Suiker
	Teveel aan Aluminium IJzer en Magnesium
Bevordert, in samenwerking met calcium, de stofwisseling van vetten en koolhydraten.	

AANVULLENDE NUTRIËNTEN

Vitamine B^3 en B^{12}

Vitamine D, E en F (essentiële vetzuren)

Calcium

IJzer

Magnesium

Bevordert de groei en het herstel van lichaamscellen en zenuwen.

Bevordert de gezonde werking van de spieren.

Essentieel voor de juiste zuur-alkali verhouding.

Belangrijk voor de opbouw van bloed, hersenen en haar.

BESTE BRONNEN	ANDERE GESCHIKTE BRONNEN	
Rijstzemelen	Abrikozen, vooral gedroogd	Zeewier: Dulse
Tarwezemelen	Appels, vooral gedroogd	Carragheen
Tarwekiem	Bananen, vooral gedroogd	Kelp
Amandelen	Dadels	
Paranoten	Perziken, vooral gedroogd	Yams
Pijnboompitten	Pruimen, gedroogd	
Walnoten	Rozijnen	Kruiden, zoals:
Sesamzaad	Vijgen, vooral gedroogd	Cichorei
Kievitsbonen		Gember
Rode bonen		Meidoorn
Sojabonen	Cashewnoten	Peterselie
Witte bonen	Kokos, vooral gedroogd	
	Pompoenpitten	Peulvruchten zoals:
		Kekererwten
	Miso	Linzen
	Tahoe	Mungbonen
		Spliterwten
	Artisjokken	Tuinbonen
	Knoflook	
	Maïs	Gerst
	Selderij	Gierst
		Quinoa
	Champignons	Tarwe, volkoren
		Wilde rijst
		Zilvervliesrijst

JODIUM

Hoofdfuncties	Vijanden
Reguleert de stofwisseling.	Koken (hitte)
	Bewerken van voedsel
Bevordert de bloedsomloop.	Weken (in water)
Bevordert de gezondheid van de	
schildklier.	**AANVULLENDE NUTRIËNTEN**
	Vitamine E
Verhoogt de lichaamsenergie.	Vitamine F
	(essentiële vetzuren)
	IJzer
Zorgt voor gezond haar,	Magnesium
gezonde nagels en huid	Fosfor
en een gezond gebit.	Kalium
Bevordert oxydatie van vetten	
en eiwitten.	

BESTE BRONNEN	ANDERE GESCHIKTE BRONNEN	
Zeewier:	Bananen	Oker
Dulse	Blauwbessen	Pompoen
Kelp	Perziken	Rapen en
	Aardbeien	Raapstelen
	Watermeloen	Sla
		Sperziebonen
	Aardappel, met	Spinazie
	schil	Tomaten
	Artisjokken	Wortels
	Asperges	Zoete aardappelen
	Aubergines	
	Boerenkool	Zeewier, vooral
	Champignons, rauw	Agar
	Chinese Kool	
	Courgettes	
	Groene paprika	
	Komkommer, met	
	schil	

KALIUM

Hoofdfuncties	Vijanden
Bevordert de zuurgraad van bloed en lichaamsweefsel.	Alcohol
	Cafeïne
	Koffie
Bevordert de werking van de nieren (het zich ontdoen van vergiftige stoffen).	Cortisone
	De meeste laxeer-middelen en diuretica
	Stress
Bevordert de endocrine-hormonenproduktie.	
	Teveel aan zout
Bevordert een regelmatige hartslag.	
	AANVULLENDE NUTRIËNTEN
Voorkomt zenuwspanning en spiertrekkingen.	Vitamine B^6 en B^{12}
	Natrium (uit natuurlijke bronnen)
Bevordert het eliminatieproces.	

BESTE BRONNEN	ANDERE GESCHIKTE BRONNEN		
Zeewier:	Avocado's	Artisjokken	Andere peulvruchten:
Dulse	Nectarines	Asperges	
Carragheen	Passievrucht	Bamboescheuten	Kievitsbonen
Kelp	Peren, vooral gedroogd	Bieten	Linzen
		Bietenloof	Rode bonen
Abrikozen, vooral gedroogd	Perziken, vooral gedroogd	Bleekselderij	Spliterwten
Amandelen	Sinaasappelsap	Boerenkool	Witte bonen
Appels, vooral gedroogd	Zwarte bessen	Broccoli	Gierst
		Koolrabi	Quinoa
Bananen, vooral gedroogd		Peterselie	Rogge
	Hazelnoten	Pompoen	
Dadels	Kastanjes	Radijs	
Vijgen, vooral gedroogd	Kokos, vooral gedroogd	Spinazie	
	Paranoten	Spruitjes	
Gedroogde peulvruchten:	Pecannoten	Tuinkers	
Mungbonen	Sesamzaad	Venkel	
Sojabonen	Walnoten	Wortels	
Tuinbonen	Waterkastanjes	Yams	
	Miso		
Rijstzemelen	Sojamelk		
Tarwezemelen			

MAGNESIUM

Hoofdfuncties	Vijanden
Bevordert de zuurgraad- balans in het lichaam.	Alcohol Diuretica Bewerken van voedsel
Verhoogt het energiepeil door de stofwisseling van bloedsuiker te beïnvloeden.	Geraffineerd meel Suiker Teveel aan eiwitten

Hoofdfuncties

Bevordert de zuurgraad-
balans in het lichaam.

Verhoogt het energiepeil door
de stofwisseling van
bloedsuiker te beïnvloeden.

Bevordert de stofwisseling
van calcium en vitamine C.

Natuurlijk kalmerend middel.

Bevordert de gezonde werking
van bloedvaten, hart, botten,
zenuwen en spieren en optimale
gezondheid van het gebit.

Bevordert het gebruik van vetten
in het lichaam.

Zorgt voor een gezonde lever en
gezonde klieren.

Bevordert het eliminatieproces.

Vijanden

Alcohol
Diuretica
Bewerken van voedsel
Geraffineerd meel
Suiker
Teveel aan eiwitten

AANVULLENDE NUTRIËNTEN

Vitamine B^6
Vitamine C
Vitamine D
Calcium
Fosfor

BESTE BRONNEN	ANDERE GESCHIKTE BRONNEN	
Kelp	Abrikozen	Gierst
Amandelen	Appels	Rogge
Cashewnoten	Avocado's	Tarwe,
	Kokos, gedroogd	volkoren
Peulvruchten,		Wilde rijst
zoals:	Dadels	Zilvervliesrijst
Kievitsbonen		
Linzen	Noten, zoals:	Honing
Rode bonen	Amandelen	
Sojabonen	Cashewnoten	
Spliterwten	Hazelnoten	
Witte bonen		
	Bietenloof	
Gedroogd fruit,	Knoflook	
vooral:	Maïs	
Bananen	Spinazie	
Vijgen	Tuinbonen	
Tarwezemelen		
Tarwekiem		

MANGAAN

Hoofdfuncties	Vijanden
Bevordert de vertering van vetten.	Teveel aan Calcium en Fosfor

Hoofdfuncties

Bevordert de vertering van vetten.

Bevordert de vorming van geslachts-
hormonen.

Beïnvloedt de werking van
enzymen.

Beïnvloedt de stofwisseling
van vitamine B[1] en het
nuttig gebruik van Vitamine E

Produktie van ureum.

Bevordert de stofwisseling
van koolhydraten.

Versterkt het lichaamsweefsel
en het beendergestel.

Belangrijk voor de gezonde
conditie van nieren, lever,
lymfklieren, alvleesklier en
milt; ook de hersenen en het
hart.

Vijanden

Teveel aan Calcium
en Fosfor

AANVULLENDE NUTRIËNTEN
Vitamine B-complex
Vitamine E
Calcium
Zink

GESCHIKTE BRONNEN

Abrikozen	Bladgroenten
Bananen	zoals:
Grapefruit	Boerenkool
Sinaasappels	Sla
	Spinazie
Buitenste vlies	
van noten:	Doperwten
Amandelen	Peterselie
Hazelnoten	Zoete aardappelen
Pecannoten	
Walnoten	Buitenste vlies van volkoren-
	graansoorten:
Bieslook	Boekweit
Bieten	Rogge
Bleekselderij	Tarwe
Komkommer	Zilvervliesrijst
Wortels	
	Tarwekiem

PABA
Para-Amino-Benzeenzuur

Hoofdfuncties	Vijanden
Natuurlijke zonfilter, bevordert een gezonde huid.	Alcohol
	Koffie
	Oestrogeen
Bevordert de vorming van bloedlichaampjes.	Bewerken van voedsel
	Sulfonamiden

Stimuleert de darmflora om foliumzuur te produceren.

AANVULLENDE NUTRIËNTEN
Vitamine B-complex
Vitamine C
Foliumzuur (B^9)
Pantotheenzuur (B^5)

Bevordert de stofwisseling van eiwitten.

Bevordert het nuttig effect van pantotheenzuur.

Bevordert vermoedelijk het behoud van de natuurlijke haarkleur.

GESCHIKTE BRONNEN

Papaya

Alfalfa

Kelp

Bladgroenten zoals:
  Boerenkool
  Sla
  Spinazie

Rijstzemelen
Tarwekiem
Strooigist
Melasse

SELENIUM

Hoofdfuncties	Vijanden
Zorgt ervoor dat zuurstof en afvalstoffen zich in de lichaamscellen niet verbinden tot gifstoffen (anti-oxydanten).	Teveel aan vetten Stress

AANVULLENDE NUTRIËNTEN
Vitamine E
Zink

Beschermt het lichaam tegen kwikvergiftiging.

Houdt het lichaamsweefsel soepel.

Bevordert de gezonde werking van de testikels.

BESTE BRONNEN	ANDERE GESCHIKTE BRONNEN	

Zemelen, zoals
  Rijstzemelen
  Tarwezemelen
	Appels
	Frambozen
	Grapefruit
	Kantaloep
		Peulvruchten,
		  zoals:
		  Bruine bonen
		  Kekererwten

Broccoli	Mandarijnen Perziken	Volkoren- graansoorten
Champignons	Sinaasappels Suikermeloen	zoals:
Knoflook		Rogge
	Paranoten	Tarwe
Uien		Zilvervliesrijst
	Asperges	
Kelp	Koolsoorten Winterpompoen	
Tarwekiem		

IJZER

Hoofdfuncties	Vijanden
Bevordert het maken van haemoglobine (transporteert zuurstof van de longen naar alle lichaamscellen).	Koffie Sommige additieven Tetracyclinen Teveel aan Fosfor en Zink
Bevordert de weerstand tegen ziektes.	**AANVULLENDE NUTRIËNTEN** Vitamine B^{12} Vitamine E
Verhoogt de lichaamsenergie.	Calcium Kobalt
Bevordert de gezondheid van beendergestel, hersenen en spieren	Koper Foliumzuur (B9) Fosfor

BESTE BRONNEN	ANDERE GESCHIKTE BRONNEN	

Zeewier:
  Dulse en Kelp
	Dadels
	Perziken,
	  gedroogd
		Zeewier:
		  Agar-agar
		  Carragheen

Rijstzemelen	Pompoen	
Tarwekiem	Pruimen, gedroogd	Pompoen
Tarwezemelen	Rozijnen	Spinazie

Peulvruchten:
  Kievitsbonen
	Vijgen, vooral
	  gedroogd
		Amarant

Linzen		Gierst
Mungbonen		
Rode bonen	Sesamzaad	Quinoa
Sojabonen	Zonnebloempitten	Rogge
Spliterwten		Tarwe
Tuinbonen	Amandelen	Wilde rijst
Witte bonen	Cashewnoten	

Abrikozen,
  gedroogd
	Hazelnoten
	Kokos, vooral
	  gedroogd
	Paranoten
	Walnoten	

	Tahoe Melasse	

ZINK

Hoofdfuncties	Vijanden
Bevordert de genezing van wonden en brandwonden.	Alcohol
	Bewerken van voedsel
Bevordert de stofwisseling van eiwitten en koolhydraten.	Orale anti-conceptie-middelen
	Stress
Bevordert de werking van de prostaat.	Teveel aan Calcium
	Tekort aan Fosfor

Hoofdfuncties

Bevordert de genezing van wonden en brandwonden.

Bevordert de stofwisseling van eiwitten en koolhydraten.

Bevordert de werking van de prostaat.

Bevordert gezonde voort-plantingsorganen.

Essentieel voor de vorming van RNA en DNA.

Bevordert de uitwisseling van kooldioxide van het lichaams-weefsel naar de longen.

Belangrijk voor de gezonde werking van hersenen, nieren, lever en schildklier.

Vijanden

Alcohol
Bewerken van voedsel
Orale anti-conceptie-
  middelen
Stress
Teveel aan Calcium
Tekort aan Fosfor

AANVULLENDE NUTRIËNTEN
Vitamine A
Vitamine B-complex
Vitamine E

GESCHIKTE BRONNEN

Pompoenpitten
Sesamzaad
Spruiten van
  zaden
Tarwekiem
Tarwezemelen
Zonnebloempitten

Noten, zoals:
  Amandelen
  Cashewnoten
  Hazelnoten
  Paranoten
  Pecannoten

Champignons
Doperwten
Spinazie (ook kleine
  hoeveelheden aan-
  wezig in andere
  bladgroenten)
Tahoe
Tempé

Linzen
Spliterwten
Tuinbonen

Buitenste vlies van
  volkorengraansoorten:
  Amarant
  Quinoa
  Tarwe
  Zilvervliesrijst

Maïsmeel

ZWAVEL

Hoofdfuncties	Vijanden
Bevordert de spijsvertering.	Geen
Neutraliseert zuur in het lichaam.	**AANVULLENDE NUTRIËNTEN** Vitamine B-complex
Bevordert de gezondheid van haar, bloed, nagels en huid.	Biotine Pantotheenzuur Kalium
Reinigt het bloed.	
Kan gisting remmen.	

BELANGRIJK

Er is vastgesteld
dat een dieet met
voldoende eiwitten
gewoonlijk voldoende
zwavel bevat. Er
wordt geen aanbevolen
inname voor zwavel
geadviseerd en er zijn
geen gebreken bekend.*

Anorganische zwavel,
die men soms gebruikt
bij het drogen van vruchten,
is *geen* gezonde bron van
zwavel en moet zoveel
mogelijk worden vermeden.

GESCHIKTE BRONNEN

Frambozen

Noten, zoals:
  Amandelen
  Hazelnoten
  Walnoten

Alfalfaspruiten
Bleekselderij
Boerenkool
Kelp
Knoflook
Koolsoorten
Paardebloem
Peterselie
Raapjes
Radijs
Sla

Snijbonen
Sperziebonen
Spruitjes
Uien

Waterkers

Sojabonen en
andere gedroogde
peulvruchten

Tarwekiem

* Whitney and Hamilton, *Understanding Nutrition*, Second Edition (Los Angeles, West Publishing Company, 1981), blz 435..

VOEDINGSVEZEL

Belangrijk: Met voedingsvezel wordt bedoeld de resten van plantaardig voedsel, die niet door de verteringssappen van het menselijk lichaam worden verteerd. Ruwe voedingsvezel betreft de resten van voedsel die, na het koken (in het laboratorium) met zwavelzuur, natronloog, water, alcohol en ether, overbleven. In elke gram *ruwe* voedingsvezel zitten ongeveer 2 of 3 gram voedingsvezel. Haal, waar mogelijk, uw dagelijkse inname voedingsvezel uit rauwe, ongeschilde vruchten en groenten - de allerbeste bronnen voor de spijsvertering.

Hoofdfuncties	Bronnen	
Om water in het maag-darmkanaal aan te trekken: dit zorgt voor een zachte stoelgang en voorkomt constipatie.	Abrikozen Appels Guava's Krenten Peren	Gedroogde peulvruchten, zoals: Kekererwten Kievitsbonen Limabonen
Versterkt de spieren van het maagdarm-kanaal. Zorgt voor de snelle doorgang van voedsel door het maagdarm-kanaal; men vermoedt dat dit de uitscheiding van carcinogene (kanker-verwekkende) stoffen bevordert.	Perziken Sesamzaad Vijgen Vlierbessen Zonnebloempitten Amandelen Beukenoten Hazelnoten	Linzen Mungbonen Rode bonen Sojabonen Tuinbonen Witte bonen Zwarte-ogen- bonen Erwten
Zorgt voor een verhoogde uitscheiding, via de ontlasting, van cholesterol en andere vetten.	Kokosnoot Paranoten Aardappelen	Spliterwten Carob
Verlaagt het risico op hart- en vaatziekten.	Alfalfaspruiten Broccoli Doperwten Maïs Pastinaken Spruitjes Wortels Zeegroenten	Amarant Boekweit Gerst Gierst Haver Quinoa Rogge Tarwe, volkoren Zilvervliesrijst

Eiwit

Belangrijk: De volgende tabel heeft drie uitgangspunten:

1. In het menselijk lichaam wordt eiwit uit aminozuren opgebouwd.

2. Elk aminozuur dat nodig is voor de opbouw van menselijk eiwit is terug te vinden in vruchten, noten, zaden en groenten (ook peulvruchten).

3. Onder andere het medische tijdschrift *Lancet*, The American Dietetic Association, en the Food and Nutrition Board of the National Academy of Sciences*, prijzen de voordelen van plantaardige eiwitten aan.

Van de drieëntwintig reeds bekende aminozuren, zijn er acht 'essentiële' aminozuren te noemen. Deze worden 'essentieel' genoemd omdat het menselijk lichaam niet in staat is om voldoende van deze aminozuren zelf aan te maken. Hieronder volgt een lijst van de acht 'essentiële' aminozuren met hun natuurlijke bronnen.

EIWIT

Essentieel Aminozuur	Lichaamsfuncties	Enkele bronnen

Isoleucine	Reguleert de werking van het hersenaanhangsel, de milt en de schildklier.	Avocado's
		Kokosnoot
		Noten, behalve
		  Cashewnoten en
		  Kastanjes

	Zorgt voor de produktie van hemoglobine.	Olijven Papaya's Zonnebloempitten
	Reguleert de stofwisseling.	Strooigist
		Sojamelk
		Tahoe

* Soortgelijke Nederlandse en Belgische organisaties vindt u in de Adressenlijst achter in dit boek.

Essentieel Aminozuur	Lichaamsfuncties	Enkele bronnen
Leucine	Houdt het isoleucinegehalte in evenwicht.	Avocado's Kokosnoot Noten, behalve Cashewnoten en Kastanjes Olijven Papaya's Zonnebloempitten Strooigist Sojamelk Tahoe
Lysine	Bevordert de werking van de lever en de galblaas. Reguleert de werking van de pijnappelklier (glandula pinealis), de borstklieren en de eierstokken. Helpt tegen de afbraak van lichaamscellen. Versterkt het immuunsysteem. Bevordert het opnemen van calcium in het lichaam. Bevordert gebruik en omzetten van plantaardige eiwitten in het lichaam.	Abrikozen Appels Druiven Papaya's Peren Alfalfaspruiten Bieten Bleekselderij Komkommer Paardebloem Peterselie Raapstelen Sojaboonspruiten Spinazie Wortels Strooigist Sojamelk Tahoe

Essentieel Aminozuur	Lichaamsfuncties	Enkele bronnen
Methionine	Bestanddeel van hemoglobine, lichaamsweefsel en serum. Beïnvloedt de werking van lymfkliersysteem, alvleesklier en milt.	Ananas Appels Hazelnoten Paranoten Bieslook Bloemkool Boerenkool Knoflook Koolsoorten Mierikswortel Spruitjes Waterkers Zuring Sojamelk Tahoe
Fenylalanine	Betrokken bij de uitscheiding van afvalprodukten; nier- en blaasfuncties.	Ananas Appels Bieten Peterselie Spinazie Tomaat Wortels Strooigist Sojamelk Tahoe

Essentieel Aminozuur	Lichaamsfuncties	Enkele bronnen

Threonine	Heeft invloed op de uitwisseling en de balans van aminozuren.	Papaya
		Alfalfaspruiten
		Wortels
		Bladgroenten zoals:
		  Bleekselderij
		  Boerenkool
		  Sla (vooral
		  IJsbergsla)
		
		Limabonen
		Sojabonen
		Spirulina
		Zeegroenten
		
		Sojamelk
		Tahoe

Tryptofaan	Produktie van lichaamscellen en -weefsel, maag-sappen, pancreas-sappen Betrokken bij het gezichtsvermogen.	Alfalfaspruiten Bieslook Bleekselderij Paardebloem Rapen Snijbonen Spinazie Spruitjes Venkel Witlof Wortels Strooigist Sojamelk Tahoe

Essentieel Aminozuur	Lichaamsfuncties	Enkele bronnen
Valine	Betrokken bij de werking van het corpus luteum, borstklieren en eierstokken.	Amandelen Appels Granaatappels Bieten Bleekselderij Oker Paardebloem Pastinaak Peterselie Pompoen Rapen Sla Tomaat Wortels Strooigist Sojamelk Tahoe
Arginine (soms ook 'essentieel' genoemd)	Samentrekken van de spieren. Bestanddeel van kraakbeen. Betrokken bij de gezondheid van de voortplantingsorganen. Remt vermoedelijk de degeneratie van lichaamscellen.	Aardappel Alfalfaspruiten Bieten Bleekselderij Groene groenten Komkommer Pastinaak Prei Radijs Sla Wortels Strooigist Sojamelk Tahoe

Essentieel Aminozuur	Lichaamsfuncties	Enkele bronnen
Histidine	Bevordert de werking van de lever (produktie van glycogeen).	Appels Papaya's Ananas Granaatappel
(soms ook 'essentieel' genoemd, vooral bij zuigelingen)	Regelt het slijmgehalte.	Alfalfaspruiten Bieten Bleekselderij
	Bestanddeel van hemoglobine en sperma.	Knoflook Komkommer Mierikswortel Paardebloem Raapstelen Radijs Spinazie Witlof Wortels
		Sojamelk* en moedermelk

* 100 ml sojamelk bevat circa 71 mg histidine.

Algemene lijst van Eiwitbronnen

Om een wat duidelijker overzicht te geven van de belangrijkste eiwitbronnen, volgt hieronder een alfabetische lijst. Ik dacht dat dit beter zou zijn dan alleen maar zo af toe eens in een recept te vermelden dat bepaalde ingrediënten goede bronnen van eiwit zijn. Bij de voedingsmiddele_ waarvan het verhoudingspercentage van de calorieën en de eiwitten bekend is, heb ik dit tussen haakjes aangegeven. Onthoud dat onze dagelijkse eiwitbehoefte varieert van 2% tot 8% van de dagelijkse calorie-inname.

Aardbeien (8%)
Abrikozen (8%)
Avocado (5%)
Bananen (5%)
Bramen (*%)
Druiven (8%)
Grapefruit (5%)
Kantaloep (9%)
Kersen (8%)
Papaya (6%)
Peren (5%)
Perziken (6%)
Pruimen, gedroogd (4%)
Sinaasappels (8%)
Suikermeloen (10%)
Vijgen (6%)
Watermeloen (8%)

Amandelen (12%)
Beukenoten
Cashewnoten (12%)
Hazelnoten (8%)
Kastanjes (6%)
Kokos, vers (4%)
Macadamiënoten
Paranoten (9%)
Pecannoten (5%)
Pijnboompitten (8%)
Pompoenpitten (10%)
Sesamzaad (13%)
Walnoten (13%)

Miso
Sojamelk

Tahoe (43%)

Gedroogde Peulvruchten:
Kekererwten (23%)
Kievitsbonen (26%)
Limabonen (26%)
Linzen (29%)
Rode bonen (26%)
Sojabonen (35%)
Spliterwten (28%)
Tuinbonen (32%)
Witte bonen (26%)
Verse Peulvruchten:
Limabonen
Mungboonspruiten (43%)
Spruiten*** van bonen,
  linzen, erwten enz.
Tuinbonen

Artisjokken (22%)
Asperges (38%)
Bamboespruiten (39%)
Bietenloof (37%)
Bleekselderij (21%)
Bloemkool (40%)
Boerenkool (45%)
Broccoli (45%)
Champignons (38%)
Courgettes (28%)
Doperwten (30%)
Knoflook (20%)
Komkommer (24%)
Kool:
Chinese (34%)

Rode- (22%)
Savooie- (22%)
Koolrabi
Maïs (12%)
Oker (27%)
Paardebloem (24%)
Paprika,
  Groene (22%)
Peterselie (34%)
Prei
Raapstelen (43%)
Rode chilipeper (17%)
Sla (34%)
Sperziebonen (30%)
Spinazie (49%)
Spruitjes
Tuinkers (39%)
Venkel
Waterkers (46%)
Wilde rijst (18%)

Zeegroenten:
Dulse, Kelp & Nori

Amarant (20%+)**
Boekweit (15%)
Gerst (11%)
Gierst (12%)
Haver (15%)
Quinoa (20%+)**
Rogge (20%)
Tarwekiem (31%)
Volkorentarwe (17%)
Zilvervliesrijst (8%)

* *Bron: Nutritive Value of American Foods In Common Units*, USDA Handbook Nr. 456.
** Amarant en quinoa zijn de meest eiwitrijke graansoorten.
*** Spruiten van zaden, bonen, granen en noten leveren complete eiwitten - d.w.z. dat ze de acht essentiële aminozuren bevatten. Elke soort bevat echter deze aminozuren in een andere verhouding, en u wordt geadviseerd om een aantal verschillende soorten spruiten te eten (volgens Ann Wigmore, *The Sprouting Book* (Wayne, NJ., Avery Publishing Group, 1986), blz. 8).

TABEL VAN VERVANGINGEN

Voedingsmiddel	Hoeveelheid	Richtlijnen
Aardappelpuree		Gebruik rijstvlokken: Volg de aanwijzing op de verpakking.
Bakpoeder	1 theel.	1. Gebruik 2 delen citroenzuur, 1 deel dubbelkoolzure soda en 2 delen arrowroot. 2. Gebruik $1/4$ theel. bakpoeder en $1/2$ - 1 dl melasse, Verminder eventuele andere vloeistoffen in het gerecht naar verhouding.
Boter, op brood	1 eetl.	1. Gebruik avocado- of notenboter, of olijfolie.
bakken en braden	1 eetl.	2. Gebruik olijfolie, saffloerolie of zonnebloemolie (80% van de aangegeven hoeveelheid boter).
in taarten en gebak	1 eetl.	3. Gebruik ca. $1/2$ dl ongezoet appelmoes of een gelijke hoeveelheid sojamargarine.
in aardappelpuree	1 eetl.	4. Gebruik 1 theel. lichte miso en 2 theel. olijfolie.
Cacao	100 g	Gebruik 75 g carobpoeder en 25 g granenkoffie, of 100 g carobpoeder.
Chocolade (bakken)	100 g	Gebruik 3 eetl. carobpoeder en 1 eetl. olie, 1 eetl. water en 1 eetl. granenkoffie.
Dubbelkoolzure soda	1 theel.	Gebruik $1/2$ theel. dubbelkoolzure soda en $1 1/2$ theel. citroensap.
Ei (in taarten en gebak)	1 ei	1. Gebruik 1 eetl. sojabloem of 1 eetl. sojalecithine en 1 eetl. water. 2. Gebruik $1/2$ rijpe banaan. 3. Gebruik 60 g tahoe.
Gelatinepoeder	1 eetl.	1. Gebruik 1 eetl. agar-agarpoeder op 8 dl water. 2. Gebruik 2 eetl. agar-agarvlokken op 8 dl water.
Honing	$2 1/2$ dl	1. Gebruik 160 g vruchtensuiker of rijstsiroop. 2. Gebruik $2 1/2$ dl gerstemoutsiroop of sorghummelasse. 3. Gebruik $1 3/4$ dl ahornsiroop.
Kaas		
Goudse		Gebruik een gelijke hoeveelheid stevige tahoe.
Hüttenkäse		Gebruik een gelijke hoeveelheid zachte tahoe.
Ricotta		
Roomkaas		Gebruik een gelijke hoeveelheid zachte tahoe: op brood, gebruik Amandelmayonaise.
Mozzarella		Gebruik een gelijke hoeveelheid zachte tahoe.

Karnemelk	2¹/₂ dl	Gebruik 2¹/₂ dl Amandel- of Cashewmelk.
Knoflook	1 teentje	1. Gebruik 1 theel. uitgeperste knoflook.
		2. Gebruik ¹/₂ theel. knoflookpoeder.
		3. Gebruik een snufje asafoetida.
Koffie		Gebruik granenkoffie van een reformwinkel.
Kruiden, vers	1 eetl.	Gebruik 1 theel. gedroogde kruiden.
Maïzena	1 eetl.	Gebruik 1 eetl. arrowroot (niet te lang verhitten).
Meel of bloem, wit		Gebruik een gelijke hoeveelheid volkorenmeel (van tarwe of andere soort graan).
Melasse		Gebruik een gelijke hoeveelheid gerstemoutsiroop (zachter van smaak), sorghummelasse of rijstsiroop.
Melk (in de keuken)		1. Gebruik een gelijke hoeveelheid Amandel-, Cashew-, Zonnebloempit- of Sojamelk.
Room, vers	¹/₂ dl	Gebruik een gelijke hoeveelheid Cashewroom of 1 eetl. tahin gemengd met ¹/₂ dl water.
zure		Gebruik een gelijke hoeveelheid tahoe.
Sojasaus of ketjap	1 theel.	Gebruik ¹/₂ theel. natriumarme sojasaus, ketjap of tamari.
Suiker, bruin	200 g	1. Gebruik 160 g vruchtensuiker.
		2. Gebruik 1³/₄ dl ahornsiroop of honing (voeg iets minder vocht toe en gebruik bij honing een iets lagere baktemperatuur).
Suiker, wit	225 g	1. Gebruik 160 g vruchtensuiker.
		2. Gebruik 1³/₄ dl ahornsiroop en voeg iets minder vocht toe.
		3. Gebruik 1³/₄ dl honing, voeg iets minder vocht toe en gebruik een iets lagere baktemperatuur.
		4. Gebruik 2¹/₂ dl sorghummelasse en ¹/₂ theel. dubbelkoolzure soda en voeg iets minder vocht toe.
Tomaten, bereid		Gebruik verse tomaten en voeg ze op het laatste moment toe.
Water-kastanjes		Gebruik, in dunne plakjes gesneden aardperen in roergebakken gerechten.
Yoghurt	2¹/₂ dl	Gebruik een gelijke hoeveelheid opgeklopte zachte tahoe.

Zoetmiddel voor koffie en thee		1. Gebruik vruchtensuiker naar smaak en voeg deze aan hete koffie of thee toe. Blijf roeren tot de vruchtensuiker is opgelost. 2. Gebruik honing of rijstsiroop naar smaak.
Zout	1 theel.	1. Gebruik gemalen steen- of zeezout. 2. Gebruik kruidenmelanges of strooikruiden, zonder zout. 3. Gebruik plantaardige soeparoma of zeewierpoeder (kelp, dulse enz.). 4. Gebruik miso naar smaak. 5. Gebruik Umeboshi pruimpasta of tamari naar smaak.

ADRESSENLIJST

Voorlichtingsbureau voor de Voeding
Postbus 85700
2508 CK 's-GRAVENHAGE
tel: 070-3510888

Nederlandse Hartstichting
Sophialaan 10
2514 JR 's-GRAVENHAGE
tel: 070-3924292

Stichting Voeding Nederland
p/a Vakgroep Humane Voeding
Postbus 8129
6700 EV WAGENINGEN
tel: 08370-84214

Nederlandse Kankerbestrijding
Stichting Koningin Wilhelmina Fonds
Sophialaan 8
1075 BR AMSTERDAM
tel: 020-6644044

Alternatieve Konsumenten Bond
Postbus 61236
1005 HE AMSTERDAM
tel: 020-6863338

Inspectie van Levensmiddelen
Ministerie van WVC
Postbus 5406
2280 HK RIJSWIJK

Bureau Stichting NEVO
(Stichting Nederlands Voedingsstoffenbestand)
Postbus 360
3700 AJ ZEIST
tel: 03404-52244

De Nederlandse Vegetariërsbond
Larenseweg 26
1221 CM Hilversum
tel: 035-834796

Vereniging Veganisten Organisatie
Postbus 1087,
6801 BB Arnhem
tel.: 085-420746

Vlaams Voorlichtingscentrum voor de Voeding
Kortenberglaan 176
1040 BRUSSEL
tel: (02) 7338454

Belgische Cardiologische Liga
Elyzeese Veldenstraat 43
1050 BRUSSEL
tel: (02) 6498557

Belgisch werk tegen Kanker
Tweekerkenstraat 21
1040 BRUSSEL
tel: (02) 2306900

Bibliografie

Acciardo, Marcia Madhuri. *Light Eating for Survival*. Woodstock Valley, Conn.; Omangod Press, 1977.

Atlas, Nava. *The Wholefood Catalogue: A Complete Guide to Natural Foods*. New York, N.Y.: Fawcett Columbine, 1988.

Baker, Elton en Elizabeth. *The UnCook Book*. Drelwood Saguache, Colo.: Drelwood Publications, 1980.

Bastyra, Judy, *Caribbean Cooking*, New York, N.Y.: Exeter Books, 1987.

Bond, Harry C. *Natural Food Cookbook*. No. Hollywood, Calif.: Wilshire Book Company, 1974.

Carrier, Robert. *Great Salads and Vegetables*. London: Angus and Robertson Publishers, 1965.

Chemical Additives in Booze. Report of the Center for Science in the Public Interest. Washington, D.C.: CSPI Books, 1982.

Christopher, John R., *Regenerative Health*. Springville, Utah: Christopher Publications, 1987.

Clare, Sally en David. *The Creative Vegetarian*. Wayne, N.J. Avery Publishing Group, 1987.

The Complete Book of Vitamins. Staff of *Prevention Magazine*. Emmaus, Pa.: Rodale Press, 1977.

The Cookbook for People Who Love Animals, Third Ed. Umatilla, Fla.: Gentle World, Inc., 1986.

Crowley, Jerry. *The Fine Art of Garnishing*. Baltimore, Md.: Lieba, Inc., 1978, 1982.

Diamond, Harvey en Marilyn. *Living Health*. New York, N.Y.: Warner Books, 1987. (In Nederland verschenen onder de titel *Leef gezond*. Baarn: De Kern, 1988.)

Dorland's Medical Dictionary. Philadelphia, Pa.: W.B. Saunders Company, 1977, 1980.

Duquette, Susan. *Sunburst Farm Family Cookbook*. Santa Barbara, Calif.: Woodbridge Press Publishing Co., 1976, 1978.

Erasmus, Udo. *Fats and Oils: The Complete Guide to Fats and Oils in Health and Nutrition*. Vancouver, B.C.: Alive Books, 1986.

Fathman, George en Doris. *Live Foods: Nature's Perfect System of Human Nutrition*. Beaumont, Calif.: Ehret Literature Publishing Co., 1967, 1973.

Freedman, Louise. *Wild About Mushrooms*. 1621 Fifth Street, Berkeley, Calif.: Harris Publishing Company, Inc., 1987.

Gerras, Charles, ed. en de staf van Rodale Press. *Rodale's Basic Natural Foods Cookbook*. Emmaus, Pa.: Rodale Press, 1984.

The Good Cook: Techniques and Recipes. Alexandria, Va.: Time-Life Books, 1980.

Guyton, Arthur C. *Physiology of the Human Body*, Sixth Ed. Philadelphia, Pa.: Saunders College Publishing, 1984.

Hagler, Louise, *Tofu Cookery*, Summertown, Tenn.: The Book Publishing Company, 1982.

—— *Tofu, Quick and Easy*, Summertown, Tenn.: The Book Publishing Company, 1986.

Haritage, Ford. *Composition and Facts About Foods*, Mokelumne Hill, Calif.: Health Research Publication, 1968.

Hirasuna, Delphine, et al. *Vegetables*. San Francisco, Calif.: Chronicle Books, 1985.

Horn, Jane, en Janet Fletcher. *Cooking A to Z*. San Ramon, Calif.: California Culinary Academy. 1988.

Hoshijo, Kathy. *The Art of Dieting Without Dieting*! Glendale, Calif.: Self-Sufficiency Association, 1986.

Hurd, Frank J., en Rosale. *A Good Cook...Ten Talents*. Chisholm, Minn.: Dr. and Mrs. F.J. Hurd, Publishers, 1968.

Johns, Leslie, en Violet Stevenson. *The Complete Book of Fruit*. North Ryde, Australia: Angus and Robertson Publishers, 1979.

—— *Fruit For the Home and Garden*, North Ryde, Australia: Angus and Robertson Publishers, 1985.

Katzen, Mollie. *The Moosewood Cookbook*. Berkely, Calif.: Ten Speed Press, 1977.

Klaper, Michael, M.D. *Pregnancy, Children, and the Vegan Diet*. Umatilla, Florida: Gentle World Inc., 1987.

—— *Vegan Nutrition: Pure and Simple*. Umatilla, Florida: Gentle World, Inc., 1987.

Kushi, Aveline. *Complete Guide to Macrobiotic Cooking*. New York, N.Y.: Warner Books, 1985.

Lappe, Frances Moore. *Diet for a Small Planet*, Tenth Anniversary Edition. New York, N.Y.: Ballantine Books, 1982.

Leavy, Herbert T., and the editors of the *Vegetarian Times*. *Vegetarian Times Cookbook*. New York, N.Y.: MacMillan Publishing Co., 1984.

Lemlin, Jeanne. *Vegetarian Pleasures*. New York, N.Y.: Alfred A. Knopf, 1986.

Madison, Deborah, met Edward Espe Brown. *The Greens Cook Book*. New York, N.Y., Bantam Books, 1987.

Mallos, Tess. *The Complete Middle East Cookbook*. New York, N.Y.: McGraw-Hill Book Company, 1979, 1982.

McDougall, John A. *McDougall's Medicine*. Piscataway, N.J.: New Century Publishers, Inc., 1985.

—— Mary A. McDougall. *The McDougall Plan*. Piscataway, N.J.: New Century Publishers, Inc., 1983.

McNair, James. *Pizza*. San Francisco, Calif.: Chronicle Books, 1987.

—— *Power Food*. San Francisco, Calif.: Chronicle Books, 1986.

Migliace, Janice Cook. *Follow Your Heart's Vegetarian Soup Cookbook*. Santa Barbara, Calif.: Woodbridge Press, 1983.

Montagna, F. Joseph. *People's Desk Reference (P.D.R.): Traditional Herbal Formulas*. Lake Oswego, Oreg.: Quest for Truth Publications, Inc. 1980.

Moody, Agatha Thrash, en Calvin L. Thrash, Jr. *Nutrition for Vegetarians*. Seale, Ala.: New Lifestyle Books, 1982.

Morash, Marion. *The Victory Garden Cookbook*. New York, N.Y.: Alfred A. Knopf, 1982.

Murietta Hot Springs Vegetarian Cookbook. The Murietta Foundation. Summertown, Tenn.: The Book Publishing Company, 1987.

Nathan, Amy. *Salad*. San Francisco, Calif.: Chronicle Books, geen datum.

'Organic Advocate', maandelijkse nieuwsbrief van Albert's Organics. Los Angeles, Calif.: mei/juni 1989. juli/augustus, 1989.

Puck, Wolfgang. *Modern French Cooking*. Boston, Mass.: Houghton Mifflin Company, 1981.

Robbins, John. *Diet for a New America*. Walpole, N.H.: Stillpoint Publishing, 1987.

Robertson, Laurel, Carol Flinders, en Brian Ruppenthal. *The New Laurel's Kitchen*. Berkeley, Calif.: Ten Speed Press, 1986.

Rombauer, Irma S., en Marion Rombauer Becker. *The Joy of Cooking*. Indianapolis, Ind.: The Bobbs-Merrill Company, Inc., 1975.

Sahni, Julie. *Classic Indian Cooking*. New York, N.Y.: William Morrow and Company, Inc., 1980.

Sandler, Sandra en Bruce. *Home Bakebook of Natural Breads and Goodies*. Harrisburg, Pa.: Stackpole Books, 1972.

Shannon, Sara. *Diet for the Atomic Age*. Wayne, N.J., Avery Publishing Group, Inc., 1987.

Shelton, Herbert M. *Food Combining Made Easy*. San Antonio, Tex.: Dr. Shelton's Health School, 1951 (27ste druk 1975).

Shopper's Guide to Natural Foods. Editors of *East West Journal*. Garden City Park, N.Y.: Avery Publishing Group, Inc., 1987.

Shurtleff, William, en Akiko Aoyagi. *The Book of Tofu*. Brookline, Mass.: Autumn Press, 1975.

Southey, Paul. *The Vegetarian Gourmet Cookbook*. New York, N.Y.: Exeter Books, 1980.

Tannahill, Reay. *Food in History*. New York, N.Y.: Stein and Day, 1973.

Tenney, Louise. *Today's Healthy Eating*. Provo, Utah: Woodland Books, 1986.

Thomas, Anna. *The Vegetarian Epicure*. New York, N.Y.: Vintage Books, 1972.

—— *The Vegetarian Epicure, Book Two*. New York, N.Y.: Alfred A. Knopf, 1979.

Tomlinson, H. *Aluminum Utensils and Disease*. Essex, England: L.N. Fowler & Co., Ltd., 1958. Herdruk 1978 door Eyre & Spottiswoode Ltd., Grosvenor Press, Portsmouth, England.

U.S. Department of Agriculture, *Handbook of the Nutritional Contents of Foods*. New York, N.Y.: Dover Publications, Inc., 1975.

Walker, N.W. *Fresh Vegetable and Fruit Juices*. Phoenix, Ariz.: Norwalk Press, 1986.

Waters, Alice. *Chez Panisse Pasta, Pizza and Calzone*. New York, N.Y.: Random House, 1984.

Webb, Tony, Tim Lang, en Kathleen Tucker. *Food Irradiation*: *Who Wants It?* Rochester, Vt.: Healing Arts Press, 1987, 1989.

Whitney, Eleanor, en Eva May Hamilton, *Understanding Nutrition,* Tweede druk St. Paul, Minn.: West Publishing Co., 1981.

Wigmore, Ann. *Recipes for Longer Life*. Wayne, N.J.: Avery Publishing Group, 1978.

—— *The Sprouting Book*. Wayne, N.J.: Avery Publishing Group, Inc., 1986.

Zamm, Alfred V., met Robert Gannon. *Why Your House May Endanger Your Health*. New York, N.Y.: Simon and Schuster, 1980.

Register